CHRÉTIEN DE TROYES

ET

SON ŒUVRE

GUSTAVE COHEN

Professeur à la Sorbonne

UN GRAND ROMANCIER D'AMOUR ET D'AVENTURE
AU XIIᵉ SIÈCLE

CHRÉTIEN DE TROYES

ET SON ŒUVRE

PARIS

BOIVIN & Cⁱᵉ, ÉDITEURS

3 ET 5, RUE PALATINE (VIᵉ)

1931

DU MÊME AUTEUR

Histoire de la mise en Scène dans le Théâtre religieux français du Moyen Age. Paris, Champion 2ᵉ éd., 1926, in-8°, pll.

Mystères et Moralités du Manuscrit 617 de Chantilly. Paris, Champion, 1920, in 4° pll (couronné par l'Académie des Inscriptions et Belles-Lettres : Prix LAGRANGE).

Le Livre de Conduite du Régisseur et le Compte des Dépenses pour le Mystère de la Passion joué à Mons en 1501. Strasbourg, Publications de la Faculté des Lettres, et Paris, Champion 1925, in 8°, pll. (couronné par l'Académie des Inscriptions et Belles-Lettres : Prix SAINTOUR).

Le Théâtre en France au Moyen Age : I. Le Théâtre religieux. Paris, Rieder, 1928, in-12, pll.

Écrivains français en Hollande dans la première moitié du XVIIᵉ siècle. Paris, Champion, 1920, in-8°, pll. (couronné par l'Académie française : Grand Prix BROQUETTE-GONIN).

Ronsard, sa vie et son œuvre, Paris, Boivin, 4ᵉ édition, 1928, in-12.

SOUS PRESSE :

Le Champ fleury de G. TORY, Paris, Ch. Bosse.

La Comédie latine au Moyen Age. Paris, Les Belles-Lettres, 2 vol. in-8°.

EN PRÉPARATION :

Le Théâtre en France au Moyen Age : II. Le Théâtre profane. Rieder.

Écrivains français en Hollande dans la seconde moitié du XVIIᵉ siècle.

A JOSEPH BÉDIER

au Maître,

au Savant,

à l'Artiste,

à l'Ami,

en témoignage d'admiration
et d'affectueuse gratitude.

Chrétien de Troyes et son œuvre

CHAPITRE PREMIER

INTRODUCTION

LE XIIe SIÈCLE

AGE D'OR DE LA LITTÉRATURE FRANÇAISE MÉDIÉVALE ET PRÉRENAISSANCE FRANÇAISE.

Toute époque littéraire ou tout écrivain est capable de métempsycose, je veux dire de plusieurs existences successives, la première réelle, en chair et en sang, les suivantes, irréelles et cependant présentes, fantomatiques un peu, mais non sans action sur les générations dont l'intelligence et la sensibilité, pour un moment, les ressuscite. Que l'image d'une époque ainsi évoquée, comme dans le cercle magique, ne soit pas exactement semblable à ce qui fut réalité vivante, cela n'est pas douteux, mais qu'est-ce que la réalité ? Les contemporains se voient-ils et se jugent-ils bien entre eux ? Accessibles à l'apparent, au momentané, à l'accidentel, le sont-ils autant à l'éternel et au permanent et, de fait, sont-ils capables de distinguer l'un de l'autre ? Il arrive donc que le reflet du passé dans le miroir de la postérité peut faire apparaître des linéaments essentiels ou des couleurs d'abord inaperçues, pareilles à celles que révèle le prisme, mais il peut y avoir déformation aussi par transposition inverse, une génération se plaisant à projeter dans le passé son idéal pour mieux maintenir celui-ci en immatérialité.

Apparition en clair de traits préexistant en puissance seulement, assoupissements prolongés comme le sommeil de la Belle au Bois dormant, revêtement de modes successives, ainsi que sur ces portraits de l'ancienne Rome dont les peintres, à chaque génération, changeaient les coiffures, éclairage pro-

> Je vous invoque ici, Moines apostoliques,
> Chandeliers d'or, flambeaux de foi, porteurs de feu,
> Astres versant le jour aux siècles catholiques,
> Constructeurs éblouis de la maison de Dieu

et qu'un Maeterlinck fera s'alanguir dans des châteaux sombres ses princesses grelottantes aux traits de rêve et à la voix d'au-delà, ses princes hagards, ses mendiants errants et prophétiques (1).

Plus près de nous, Péguy composera *Le Mystère de la Charité de Jeanne d'Arc* (1910), Claudel, son *Annonce faite à Marie* (1912) et enfin, de nos jours, après les quelque dix années de Renaissance néoclassique par lesquelles a débuté le XX° siècle, nous assistons à un véritable renouveau du moyen âge, manifesté d'une part par des œuvres originales, comme celles d'Henri Ghéon (2) et d'Arnoux, d'autre part et surtout par des transpositions consciencieuses de productions littéraires médiévales, lesquelles, à en juger par leur multiplication, ne doivent pas laisser de rencontrer la faveur du grand public.

Celui qui mérita de la trouver le premier fut Joseph Bédier, qui, non content d'être, depuis sa thèse sur les *Fabliaux* (1893), le plus marquant disciple de Gaston Paris, ne craignit pas de mettre sa science au service des lettres et, combinant ou adaptant les fragments conservés, restitua *Le Roman de Tristan et d'Iseul* et le rendit à la France, auquel Richard Wagner l'avait ravi. Ce *Tristan*, qui parut en 1900, et a atteint aujourd'hui en 1929 sa 280° édition, sans parler de ses traductions en beaucoup de langues et des tirages de luxe, peut être considéré comme le modèle, d'ailleurs inimitable, de toutes les adaptations postérieures d'œuvres du moyen âge, dont voici une liste sommaire (3), qui n'est pas sans enseignement :

(1) Cf. G. Cohen, *Le Conflit de l'Homme et du Destin dans le théâtre de Maeterlinck*, dans *Revue du Mois*, 1912. Les noms de ces classiques français doivent se prononcer : *Verharène, Materlink.*

(2) Par exemple, *Le Pauvre sous l'Escalier* (1921), (d'après notre vieux *Saint Alexis*, du XI° siècle), *Jeux et Miracles pour le peuple fidèle* (1922), *La merveilleuse Histoire du jeune Bernard de Menthon*, Paris, 1924, in-12.

(3) Cf. J. Longnon, *Le renouveau du roman du moyen âge*, dans la *Revue de France*, 15 juin 1921, et M. Roques, dans la *Romania*, 1927, p. 158, 1923, p. 319. Il serait injuste de ne pas évoquer dans ce domaine les adaptateurs de la seconde moitié du XIX° siècle, précurseurs des nôtres : français, comme Paulin Paris, *Les Romans de la Table Ronde* (Paris, Techener, 1868-1877, 5 vol. in-12) ; hollandais, comme Jonckbloet (*Guillaume d'Orange*, Amsterdam, van Kampen, 1867, in-8), allemands comme Wilhelm Hertz (*Spielmannsbuch*, Stuttgart, Cotta, 1886, un vol. in-12). L'Allemagne d'au-

I. Collection médiévale (Paris, Boivin et Cⁱᵉ, in-16.)

ANDRÉ MARY : *La Chambre des Dames*, 1922.
— *Erec et Enide. Le Chevalier au Lion*, 1923.
— *Le roman de l'Ecouffle*, 1925.
 La Loge de feuillage (Erate, Cligès, Guill. d'Angle-terre), 1928.
— *Les Amours de Frêne et Galeran*, suivies du *Bel Inconnu*, Paris, Crès, 1920, in-12.
LOUIS BRANDIN : *Berthe au grand pied, d'après deux romans en vers du XIIIᵉ siècle*, 1924.
— *La Chanson d'Aspremont, d'après un poème du XIIIᵉ siècle*, 1925.

II. Poèmes et Récits de la Vieille France (Paris, de Boccard, in-18) publiés sous la direction de A. Jeanroy.

A. JEANROY : *Le Théâtre religieux en France du XIᵉ au XIIIᵉ siècle*, 1924, suivi du *Théâtre édifiant aux XIVᵉ et XVᵉ siècles*, par Schneegans.
— *La Geste de Guillaume Fierebrace et de Rainouart au Tinel, d'après les poèmes des XIIᵉ et XIIIᵉ siècles*, 1924.
A. JEANROY (Mᵐᵉ) : *Le Roman de Renard*, 1926 ; *Le Roman de la Rose*, 1928.
E. LANGLOIS : *Le Jeu de la Feuillée et le Jeu de Robin et Marion* d'Adam le Bossu, 1923.
M. LOT-BORODINE : *Erec et Enide, roman d'aventures du XIIᵉ siècle*, de Chrétien de Troyes, 1924 ; *Vingt Miracles de Notre-Dame*, 1929.
G. MICHAUT : *Le Roi Flore et la Belle Jeanne. Amis et Amiles. Contes du XIIIᵉ siècle*, 1923 ; *La Comtesse de Ponthieu*, 1928.
— *Aucassin et Nicolete*, Paris, Fontemoing, 1901.
J. AUDIAU : *La Chanson de la croisade contre les Albigeois*, 1924.
ANGLADE : *Le Roman de Flamenca*, 1926.
M.-L. SIMON (Mᵐᵉ) : *Les Quinze joies du Mariage*, 1929.

III. Épopées et légendes, Paris, H. Piazza.

J. BÉDIER : *Le Roman de Tristan et Iseut*, 280ᵉ édition, 1929.
— *La Chanson de Roland*, 73ᵉ édition, 1928.
 La Châtelaine de Vergi, 8ᵉ édition, 1927.
A. PAUPHILET : *La Roue des Fortunes royales, ou la Gloire d'Artus, empereur de Bretagne*, 1ʳᵉ édition, 1925.
TUFFRAU : *La Légende de Guillaume d'Orange*, 34ᵉ édition, 1926.
 Les Lais de Marie de France, 1923, 24ᵉ édition, 1925.
 Raoul de Cambrai, Chanson de geste, Paris, l'Artisan du Livre, 1924.
— *Le merveilleux Voyage de Saint Brendan à la recherche du Paradis, légende latine du IXᵉ siècle*, 1925.
JEAN MARCHAND : *Le Roman de Jehan de Paris*, 7ᵉ édition, 1924.
ARNOUX (Alex.) : *La Légende du roi Arthur et des Chevaliers de la Table ronde*, 1920.
— *Huon de Bordeaux*, mélodrame féerique, Paris, Crès, 1922.

jourd'hui, toujours attentive à ce qui se passe chez nous, suit le mouvement et donne, par exemple, une adaptation du *Roman de la Rose* de Guill. de Lorris, par Fährmann-Gregor-Winkler (Vienne, Strache, 1922, in-8°), tandis que l'Amérique nous fournit un *Tristan and Ysolt* by Thomas of Britain, dû à M. Roger Sherman Loomis, New-York, Dutton, 1923, in-8° Il faut faire une place enfin à Ch. V. Langlois, *La Vie en France au moyen âge*, Paris, Hachette, 1924-1927, 3 vol. in-8°.

IV. Les Romans de la Table Ronde adaptés par Jacques Boulenger, Paris,
Plon-Nourrit, in-12 (1).

> L'Histoire de Merlin l'Enchanteur. — Les Enfances de
> Lancelot, 1922.
> Les Amours de Lancelot du Lac. — Galehaut, sire des Iles
> lointaines, 1923.
> Le Chevalier à la Charrette. — Le Château aventureux,
> 1923.
> Le Saint Graal. La Mort d'Artus, 1923, 28° éd., 1925.

V. Contes héroïques de Douce France, Paris, Larousse, in-12.

> Flore et Blanchefleur. Berthe aux grands pieds ; texte
> adapté p. Marie Butts.
> Les Infortunes d'Ogier le Danois, id.

VI. Librairie Armand Colin, in-12.

H. CHAMARD :   La Chanson de Roland, traduction nouvelle d'après le
                  manuscrit d'Oxford, 1919.
     —   Le Mystère d'Adam, drame religieux du XII° siècle,
                  1925.

VII. Payot, à Paris.

ANDRÉ MARY :   Le Roman de la Rose, 1928. Le Livre des Saintes Paroles
                  et des bons Faits de Notre Saint Roi Louis, 1928.
L. CHAUVEAU :   Le Roman de Renard, 1925.

Donc, en six ans, plus de quarante–deux adaptations dans les
genres les plus divers, constitution de sept collections exclusivement consacrées à celles-ci, sans parler de tentatives isolées
comme, par exemple, La Queste du Saint-Graal translatée des
manuscrits du XIII° siècle par A. Pauphilet, Paris, la Sirène, 1923 ;
restitution de la Grande Pastorale par Gémier au Cirque d'Hiver
et des Miracles de Notre-Dame par Yvette Guilbert au théâtre
Édouard VII en 1924, Le Mystère d'Adam joué par le Plateau, en 1929, apparition sur l'écran de films médiévaux, Le
Roman de Tristan et Yseult, Notre-Dame de Paris, La Tour de
Nesle, Le Miracle des Loups (1924), L'Esprit de la Chevalerie
(d'après W. Scott) (1925), autant de signes évidents d'une
vogue, d'une mode qu'il faut tenter d'expliquer.

Il semble qu'on ne se trompera guère en l'attribuant, avant
tout, à un obscur désir d'échapper à l'angoisse, aux incertitudes, aux difficultés de l'heure présente. Se fuir soi-même, se
réfugier, loin des préoccupations matérielles, dans l'irréel, telle
paraît être la préoccupation de l'homme d'aujourd'hui et surtout de la femme, ce lecteur par excellence et par loisir. Or, où
et dans quel coin de notre vaste domaine littéraire trouver ce

----

(1) Voir la critique d'André Thérive dans Les Portes de l'Enfer, Paris,
Bloud, 1924.

refuge inaccessible ? Le symbolisme est trop impénétrable, le Parnasse trop dur, le Romantisme trop grandiloquent, l'école de Rousseau trop larmoyante, le Voltairianisme trop sec, le Classicisme trop ordonné et trop rationnel. Le XVIe siècle ? On pourrait y songer, pourtant il a peut-être trop de force, trop de puissance vitale, il lasserait notre faiblesse, mais le moyen âge inconnu, assez sombre pour servir d'asile, assez sensible pour consoler, assez imaginatif surtout, d'une débordante imagination d'enfant, qui fait de son jeu le réel, ne serait-ce pas lui l'enchanteur, qui verserait l'oubli de l'heure ?

Multiples sont les trésors que pour nous il accumula : une foi profonde et ingénue, pétrie d'émouvante légende et de radoteuse théologie, un patriotisme naissant qui, suivant la belle expression de Joseph Bédier, inventa la caresse de ces mots : *douce France, France la douce, lerre majour* [terre des aïeux], un sentiment très vif de l'honneur, une charité active et enthousiaste, une bravoure un peu folle, le goût de l'aventure, le culte de la femme, la scolastique de la passion, le besoin de proclamer et de propager tout cela à travers le monde, et, par-dessus tout, cette prodigieuse imagination, créatrice de formes d'art inédites, de formules sociales nouvelles et d'innovations économiques.

Car, en dehors de toute mode et de tout sentiment, c'est simplement œuvre de justice que d'arracher le moyen âge aux arcanes de la philologie et de la diplomatique, de le rendre accessible à tous, au lieu d'en faire l'objet d'une science fermée et abstruse. Il faut le rendre intelligible et sensible, le décaper aussi de la rêverie ignorante qui en déforme la vraie figure, et *le faire entrer dans le plan de la littérature française,* avec toute sa variété, ses costumes chatoyants, sa pensée un peu balbutiante, mais parfois profonde, ses sentiments souvent contradictoires mais toujours spontanés, ses inventions débordantes et souvent désordonnées. De telle sorte que nos origines littéraires puissent apparaître à l'esprit, non comme quelque chose de séparé et d'insolite, étranger à notre propre substance, qui serait uniquement classique, mais comme la naturelle genèse de la Renaissance qui en est issue, malgré la valeur de la révolution humaniste dans la grande œuvre de libération de la raison et de laïcisation de l'humanité. Ce n'est pas diminuer la valeur de cette Renaissance que de retrouver au delà d'elle le substrat de notre société moderne, sur laquelle elle-même repose.

Ce substrat, il n'est pas difficile de le découvrir, en creusant un peu sous la surface, dans le domaine politique, religieux, artistique, linguistique, littéraire et sentimental, si essentiel que, plus justement que tel héros d'un mélodrame dont la scène se passait au XVe siècle, chacun de nous pourrait s'écrier : « Je suis un homme du moyen âge ! »

Dans l'ordre économique en effet, foires et marchés, lettres de change, corporations (première ébauche de nos actuels syndicats), capitalisme, patronat, prolétariat, organisation et réglementation du travail libre, suppression du servage, constitution de la grande industrie et des hanses pour le commerce international, autant de créations de cette époque.

Dans l'ordre politique et social, la féodalité, dont nous avons conservé mainte trace et mainte notion (vassalité, suzeraineté, parrainage, hommage, sentiment d'honneur), l'organisation municipale, la commune avec son maire, ses adjoints, son conseil ; la royauté ; les assemblées parlementaires, les chartes constitutionnelles.

Dans l'ordre religieux, l'organisation actuelle de l'Église et les grands ordres religieux.

Dans l'ordre artistique, la peinture à l'huile, la musique polyphonique moderne avec sa notation et ses instruments, la sculpture réaliste et humaine sans déclamation, qu'ont tant aimée Rodin et Bourdelle, l'architecture gothique, qui nous donna la Bible de pierre d'Amiens, le poème animé de Chartres, le missel taillé de Bourges.

Dans l'ordre linguistique, toutes nos langues modernes, et en particulier la nôtre, avec le charme de ses sonorités, le système simplifié de sa morphologie, la sobre richesse, toute en nuances, de son vocabulaire, la tendance analytique de sa syntaxe.

Dans l'ordre littéraire, la plupart des principaux genres qui ont continué à être pratiqués par la suite avec des modalités diverses : l'épopée, le roman, le conte, la mise en scène, la poésie lyrique et le vers, qui en est l'organe, avec tous nos mètres, les rimes, les strophes (1).

Dans l'ordre sentimental, la foi collective qui soulève une nation

---

(1) Cf. A. JEANROY, *Les Origines de la Poésie lyrique en France au moyen âge*, troisième édition, Paris, Éd. Champion, 1925, in-8°; Thieme, *Essai sur l'Histoire du vers français*, Paris, Champion, 1916, un vol. in-8°; Martinon, *Les Strophes*, 1910, in-8°.

pour une entreprise de défense ou de conquête, le sentiment national (pensez à *La Chanson de Roland* au xie siècle, à Jeanne d'Arc au xve), le sentiment religieux qui pénètre de ferveur l'incroyant lui-même dans la cathédrale, le culte de la femme, notre conception même de l'amour. *Le moyen âge c'est le premier âge.*

Fort bien, mais en raisonnant sur celui-ci comme nous venons de le faire, nous avons commis la même erreur d'optique historique que la Renaissance à l'égard de l'antiquité, nous l'avons trop considéré comme une statue unique tirée en bloc du moule des temps et non comme un long, lent et vivant devenir. Il faut se persuader, et cela est aussi difficile qu'évident, que le moyen âge, envisagé au point de vue de son activité littéraire, comprend, à lui seul, autant de siècles, xiie, xiiie, xive, xve —, que la littérature moderne, — xvie, xviie, xviiie, xixe — et que ces siècles de production médiévale, quantitativement sinon qualitativement équivalents à ceux qui sont plus près de nous, ont chacun leur individualité propre, qu'il importe de dégager au même titre que la leur. Le siècle même étant une unité encore trop vaste, il y a lieu souvent de le diviser en tranches égales ou inégales, étant entendu que la limite séculaire ou semi-séculaire purement conventionnelle, peut aisément être franchie, qu'un genre créé dans une période se prolonge souvent dans une période suivante, et que ce sont les filons enchevêtrés d'une coupe géologique, d'abord minces, puis enflés, ensuite se rétrécissant sous l'écrasement des autres, qui fournissent l'image la plus adéquate au développement des genres.

Ainsi donc, de même que nous devons faire effort pour replacer le moyen âge dans le plan de la littérature française, de même nous devons *dissocier en nous cette première notion* pour la scinder *en une succession de siècles, ou de demi-siècles,* et donner à chacun, dans notre esprit, son image propre, sa figure individuelle, de telle sorte que nous reconnaissions immédiatement une œuvre qui lui appartient, au même titre que nous en distinguons une du xviiie d'une du xviie, le Louis XV du Louis XIII, l'ogival du roman. Car, chose étrange, en fait d'architecture et de peinture médiévales, l'œil du public est bien mieux exercé que ne l'est son sens littéraire, et un long effort sera nécessaire de sa part et de celle de ses guides, pour que chaque époque de ce temps lui apparaisse d'emblée avec ses caractères et sa physionomie propres. Ne posons donc pas, dès à présent, en vue de cette action de longue durée, des généralisations prématurées, et contentons-nous, cette fois, de nous établir dans un siècle ou, plus modestement, dans un demi-siècle, mais qu'on peut nommer à bon droit, pour l'élégance et la pureté de son style, la richesse et la finesse de son imagination romanesque, *l'âge d'or de la littérature française médiévale*, je veux dire la seconde moitié du xii° siècle. Cristallisons en quelque sorte les notions que nous pouvons rassembler sur elle autour de la figure énigmatique et séduisante, narquoise, mais capable d'é-motion, fine et raisonnable comme il convient à un Champe-nois, du plus célèbre romancier d'un âge qui en compte tant, l'un des créateurs les plus authentiques du genre : Chrétien de Troyes (1).

Quand je dis célèbre, je pense à son époque ou bien je songe à l'Allemagne, à l'Angleterre, à l'Amérique érudite, de nos jours. Il n'est pas un étudiant de lettres d'au delà du Rhin qui l'ignore, il n'est presque pas un étudiant de chez nous qui le connaisse, et cela est profondément regrettable. Remarquez qu'il ne s'agit pas d'une de ces réputations « made in Germany », comme celle du comte de Gobineau (2), pour les besoins d'une cause. Chrétien de Troyes, Kristian von Troyes, ainsi qu'on l'a disgracieusement naturalisé là-bas, a été le maître qu'ont imité ou traduit les plus grands conteurs allemands ses contempo-rains, un Wolfram von Eschenbach, un Eilhart d'Oberg, un Gottfried de Strasbourg. Il s'agit, dans son cas, d'un choix fait par la science germanique qui, si elle avait, jusqu'à 1914, le défaut d'ignorer à peu près ou de négliger la littérature fran-çaise moderne (3), a le mérite, qu'on ne saurait lui contester, d'avoir plus travaillé sur le moyen âge français que nous. Si donc l'on demande où il faut lire les œuvres du fameux romancier, on est forcé de renvoyer à la seule édition commode que nous en possédions, soit à la petite in-12, soit à la grande in-8°, dues toutes deux à feu le professeur Wendelin Foerster, de l'Univer-sité de Bonn, qui voua son existence à Chrétien de Troyes et qui, en faveur et à la gloire de son héros, rompit mainte lance avec Gaston Paris, ce dernier moins persuadé que lui, à cause d'une éducation trop classique, des mérites, de l'originalité et du génie du vieux Champenois. Amour touchant qu'il ne nous est

(1) Sur la forme ancienne du nom, voir ce qui sera dit plus loin.
(2) Cf. le livre de mon regretté collègue M. Lange, *Le comte Arthur de Gobineau*, Strasbourg, Istra, 1924, in-8°.
(3) Il n'en est plus ainsi aujourd'hui, témoin les livres et l'enseignement des R. Curtius, des Lerch, des Hatzfeld et des Klemperer.

pas permis de trouver ridicule, car la ferveur que suscite au
dehors une œuvre française témoigne des qualités humaines de
notre esprit et de sa puissance de sympathie. En attendant
l'édition que Maurice Wilmotte a promise aux Classiques français du moyen âge de Mario Roques (1). ¬ .e j'appelle de mes
vœux et qui aura sur la précédente l'avantage d'être un peu moins
de Foerster et un peu plus de Crestien, respectant davantage
les leçons du meilleur manuscrit, amendé au besoin à l'aide
des autres versions, nous renverrons donc à l'édition de la
Romanische Bibliothek, chez Niemeyer, à Halle.

Je ne voudrais pas cependant donner l'impression qu'il n'y
a que des livres allemands à consulter. Sans doute, il est
nécessaire de citer l'indigeste, mais indispensable *Grundriss der
romanischen Philologie* qui, au tome II (Strasbourg, Trübner,
1902), contient une histoire de la littérature française due à
G. Gröber, la *Geschichte der französischen Literatur* de Suchier et
Birch-Hirschfeld (Leipzig, Bibliographisches Institut, 2e édition, 1913, 2 vol. in-8º) et l'*Einführung in das Studium der altfranzösischen Literatur* de Voretzsch qui a atteint en 1925 sa
3e édition (Halle a-S., Niemeyer), complément de son *Einführung*,
etc., *der altfr. Sprache*, mais il serait inouï d'oublier les travaux
de Gaston Paris, dont J. Bédier et M. Roques ont dressé la
Bibliographie (Paris, 1904, in-8º), sa *Littérature française au
moyen âge* (4e éd., Paris, Hachette, 1909, in-12), sa *Poésie du
moyen âge* (*ibid.*, 1893, 2 vol. in-12), ses *Poètes et Prosateurs du
moyen âge*, sa *Chrestomathie du moyen âge* (*ibid.*), ni enfin les
Mélanges de littérature française du moyen âge (Paris, 1910-1912,
2 vol.). Ne serait-ce pas aussi, de ma part surtout, une impar-
donnable ingratitude, que de ne pas mentionner ici ceux de
son émule, mon vieux maître Paul Meyer, dispersés dans les
cinquante-cinq tomes de la *Romania* et les publications de
l'Institut, en particulier dans la continuation de l'*Histoire littéraire de la France*, entreprise par les Bénédictins du xviiie
siècle ?

Il est bon de dire aussi que les grandes histoires récentes de
la littérature française font au moyen âge la large place que je
demandais tout à l'heure. Dans celle de Petit de Julleville, il
occupe les deux premiers volumes. *L'Histoire de la Nation fran-*

(1) Paris. éd. Champion, et dont il n'a paru encore que le seul *Guillaume
d'Angleterre*, 1927.

çaise de Gabriel Hanotaux lui consacre un des deux tomes du volume *Lettres*, et le confie à la plume de J. Bédier, A. Jeanroy, Picavet (Paris [1921], in-4º). *L'Histoire illustrée de la Littérature française* de G. Lanson (Paris, Hachette, 1923, 2 vol. in-4º) lui accorde 174 pages sur 936 et celle de J. Bédier et P. Hazard (Paris, Larousse, 1923, 2 vol. in-4º) 125 pages sur 670, dues à Bédier lui-même et à deux spécialistes, L. Foulet et Edm. Faral. C'est là qu'on peut trouver l'image la plus récente et la plus fidèle de l'époque entière. Sur l'histoire particulière du roman, M. Wilmotte, comme en maint autre domaine, a frayé la voie par son *Évolution du roman français aux environs de 1150* (Paris, Bouillon, 1903) et l'on doit à Edm. Faral un volume intitulé *Recherches sur les sources latines des Contes et Romans courtois du moyen âge* (Paris, Champion, 1913, in-8º).

Sur Chrétien de Troyes lui-même, je vois surtout à recommander, outre le bref chapitre III du tome I de J.-D. Bruce, *The Evolution of the Arthurian Romance from the Beginnings down to the year* 1300 (Göttingen, Vandenbroeck et Ruprecht, 1923, 2 vol. in-8º, 2e éd. par A. Hilka, 1928), l'introduction de W. Foerster en tête de Kristian von Troyes, *Wörterbuch zu seinen sämtlichen Werken* (Halle a /S., in-12 Niemeyer, 1914) et la thèse de Myrrha Borodine (aujourd'hui, Mme Ferdinand Lot), *La Femme et l'Amour au XIIe siècle d'après les poèmes de Chrétien de Troyes* (Paris, Picard, 1909, in-8º), sa traduction d'*Erec et Enide*, dans la collection Jeanroy de chez Boccard (in-18, 1924), à côté de laquelle il faut placer celle qu'André Mary a donnée, chez Boivin, du même roman et du *Chevalier au Lion* (1923, in-16), l'une et l'autre précédées d'une introduction, ainsi que les *Arthurian Romances* by Chrétien de Troyes, translated by M. Comfort (1).

Avant de pénétrer à notre tour dans cette œuvre qui, malgré ces travaux d'approche, reste pour tant de nos contemporains *terra ignota*, il ne sera peut-être pas inutile de nous remémorer dans quel cadre historique et politique et dans quelles circonstances favorables elle va se développer.

La royauté capétienne s'est affirmée, et Louis VI le Gros est quelque chose de plus déjà qu'un comte de Paris et duc de France. Il s'efforce d'étendre progressivement son autorité sur ses loin-

---

(1) Londres, Dent, 1913, avec une bibliographie suffisante jusqu'à cette date, pp. XVIII, 373-377. On la trouvera dans nos notes, poussée jusqu'à 1930, pour chaque œuvre dont il est question ici.

tains vassaux du Nord, du Sud et de l'Ouest, peu soucieux de lui obéir. En 1137, se présente à lui une incomparable occasion : Guillaume X de Poitiers meurt au cours d'un pèlerinage à Saint-Jacques de Compostelle. Nous sommes encore en plein vent de Croisades, ces Chansons de geste réalisées, ou ces pèlerinages à main armée. Avant de rendre le dernier soupir, il recommande à ses barons de marier sa fille aînée Aliénor au fils du roi de France, le futur Louis VII. Sa dot sera d'importance, car cette princesse est l'arrière-petite-fille de Gui-Geoffroy, comte de Poitiers, qui, en 1070, conquit l'Aquitaine ou Guyenne, et comprendra en outre le Bordelais, le Limousin, le Périgord, le Quercy, l'Agenais et la Gascogne, avec les Landes, la Soule, le Gers, l'Ariège. De son grand-père Guillaume IX (1071-1127), le premier des troubadours, elle tient, non pas des territoires nouveaux, mais des acquisitions spirituelles, le goût de la poésie, des poètes qui la créent, une libre fantaisie et une indépendance de caractère, qui ne craint même pas les foudres toujours brandies de l'Église.

En juillet 1137, Louis le Jeune, qui, à cette époque, mérite encore ce nom, car il n'a pas vingt ans, étant né en 1119, accompagné d'une cour de hauts barons, d'archevêques et d'évêques, quitte les bords de la Seine par la route d'Orléans et, le 22, épouse, à Bordeaux, Aliénor ou Éléonor, qui a deux ou trois ans de plus que lui (1), plus femme par conséquent que lui n'est homme. Huit jours après, Louis VI étant mort le 1er août, il sera roi, mais tout roi qu'il est, il l'aimera, non comme il convient à un souverain qui a besoin d'un héritier, mais en amant, d'une tendresse passionnée et jalouse, *amore immoderato*, écrit Jean de Salisbury. Elle, la fille du Midi, passionnée aussi, mais légère et sensuelle, habituée à la vie facile du Sud, trouve trop grave cette cour du Nord, où règnent les prêtres. Elle encourage le roi à résister à l'Église, au sage et intelligent conseiller Suger, le moine-artiste de Saint-Denis (2) et à saint Bernard. Cependant, éprise de gloire non moins que de poésie, elle ne met pas obstacle à l'organisation de la seconde Croisade (1145). Saint Bernard réveille à Vézelay l'enthousiasme de Clermont. Il écrit au pape : « J'ai parlé et aussitôt les Croisés se sont multipliés à l'infini.

(1) Cf. Luchaire dans *Hist. de France* de Lavisse, t. III, 1re partie, pp. 1 et s. V. aussi A. Fliche, *La Chrétienté médiévale*, Paris, de Boccard, 1929, in-8°.
(2) Cf. É. MALE, *L'Art religieux du XIIe siècle en France*, Paris, Colin ; 1922, un vol. in-4°, chap. v, pp. 151-185.

Les villages et bourgs sont déserts. Vous trouverez difficilement un homme contre sept femmes. On ne voit partout que des veuves dont les maris sont encore vivants. » Tel est l'esprit du peuple. Il n'est pas sûr que, dans les classes supérieures, la foi soit aussi neuve et vibrante et que le sentiment de l'honneur et le goût de la gloire n'aient pas eu part dans *la grande aventure* que constitue pour elles la Croisade. Toujours est-il que l'effort est plus raisonné, plus calculé, mieux ordonné qu'il ne fut, à la fin du siècle précédent, sous Godefroy de Bouillon : 70.000 Français, presque une armée nationale, et non plus des irréguliers. Le pape a défendu aux Croisés de traîner après eux faucons, chiens, femmes et chambrières. Est-ce que cet abandon conjugal ne serait pas pour beaucoup dans le développement du culte de la femme et de l'amour dans la seconde moitié du XIIe siècle ? Le seigneur parti, la femme est reine ; le mari absent, l'amant est roi. Louis VII, lui, emmène Aliénor, non par défiance certes, mais par affection. Le Seigneur des Seigneurs échappe à la loi.

Les Croisés traversent l'Allemagne, dont, au dire d'un historien, les Français méprisaient les barons, se moquant de la pesanteur de leur armure, de la lenteur de leurs mouvements, leur criant : « Pousse, Allemand ! » La chronique représente ces derniers comme pillards et ivrognes. Il est vrai que le recrutement n'était pas très scrupuleux, puisque saint Bernard écrivait à ceux de Spire : « N'est-ce pas invention exquise et digne du Seigneur d'admettre à son service des homicides, des ravisseurs, des adultères, des parjures, à qui s'offre ainsi une occasion de salut ? » Comment s'étonner s'ils le cherchaient parfois, ce salut, aux dépens des changeurs d'or grecs, malgré l'énergique répression de Louis VII ?

Celui-ci arrive sans trop d'encombre à Antioche, où, par malheur, le rejoint Raymond d'Aquitaine, oncle de la Reine (mars 1148). Il avait avec elle des entretiens si fréquents et si longs que le Roi, naturellement jaloux, en prit ombrage. Les soupçons augmentent, quand elle refuse de le suivre, alléguant ne pouvoir plus vivre avec lui, sous prétexte qu'elle est sa parente aux quatrième et cinquième degrés. Elle eût pu s'en aviser un peu plus tôt. Excité par ses conseillers, surtout par l'eunuque Thierri Galeran, dont la Reine se moquait souvent (le *losengier* ou traître n'est pas uniquement un personnage de roman !), le Roi emmène de force son épouse à Jérusalem (1), pour tenter de l'arracher à

(1) J. DE SALISBURY, *Historia Pontificalis*, citée par Luchaire, *loco laud*.

la séduction du *Jardin sur l'Oronte* (1) et, après un long séjour
dans la Cité sainte, rappelés par Suger, ils rentrent en France,
riches seulement d'un menu billon de gloire et des reliques de
leur bonheur fané. Suger meurt, le 13 janvier 1151. Plus de sagesse au pied du trône, franc jeu aux médisances et aux passions.

L'année suivante, le 21 mars, au château de Beaugency-sur-
Loire, l'archevêque de Sens mande les deux époux ; les parents
du Roi affirment sous serment, ou plutôt sous faux serment,
artificiose juramento, la « consanguinité », qui est la forme
religieuse ou le prétexte du divorce dans l'Église. Le lien du
mariage est dissous, la nullité du sacrement prononcée, Aliénor
libre regagne son Aquitaine libérée. Elle laisse à son époux, non
pas un héritier mâle, mais deux filles, Marie, la future comtesse
de Champagne, et protectrice de Chrétien de Troyes, et Alix,
la future comtesse de Blois. Elle n'était pas femme à rester
longtemps sans époux et sans prince. Au mois de mai 1152, elle
épouse le jeune Henri Plantagenet [plante de genêt], qui a dix
ans de moins qu'elle, mais dont la charpente était robuste et
carrée autant que celle de Louis était frêle : bras musclés, cheveux
roux, yeux gris, où s'allumaient de brusques colères. Il était
comte d'Anjou et duc de Normandie, deux griffes au flanc de
l'Ile-de-France. Le Roi pour se venger les saisit, mais aura-t-il
la force de les garder ?

Or voici qu'en novembre 1154, Henri d'Anjou, fils de Geoffroy Plantagenet et de l'impératrice Mathilde, veuve d'Henri V,
hérite d'Étienne de Blois la couronne d'Angleterre. Le jeune
souverain sera maître de Londres, Rouen, Angers et Bordeaux.
Un nouveau roi de France se lève à l'occident. Comble de fortune,
Aliénor lui a, l'année précédente, donné un fils, Henri, ce dont il
la récompensa par de multiples infidélités. Elle s'en vengea plus
tard en soulevant contre lui, en 1173, ses fils, Henri de Normandie, Richard d'Aquitaine et Geoffroy de Bretagne, que soutient son ancien mari Louis VII.

Le fils de ce dernier, Philippe-Auguste, né en 1165, d'un second
mariage en 1160 avec Adèle de Champagne, sacré dès le 1er novembre 1179, et monté sur le trône le 19 septembre 1180, à
quinze ans, suivit la même politique, mais avec plus d'astuce
encore. Il se lie d'abord avec Henri de Normandie, puis avec

---

(1) Je fais allusion au roman de M. Barrès portant ce titre (1922), et
où il décrit l'envoûtement des Croisés par ces terres de volupté ardentes
encore du culte d'Adonis.

Richard Cœur de Lion, l'excitant contre son père Henri II,
qui mourut le 6 juillet 1189. Le 20, Richard se fait couronner à
Rouen et le 3 septembre à Londres. L'année suivante, en juillet
1190, les deux jeunes rois partent ensemble par mer pour la
Croisade, où les accompagne le puissant comte de Flandre, Philippe d'Alsace, un nom que nous retrouverons mêlé à la vie de
notre Chrétien.

Après le siège de Saint-Jean d'Acre, qui capitule le 13 juillet
1191, et où Philippe d'Alsace meurt de la peste, Philippe-Auguste
revient précipitamment pour se saisir de l'Artois, apanage d'Isabelle de Hainaut, son épouse, nièce du défunt comte, et fêter
la Noël à Fontainebleau. Richard, au retour, est fait prisonnier
par le duc d'Autriche, Léopold, auquel il n'échappa qu'au début
de 1194. On se demande si Philippe-Auguste ne serait pas pour
quelque chose dans la prolongation de cette captivité, dont la
poésie lyrique eut les échos et qui servait si bien les intérêts de
sa couronne, car, poursuivant sa politique de division, après
avoir soutenu les fils contre le père, il soutenait alors un frère
puîné, Jean sans Terre, contre l'aîné. La guerre entre cet Étéocle
et ce Polynice dura cinq ans. Richard se réconcilie avec Jean et
meurt, le 26 mars 1199, mais le couronnement de ce dernier ne
marque pas la fin de la lutte avec l'astucieux roi de France, qui
suscite, au nouveau souverain, un nouveau rival en la personne
d'un neveu, Arthur de Bretagne, assassiné, en 1203, à Rouen.
Est-ce encore la main de Philippe ? Toujours est-il que
celui-ci s'empare de la Normandie, coupant ainsi en deux le
redoutable empire tentaculaire des Plantagenets, tandis qu'Éléonore meurt à l'abbaye de Fontevrault, en 1204.

Ainsi, du seul point de vue politique, la seconde moitié du
XIIe siècle est dominée par la rivalité de deux dynasties qui par-
tagent la France en deux tronçons longitudinaux, les Plantagenets et les Capétiens. Henri II d'Angleterre, ses fils et successeurs, Richard et Jean, d'une part, Louis VII, et son fils Philippe-
Auguste, de l'autre. Dans leurs querelles, on reconnaît l'influence
et la main d'une femme, Aliénor, ambitieuse et intrigante,
qui, après avoir apporté en dot au roi de France tout
l'Ouest et le Sud-Ouest de ce pays, réalisant ainsi, de 1137 à
1152, l'unité rêvée, la brise par l'annulation de son mariage,
accroissant, par l'accession de son second mari Henri II au
trône d'Angleterre, ce royaume d'Occident, qui menace de sub-
merger le pauvre royaume de l'Ile-de-France, d'autant plus que
celui-ci ne doit pas songer à s'étendre dans une autre direction.

Au Nord-Est en effet ne se heurte-t-il pas, dès les bords de la Somme, au puissant comte de Flandre, Philippe d'Alsace, presque régent du royaume en 1180, pendant la minorité de Philippe-Auguste, à qui il eut l'imprudence de céder le Vermandois, apporté en dot par Isabelle, et de promettre l'Artois. A l'Est, le roi de Paris se heurtait au comte Henri Ier de Troyes, riche et influent lui aussi, comme le comte de Flandre, par la puissance économique que lui procuraient les célèbres foires de Champagne, celles de Troyes, de Bar, de Lagny et de Provins, et par la puissance politique, que lui conférait son titre de gendre de Louis VII, depuis son mariage, en 1164, avec Marie, fille d'Aliénor, éprise, comme sa mère, de poésie et de poètes. Comme elle également, elle tint une sorte de cour littéraire[1], dont sa sœur Alix, autre fille d'Aliénor, qui épousa à la même date Thibaut V, comte de Blois et de Chartres [2], frère de Henri de Champagne (les deux frères épousaient les deux sœurs) fournissait la réplique.

Voilà comment le jeu des alliances matrimoniales et des forces économiques peut influer sur la littérature. Là où sont le pouvoir et la richesse, là se précipitent les poètes, éphémères qu'attirent ces flambeaux, où parfois ils se brûlent les ailes en pensant les y réchauffer. Pour que grandisse l'œuvre d'art, il faut bien, très prosaïquement, que s'alimente celui qui la crée, et le métier des lettres est de ceux qui nourrissent difficilement leur homme. Métier de parasite ? Non, métier de joaillier, industrie de luxe, dont les produits ne conviennent qu'au puissant. Voilà pourquoi nous verrons les écrivains de cet âge fréquenter de préférence chez Aliénor d'Angleterre, d'Anjou et d'Aquitaine, chez ses filles, Alix de Blois et Marie de Champagne, chez Philippe d'Alsace ou plutôt de Flandre, dont les grandes cités, Gand, Ypres et Bruges, regorgent de richesses, ou dans cet Arras, dont Philippe-Auguste a su s'emparer dès 1180 et où les attire, non l'autorité d'un roi peu lettré, mais l'opulence d'une bourgeoisie industrielle, dont la vanité aime à s'entourer d'une petite cour, qui lui donne l'illusion de la noblesse et de la naissance.

Dans quelle mesure l'aspect de la société d'alors favorise-t-elle le développement des lettres ? Elle nous apparaît dominée par quatre forces : l'Église, la Royauté, la Féodalité, la Commune,

---

(1) Cf. Emil Winkler, *Französische Dichter des Mittelalters. II, Marie de France,* Vienne, 1918. Public. de l'Acad. des Sciences, Vienne, section philologique et historique.

(2) Cf. Joinville, *Histoire de Saint Louis,* éd. de Wailly, Paris, Hachette, in-16, p. 40.

la royauté souvent alliée à celle-ci, bourgeoisie ou peuple, pour faire échec aux deux autres. De la royauté et de sa faiblesse, nous avons parlé déjà. De l'Église nous avons marqué en passant l'autorité, manifestée dans la participation au pouvoir d'un Suger ou dans l'action persuasive d'un saint Bernard, poussant des nations entières à la Croisade, mais les privilèges dont elle jouit (exemption d'impôts et de service d'armes) attirent des éléments aussi divers que turbulents, moines mendiants ou *goliards*, étudiants, clercs souvent mariés, qui y seront une cause perpétuelle de trouble et qui nous étonneront maintes fois par leurs audaces de langage et de pensée.

De la féodalité nous aurons surtout à rappeler combien sa conception du service à la personne, de l'hommage individuel de vassal à suzerain, substituée à la notion romaine de devoirs du citoyen envers l'État, domine la société médiévale et jouera son rôle dans le roman de la seconde moitié du XIIe siècle, non moins que dans l'épopée, qui en occupe la première.

Mais plus que la féodalité, forme politique, règne sur le roman la chevalerie (1), forme morale ou, si l'on veut, élaboration sentimentale de la première. A l'origine, institution laïque et militaire, simple remise des armes ou investiture donnée au fils de noble en âge de combattre, elle est devenue peu à peu une sorte de sélection spirituelle, un ordre dans lequel on n'entre que par une initiation solennelle, qui engage à l'observance de règles strictes et souvent très élevées, dont la mentalité collective se trouvera transformée et dont la nôtre même ne laisse pas d'être tributaire encore. La haute naissance n'est pas une condition nécessaire, bien qu'elle soit l'état ordinaire et légitime des chevaliers, mais la noblesse est transmissible par l'hérédité, la chevalerie ne l'est que par cette cooptation que traduit l'*adoubement*, manifesté par la *colée*, coup de poing sur la nuque (2), qui précède l'octroi de l'épée, des éperons dorés, du *haubert* ou cotte d'armes, endossée par-dessus le *bliaut*, du *heaume*, ou casque, de l'*écu* et de la lance en bois de frêne.

Dès la fin du Xe siècle, l'Église a mis la main sur cette cérémonie purement militaire, dont le paganisme, témoin cette

---

(1) Le livre de Léon GAUTIER, *La Chevalerie*, Paris, 1884, in-4°, reste à lire, mais on trouvera les notions essentielles dans le petit volume de G. CALMETTE, *La Société féodale*, Paris, Colin, 1923, in-12.
(2) Le coup de plat de sabre sur l'épaule dans la collation de la Légion d'honneur dans l'armée en est une survivance.

colée, n'est même pas absent. Elle a, avant l'*adoubement*,
imposé le vêtement blanc, la bénédiction des épées, la veillée
des armes, le bain rituel, la messe et la communion, mais il
semble bien que ces influences ecclésiastiques restent un peu
extérieures à l'institution, car nous verrons le faible rôle
qu'elles jouent dans le roman chevaleresque, à ses débuts. Faut-
il attribuer aussi à l'Église le caractère moral, qui peu à peu
se superpose à l'institution politique ? Il est probable. Toujours
est-il que le preux ne doit pas seulement être résistant et brave,
loyal envers son suzerain, qui est souvent son parrain, ou
envers l' « investisseur », mais qu'il doit être généreux, ne pas
frapper un ennemi désarmé, protéger la veuve et l'orphelin, à
quoi l'Église ajoutera : défendre ses sanctuaires. Bientôt, à la protection désintéressée de la femme, s'ajoutera la protection inté-
ressée, où le chevalier travaille quelquefois efficacement, à
faire une veuve à protéger...

A l'élément moral s'ajoutera la *prouesse*, parfois utile et bienfaisante, — délivrance d'opprimés et de prisonnières, — parfois
vaine, combat contre des géants ou des moulins à vent, uniquement
ment destinée à faire la preuve de la bravoure ou de la force de
'homme et à lui conquérir l'admiration ou même la possession
de la femme, dame de pensée à qui est dédié l'exploit et adressé
le vaincu. Il y a donc, dans la chevalerie, à côté d'une forme
politique et d'un aspect particulier du service militaire, un
élément sportif, un élément humanitaire, un élément amoureux.
Tous trois joueront, dans le roman courtois, un rôle décisif.

Comme ce roman a surtout pour cadre la société des nobles
ou des chevaliers qui leur sont assimilés, le serf et le bourgeois,
acteurs principaux des fabliaux, n'y jouent qu'un faible rôle, où
se trahit, plutôt que la pitié, le dédain qu'on professe pour eux.
Pourtant le xiie siècle est celui où les serfs commencent à acheter
au Roi leur liberté (1) et les bourgeois à arracher aux seigneurs
laïcs ou ecclésiastiques les privilèges de la Commune. Nous avons
dit que, maintes fois, comme à Laon, en 1128, le Roi en favorisa
ou même en imposa l'octroi, et c'est grâce à ces privilèges que
purent se développer, sans trop d'entraves, le commerce et l'industrie, dans les villes du Nord surtout, y facilitant le développement de la richesse et, par voie de conséquence, avons-nous
noté, celui des arts.

_____

(1) Cf. MARC BLOCH. *Roi et Serf*, Paris, Champion, 1920, in-8°.

La seconde moitié du xiie siècle est, en effet, celle aussi où nous assistons à l'éclosion de cette merveille que le sot dédain de l'âge classique a longtemps qualifiée de gothique et que nous ferions mieux, traduisant simplement l'expression d'alors, *opus franci-genum*, d'appeler le style français, plutôt même que l'ogival, terme qui n'en rappelle qu'un des caractères distinctifs. Il est hors conteste aujourd'hui (1) que ce caractère, la croisée d'ogive, dont l'Ile-de-France et l'école de Normandie se disputent la création, s'est, avec un ensemble de combinaisons structurales, de composition et d'ornementation, élaboré dans une région qui comprend l'Ile-de-France et la Picardie. La première manifestation, de date à peu près certaine, se place dans l'Ile-de-France, aux environs de 1120, donc au moment que M. Boissonnade se plaît à assigner à la *Chanson de Roland*. Ce n'est que vers 1144, à Saint-Denis, sous la crosse abbatiale de Suger, et peut-être sous l'influence directe de celui-ci, qu'on trouve l'épanouissement de ce style et, dès lors, éclosent au loin les nefs ogivales comme si des fleurons s'étaient échappés des corbeilles de la chapelle royale pour s'implanter partout et, dans une efflorescence magnifique, propager l'espèce : c'est Noyon, commencée entre 1140 et 1150, Notre-Dame commencée à la même date et consacrée en 1182.

Il est impossible de ne pas s'émouvoir en songeant à cette pullulation de chefs-d'œuvre ; il est impossible, même sans adopter toute l'interprétation mystique d'un Huysmans (2), de ne pas voir un élan de l'esprit vers Dieu dans cette poussée de l'arc roman pointé vers le ciel, mais il n'est pas moins impossible de n'y pas voir, dans une large mesure, un travail d'artistes et d'artisans. C'est fort bien de hausser la voûte en la soutenant par une armature d'arcs diagonaux s'entre-croisant à la clé, mais plus vous vous élevez, plus forte est la pesée, et plus il importe de l'atténuer par les arcs-boutants qui font à la cathédrale comme un squelette visible. Maladresse de constructeurs ignorants, disent les architectes d'aujourd'hui, en tout cas maladresse profitable, car le pinacle érigé sur la culée de l'arc-boutant est devenu comme un cierge patiemment ouvré. C'est le lieu de répéter les vers du poète qui font suite à ceux que je citais plus haut :

(1) Cf. l'*Histoire de l'Art* du regretté André Michel, t. II, 1re partie, *Formation, expansion et évolution de l'art gothique*, Paris, Colin, 1906, in-4°, l'ouvrage de mon collègue R. Schneider, *L'Art français des Origines à la fin du XIIIe siècle*, Paris, H. Laurens, 1928, in-12 et Schürr, *Das alt-französische Epos*, Munich, Hueber, 1926, in-8°.

(2) *La Cathédrale*, Paris, Stock, 1898, voir notamment p. 163-164.

Quel temps ! oui, que mon cœur naufragé rembarquât
Pour toute cette force ardente, souple, artiste...
Et que je fusse un saint, actes bons, pensers droits,
Haute théologie et solide morale,
Sur tes ailes de pierre, ô folle cathédrale (1) !

Cette souplesse, cette aisance, cette légèreté dans la forme, si caractéristique de l'architecture ogivale française, se traduit même dans le costume et, en particulier, comme il faut s'y attendre, dans le costume féminin. Il est en effet, curieux de rapprocher, des considérations que nous a inspirées l'art de la seconde moitié du XIIᵉ siècle, celles de M. Enlart dans le volume de son *Manuel d'Archéologie française* (2) consacré au *Costume* : « Depuis 1140 environ, le costume des femmes devient extrêmement original et fort gracieux, du moins pour les personnes bien faites qu'il met en valeur [!], car c'est avec insistance que ce costume suit les formes du corps et les souligne. » L'archéologue fait allusion au *chainse* [*camicia*], vêtement de dessous dont les manchettes ornées et l'encolure paraissent par les ouvertures du *bliaud* ; ceinture à la taille, une autre sous la taille, un manteau ample couvrant le tout ; les tresses ondulent sous le voile qui descend de la tête (3). Ainsi Iseut apparut à Tristan.

L'appétit de liberté qui agite la Commune et parfois, comme à Laon, la dresse, révoltée, contre son seigneur spirituel et temporel, l'extension des relations économiques en Picardie et en Champagne surtout, l'esprit aventureux et individualiste de la chevalerie d'une part, voilà divers traits qui témoignent d'une vitalité singulière de plante impatiente de son tuteur, et, d'autre part, dans l'ordre artistique, cette architecture souple et déliée qui, elle aussi, pareille à l'arbre, échappe au sol, pour tenter l'escalade du ciel, ce costume qui trahit les courbes féminines, voilà bien des témoignages d'un esprit qui se libère et chez qui la recherche de formes nouvelles annonce peut-être des velléités d'indépendance, qui font penser à une ébauche de la grande Renaissance.

Il en est d'autres symptômes, et, cette fois, c'est chez un philosophe Ét. Gilson, le meilleur historien actuel de la *Philosophie au moyen âge* (4), que je vais les chercher. Ce qui y retient surtout mon attention, c'est, dans la seconde moitié du XIIᵉ siècle, au pied de

(1) VERLAINE, *Choix de poésies*, éd. p. F. Coppée, p. 160.
(2) Paris, A. Picard, in-8, t. III (1916), p. 35.
(3) Voir E. R. Goddard, *Women's Costume in french Texts of the eleventh* *Universitaires*, 1927, in-8°.
(4) Paris, Payot, 1922, 2 vol. in-12, notamment au t. I, pp. 70-71.

la cathédrale grandissante de Chartres, cette délicieuse figure de
préhumaniste, celle de l'évêque Jean de Salisbury (1110 ?-1180),
épris d'antiquité latine, et même, ce qui est plus rare à l'époque,
d'antiquité grecque. Il lit le *Timée* au lieu de se contenter du
Pseudo-Denys l'Aréopagite ; or c'est un fait que, dans l'évolution de nos idées, l'action de Platon a toujours été plus libératrice
que celle d'Aristote. Il n'hésite pas à s'appuyer sur les sciences et
sur les mathématiques, et, chose remarquable aussi, son *Poly-
craticus* incarne, dans le personnage de Cornificius, le pédantisme
scolastique naissant. Non loin de lui, à Tours, comme le montrait, dans une conférence faite à Strasbourg, le savant anglais Burnet, Bernard Silvestre, poète et philosophe, fait de la
Nature une divinité.

Comment s'étonner si, dans ce milieu, en cette vallée du Loir,
qui fut toujours propice à la germination de la poésie et à l'éclosion des poètes, on se plaît à la lecture de Virgile, d'Horace et
surtout d'Ovide, dont le caractère voluptueux satisfait l'imagination de ces clercs, et si ces derniers s'appliquent à des imitations
laborieuses de Térence et des comédies postplautiennes, car
c'est encore un fait intéressant, sur lequel j'aurai à insister ailleurs (1) que, si l'on étudie les pièces conservées du théâtre latin
médiéval et qu'on en cherche les auteurs et les dates, on verra
ces comédies écrites en vers élégiaques venir se loger, en quelque
sorte spontanément, dans ce val du Loir, entre Blois et Vendôme.
Ne viennent-ils pas de là, en effet, le *Milo* de Mathieu de Vendôme, l'*Alda* de l'abbé Guillaume de Blois à propos de laquelle
son frère lui mande qu'elle lui vaudra plus d'honneur que dix abbayes. Nous ne partageons pas cette naïve admiration, mais nous
en retenons une vanité d'auteur assez poussée, et surtout, de la
lecture du texte, nous dégageons un goût très vif et très osé de
volupté, qui trahit le lecteur d'Ovide, dont les romanciers de
la seconde moitié du XIIe siècle feront leurs délices. « Malgré les
aboiements des chiens et les grognements des porcs », écrit
avec énergie, sinon avec délicatesse, un disciple de Jean de
Salisbury, Pierre de Blois († 1200), « je ne cesserai jamais d'imiter les anciens » (2).

---

(1) En tête d'une publication collective d'un *corpus* de ces curieux textes
que je me propose d'éditer en 1931 en collaboration avec mes anciens can-
didats à l'Agrégation, en Sorbonne, de 1924. Cf. mon article des *Mélanges
Jeanroy*, Paris, Droz, 1929 et celui de Edm. Faral, *Le Fabliau latin au moyen
âge*, dans *Romania*, 1924, p. 321.
(2) *Histoire de France* de Lavisse, t. III, p. 329 ; sur cette influence d'Ovide,
cf. Guyer, *The influence of Ovid on Crestien de Troyes*, Rom. Rev., 1921.

Même là où, dans le roman, la matière et les personnages ne sont pas antiques, Alexandre, Œdipe et Achille, mais relativement modernes, comme dans *Tristan* ou *Yvain*, l'influence d'Ovide ou de Virgile sera sensible, sans toutefois que de telles actions soient jamais aussi absolues et aussi tyranniques qu'au xvie siècle. Néanmoins, pour la même raison et, dans une certaine mesure, avec la même signification de résurrection de l'antiquité, il paraît légitime d'attribuer à la seconde moitié du xiie siècle le titre de *seconde Renaissance* (1) (la première était la Renaissance carolingienne sous Charlemagne et Alcuin) comportant, avec un pareil culte des Anciens, une grande élégance dans la forme, une certaine aisance d'allure, voire, à l'occasion, des velléités de liberté d'esprit. La richesse de l'imagination française en cette période, sa fécondité dans la création romanesque, dont nous allons être témoins, justifieront aussi un autre titre, celui *d'âge d'or de notre littérature médiévale*, que nous proposons de lui attacher désormais.

(1) Je me suis rencontré dans cette appellation avec l'éminent médiéviste américain, Charles Homer Haskins, *The Renaissance of the twelfth Century*, Cambridge, Harvard University Press, 1927, et avec Emile Mâle, *L'Art religieux du XIIe siècle en France*, Paris, Colin, 1925, in-4°. On trouvera aussi d'utiles indications sur la période dans l'ouvrage collectif de C. G. Crump et E. F. Jacob, *The Legacy of the Middle Ages*, Oxford, Clarendon Press, 1926, in-8°, pll. Voir aussi le livre du regretté Pierre Lasserre, *Un conflit religieux au XIIe siècle*, Paris, l'Artisan du Livre, 1930, in-12.

CHAPITRE II

LES ORIGINES DU ROMAN COURTOIS
LA TRIADE CLASSIQUE :
THÈBES, ENEAS, TROIE

Le moment est venu de tourner nos regards uniquement vers ce qui est notre objet propre : la littérature. Il est fort utile d'étudier les conditions extérieures, économiques, politiques, sociales, philosophiques, esthétiques de son évolution, elle n'en a pas moins ses conditions internes de croissance et de maturation, qui font qu'un développement littéraire a, avant tout — truisme trop négligé — des causes littéraires.

Or le genre qui semble dominer la première moitié du XIIe siècle, autant qu'on en peut juger par les documents conservés et grâce à une sorte de calcul des probabilités qui doit tenir compte des pertes, c'est l'épopée, dont la multiplication et la transmission orale par les jongleurs a quelque chose de prodigieux. Déformation systématique ou inconsciente d'un passé vieux de trois siècles, semblable à celle que présenterait aujourd'hui, en l'absence de l'imprimerie ou de toute tradition écrite, un poème sur les guerres de Religion, la chanson de geste éclôt sous l'influence de l'esprit des croisades ; la bravoure, l'audace, l'idéal et la foi des combattants aimant à s'exalter à la pensée des hauts faits des ancêtres. On veut s'entourer des conseils des morts pour aller à la mort qu'ils ont embrassée avant nous. Mais, sur un faible fond de réalité lointaine, fournie aux jongleurs, selon Joseph Bédier (1), par les clercs, dans les grandes stations des routes de pèlerinage, l'imagination de ceux-là, aiguisée peut-

---

(1) *Les Légendes épiques*, Paris, Éd. CHAMPION, 1908-1912, 4 vol. in-8°, dont j'ai fait une analyse détaillée parue dans la *Revue des Cours et Conférences*, 5 et 20 juin 1914, sous le titre de : *Les Origines de l'Épopée française et la Théorie de M. Bédier*. Pour l'Espagne, voir Ramon Menendez Pidal, *El Romancero, Teorias e Investigaciones*, Madrid, Paez, 1928, in-12.

être au contact de l'épopée antique ou de poèmes de la basse latinité (1), a brodé les plus riches ornements et les plus chatoyants tableaux. Ils ont appris à varier, à corser le récit, à en maintenir l'intérêt et la ligne à travers les péripéties les plus diverses, à le peupler d'interventions miraculeuses, et leurs décasyllabes, sur des laisses de longueurs différentes, font tomber une pluie d'assonances agréables avec des vers refrains qui, par leurs fréquents retours, fixent l'image dans la mémoire. Beaucoup ont du talent, quelques-uns, comme l'auteur anonyme de *La Chanson de Roland* (2) ou celui de la *Chançun de Willame* (3), ont du génie, ayant su camper en pied des preux authentiques, dont les caractères, suffisamment nuancés, synthétisent les traits dominants de chevaliers de la fin du xie siècle et du début du xiie : « Roland est preux et Olivier est sage. »

Mais une figure manque, ou à peu près, à leur récit, figure essentielle, qui fait la grâce unique et le principal charme de notre littérature, de notre société et de notre vie : la femme. Non qu'elle soit complètement absente de l'épopée, mais elle n'en est point l'âme, elle n'en est point l'animatrice. C'est pour *France la douce*, c'est pour le suzerain *à la barbe fleurie*, c'est pour Dieu, le suzerain suprême, que le chevalier, au cœur, au corps, au corselet de fer, accomplit ses sublimes exploits. Il ne lui vient que rarement à la pensée de réserver, pour une part au moins, la dédicace de sa bravoure à quelque fine et douce figure, lointaine et hautaine, qui, un jour peut-être, l'en récompensera. On dira que cela est plus fort et plus mâle ainsi. Sans doute, comme le patriotisme d'Horace, mais combien aussi moins séduisant et moins français. De l'épopée ainsi que de la croisade, la femme est la grande sacrifiée.

Car ce n'est pas une figure bien intéressante, n'est-il pas vrai,

(1) C'est l'idée, notamment, de Maurice Wilmotte, *Le Français a la tête épique*, Paris, Renaissance du Livre, 1917, in-12.

(2) Les trois plus récentes éditions, toutes fondées sur le manuscrit d'Oxford, sont dues : à J. Bédier, Paris, Piazza, 1922 (cf. c. r. de Jenkins dans *Modern philology*, XXI, 1er août 1923, ou de A. H. Todd dans la *Romanic Review*, XIV, 1923), (le volume de *Commentaires* a paru en 1927), à T. A. Jenkins, Boston, Heath (cf. le c. r. de Wilmotte dans *Romania*, janvier 1925) et à E. Lerch, *Das Rolandslied*, Munich, Hueber (cf. le c. r. de G. Crosland dans les *Modern Language Notes*, du 4 oct. 1924).

(3) Chiswick Press, 1903, et *La Chançun de Guillelme*, éd. p. H. Suchier, Halle, Niemeyer, 1911 (cf. Lucy Maria Gay, *La Chanson de Roland and la Chançun de Willame*, Univ. of Wisconsin Studies in Language and Literature, n° 20, Madison, 1924, in-8°). La meilleure édition est celle de Eliz. Stearns Tyler, *La Chançun de Willame*, New-York, University Press, 1919.

que celle de la belle Aude ? Olivier l'évoque sans délicatesse, lors de sa dispute avec Roland, en disant que sa sœur n'entrera jamais dans le lit de son ami, et cela est bien grossier. Quand elle apprend la fin de son fiancé, elle tombe pâmée et meurt. C'est évidemment la preuve d'amour la plus authentique qu'on puisse fournir, mais elle est peut-être un peu brutale, et le développement est tout à fait sommaire.

La Guibourc de Guillaume d'Orange, plus blanche que neige, plus vermeille que rose fleurant, est sans nul doute plus vivante qu' « Alde la belle », mais elle est avant tout gardienne du foyer et de l'honneur marital plus qu'amoureuse passionnée.

Plus féminine peut-être, mais plus audacieuse aussi, est cette Belyssant, qui, soudainement, avec cette violence de sentiment qui est de l'époque, s'éprend d'Amile (1), si semblable à Amis que, dans la chanson qui leur emprunte son nom, ils se substituent sans cesse l'un à l'autre. Vous croyez qu'elle va pleurer, soupirer, se lamenter, confier à sa mère ou à sa suivante ses angoisses et ses ennuis. Que non pas ; avec une décision de vierge germanique, marchant à la conquête du mâle, elle ira vers Amile, la nuit, dans la chambre et étalera sa belle impudeur dans ces mots :

Il ne m'en chaut se li siecles m'esgarde,	Je m'en moque si le monde me blâme
Ne se mes pere m'en fait chascun jor batre,	ni si mon père me fait chaque jour battre :
Car *trop i a bel home*.	il est trop beau cet homme.

Trop i a bel home, voilà le mot lâché, le cœur (si l'on peut dire) mis à nu, la passion débridée et sans nuance. La littérature courtoise n'a pas passé par là.

Maintenant faisons un bond et ouvrons un roman des années 1160, *Ille et Galeron* (2), de Gautier d'Arras, et écoutons l'enseignement (on disait alors *chastoiement*) et les raisonnements du conteur. L'héroïne et le héros s'aiment, mais, loin de se le montrer par des gestes brusques comme des coups d'épée, ils n'osent même pas se le dire, car l'amour,

---

(1) *Amis et Amile*, éd. Hoffman, Erlangen, Deichert, 1852, p. 20, v. 659-661. Cf. Bédier, *Légendes épiques*, t. II, p. 179 et Wilmotte, *L'évolution du Roman français aux environs de 1150*, Paris, Bouillon, 1903, in-8°, p. 54, qui a cité, le premier, la phrase en question. Mon collègue G. Michaut a donné, chez de Boccard, une adaptation de la Légende, qu'Elémir Bourges d'abord, et tout récemment, en 1928, Maurice Pottecher, ont portée à la scène. Cf. mon article des *Nouvelles Littéraires*, du 12 mai 1928.

2) Éd. W. Foerster, Halle, Niemeyer, 1891, vv. 1219-1226; également cité d'abord par M. Wilmotte, *loco laud.*, p. 39.

Car cele est si tres haute cose   car l'amour est si haute chose
Que cil descouvrir ne li ose   qu'il n'ose le lui découvrir
N'ele ne li descoverroit   ni elle ne s'en ouvrirait à lui,
Premierement por rien qui soit,   la première, pour rien au monde,
Qu'il n'afiert pas que feme die :   car il ne faut que femme die :
« Je voel devenir vostre amie ! »,   « Je veux devenir votre amie »,
Por c'on ne l'ait ançois requise   avant qu'on ne l'en ait requise,
Et mout esté en son service.   et qu'on ne lui ait fait longuement sa cour.

D'une part, vers 1140, brutalité d'épopée soldatesque ; la fille s'écrie : *Trop i a bel home*, et agit en conséquence, docile à l'appel du désir ; d'autre part, quelque vingt ans plus tard, raffinement de roman courtois, la jeune fille pense peut-être la même chose, mais affirme, par la bouche du romancier au moins, qu'il ne convient pas qu'elle dise : « Je veux devenir votre amie ». Sur un fond identique, qui est celui de la nature, de la vie et des appétits qu'elles mettent en nous, un monde de formes et de nuances, tel un flot de dentelles sur une gorge nue, s'est posé. Une révolution s'est produite dans les mœurs et dans les âmes, un souffle nouveau est passé sur elles, chargé des fines senteurs embaumantes et mystiques du Midi ; elles ont eu, du moins l'élite d'entre elles, dans la littérature, sinon au même degré dans la réalité, la révélation de l'amour courtois.

S'il est une doctrine, s'il est un sentiment que l'on peut à bon droit attribuer à la France, à la France méridionale surtout, c'est la déification de la femme dans la poésie. Malgré toutes les qualités de bravoure et de virilité que l'on se plaît à accorder à la France, cette bravoure même n'est jamais que celle d'une Pallas, armée et casquée — main ferme, yeux clairs, regards de raison — mais tout de même femme dans sa grâce et dans sa majesté. C'est ainsi que l'étranger la voit et l'aime, c'est ainsi aussi que, pour nous maternelle, nous l'aimons. Il n'est donc pas si surprenant, que, d'ordre du destin ou de la Providence, il ait appartenu au tempérament français d'élever en dignité la femme, d'en faire non pas seulement la source de toute beauté, mais l'incarnation de toutes les vertus et l'inspiratrice de toute vaillance. Remarquons que c'est là un renversement complet des notions primitives, credo de l'antiquité non moins que du monde germanique, sur la supériorité de l'élément viril. Dans quelle mesure le christianisme eut-il part à cette innovation spirituelle, à cause de l'indulgence de Jésus pour la femme et pour ses faiblesses, à cause aussi de l'accueil que la doctrine nouvelle trouva chez celle-ci et du rôle éminent

attribué à la Vierge, il est d'autant plus malaisé de le dire
que le culte de Notre-Dame fut lui-même influencé, du moins
dans sa forme, et peut-être développé par la doctrine de l'amour
courtois. En vérité il en est de ce problème comme de celui de l'o-
rigine du langage, il faut renoncer à le poursuivre jusque dans
ses extrêmes limites. Nous allons jusqu'à la source, nous la
voyons jaillir du sol ; il est vain de creuser la terre pour retrouver le trajet des gouttelettes qui l'ont formée.

Le fait reste que la doctrine (1) est à peu près constituée déjà
à la fin du xiᵉ siècle et au début du xiiᵉ siècle, au moment donc
de *La Chanson de Roland,* dans la littérature du Sud et du Sud-
Ouest, dans les *Chansons* de Guillaume IX, duc d'Aquitaine
(1071-1127), grand-père d'Éléonore, ou bien chez ce Cercamon
qu'a édité aussi Alfred Jeanroy. On y trouvera encore des
traces d'une rudesse que la poésie lyrique méridionale élimi-
nera plus tard complètement, mais l'essentiel est déjà posé.
Toute l'inspiration du poète, sa prière, sa vie, tournent, comme
celles de l'ange auprès de Dieu, autour de la *domna* inaccessible, de laquelle le plus audacieux don qu'on puisse espérer
est un baiser du bout des lèvres, mais c'est déjà beaucoup
qu'un regard bienveillant ou un sourire accueillant. C'est déjà
beaucoup aussi qu'elle accepte et tolère la louange, une louange
qui monte ver ᷉on piédestal et la voile des volutes de l'encens.
A travers celles-ci, ses cheveux, nécessairement blonds, semblent
plus cendrés, l'éclat de son regard moins aveuglant, la blancheur
de son front, plus pâle. Chose étrange, cette déesse n'est pas vierge.
Elle est mariée, mais ce n'est qu'à une sorte d'adultère spirituel
qu'on l'invite, et le mari, son maître et souvent celui du troubadour, regarde et écoute, avec une indulgence amusée, le gracieux
passe-temps d'un poète et d'une femme.

(1) On consultera, sur cette question, en attendant les Histoires de la Littérature provençale que nous promettent A. Jeanroy d'une part, E. Hœpffner
de l'autre : J. Anglade, *Histoire sommaire de la Littérature méridionale,*
Paris, E. de Boccard, 1921 ; ses *Troubadours,* Paris, Colin, in-16 ; Salverda de Grave, *de Troubadours,* Leyde, Sijthoff, 2ᵉ éd., 1925, in-12 ; A.
Restori, *Letteratura provenzale,* Milan, Hœpli, 1891 ; Wechssler, *Frauendienst
und Vassalität,* dans *Zeitschrift für französische Sprache und Literatur,* XXIV,
pp. 159-191 et du même, *Das Kulturproblem des Minnesangs,* Halle, 1909 ;
T. F. Crane, *Italian social Customs in the Sixteenth Century and their influence on the literatures of Europe,* ch. I, New Haven, 1920, in-8° ; K. Heyl,
Die Theorie der Minne in den ältesten Minneromanen Frankreichs, Marburg,
1911 ; K. Vossler, *Die philosophischen Grundlagen zum « süssen neuen Stil »,*
1904 et ce que j'en ai dit moi-même dans mon *Ronsard,* Paris, Boivin, 1924,
pp. 122-4.

Transplantée dans un sol plus septentrional, cette rare fleur, produit de l'imagination méridionale et d'un chaud soleil qui fait fermenter les esprits, devait subir quelques transformations et s'acclimater difficilement au nord du Massif central, de la Loire et de la Seine, terroir de la raison, une raison un peu ironique, propre à brider et à guider l'élan de la fantaisie. Que la femme fût l'objet d'un hommage discret et que l'on se polît à son contact ; que sa présence atténuât la grossièreté des mœurs et que d'elle émanât toute grâce, rien là-haut ne s'y opposait, mais soupirer à jamais, sans ombre de récompense charnelle, élever au pinacle celle qu'il sentait inférieure à lui, ce ne pouvait être longtemps, sincèrement et complètement, le rôle et la volonté du trouvère. J'ajouterai que, si l'adultère n'est pas pour déplaire au Français du Nord, il n'est pas disposé à se contenter d'un adultère spirituel et, d'ailleurs, le plus souvent, en vertu de ses tendances raisonnables, il substituera au culte de la femme de haut parage, mariée et inaccessible, la poursuite et la conquête de la Rose, je veux dire de la jeune fille, comme il se voit dans le roman de Guillaume de Lorris.

L'influence et l'acceptation de la théorie fondamentale, et de la pratique de la poésie lyrique provençale, n'ira donc pas sans protestations secrètes ou sans révoltes ouvertes, et ce ne sera pas le moindre intérêt de notre étude que d'en noter les divers aspects chez Chrétien, à qui la mode et les ordres de sa protectrice, Marie, imposent des données qui répugnent à son tempérament de bourgeois champenois, modéré et narquois.

Mais ce n'est pas encore l'endroit de parler de lui. Nous ne pouvons faire notre croquis que par touches successives. Un écrivain, non plus qu'un genre, ne naît point *ex nihilo*. Auteurs et espèces littéraires s'engendrent et s'enfantent les uns des autres par successions de gestations et de générations, où apparaissent, chaque fois, des caractères nouveaux. Pour que Chrétien de Troyes fournisse, entre 1160 et 1190, ce que ses contemporains et ses successeurs immédiats considéreront comme les chefs-d'œuvre du roman courtois, il a fallu que l'aient précédé d'autres œuvres et d'autres écrivains, dont il s'inspire, même parfois en prenant position contre eux. J'ai déjà fait allusion à la Chanson de geste de la première moitié du xiie siècle et montré comment elle apprit aux hommes de l'âge suivant, à travers lequel, d'ailleurs, elle se continua, à construire un récit animé et varié, chargé de mille péripéties retardant le dénouement où néanmoins il tend, à construire des types, à analyser des caractères.

Le modèle, avons-nous dit encore, bien qu'il porte souvent le nom d'un prince du viiie ou du ixe siècle, Charlemagne et ses pairs, Louis et ses vassaux, est emprunté le plus souvent à ces chevaliers qui, à la fin du xie siècle ou au début du xiie, s'armaient pour la croisade d'Orient ou pour celle d'Occident.

Un héros cependant vient tout droit de l'antiquité, celui dont la mémoire hantait l'âme de Scipion l'Africain et de son adversaire punique, la réincarnation d'Achille, le guerrier qui ajoute au prestige de la bravoure le charme de la générosité et la lucidité de l'intelligence, celui qui entraîna tout un peuple, son ennemi de la veille, à la conquête de l'Orient mystérieux, je veux dire Alexandre le Grand.

Peut-être parce qu'il plaisait à Louis le Gros de le compter au nombre de ses ancêtres, par une de ces faciles inventions de moines, chez qui l'érudition alimente la flatterie, on composa en France (1), d'après l'*Historia de Prœliis* de l'archiprêtre Leo (xe siècle), l'*Epitome* Julii Valerii et l'*Alexandri magni Iter ad Paradisum*, recueil de lettres apocryphes où sont décrits les prodiges de l'Inde, et des poèmes en français sur le Macédonien. De *L'Alexandre* d'Albéric de Briançon (2) (vers 1100), cent six vers seulement ont été conservés ; d'une rédaction poitevine, nous restent sept cent cinquante-trois décasyllabes (3) et nous possédons enfin un *Roman d'Alexandre* en ces vers de douze syllabes qui tirent de lui leur nom d'alexandrins, dû à Lambert le Tort et à Alexandre de Bernay. Leur récit toutefois, étant un peu antérieur à 1177, ne nous intéresse qu'en ce qu'il est la refaçon et la continuation de l'œuvre en décasyllabes qu'il nous permet de reconstituer. Il n'en faut cependant user qu'avec prudence, car il se pourrait que les deux auteurs aient étrangement modifié le travail de leur prédécesseur, en insistant sur les amours d'Alexandre et de la reine Candace, en montrant le jeune empereur, dans un premier essai de navigation aérienne, cinglant à travers le ciel sur une nef tirée par des griffons (4). Il rencontre, aux Indes, des

(1) *Der Alexanderroman des Archipresbyters Leo* hsgg. v. Dr Fr. Pfister, Heidelberg, Winter, 1913, un vol. in-12, 142 pp.

(2) Cf. P. MEYER, *Alexandre le Grand dans la Littérature française du moyen âge*, Paris, Vieweg, 1886, 2 vol. in-12, au t. I, pp. 1-15.

(3) *Ibid.*, pp. 25-105. Voir aussi *Der altfr. Prosa Alexanderroman nach der Berliner Bilderhandschrift*, hsgg. v. A. Hilka, Halle, 1920.

(4) Invention que le génie mythique de Hugo, épris autant que le moyen âge de merveilleux, retrouvera dans le Nemrod de *la Fin de Satan* ; v. l'article de P. Jourda, dans la *Revue d'Histoire littéraire de la France*, juillet-sept. 1925.

femmes aquatiques, des peuples à tête de chien, des fontaines de Jouvence, des filles-fleurs. Que de miracles propres à séduire la naïveté de lecteurs enfants et de lectrices, plus enfants encore, pour qui le plus invraisemblable est nécessairement le plus alléchant !

Nous ne nous sommes arrêtés au *roman d'Alexandre* que pour montrer comment la matière antique s'est prêtée à l'introduction du merveilleux et du fantastique d'une part, de l'amour, de l'autre, qui joueront dans le roman courtois un rôle décisif, mais cette constatation apparaîtra beaucoup plus évidente quand nous aurons examiné la trilogie de romans à sujet ancien qui domine le milieu du xiie siècle, de 1150 à 1160 environ et que, traduisant l'ingénieuse expression de W. Foerster, *das Klassische Dreigestirn*, j'appellerai *la triade classique*, à savoir : *Le Roman de Thèbes, Eneas, Le Roman de Troie.*

I. *LE ROMAN DE THÈBES*

Le *Roman de Thèbes* a été édité par L. Constans, en 1890, pour la Société des Anciens Textes (1), en deux volumes in-8°. Il présente déjà, au point de vue formel, ce sautillant et alerte octosyllabe à rimes plates, qui sera l'instrument préféré des romanciers pendant toute la seconde moitié du xiie et même, moins exclusivement toutefois, dans la première moitié du xiiie siècle, où apparaîtront les versions en prose, telle la *Queste del Saint Graal* (2) antérieure à 1220. Il fera l'office de prose rythmée et, à ce titre, servira aux œuvres didactiques non moins qu'au théâtre, dont il sera, durant le moyen âge entier, presque l'unique mode d'expression.

Le *Roman de Thèbes* (3), c'est, assez fidèlement racontée, la légende d'Œdipe, dont le succès fut si grand qu'on la transposa à celle de Judas pour faire de l'Iscariote, avant son évocation comme disciple de Jésus, le meurtrier de son père et l'époux incestueux de sa mère (4). Le début indique, avec beaucoup de netteté, le sujet, après des excuses du trouvère, lesquelles témoigneraient de sa modestie, si, aussitôt après, il ne montrait son orgueil, en excluant de son public tout ce qui n'est pas clerc et chevalier, c'est-à-dire les vilains, qui sont aussi propres à écouter que l'âne à jouer de la harpe. C'est qu'en effet il ne sera pas question ici de rustres ni de bergers, mais de hautes légendes antiques (5) :

(1) Naguère chez Didot, aujourd'hui chez Champion.
(2) Éd. par A. Pauphilet dans les Classiques français du moyen age de M. Roques.
(3) A consulter : Edm. Faral, *Recherches*, etc., déjà cité, p. 391 *ad finem* ; G. Otto, *Der Einfluss des* Roman de Thebes *auf die altfranzösische Literatur*, 1909, et F. M. Warren, *Some features of style in early French Narrative Poetry*, dans *Modern Philology*, 1905 à 1907 ; *On the latin sources of Thèbes and Eneas* (dans Publications Mod. Lang. Assoc., t. XVI, p. 375.) Cf. aussi Salverda de Grave, *Les sources du roman de Thèbes*, dans les *Mélanges Wilmotte*, Paris, Champion, 1910, in-8°, t. II, p. 595.
(4) Cf. G. Cohen, *Le Livre de Conduite du Régisseur et le Compte des Dépenses pour le Mystère de la Passion joué à Mons en 1501*, Strasbourg, Istra et Paris, Éd. Champion, 1925, un vol. in-8°, pp. 144-147.
(5) *Le Roman de Thèbes*, éd. L. Constans, t. I, pp. 1-2, vv. 5-32.

Se danz Homers et danz Platon
Et Vergiles et Ciceron
Fuissent lor sens alé celant
Ja ne fust d'eus parlé avant...
Or s'en voisent de tot mestier
Se ne sont clerc o chevalier,
Car aussi pueent escouter
Come li asnes al harper.
Ne parlerai de peletiers,
Ne de vilains, ne de berchiers ;
Mais de dous freres vos dirai,
Et lor geste raconterai.
Li uns ot non Ethioclès
Et li autre Polinicès.
Edipodès les engendra
En la reïne Jocasta ;
De sa mere les ot à tort,
Quant son pere le rei ot mort.
Por le pechié dont sont criié
Furent felon et esragié.
Thebes destruistrent lor cité
Et degasterent lor regné ;
Destruit en furent lor veisin,
Et il ambedui en la fin.

Si le seigneur Homère et le seigneur Platon
et Virgile et Cicéron
avaient tenu caché leur savoir,
la postérité n'aurait pas entendu parler
Que s'en aillent les gens de métier, [d'eux.
ceux qui ne sont ni clercs ni chevaliers,
car ils sont faits pour écouter
comme les ânes pour jouer de la harpe.
Je ne parlerai ni de peletiers
ni de vilains ni de bergers (1),
mais je vous parlerai de deux frères,
et vous raconterai leur histoire.
L'un d'eux s'appelait Étéocle,
et l'autre Polynice.
Œdipe les engendra par péché
de la reine Jocaste
qui était sa mère,
après avoir tué le roi son époux.
A cause du péché dans lequel ils naquirent
ils devinrent traîtres et fous de rage.
Ils détruisirent la cité de Thèbes
et ravagèrent leur royaume.
Leurs voisins en furent anéantis
Et à la fin eux subirent le même sort.

Ce qui veut dire qu'Étéocle et Polynice détrônèrent leur père, pour régner tour à tour, mais Étéocle ayant refusé de céder la place à Polynice, celui-ci, réfugié chez Adraste, roi d'Argos, épouse sa fille et, avec les sept chefs, met le siège devant Thèbes. Les deux frères s'entre-tuent.

On voit donc que la grande matière tragique grecque n'a pas attendu le xvie siècle pour se faire jour dans notre littérature, mais ce qui nous intéresse, c'est moins ce fait-là, d'ailleurs sans importance (2), que la façon dont sont traitées certaines descriptions et développés certains sentiments. Qu'il me soit permis de citer par exemple les vers qui décrivent, pourtant avec moins de vigueur que la vieille *Cantilène de saint Alexis* (xie siècle), la douleur de la mère à qui l'on arrache son enfant (3) :

(1) Allusion évidente aux fabliaux et aux pastourelles.
(2) Dans un article récent de la *Critica* (t. II, p. 483), M. B. Croce a justement insisté sur le peu d'importance que présentait l'identité du thème traité, quand, manifestement, il n'y a pas influence. (Cf. F. Baldensperger dans la *Revue de Littérature comparée*, 1926, p. 142.)
(3) Vv. 53-66.

La mere plore et crie et brait	La mère pleure, crie, gémit,
Ses poinz detort, ses cheveus trait,	tord ses mains, s'arrache les cheveux,
Pasmée chiet sor son enfant,	tombe évanouie sur son enfant
Et demeine dolor mout grant :	et grande est sa douleur.
« Lasse, dolente, que ferai ?	« Hélas, infortunée, que faire ?
Dolerose, que deviendrai ?	Malheureuse, que deviendrai-je ?
Chaitive rien, por quei nasquis ?	Pauvre chose, pourquoi es-tu née ?
Pecheresse por quei vesquis ?	Pécheresse, pourquoi as-tu vécu ?
Homecide coment serrai	Comment serai-je meurtrière
De mon enfant que jo portai ?	de mon enfant que j'ai porté ?
Petiz enfes, por quei fus nez ?	Petit enfant, à quoi bon naître ?
Por quei fus onques engendrez ?	Pour quoi fus-tu donc engendré ?
Por qual forfait et por qual tort	Pour quel forfait, pour quelle faute,
Petiz enfes, recevras mort ? »	petit enfant, vas-tu trouver la mort ? »

Quand les trois serfs chargés de l'exécution eurent débarrassé leur victime des langes qui l'enveloppaient (1),

Ses mains tendié et si lor rist,	Il tendit les bras et leur sourit,
Come à sa norrice feïst.	comme il eût fait à sa nourrice.
Empor le ris qu'il a geté	par le sourire qu'il a esquissé
Commeü sont de piété,	les voilà émus de pitié.
Et dient tuit : « Pechié feron,	Et de dire : « Ce serait péché,
Quant il nos rit, se l'ocïon. »	si nous le tuions, alors qu'il nous sourit. »

Il y a là, à n'en pas douter, une certaine délicatesse, mais Jocaste cède trop rapidement au conquérant inconnu qui la sollicite (2) :

« Que me vaudreit de lui haïr ?	« A quoi me servirait de le haïr ?
Cil qui mors est ne puet guarir, »	Celui qui est mort ne peut guérir, »

et cette facile indulgence amène une remarque désabusée du conteur (3) :

Cil qui mort l'a est coronez	celui qui l'a tué est couronné
Et la reïne a moillier prent,	et prend la reine pour épouse,

conception qui choque moins encore l'auditoire médiéval que le public grec, car le principal est que le fief ne tombe pas en quenouille et trouve un défenseur viril, fût-il l'assassin du mari.

Il faut noter encore, sans que nous ayons le loisir d'y insis-

(1) Vv. 113-118.
(2) Vv. 383-4.
(3) Vv. 448-9.

ter, la délicieuse présentation des filles d'Adraste à Tydée et
Polynice (1) :

| Eles vindrent lor chiés enclins, | Elles vinrent, la tête baissée, |
| Treciees de fil d'or lor crins | les cheveux tressés d'or fin |

et les charmants épisodes d'Atys et d'Ismène (4453 s. ; 6173 s.),
imités de Stace, et ceux de Parthénopée et Antigone (3878 s.).

L'essentiel cependant reste les batailles, qui rappellent par
leur allure, le costume et l'équipement de ceux qui se les livrent,
les combats singuliers ou collectifs des Chansons de geste, le
moyen âge n'ayant, à aucun degré, le sens historique et le souci
de la couleur locale, tandis que les enchantements et le merveilleux jouent un rôle qui rappelle *Le Roman d'Alexandre*. On
voit donc que l'élément grec est dans les faits du récit et non
dans l'esprit du conteur. D'ailleurs sa source n'est pas So-
phocle (cette époque, à quelques rares exceptions près, ignore le
grec), mais la *Thebaïs* ou la *Thébaïde* de Stace (2) ou, mieux,
tel poème imité de celle-ci et que suit le Poitevin inconnu qui,
vers 1150, composa ce *Roman de Thèbes*.

(1) Du v. 935 au v. 980, qui est malheureusement fort grossier.
(2) P. Papinius Statius, 61-96, après J.-C.

II. *ENEAS*

L'auteur, également inconnu, de l'*Eneas* édité en 1891, chez Niemeyer à Halle a./S., dans la *Bibliotheca Normannica*, par J. J. Salverda de Grave et dont l'éminent philologue hollandais vient de donner , en 1925, dans les Classiques français du moyen âge de M. Roques, une nouvelle édition (1) moins uniformisée et plus conforme aux principes de l'actuelle critique des textes (2), avait certainement beaucoup plus d'originalité et de talent. On peut dire que c'est chez lui que tous les romanciers de la seconde moitié du xiiᵉ siècle apprirent à écrire la préface de l'amour, à ne pas trop en brusquer la conclusion, la résolution ou la dissolution, à poser un cas psychologique, à nuancer des hésitations, à étudier les genèses, à instituer des discussions entre la malade (*Amor est quaedam mentis insania*, dit un poème du xiiiᵉ siècle) (3) et le médecin ou la garde-malade, en un mot, à pratiquer cette casuistique de la passion, où les Français, de Chrétien à Stendhal, sont passés maîtres et qui a fait d'eux, si l'on peut dire, les professeurs d'amour de l'Europe.

Ceci noté, on comprendra que ce qui l'intéresse, ce n'est pas du tout le dessein principal de l'*Énéide*, à savoir la mission divine du Troyen Énée, fondateur de Rome, mais avant tout et surtout ses amours avec Didon et le lâche abandon de l'amante par celui qu'appellent ailleurs des destins de gloire. Cependant le chant IV où elles se déroulent, qui, aujourd'hui encore, par ses accents humains, est capable de nous tirer des larmes, et qui est pour nous plus attirant que les divagations prophétiques de la sibylle au chant VI, ne suffit point au clerc qui, à l'imitation de Virgile et d'Ovide, conçut l'*Eneas* (4).

(1) Je n'ai pu malheureusement la suivre ici, les passages que je cite ne devant figurer que dans le tome II, qui n'a paru qu'en 1930.

(2) Je pense notamment à la Préface de J. Bédier au *Lai de l'Ombre*, Soc. DES ANCIENS TEXTES FRANÇAIS, 1913, à sa *Tradition manuscrite du Lai de l'Ombre* (1930) et à l'article de M. Wilmotte, dans *le Correspondant* de 1917, mais il y a souvent aujourd'hui excès dans le respect de la *leçon* manuscrite.

(3) Cf. C. T. Onions, dans *Bodleian Quarterly Record*, VI, avril 1924.

(4) Voir dans Faral, *Les Sources latines du Roman courtois*, déjà cité, le chapitre intitulé *Ovide et quelques autres sources du Roman d'Eneas*, pp. 73-157.

Il inventa, ou prit dans un livre qui ne nous a pas été conservé, un autre épisode corsant l'histoire sentimentale du héros et permettant de se complaire et de s'attarder en ces analyses, toutes imprégnées d'Ovide, où s'exerce le naïf savoir de ces premiers et voluptueux humanistes français. L'épisode en question compte seize cents vers.

Lavine (1), fille de Latinus, roi du Latium et d'Amata, est fiancée à Turnus, mais son père la promet à Énée. Sa mère la cache dans les forêts. Turnus ayant été vaincu par le Troyen, Lavine épouse ce dernier. Pourquoi s'est-elle éprise de l'homme qu'elle se destine pour mari ? Simplement pour l'avoir vu du haut d'une tour. C'est un peu rapide, mais la soudaineté est de l'essence de l'amour, qui frappe et pénètre avec les flèches de Cupidon, dans la conception courtoise. Observation de la réalité ou survivance des brutalités que nous avons signalées dans la littérature de l'époque précédente ? Il y a des deux. Mais où tout, ou du moins presque tout, au contraire, est nuance et finesse, c'est dans les entretiens de Lavine et de sa mère, avant et après ladite blessure. Ces pages mériteraient une plus large réputation que celles dont elles jouissent, car elles joignent à la vivacité du dialogue (comme il est simple déjà et adroitement coupé l'octosyllabe narratif !) la pénétration de l'observation, le goût de l'analyse psychologique, le sens de la féminité.

En sa chambre esteit la reïne, Amata. Elle admoneste la jeune fille, lui présentant sous un jour favorable un candidat matrimonial, Turnus, la mettant, au contraire, en garde contre les entreprises du fâcheux Énée (2) :

« Turnus te vuelt aveir ki t'aime	« Turnus te veut avoir, qui t'aime,
Eneas sor lui te claime	et Énéas te dispute à lui,
Et par force te vuelt conquerre	voulant par force te conquérir,
Mais il le fait plus por la terre	mais il le fait plus pour la terre
Que il ne fait por toe amour. »	qu'il ne fait par amour pour toi. »

Éternel et vain avertissement de la mère à la fille, qui a toujours la malencontreuse idée de choisir celui qu'il ne faut pas (3) :

---

(1) Ce nom rimera avec *fine* dans le *Roman de la Rose*, vv. 20831-20832 au t. V (1924) de l'éd. E. Langlois, in-8°.
(2) *Eneas*, 7863-7867, pp. 292-293, de l'éd. Salverda de Grave in-8°.
(3) Vv. 7872-7887.

« Ton corage en deis torner
Et coveitier que Turnus t'ait,
Ki par t'amor sa terre lait,
Por tei seule que vuelt aveir.
Molt par l'en deis buen gré saveir.
Ne l'aimes tu de buen corage ?
Par fei, tu es de tel aage
Que tu deis bien saveir d'amors
Et les engins et les trestors
Et les reguarz et les cligniers...
Turnus est proz, sel deis amer. »

« Tu dois détourner de lui ton cœur
et désirer que Turnus t'ait,
lui qui, par amour pour toi, a quitté son
pour toi seule qu'il veut posséder. [pays,
Tu devrais lui en savoir beaucoup de gré.
Ne l'aimes-tu pas déjà de tout ton cœur ?
Ma foi, tu es vraiment à l'âge
où tu dois bien savoir d'amour
les ruses, les tours et les détours,
le jeu du regard et les clins d'yeux...
Turnus est vaillant, il te faut l'aimer. »

A quoi bon ? demande Lavine. Quel avantage en retirerai-je ? Je vais te l'apprendre, dit Amata, et alors s'engage le gracieux et plaisant dialogue auquel je faisais allusion tout à l'heure (1) :

« Et tu l'apren ! » — Dites le mei,

Que est amors ? Nel sai par fei. —
« Ge nel te puis neient descrire. »
— Qu'en savrai donc, se ne l'oi dire ? —

« Tes cuers t'aprendra à amer. »
— Se nen orrai altrui parler ? —

« Tu nel savras ja par parole. »

— Toz tens en cuit donc estre fole. —
« Ainz en porras tost estre aprise. »
— Comfaitement ? se n'i sui mise ? —
« Comence, asez en savras puis. »

— Et ge coment, quand ge ne truis
Ki me die qui est amors ? —

« Apprends-le donc ! » — Alors dites-le-
[moi,
ce qu'est l'amour ? Je ne le sais,
« Impossible de te le. décrire » [ma foi. —
— Et comment le saurai-je, si on ne m'en
[dit rien ? —

« Ton cœur t'apprendra à aimer. »
— Même si je n'entends personne m'en
[parler ? —

« Ce n'est pas par la parole que tu l'ap-
[prendras. »
— Alors je n'en saurai jamais rien. —
« Tu en sauras vite assez. »
— Comment ? sans introduction ? —
« Tu n'as qu'à t'y mettre ; tu en sauras
[long. »
— Moi ! mais comment ? si je ne trouve
personne qui me dise ce qu'est l'amour ? —

Alors la mère, poussée dans ses derniers retranchements, de tenter une définition ou plutôt une description, d'après ses propres souvenirs (2) :

« Ge te dirai de ses dolors,
De sa nature que g'en sai ;
Bien me sovient que ge amai.
A peine en puet dire neient,
Ki n'a amé o ki n'en sent.
Se aveies une enferté,
Mielz savreies la verité

« Je te dirai sur ses douleurs
et sa nature ce que je sais.
Il m'en souvient, car j'ai aimé.
Malaisément en peut parler
celui qui n'a aimé ou qui n'aime.
Si tu avais une maladie,
tu la connaîtrais le mieux

(1) Vv. 7889-7901.
(2) Vv. 7902-7918.

Des angoisses que sentireies | par les angoisses que tu éprouverais
Et des dolors que tu avreies ; | et les douleurs que tu aurais.
Ki t'en voldreit donc demander, | A celui qui s'en enquerrait
Nel savreies mielz aconter, | ne les décrirais-tu pas mieux,
Ki en sereies bien certaine, | toi qui les sentirais,
Que ge, ki en sereie saine ? » | que moi qui en serais exempte ? »
— Oïl, mielz le direie asez ; | —Naturellement que j'en parlerais mieux,
Est donc amors enfermetez ? — | Mais alors, l'amour est une maladie ? —
« Nenil, mais molt petit en falt, | « Non pas, mais il s'en faut de peu,
Une fievre quartaine valt ! » | une fièvre quarte il vaut. »

L'amour, une *fièvre quarle,* voilà une définition inédite à ajouter à celles qu'ont données Stendhal, Balzac, Bourget et tant d'autres, et qui n'ont pas encore embrassé l'insaisissable objet. Mais la mère précise cette définition, peignant par le menu les effets de l'amour en une description dont les termes énergiques et frappants s'imposeront à Chrétien de Troyes et à tous ses émules (1) :

« Pire est amors que fievre aguë, | « L'amour est pire qu'une fièvre maligne,
N'est pas retors quant l'en en suë. | suée n'en est pas guérison.
D'amor estuet sovent suër | L'amour nous produit la suée,
Et refreidir, fremir, trenbler | nous donne froid, nous fait trembler,
Et sospirer et baaillier, | et soupirer, et puis bâiller,
Et perdre tot beivre et mangier | perdre le boire et le manger.
Et degeter et tressaillir, | Il nous agite, fait tressaillir,
Muër color et espalir, | changer de couleur et pâlir,
Giendre, plaindre, palir, penser | geindre, plaindre, et puis rêver,
Et senglotir, veillier, plorer : | et sangloter, veiller, pleurer.
Ce li estuet faire sovent | Voilà ce qu'éprouve souvent
Ki bien aimë et ki s'en sent. | celui qui aime et qui le sent.
Tels est amors et sa nature. | Tel est l'amour et sa nature.
Se tu i vuels metre ta cure | Veux-tu te mettre sous sa loi,
Sovent t'estovra endurer | souvent te faudra endurer
Ce que tu m'oz ci aconter | ce que tu m'entends ici décrire
Et asez plus. » | et beaucoup davantage. »

La petite n'est nullement attirée par ce sombre tableau des maux de l'amour et, plus que jamais, l'ignorante se dérobe (2) :

— N'en ai que faire. — | — N'en ai que faire. —
« Por quei ? » — N'i puis mon cuer | « Pourquoi ? » —Je n'en ai nulle envie.—
[atraire (3). — |
« Cist mals est buens, ne l'eschiver. » | « Ce mal est bon. Il ne faut pas le fuir. »
— Onc de buen mal n'oï parler. — | — Je n'ai jamais entendu parler d'un bon
| [mal. —

(1) Vv. 7919-7935.
(2) Vv. 7935-7950.
(3) Version du Ms. A.

« Amors n'est pas de tel nature
Come altre mals. » — Ge n'en ai cure. —

« Amour n'est pas de la même nature
que les autres maux. » — Je n'en veux
pas. —

« Et ja est ce tant dolce chose. »
— Ge n'en ai soing. — « Or te repose,
Tu ameras encor, ce crei,
Si n'en feras neient por mei.
Ne m'en porras longues deceivre ;
Se puis saveir ne aperceivre
Que ton cuer voilles atorner
Al traïtor de Troie amer,
O mes deus poins t'estuet morir,
Ce ne puis ge onkes sofrir. »

« Pourtant c'est une si douce chose. »
— Je n'y tiens pas. — « Calme-toi,
tu aimeras un jour, crois-m'en,
et tu ne le feras pas pour me faire plaisir !
Mais tu ne me tromperas pas longtemps.
Si je puis apprendre ou apercevoir
que ton cœur se met à aimer
le traître Troyen,
je t'étranglerai de mes deux mains,
car je ne le permettrai jamais... »

Comme la menace est trop grosse pour paraître sérieuse, et que Lavine ne semble guère s'en émouvoir, Amata passe à d'autres arguments et, après avoir décrit par le menu les maux de l'amour, elle va maintenant avec plus de détails en narrer les remèdes et les joies (1) :

« Turnus t'aime si te vuelt prendre ;
Vers lui deis tu d'amor entendre.
Aime le, fille ! » — Ge ne sai. —
« Gel t'ai mostré. » — Et ge m'esmai. —

« Turnus t'aime et veut te prendre pour
Tu dois tourner vers lui ton cœur. [femme.
Aime-le, ma fille. » — Mais je ne sais pas. —
« Je t'ai montré la manière. » — J'ai
peur. —

« De quei ? » — Del mal, de la dolor
Ki toz tens vait sivant amor. —
« Et ja est ce tels soatume ...
Se il a un poi de mal,
Li biens s'en siut tot par igal.
Ris et joie vient de plorer
Et granz deporz vient de pasmer,
Baisier vienent de baaillier,
Embracemenz vient de veillier,
Granz leece vient de sospir,
Fresche color vient de palir.
Encor s'en siut la granz dolçors
Ki tost saine les mals d'amors. »

« De quoi ? » — Du mal, de la douleur
qui suit toujours l'amour. —
« Et pourtant si grande en est la douceur.
S'il apporte un peu de mal,
le bien suit en mesure égale.
Ris et joie naissent des pleurs,
volupté de la pâmoison,
les baisers naissent du bâillement,
les embrassements de l'insomnie,
la grande liesse du soupir,
la coloration de la pâleur.
Et puis suit la grande douceur,
qui guérit vite les maux d'amours. »

Alors, pour montrer son érudition et faire, à la façon de Virgile, sa petite fresque, le clerc inconnu s'essaye à une description du temple de Vénus, où l'Amour est peint tenant dans la main droite sa flèche, dans la gauche une petite boîte (2) :

(1) Vv. 7951-7968.
(2) Vv. 7985-7986.

Li darz mostre qu'il puet navrer	La flèche montre qu'il peut blesser,
Et la boiste qu'il set saner,	et la boîte qu'il sait guérir,

car elle est pleine d'un onguent qui panse la plaie... (L'amour guérisseur est emprunté à Ovide.) (1) Mais l'obstinée ne veut pas entendre cette sage leçon de déraison et l'auteur conclut (2) :

Molt est salvage la meschine.	La jeune fille reste farouche.

Toutefois, elle ne s'est pas plutôt réfugiée dans son donjon, car l'architecture de l'auteur et de ses personnages est naturellement médiévale, que, de là, elle aperçoit Eneas et, si haut qu'elle soit, *Amors l'a de son dart ferue*, Amour l'a atteinte de sa flèche. Qu'elle le veuille ou non, il lui faut se rendre et aimer. Alors, conformément au programme tracé par son imprudente maman (3),

Ele comence a tressuer,	Elle se met à transpirer,
A refreidir et a trenbler,	à grelotter et à trembler,
Sovent se pasmë et tressalt.	souvent s'évanouit, tressaille,
Senglot, fremist, li cuers li falt,	sanglote, frissonne, perd connaissance,
Degete sei, sofle, baaille...	se débat, soupire, bâille...
Crie et plore, gient et brait.	crie et pleure, geint, se lamente.
Ne sait encor ki ce li fait,	Elle ne sait encore ce qui en est cause,
Ki son corage li remuet.	et ce qui trouble ainsi son cœur.
Demente sei, quant parler puet :	Aussitôt qu'elle peut parler, elle se plaint :
« Lasse ! » fait-ele, « que ai ge,	« Hélas ! » fait-elle, « qu'ai-je ?
Ki m'a sozprise, que est-ce ?	Qui m'a surprise ? qu'est-ce ?
Or ainz esteie tote saine,	Auparavant j'étais bien portante,
Or sui tote pasmee et vaine.	me voilà maintenant pâmée et sans force.
Dedenz le cors une ardor sent,	Dans mon corps une chaleur je sens,
Mais ne sai por ki si m'esprent,	mais je ne sais pour qui elle me brûle...
Ke mon corage me remue	ce qui agite mon cœur,
Et dont ge sui si esperdue,	ce qui me rend si éperdue,
Dont mes cuers sent dolors mortal,	et cause en lui douleur mortelle.
Se ce nen cil cuiverz mals	Serait-ce là le traître mal
Dont ma mere m'acontot ier,	que ma mère me décrivait hier
Dont el me voleit enseignier	et dont elle me voulait instruire ?
Ne sai amors o com a nom,	Je ne sais si c'est l'amour ou comment on
Mais ne me fait se tot mal non.	mais cela me fait bien mal. [appelle cela,
Ge cuit, mien esciënt, jo aim...	Je crois, vraiment, que j'aime...

(1) *Métamorphoses*, I, 468 ; cf. Edm. Faral, *Recherches sur les sources latines des contes et romans courtois du Moyen Age*, 1913, p. 144.
(2) V. 8021.
(3) Vv. 8073-8112. Je modifie parfois la ponctuation, qui est toujours le fait de l'éditeur moderne.

Ge sent les mals et la dolor
Que ma mere me dist d'amor.
O est li rasoagemenz,
La boiste o tot les oignemenz ?
Ce me diseit ier la reïne
Que Amors porte sa mecine
Et qu'il saine sempres la plaie...
Quant sa mecine me demore,
Ne sai, lasse, ki me secore.
Ge cuit que la boiste est perdue
O la poisons est espandue ;
Bien sai par tant com jo en sent,
Que m'a navrée malement. »

car je sens les maux et la douleur,
que ma mère m'a dit causés par l'amour.
Où est le soulagement,
la boîte et ses onguents ?
La reine ne me disait-elle pas
qu'Amour apporte son remède
et qu'il guérit toujours sa plaie ?..
Si son remède me manque,
je ne sais, pauvre, qui pourrait me venir
Je crois que la boîte est perdue [en aide.
ou que la potion est renversée.
Tout ce que je sais d'après ce que je sens,
c'est qu'il m'a cruellement blessée.»

Tels sont les maux qu'a causés sans le savoir le Troyen, tandis que Lavine le regardait. Le Troyen ? Non pas, mais l'Amour. Elle se souvient des menaces de sa mère. En vain, elle se raisonne, dans un monologue comparable aux stances de la tragédie et destiné comme celles-ci à rendre le rythme des incertitudes du cœur (1) :

« Et tu l'eschive, si le fui !.. »
— Ne puis trover en mon corage... —
« Ja n'eres tu ier si salvage ? »
— Or m'a Amors tote dontée. —
« Molt malement t'en es guardee...
Por quei t'arestas tu ici ? »
— Por le Troïen esguarder. —

« Esquive-le, fuis-le ! »
— Je n'en puis trouver force en mon [cœur. —
« N'étais-tu pas hier si farouche ? »
— Amour aujourd'hui m'a domptée. —
« Tu t'en es bien mal gardée.
Pourquoi t'es-tu arrêtée ici ? »
— Pour regarder le Troyen... —

Et quel mal y a-t-il, en vérité, à regarder un homme ? Si on devait tomber amoureuse de tous les hommes qu'on voit, ou l'on en aimerait une foule, ou l'on en regarderait bien peu. Un instant, la raison lui conseille de dissimuler, de faire risette à chacun, à Énéas comme à Turnus, de telle sorte que, l'un mort ou vaincu, l'autre puisse rester son prétendant. Mais, selon la prédiction de la mère, la petite, d'un seul coup, est devenue très savante en matière d'amour. Celui-ci ne supporte pas le partage (2) :

« Buene amors vait tant seulement
D'un seul a altre senglement ;
Puis qu'on i vuelt le tierz atraire
Puis n'i a giens amors que faire,...
Puis senble ce marcheandie. »

« Le bon amour va uniquement
d'un seul à un seul particulièrement.
Si un troisième entre en jeu,
Amour n'y a plus que faire,...
ce n'est plus que marchandage. »

(1) Vv. 8136-8145.
(2) Vv. 8285-8292. Cette répugnance au partage se retrouvera chez Fenice dans le *Cligès* de Chrétien de Troyes.

4

Pour elle, son choix est fait, elle ne sera qu'à Énéas, et s'il périt de la main de Turnus, plutôt que d'être à ce dernier, elle se tuera. Pour ce don imaginaire d'elle-même, au moins espère-t-elle un regard, mais le cruel Énéas s'en va, sans lever les yeux vers la tour (1) :

«Lasse, dolente, que fait-il ?
Retorne s'en ? Par fei, oïl,
Mes cuers avuec le suen s'en vait.
Desoz l'aissele le m'a trait.
Amis, vos ne retornez mie ?
Molt vos est poi de vostre amie. »

« Hélas ! pauvre, que fait-il ?
Il s'en retourne ? Hélas ! oui !
Il emporte mon cœur,
après me l'avoir arraché de la poitrine.
Ami vous ne revenez pas ?
Vous avez bien peu souci de votre amie. »

Mais comment l'aurait-il, puisqu'il ne sait rien de tout cela. Le lui mander par un message ? Sans doute, mais ici va apparaître le scrupule qui nous change de la brutalité relevée dans les Chansons de Geste, et voici la transition qui conduira aux appréhensions des héros de Gautier d'Arras (2) :

« mais ge criembroie
M'en tenissiez por prinsaltiere,
Se vos mandoe amor premiere. »

« je craindrais
que vous ne me teniez pour bien légère,
si, la première, je vous déclarais mon
[amour. »

Ce n'est pas seulement pudeur, c'est aussi prudence (3) :

« Et quant m'avreiz senz contredit
(Car ce sera jusqu'a petit),
Cuideriëz que tel atrait
Come g'avreie vers vos fait,
Redeüsse ge faire aillors,
Noveliere fusse d'amors.
Amis, ce ne cuidiez vos mie ;
Se puis de vos estre saisie,
 La vostre amor ne changerai ;
Seiez segurs : se ge vos ai,
Ja n'amerai home fors vos,
Ne seiez ja de mei jalos. »

« Car lorsque vous m'aurez sans oppo-
(ce qui ne tardera pas)   [sition
vous croiriez que ces avances
que je vous aurais faites,
je suis prête à les faire ailleurs,
et que je suis changeante en amour...
Ami, ne pensez pas cela :
une fois en possession de vous,
votre amour je ne quitterai plus
Soyez-en assuré : si je vous ai,
je n'aimerai autre homme que vous,
ne soyez pas de moi jaloux. »

Tout en raisonnant ou en radotant ainsi du doux bégaiement des amoureuses, la *meschine*, de la fenêtre de sa tour, suit du regard, aussi loin qu'elle peut, son ami qui s'éloigne. Et quand il

---

(1) Vv. 8343-8356.
(2) Vv. 8366-8368.
(3) Vv. 8369-8380.

a disparu, elle reste là, s'y tient tout le jour, contemplant le lieu par où il est parti, et la route même lui semble belle. Le soir tombé, elle abandonne son poste d'observation et se couche, mais en vain (1) :

Car tote nuit l'estut veillier
Et degeter et tressaillir,
Descovrir sei et recovrir ;
El lit se torne de travers
Et donc adenz puis a envers,
Et met son chief as piez del lit...
Trait ses chevels, bat sa peitrine...
El cors li ert li feus ki l'art ;
El se tornot de l'altre part,
Relevot sei, si s'aseeit,
Et donc se recolçot a dreit
Et apelot celui de Troie
Tot soavet, que l'en ne l'oie.
Entre ses denz dit belement :
« Amors me meine malement,
Le jor ai mal et la nuit pis ;
Amors ne tient guaires de pris
D'ocire une pucele tendre
Ki ne se puet vers li deffendre.
Tu m'apreïs hui grant leçon,
Onc n'i ot vers, se de mal non.
Car me relis de ta mecine »...

car toute la nuit il lui faut rester éveillée,
s'agitant et frissonnant,
se découvrant, se recouvrant.
Dans son lit elle se met sur le côté,
puis sur le ventre, puis sur le dos,
la tête aux pieds.   [trine...
Elle s'arrache les cheveux et se bat la poi-
Dans son corps était le feu qui la brûlait.
Elle se retournait
se relevait, s'asseyait,
sur le côté droit se recouchait,
appelait l'homme de Troie
bien doucement pour que personne ne
et entre les dents disait :   [l'entende
« Amour me traite durement,
j'ai mal le jour, la nuit c'est pis ;
Amour ne se fait pas scrupule
de tuer une toute jeune fille,
qui ne peut se défendre de lui.   [leçon,
Tu m'as appris aujourd'hui une longue
mais il n'y est question que de maux.
Maintenant apprends-moi ce fameux
                remède...

Le lendemain, quand la reine la voit pâle, les traits décomposés, qu'elle lui demande comment elle va et que la jeune fille se borne à répondre que ce sont là les effets de la fièvre, son mensonge apparaît à plein, car (2)

Ele la vit primes trenbler
Et donc en es le pas suër
Et sospirer et baaillier (3) ;
Teindre, nercir, color changier.

Elle la vit d'abord trembler,
puis aussitôt transpirer,
et soupirer, et bâiller,
rougir, pâlir, changer de couleur.

Conception évidemment presque exclusivement physique de

(1) Vv. 8400-8443.
(2) Vv. 8453-8456.
(3) Sur le bâillement, signe d'amour, je citerai le proverbe ardéchois, que je traduis ainsi :

Bâiller ne fait pas mentir,
Il veut manger ou dormir,

De l'amour s'entretenir
Ou de ce monde partir.

l'amour, en ce sens que ses premières atteintes se révèlent à des changements de couleur et à des manifestations violentes, mais qui sont peut-être d'une époque de réactions excessives (1), spontanées et primitives, où les sentiments se traduisent volontiers, dans la joie par de folles exubérances, dans la douleur par des pamoisons, dans l'amour par l'alternance rapide des unes et des autres. A ces signes (2),

Bien sot qu'amors l'aveit saisie,	La reine vit qu'amour l'avait saisie
Ki la teneit en sa baillie.	et qu'il la tenait en son pouvoir.
Demande li se ele amot ;	Elle lui demande si elle aimait.
Cele li dit qu'onkes ne sot	La fille lui répond qu'elle ne savait
Que est amors ne que set faire.	ce qu'était l'amour ni ses effets.
La reïne ne l'en creit guaire,	La reine ne l'en croit guère,
Que qu'el li die qu'ele n'aint.	quoique sa fille lui affirme ne pas aimer.
El dist : « Ge conois bien cest plaint	Elle lui dit : « Je connais bien cette plainte
Et cez sospirs ki si lonc sont.	et ces soupirs qui sont si longs.
D'amor vienent, de molt parfont,	Ils viennent d'amour, de très profond.
Plaint et sospir ki d'amor vienent	Plaintes et soupirs venant d'amour
Sont molt traitiz, pres del cuer tiennent.	sont si longs, car ils tiennent au cœur.
Fille tu aimes, ce m'est vis. »	Ma fille, tu aimes, voilà mon sentiment. »
— Onc de tel geu ne m'entremis. —	— Jamais de tel jeu ne me souciai. —
« Amors t'a pointe, bien le vei,	« Amour t'a blessée, je le vois bien,
Tu me ceiles, ne sai por quei.	tu me le caches, je ne sais pourquoi.
Ce m'est molt bel, se vuels amer,	Mais j'en suis ravie, si tu aimes,
Tu nel me deis neient celer.	tu ne dois pas me le cacher.
Turnus t'aime, molt a lonc tens,	Turnus t'aime depuis longtemps,
Se tu l'aimes, gel tien a sens.	si tu l'aimes, tu as mille fois raison.
Tu deis amer de buene amor	Tu dois chérir de loyal amour
Celui ki t'aime par enor.	celui qui t'aime avec honneur...
Ge ne t'en sai neient mal gré,	Je ne saurais t'en vouloir,
Ge le t'ai bien amonesté	puisque je te l'ai conseillé
Et bien t'en ai en veie mise.	et que je t'ai mise sur la voie.
Bel m'est que or t'en vei sorprise.	Je suis ravie de te voir prise.
Or pren conrei que il le sache	Prends soin qu'il le sache
Que tu l'aimes. »	que tu l'aimes ! »

(1) En voici une preuve curieuse, que j'ai citée déjà dans mon *Histoire de la Mise en scène dans le Théâtre religieux français du moyen âge* (Paris, Champion, 2ᵉ édition, 1926, p. 60). Mathieu Paris raconte comment les ambassadeurs de Frédéric II accueillirent la décision du concile de Lyon excommuniant leur maître. « Donc Mᵉ Taddhée de Suessa et Walter de Ocra et d'autres représentants de l'Empereur et ceux qui étaient avec eux poussèrent un gémissement plaintif. L'un se frappait la cuisse, l'autre la poitrine en signe de douleur. C'est à peine s'ils pouvaient retenir leurs larmes. » Voyez-en d'autres exemples dans Joinville, éd. de Wailly, Paris, Hachette, in-16. aux pp. 156, 178, 182, 196, 261, etc. Quelques-unes de ces manifestations seulement se retrouvent éparses dans Ovide ; cf. Faral, *Sources latines*, etc., pp. 133-136.

(2) Vv. 8457-8490.

Quelle erreur est celle de cette mère imprévoyante (1) :

— Ja Dé ne place
Qu'il m'amor ait! Non avra il! —
« Coment, ne l'aimes tu ? » — Nenil. —
« Et ja voil ge. » — Vos l'amez bien. —
« Mais tu l'aime. » — Ne m'en est rien. —
« Ja est-il bels et proz et gens. »
— Poi m'en tochë al cuer dedenz... —
« Et ki as tu donc aamé ? »
— Vos i avez tot oblié
La premeraine question,
A saveir se ge aim o non. —
« Ce sai ge bien, esprové l'ai. »
— Ce savez donc que ge ne sai ? —
« Ne ses ? Ja senz tu les dolors...
On puet veeir certainement
A ce que tu pale es et vaine,
Que tu te muers et si es saine,
Que bien aimes ; n'as altre mal.
N'est giens enfermetez mortal.
L'en en a peines et dolors,
Mais longuement vit on d'amors.
Bien sai que sorprise es d'amer. »
— Ce m'avez encor a prover. —
« N'i estuet altre provement
Ja le veit l'en apertement. »
— Dites le vos por mes dolors ?
A l'en tels angoisses d'amors ? —
« Oïl, et de plus forz asez. »
— Ne sai dont vos m'araisonez,
Mais grant mal et grant dolor sent. —
« As tu de nul home talent ? »
— Nage, fors d'un, d'altre n'ai soing,
Molt me desplaist que trop m'est loing.—
« Qu'en voldreies, que t'en est vis ?
Que ensenble fussiez toz dis ? »
—Molt me fait mal que ge nel vei
Et que il ne parole o mei... —
« Par fei, tu l'aimes par amor. »
— Coment, aime l'en donc ainsi ? —
« Oïl. » — Donc sai ge bien de fi
Que ge aim bien, mais ne saveie
Gehui matin que jo aveie.
Dame, jo aim, nel puis neier,
Vos me devez bien conseillier. —
« Si ferai ge, se tu me creiz.
Quant or tes cuers est si destreiz,
Tu me deis bien dire por cui. »

— Qu'à Dieu ne plaise
qu'il ait mon amour! Il ne l'aura pas. —
« Quoi, tu ne l'aimes point ? » — Non ! —
« Je le veux. » — Aimez-le vous-même. —
« Non, toi ! » — Cela ne me dit rien. —
« Pourtant il est beau, vaillant, noble. »
— Mon cœur n'en est pas atteint... —
« Et qui donc aimes-tu ? »
— Vous avez tout à fait oublié
que la première question
est de savoir si j'aime ou non. —
« Cela je le sais, car je l'ai aperçu. »
— Vous savez donc, ce que je ne sais. —
« Tu ne sais ? Tu en sens déjà les dou-
On peut voir, sans hésitation,   [leurs.
à ce que tu es pâle et sans forces,
mourante et pourtant bien portante,
que tu aimes ; tu n'as pas d'autre mal.
Ce n'est pas maladie mortelle.
On en a peines et douleurs,
mais on vit longtemps d'amour.
Je sais que tu as été surprise par lui. »
— Il vous reste à le prouver. —
« Je n'ai pas besoin d'autre preuves.
On le voit assez clairement. »
— Le dites-vous à cause de mes douleurs ?
L'Amour donne-t-il telles angoisses ? —
« Oui, et de bien plus fortes encore. »
— Je ne sais de quoi vous parlez, [leur.—
mais je sens grand mal et grand dou-
« As-tu de quelque homme désir ? »
— Non, je n'ai souci que d'un seul
dont il me peine qu'il soit si loin. —
« Que voudrais-tu de lui, que t'en semble ?
Que vous fussiez toujours ensemble ? »
— Je souffre beaucoup de ne pas le voir
et de ce qu'il ne me parle pas... —
« Ma foi, c'est que tu l'aimes d'amour. »
— Comment, c'est donc ainsi quand on
« Oui. » — Alors certes je sais bien [aime?—
que j'aime, mais j'ignorais
ce matin encore ce que j'avais.
Madame, j'aime, je ne puis le nier,
vous devriez bien me conseiller. —
« Je le ferai, si tu as confiance en moi.
Maintenant que ton cœur est ainsi épris,
tu devrais bien me dire de qui. »

(1) Vv. 8491-8566.

— Ge nen os, dame, car ge cui   — Je n'ose pas, Madame, car je crois
Que vos m'en savrïez mal gré ;   que vous m'en sauriez mauvais gré.
Vos le m'avez molt desloé,   Vous me l'avez beaucoup déconseillé,
Vos m'en avez molt chastïée ;   vous m'avez bien mise en garde ;
De tant m'en sui plus aprismiée :   d'autant plus me suis avancée,
Amors nen a soing de chasti.   car Amour n'a souci des avertissements.
Se vos nomoe mon ami,   Si je vous nommais mon ami,
Ge criembroe que vos pesast. —   je craindrais qu'il ne vous en déplût. —
« Onkes ne cuit que bien amast   « Je ne crois pas qu'il ait jamais aimé
Ki nul amant vuelt chastïer. »   celui qui prétend régenter les amants. »
— Jo aim, nel puis avant neier. —   — J'aime, je ne puis le nier.
« Donc a nom Turnus tes amis ? »   « Ton ami s'appelle donc Turnus ? »
— Nenil, dame, gel vos plevis. —   — Non, Madame, je vous assure. —
« Et coment donc ? » — Il a nom E... —   « Comment alors ? » — Il s'appelle É... —
Donc sospira, puis redist : « NE... »   Elle soupira et dit encore : « NÉ... »
D'iluec a piece noma : « AS... » —   et puis après un temps prononça : « AS ». —
Tot en trenblant le dist en bas.   En tremblant, elle l'a dit tout bas...
La reïne se porpensa   La reine réfléchit un instant
Et les sillebes asenbla.   et les syllabes assemble :
« Tu m'as dit E et NE et AS,   « Tu m'as dit É et NÉ et AS,
Ces letres sonent ENÉAS. »   ces lettres font ÉNÉAS. »
— Veire, veir, dame, ce est il. —   — Oui, oui, Madame, c'est lui ! —
« Si ne t'avra Turnus ? » — Nenil,   « Alors Turnus ne t'aura pas ? » — Non,
Ja nen avrai lui a seignor,   je ne l'aurai pas pour maître,
Mais a cestui otrei m'amor. —   mais à celui-là j'accorde mon amour. —
« Que as tu dit, fole desvee,   « Qu'as-tu dit, folle en délire,
Ses tu vers cui tu t'es donee ? »   sais-tu à qui tu t'es donnée ? »

Alors cette mère, qui vraiment respecte trop peu la vertu de sa fille, se répand contre Énée en grossièretés telles qu'elles sont intraduisibles en français moderne. Le fond des reproches qu'elle adresse au héros est de ne pas daigner suivre les lois de la Nature ou, si l'on veut, de les appliquer à rebours. Grand danger, observe-t-elle, avec plus de bon sens que de délicatesse, pour la perpétuation de l'espèce. Décidément, si nous avons pu admirer la finesse du dialogue et des analyses psycho-physiologiques qu'elles révèlent, il nous faut avouer que cette délicatesse est encore tout en surface. Les lectrices, car je doute que ce roman soit écrit uniquement pour un public de chevaliers, dont la plupart ne savaient pas lire, avaient l'épiderme peu chatouilleux, car le texte est si précis qu'il ne leur laisse même pas la ressource de faire semblant de ne pas comprendre.

La conclusion est nette, il faut aimer Turnus, mais la petite ne peut se résigner au change, et c'est elle qui, d'élève, va se faire pédagogue en fait d'amour, et professe (1) :

(1) Vv. 8633-8670.

— Quel deffense ai encontre amors ?　　— Quelle défense ai-je contre Amour ?
N'i valt neient chastels ne tors,　　　　Château ni tour ne valent contre lui,
Ne halz palis ne granz fossé ;　　　　　ni haute palissade ni larges fossés.
Soz ciel n'a cele fermeté　　　　　　　　Sous la voûte du ciel il n'est forteresse
Ki se puisse vers lui tenir...　　　　　　qui puisse tenir contre lui...
Parmi set murs traireit son dart　　　　A travers sept murs passerait sa flèche
Et naverreit de l'altre part :　　　　　　et blesserait au delà :
L'en ne se puet de lui guarder.　　　　　impossible de se garder de lui.
Le Troïen me fait amer,　　　　　　　　　Le Troyen me fait aimer,
Por lui me tient en grant destreit.　　　par lui je suis en grande angoisse.
Cuidiez vos donc que bel me seit　　　　Croyez-vous que ce soit pour mon plaisir
Et que gel face de mon gré ?　　　　　　et que je le fasse de mon gré ?
C'est encontre ma volenté !...　　　　　C'est contre ma volonté.
Ki contre aguillon eschalcire　　　　　　Celui qui à l'aiguillon regimbe,
Deux feiz se point, toz jors l'oi dire...　deux fois se blesse, entends-je dire.
Amors, ge sui en ta baillie,　　　　　　Amour, je suis en ton servage,
En ton demeine m'as saisie.　　　　　　tu as fait de moi ta chose.
Amors, des or me claim par toi,　　　　Amour, maintenant j'en appelle à toi.
Amors, ne faire tel desrei,　　　　　　　Amour, pas tant de précipitation.
Plus soavet un poi me meine ! —　　　　Conduis-moi un peu plus doucement !—
A icest mot perdi l'aleine　　　　　　　　A ces mots, elle perd le souffle
Et pasma sei ; seule l'i lait...　　　　　et se pâme ; la reine la laisse.
Set feiz s'est Lavine pasmee,　　　　　Sept fois s'est pâmée Lavine ;
Ne pot durer n'en repos estre.　　　　elle ne peut rester en repos,
El s'en rala a la fenestre,　　　　　　　et s'en revint vers la fenêtre
La o amors l'aveit saisie ;　　　　　　　là où Amour l'avait saisie.
La tente Eneas a choisie,　　　　　　　Elle voit la tente d'Énéas,
Molt volentiers la reguarda　　　　　　la regarde avec complaisance,
Et cele part son vis torna.　　　　　　　tournant vers elle son visage.

En vain, se souvenant des vives remontrances de sa mère, se rappelle-t-elle à la raison. Non seulement elle ne peut pas renoncer à cet amour, mais elle souffre trop même pour ne pas le révéler, et alors se manifeste en son cœur un conflit qui montre que, dans le roman du moins, la pudeur a fait quelques progrès depuis *Amis el Amile*, et que la courtoisie a imposé sa loi à la vivacité de l'instinct (1) :

— Quel mesage porras aveir ? —　　　　— Quel messager pourrais-tu avoir ? —
« Ge ne quier nul altre que mei ».　　　« Je n'en veux pas d'autre que moi. »
— Iras i tu ? — « Oïl par fei ».　　　　　— Iras-tu donc ? — « Mais oui, ma foi.
— A grant honte t'iert atorné.　　　　　— Grand honte en rejaillira sur toi.
« Cui chalt ? Se faz ma volenté,　　　　« Qu'importe ? Si je fais mes volontés,
Molt m'en iert poi que l'en en die. »　　peu me chaut ce qu'on en dira. »
— Tol, ne dire tel vilenie,　　　　　　　— Fi ! ne dis pas telle vilenie ;
Que ja femme de ton parage　　　　　　qu'une femme de ton rang

(1) Vv. 8714-8729.

Enpreigne a faire tel viltage,   s'abaisse à cette honte
Qu'a home estrange aille parler   d'aller à un étranger parler
Por sei offrir ne presenter.   pour s'offrir à lui en présent.
Aten un poi, ja t'avra il ;   Patiente un peu, il t'aura bien
Tu sereies toz tens plus vil,   Tu lui serais toujours plus vile
Et il noalz t'en prisereit   et il te priserait moins
Enz en son cuer, quant il t'avreit. —   dans son cœur, quand il t'aurait. —
« Que ferai donc ? »   « Que faire donc ? »

La solution est vite trouvée : la lettre, l'inévitable lettre d'aveu que notre roman et notre comédie ont héritée de l'antiquité. Par cet aveu, dûment couché sur parchemin et « peint » de belle encre, écrit en latin, mais cependant en mots honnêtes, Lavine dévoile son angoisse, son amour, et demande pitié. Il s'agit maintenant de l'envoyer. Rien de plus facile, elle roule la lettre autour d'une flèche et, par un archer, qui lance celle-ci devant les pieds d'Énée, elle la lui fait parvenir. Il la lit, se réjouit en son cœur, s'avance vers la tour et lève les yeux (1) :

Lavine vit ki l'esguarda,   Lavine vit qu'il la regardait,
Baisa son deit, puis li tendi,   elle baisa son doigt et le tendit vers lui
Et Eneas bien l'entendi   et Énéas comprit bien
Que un baisier li enveiot,   qu'elle lui envoyait un baiser,
Mais nel senti ne il nel sot   mais il ne le sentit et ne sut point
De quel savor ert li baisiers ;   quelle en était la saveur.
Il le seüst molt volentiers...   Il l'aurait volontiers goûtée...
Il l'esguardast molt dolcement,   Avec tendresse il la regarda,   [gens...
S'il ne s'atarjast por sa gent...   mais ne s'attarda point à cause de ses

Quand il est retourné à sa tente, son cœur est resté là-bas. Il a perdu l'appétit et se couche de bonne heure, se souvenant de la jeune fille du roi et des baisers qu'elle lui envoyait. Cupidon, le dieu d'amour, s'empare aussi maintenant de sa personne. A lui de passer une nuit sans sommeil, de se jeter de côté, de s'étirer, de se retourner, de grelotter, de soupirer, de frissonner. Il n'y a pas grande variété dans ces manifestations extérieures de la passion, que celle-ci frappe Didon, Lavine ou Énée. A Amour, qui, quoique son frère de sang, l'a navré, le héros crie (2) :

« La saiete ki traite fu   « Là flèche, qui a été tirée,
M'a malement el cuer feru. »   m'a cruellement frappé le cœur. »
— Tu mens, molt chaî loing de tei. —   — Tu mens, elle est tombée loin de toi. —

(1) Vv. 8876-8888.
(2) Vv. 8965-8974.

« Ele aporta ma mort o sei... »
— Ne ses que diz, ne te tocha. —
« Non veir ? » — Cols ne plaie n'i pert. —

« Mais li brievez ki entor ert,
M'a molt navré dedenz le cors,
Et li cuirs est toz sains defors ».

« Elle a apporté ma mort avec elle,... »
— Tu radotes, elle ne t'a pas touché. —
« Non vraiment ? » — Plaie ni bosse n'y
paraissent. —

« Sans doute, mais la lettre qui était autour
m'a blessé l'intérieur du corps,
encore que la peau soit intacte. »

La manière de l'aveu ne laisse pas d'éveiller chez le héros quelque doute. N'aura-t-elle pas fait de même à Turnus, qu'elle peut voir bien plus librement ? « *Femme est de moll male veisdie.* » La femme est si astucieuse. Voilà la première attaque contre les femmes qui commence, attaque sourde et sournoise d'esclave qui se venge de sa reine ; cela durera jusqu'à ce qu'une d'elles, et de talent, Christine de Pisan, prenne au XVe siècle la plume pour les défendre (1). Puis la querelle ne s'apaisera plus. Pourtant Énée d'observer (2) :

« Ge cuit se ele ne sentist
Tels angoisses, ja nel deïst.
Ne puet parler d'amor neient
Ne dire rien, ki ne s'en sent. »

« Si elle ne sentait pas telles angoisses,
elle ne dirait pas ainsi.
Nul ne peut parler d'amour
ni en rien dire qui ne le sente. »

Aussi comme il va désormais combattre avec plus de courage. Il y a eu de tout temps un pacte entre la bravoure et l'amour, ces deux instruments de conquête. La femme pousse celui qu'elle aime à la bataille. Elle élit celui qui tue, et, quand il a triomphé, se plaît à s'offrir au vainqueur (3) :

« Molt m'en est plus bels cist païs
Et molt m'en plaist ceste contree.
Molt par fis ier bele jornee
Quant m'arestui desoz la tor
O ge recoilli ceste amor.
Molt en sui plus et forz et fiers,
Molt m'en combatrai volentiers... »

« Ce pays me paraît plus beau,
et mieux me plaît cette contrée.
Belle m'a été la journée
qui m'a fait m'arrêter sous la tour
où je récoltai cet amour.
J'en deviens plus fort et plus hardi
et combattrai avec plus de plaisir... »

A l'esprit d'Énée se pose aussi la même question qu'à la jeune fille : celle de l'aveu. D'abord surgit cet aphorisme (4) :

(1) Cf. Marie-Josèphe Pinet, *Christine de Pisan* (1364-1430). *Étude biographique et littéraire*, Paris, Champion. 1927, in-8° (Thèse de la Faculté des Lettres de Lyon).
(2) Vv. 9015-9018.
(3) Vv. 9046-9052.
(4) Vv. 9079-9088.

« Ne deit pas tot son cuer mostrer
A femme, ki la vuelt amer...
L'en deit femme faire doter,
Ne li deit l'en pas tost mostrer
Come l'en est por li grevez.
De tant aime ele plus asez. »

« Celui qui veut aimer une femme
ne doit pas lui dévoiler son cœur...
Il faut laisser la femme dans le doute.
On ne doit pas d'emblée lui montrer
les sentiments qu'on a pour elle.
Elle en aime d'autant plus. »

Voilà qui montre que l'esprit courtois, qui réclame la soumission complète de l'amant et son plaintif aveu sans espérance, n'a pas encore tout à fait triomphé. Mais pourtant, ajoute Énéas (1) :

« S'ele ne set de mon talent
Et que ge l'aim en tel maniere
Ge criem que el resort ariere. »...

« Si elle ne sait rien de mes sentiments
ni que je l'aime à tel point
je crains qu'elle ne se retire. »...

Et alors éclate sa plainte (2) :

« Dolce amie, bele faiture,
Vostre amors m'a mis a mesure.
Por vos me plain, por vos me doil.

Ier m'esguardastes de tel oil
Que tot le cuer m'en tresperça. »
Donc l'en sovint, si se pasma
Et rechaï el lit ariere.

« Douce amie, belle créature,
votre amour m'a mis à sa mesure.
Pour vous je me plains, pour vous me
[lamente.
Hier vous m'avez regardé d'un tel œil
que mon cœur en a été transpercé. »
Il s'en souvient, et il se pâme,
et tombe à la renverse sur son lit.

La nuit se passe ainsi dans les tourments, les pâmoisons et les plaintes et, quand le jour se lève, la scène se transporte, comme dans le théâtre du moyen âge, à la fenêtre où Lavine, levée au point du jour, regarde si elle n'aperçoit pas son *dru*, c'est-à-dire son amant. On disait son *dru* et sa *drue*. Le mot est moins beau que la chose. Comme le *dru* n'apparaît point, elle commence à croire que sa mère avait raison et elle le dit en termes de corps de garde (3). Cette petite fille est aussi mal élevée que sa maman, et la pudeur en littérature comme dans les mœurs a encore des conquêtes à faire. Elle se trompe ; vers midi, Énéas s'est résolu à se lever et, chevauchant son destrier gris, accompagné de quelques-uns des siens, il se rend sous la tour... Elle le regarde et lui la regarde, mais, cette fois, les barons ont vu le doux manège ; or, comme ils sont plus Français que Troyens et qu'ils ont par conséquent l'esprit railleur, ils plaisantent Énée non sans agrément (4) :

(1) Vv. 9090-9092.
(2) Vv. 9095-9101.
(3) Vv. 9133-9134.
(4) Vv. 9241-9244.

« Sire », font il a lor seignor,
« Veez, molt est bele la tor
Mais il a un piler lai sus
Ki alkes pent vers vos, ça jus ».

« Seigneur », disent-ils à leur maître,
« voyez, elle est belle la tour,
mais il y a un pilier là-dessus
qui penche un peu vers vous aval... »

Le héros comprend leur *gab*, cette moquerie, dont nous n'a-vons pas perdu le secret, qui a égayé les veillées du château après la bataille, ou sonné clair jusque dans la mêlée.

Mais c'est assez rêvé d'amour, il faut penser au combat singu-lier, où il va se mesurer avec Turnus pour la possession de la ville et de la fille. Nous passons, car les détails de cette joute ne nous amusent guère, mais il n'est pas sûr que pour une partie des auditeurs et des lecteurs, voire les dames, ces descriptions de tournoi n'aient pas eu plus d'intérêt que les minuties senti-mentales. Bref, Turnus est tué et le roi Latinus promet à Énéas Laurente sa ville et Lavine sa fille. Ce n'est pas encore le dénouement. Cette dernière se lamente du peu d'empressement de son fiancé à venir vers elle, elle le soupçonne d'en avoir plus au royaume qu'à sa personne ; elle se reproche son audace et sa facilité, puis se gourmande (1) :

« Fole Lavine, ne t'enuit
S'il veint le jor et tu la nuit ».

« Folle Lavine, que t'importe
S'il vainc le jour et toi la nuit. »

Comme à la guerre on ne profite pas de ses avantages, faute de connaître les dispositions de l'ennemi, ainsi en amour. Igno-rant du désespoir de son amante, Énéas se plaint de son côté, se repent de n'avoir pas, à l'issue du duel, été vers elle. Sept jours se passent et puis c'est le couronnement d'Énée et de sa jeune épouse comme roi et reine d'Italie. Les noces durèrent un mois, mais le roman tourne court et l'auteur, qui consacre quelques vers aux descendants du nouveau souverain, a négligé, et il y a lieu de croire que ce n'est pas par délicatesse, les joies qui mirent fin aux peines des amants, la *soalume* après la *dolor*.

Il n'importe : dans ce récit, en apparence imité de Virgile et de son *Énéide*, est donc intercalé un épisode qui ne mérite presque plus ce nom, tant il est prolongé, et qui, pour être un peu modelé sur les amours de Didon, au chant IV, n'en est pas moins inté-ressant et original. Il semble qu'une littérature ou un genre ne puisse arriver à son plein épanouissement qu'à travers les imita-tions successives, qui toutes constituent une élaboration nouvelle

(1) Vv. 9867-8.

d'une matière antique. De ce point de vue les amours de Lavine et d'Énéas me paraissent décisives,moins peut-être par les mono tones plaintes et les monologues angoissés des deux *drus* séparés, moins aussi par les descriptions de leurs souffrances physiques, leurs rougeurs et leurs pâleurs, leur agitation et leurs frissons, leurs insomnies et leurs hallucinations, que par les conversations si fines de psychologie, si alertes de forme, si vivement troussées en un mot, de la mère et de la fille.

Nous oublions trop qu'en art, ce qui importe, c'est moins le type créé, la mère et la fille, le mari, l'amant et l'amante, éternels et monotones protagoniste, deutéragoniste et tritagoniste du drame humain, que la manière, la façon et la forme. Avec l'*Eneas* sont créés le goût de la psychologie amoureuse, du débat intérieur, de la discussion de sentiments avec soi-même ou avec la confidente, une sorte de scolastique ou de *casuistique amoureuse*, appelée dans la société et dans le roman français à une longue fortune, car on en peut suivre la trace et le développement dans le conte du xvᵉ et du xviᵉ, dans le roman et les jeux de salons du xviiᵉ, dans le roman du xviiiᵉ et du xixᵉ siècle.

C'est peut-être parce qu'un jour le vieil auteur de l'*Eneas*, clerc solitaire, vêtu de bure, penché sur quelque manuscrit d'Ovide, a vu passer, dans ses rêves, des formes nues et des femmes amoureuses, que Gautier d'Arras, Chrétien de Troyes, Marie de France (1) et l'auteur de *Pyrame et Tisbé* (2), ont appris du maître de l'*Art d'aimer* à sonder les cœurs et les reins et que, quelque huit siècles plus tard, par la continuité de la tradition, un Stendhal ou un Bourget disséquera l'*Amour*.

Ce qui est plus sûr, c'est qu'avec l'*Eneas* est assoupli l'instrument narratif incomparable, qui sera celui de la seconde moitié du xiiᵉ siècle, pour le roman, l'octosyllabe à rimes plates, au rythme allègre, plus sensible à l'oreille que celui de la prose (on sait que, dans l'évolution littéraire, le vers a précédé le plus souvent la prose), mais non moins adaptable au dialogue par la multiplication des césures, court, rapide, chatoyant,qui entraîne et ne lasse point.

---

(1) Ezio Levi a voulu lui attribuer l'*Enéas*, mais le prologue des *Lais* ne le permet guère. Cf. *Marie de France e il romanzo di Eneas* dans ATTI DEL REALE ISTIT. VENETO, 1921-1922, t. LXXXI, 2ᵉ p., p. 645 et s. Voir aussi l'Introduction de Salverda de Grave au t. I de l'éd. in-12 d'*Eneas* (CLASSIQUES FRANÇAIS DU MOYEN AGE), p. xx.

(2) Cf. A. Dressler, *Der Einfluss des altfranzösischen Eneasromanes au die altfranzösische Literatur*, Thèse de l'Université de Göttingen, 1907.

Maurice Wilmotte a eu raison d'écrire (1) : « Cette date de 1160, qu'on assigne à *Eneas*, est peut-être la plus mémorable, à cet égard, de tout le roman français ; avec elle naît et se lève l'aube d'un art nouveau. » L'étranger ne s'y est pas trompé, et puisqu'il est vrai de dire que la littérature germanique d'alors n'existe presque qu'en fonction de la littérature française, l'Alsace et la Rhénanie, « marches » linguistiques, servant de truchements, on verra Heinrich von Veldeke traduire notre *Eneas*, la première partie avant 1174, la seconde entre 1184 et 1190 (2).

(1) *L'Evolution du roman français aux environs de* 1150, p. 55. A moins qu'on n'admette avec l'éditeur de Boer et avec Edm. Faral l'antériorité de ce petit poème.

(2) Cf. Jan van Dam, *Zur Vorgeschichte des höfischen Epos, Lamprecht, Eilhard, Veldeke*, Bonn et Leipzig, K. Schroeder, 1923, in-8°, 132 p. et du même, *Das Veldeke problem*, Groningue, Wolters, 1924, in-8°, 24 p., ainsi que l'ouvrage plus ancien de G. Firmery, *Notes critiques sur quelques traductions allemandes de poèmes français au moyen âge*, Paris, E. de Boccard, 1901, in-8°, pp. 13-54.

III. *LE ROMAN DE TROIE*

Il nous reste à parler de la dernière étoile (1) de la triade classique, le *Roman de Troie*. Comme Alexandre, Œdipe et Énée, ainsi Achille et Patrocle, Agamemnon et Ménélas, Paris et Jason nous apparaîtront, adoubés du heaume et du haubert, en cotte de mailles, avec de puissants corps de chevaliers, dont les cerveaux et les cœurs sont ceux d'hommes du XIIe siècle, la foi en moins ; et ce dernier trait n'est peut-être pas le moins étonnant, car, comme ils n'invoquent guère d'autre Dieu que Cupidon, ce sont des héros laïcisés que nous présente ici le pieux moyen âge.

Le pseudo-Frédégaire (2), au VIIe siècle, avait déjà montré le Troyen Francio, descendant de Priam, conduisant en *France* ses compagnons, exilés et chassés par la destruction de leur cité (3). Que la légende de Troie ait hanté l'imagination du fin auteur de l'*Eneas*, c'est ce qu'attestent, par exemple, ses comparaisons, telle celle des v. 10109-10110 :

Onkes Paris n'ot graignor joie,   Paris n'eut pas plus grande joie
Quant Eleine tint dedenz Troie...   Quand il tenait Hélène dans Troie...

On peut situer le *Roman de Troie* aux environs de 1160, quoi que certains le placent, avec une précision beaucoup trop grande, en 1165. Il semble au contraire que l'influence qu'il exerça sur les œuvres immédiatement antérieures à cette date, auxquelles

---

(1) La chronologie adoptée ici est celle de E. Langlois, *Chronologie des romans de* Thèbes, d'*Énéas et de* Troie, dans la *Bibliothèque de l'École des Chartes*, t. LXVI, p. 107, admise par Foerster, *Wörterbuch*, etc., pp. 8*-13*, 34*, et confirmée par la démonstration de Edm. Faral, *Chronologie des Romans d'Eneas et de* Troie, dans ses *Sources Latines*, p. 169-187. C'est en vain que Guyer, *The Chronology of the earliest french romances* dans *Modern Philology*, février 1929, tente de réfuter leurs arguments.

(2) Cf. Molinier, *Les Sources de l'Histoire de France*, t. I, p. 63.

(3) Jean Lemaire de Belges dans ses *Illustrations de Gaule et Singularitez de Troyes*, composées de 1509 à 1512, parle aussi au L. III, de Laodamas, rejeton d'Hector, appelé Francus, à cause de sa franchise, et venu en France. Ronsard, on le sait, reprit le même thème ; cf. mon *Ronsard, sa vie et son œuvre*, Paris, Boivin, 1924, in-12, et P. Laumonier, *Ronsard, poète lyrique*, 2e éd., 1924, pp. 302-303.

il fournit des images et suggère des parallèles (1), empêche de le rajeunir à ce point. Il représente en tout cas, dans la triade classique, un progrès, sinon en finesse d'expression et d'analyse, du moins en ce qui touche le développement de l'amour courtois et l'importance accordée à la femme et aux passions des protagonistes.

Cette fois l'écrivain s'est nommé, c'est Beneeit de Sainte-Maure, et l'on sent, à ce détail, que nous approchons d'une période où l'élévation en dignité de la littérature, la substitution de l'homme de lettres à demeure au jongleur errant, vont mettre fin au rigoureux et trop modeste anonymat de l'âge précédent. Avec l'humanisme le désir de gloire littéraire apparaît (2). Comme l'auteur de l'*Eneas*, qui est Normand, Benoît. est originaire des possessions de la monarchie anglo-angevine. Chrétien de Troyes étant de Champagne, Gautier, d'Arras, et Marie probablement de Normandie, il est facile de voir que Paris n'est pas plus le centre de la littérature que de la politique française. Sainte-Maure est sur la Manse, qui se jette dans la Vienne à l'Ile-Bouchard : nous avons déjà dit le rôle de la fertile vallée de la Loire dans le développement de la dramaturgie latine du temps, la voici maintenant entrant en jeu pour la production en langue vulgaire. Le *Roman de Troie* a été édité en six volumes, contenant 30.000 vers, par M. Constans, pour la Société des Anciens Textes français (3). Les sources sont naturellement latines et non pas grecques (*graecum est non legitur*, est-il écrit à la marge d'un manuscrit) : le *livre* en latin, que Benoît affirme avoir traduit, est, pour le public, la meilleure des recommandations, la garantie d'authenticité, la bonne et sûre marque d'origine (4) :

(1) Cf. Wilmotte, *Évolution du Roman français*, p. 19, n. 3, et *Erec*, éd. Foerster, in-8°, p. 226, vv. 6343-6345 :

> Enide sa cosine an mainne,
> Et plus bele que ne fut Helainne,
> Et plus jante et plus avenant.

L'exemple est d'autant plus intéressant qu'il est emprunté à une des premières œuvres de Chrétien.

(2) Il est évident dans la lettre adressée à Guillaume de Blois par son frère et que nous avons citée plus haut p. 26.

(3) A consulter l'Introduction, au t. VI (1912) ; Edm. Faral, *Recherches sur les sources latines des contes et romans courtois du moyen âge*, pp. 169-187 ; *Le Roman de Troie en prose*, t. II, Paris, Champion, 1926, in-12 (Les Classiques français du moyen age), et l'article de M. Wilmotte dans *Le Moyen Age*, 1914.

(4) *Le Roman de Troie*, éd. Constans, vv. 33-39.

Et por ço me vueil travaillier

En une estoire commencier,

Que de latin où jo la truis,

Se j'ai le sen et se jo puis,

La voudrai si en romanz metre

Que cil qui n'entendent la letre

Se puissent deduire el romanz.

C'est pourquoi je veux m'efforcer

de commencer une histoire,

que, du latin où je la trouve,

si j'ai assez de talent et de force,

je voudrais traduire en roman,

pour que ceux qui n'entendent pas le latin

puissent jouir du roman.

J'ai volontairement, dans mon adaptation, laissé subsister l'équivoque sur le mot *roman*, qui désigne à la fois la langue romane, ou plutôt le français, et le genre littéraire, qui a gardé ce nom.

Donc la *letre* en question n'est pas Homère. Mauvaise source que celle-là, puisqu'il n'a pas été témoin des événements qu'il raconte (1) :

Omers, qui fu clers merveillos

E sages e esciëntos,

Escrist de la destrucion

Del grant siege et de l'acheison...

Mais ne dist pas sis livres veir

Quar bien savons...

Qu'il ne fu puis de cent ans nez

Que li granz oz fu assemblez.

N'est merveille s'il i faillit

Quar onc n'i fu ne rien n'en vit.

Homère, qui était un savant remarquable,

plein de sagesse et de science,

a écrit de la Destruction de Troie,

du grand siège et de sa cause...

mais son livre ne dit pas la vérité

car nous savons bien...

qu'il naquit plus de cent ans après

le rassemblement de la grande armée.

Il n'est pas étonnant qu'il ait failli

car il n'y a pas été et n'a rien vu.

Le moyen âge, avec sa mentalité un peu enfantine de chroniqueur, n'admet que le témoignage de celui qui a vu ; il le croit sur parole et ne songera pas à contrôler à cet égard son affirmation. Peut-être cette crédulité explique-t-elle aussi son goût du merveilleux. Pourquoi discuter ? L'imagination est belle, donc elle est vraie, et d'autant plus vraie qu'elle est plus étonnante et plus fantastique. Bref, à Homère, qui pourtant avait de quoi satisfaire les plus difficiles, on préféra deux récits apocryphes latins de pseudo-témoins, qui, en fait, travaillaient d'après Homère : l'*Historia de excidio Trojae*, ou récit de la destruction de Troie, dû à Darès le Phrygien, datant du milieu du VIe siècle après Jésus-Christ et, pour la fin, l'*Ephemeris belli Trojani* ou Chronique de la guerre de Troie, par Dictys de Crète, du IVe siècle après Jésus-Christ. Darès le Phrygien et Dictys de Crète, voilà donc sur qui s'appuiera Benoît. Ils se fondent sur un original grec ; la preuve en est qu'on a retrouvé sur un papyrus de 250 ans après Jésus-Christ une partie du *Dictys*. Ils ont cette parti-

(1) Vv. 45-56.

cularité, que nous avons déjà signalée, de retrancher de leur récit l'élément mythologique, de faire abstraction du rôle des dieux (1).

La trame d'événements que déroule le récit est donc purement humaine. Comme dans toutes les histoires au moyen âge, il remonte volontiers assez haut, à l'expédition des Argonautes avec sa première destruction de Troie par Jason et Hercule et sa reconstruction par Priam, à la vengeance des Troyens, qui est le rapt d'Hélène par Paris. On assiste à vingt batailles qui, étant de tout point semblables à celles des Croisades, plaisaient aux auditeurs chevaliers (2) :

> Escuz, haubers, heaumes se fendent.

La plus intéressante est celle que les Grecs livrent à Penthésilée, reine des Amazones. L'Odyssée est ensuite soudée à l'Iliade et nous conduit jusqu'à l'assassinat d'Ulysse par Télégone, fils qu'il a eu de Circé. Celui-ci fonde Tusculum et aurait épousé Pénélope et engendré d'elle un fils nommé Italus. On nous raconte le meurtre d'Agamemnon par Clytemnestre, tuée à son tour par Oreste, le mariage d'Andromaque et de Pyrrhus. A Benoît revient donc l'honneur de nous les avoir présentés, pour la première fois en français, mais là n'est pas son vrai mérite : il est dans la part royale qu'il a faite à la passion. On peut dire qu'à côté des batailles ont réclamé surtout son attention les amours de Jason et de Médée, celles de Paris et d'Hélène (t. I, p. 223 et s.), celles d'Achille et de Polyxène, celles de Troïlus et de Briséida (t. II, p. 287 et s.), ces dernières vouées, après avoir été reprises par Boccace, à l'honneur de fournir à Shakespeare la trame de *Troïlus and Cressida* (3). Il convient donc d'y insister un instant à notre tour, d'autant plus que, nous le verrons, c'est ici non moins que dans *Eneas*, que Chrétien a appris son métier de maître ès sciences amoureuses.

---

(1) *Dictys cretensis et Dares phrygius, De bello et excidio Trojae*, ont été édités au xviiᵉ siècle par la célèbre Anne Dacier, Amsterdam, Gallet, 1702, in-4°. Voir sur cette question le livre de W. Greif, *Die mittelalterlichen Bearbeitungen der Trojanersage. Ein neuer Beitrag zur Dares und Dictysfrage*, Marburg, Elwert, 1886, in-8° (dans les Ausgaben und Abhandlungen de Stengel, n° LXI) et le travail plus ancien de A. Joly, *Benoît de Sainte-More et le Roman de Troie*, Paris, Franck, 1870-1, 2 vol. in-4°, en particulier le t. II.

(2) V. 9445.

(3) Cf. K. Young, *Aspects of the Story of Troilus and Criseyde* (University of Wisconsin Studies in Language and Literature, n° 2).

Il trouvera tout d'abord, pour son *Cligès*, en Médée, une nécromancienne supérieure à sa Thessala ; toutefois elle n'est point une vieille sorcière, mais, au contraire, un modèle de grâce virginale. Voici comment elle apparaît à ce Jason, que déjà son cœur a élu (1) :

La chiere tint auques en bas,	Elle gardait le visage baissé,
Plus fine e fresche e coloree	plus fine et fraîche et colorée
Que la rose, quant ele est nee.	que la rose quand elle éclôt.
Mout l'aama enz en son cuer :	Elle se prit à l'aimer en son cœur
Ne poeit pas a nesun fuer	et ne pouvait à aucun prix
Tenir ses ieuz se a lui non ;	détourner ses regards de lui;
Mout le desire a mariage...	elle le souhaite pour époux...

Elle finit par le lui avouer (2) :

Mais se de ço seüre fusse	Si j'étais sûre de ceci
Que je t'amor aveir poüsse	que je pusse obtenir ton amour
Qu'a femme espose me preïsses...	et que tu me prisses pour femme...

lui promettant en ce cas de l'aider dans sa redoutable entreprise. Jason la rassure sur la droiture de ses intentions (3) :

A femme vos esposerai,	Je vous prendrai pour femme
Sor tote rien vos amerai.	et vous aimerai par-dessus tout.
Ma Dame sereiz e m'amie,	Vous serez épouse et maîtresse
De mei avreiz la seignorie.	et aurez suzeraineté sur moi.

Cette affirmation suffit pour qu'elle se donne à lui, ce qui nous est dit et décrit sans ambages ni délicatesse (v. 1643-1649). Aussitôt après, elle lui confie un anneau enchanté qui le préservera de tout péril, et qui lui permet de conquérir la fameuse Toison d'or, puis d'emmener Médée, dont on ne nous raconte la répudiation et le double meurtre maternel que par voie d'allusion, l'auteur n'oubliant point, cette fois, que le siège de Troie reste son principal objet. Il nous conte donc la première destruction de la ville par Hercule, accompagné de Castor et Pollux, de Télamon, de Pélée et de Nestor. Le géant tranche la tête de Laomédon et donne à Télamon, Hésione, sœur de Priam. Après la reconstruction de la cité, Anténor est envoyé en ambassade en Grèce avec Pâris pour réclamer Hésione, et c'est alors la ren-

(1) Vv. 1250-1290.
(2) Vv. 1407-1409.
(3) Vv. 1433-1436.

contre de ce dernier avec Hélène (1), décrite en des termes qui sentent leur *Eneas*, l'enlèvement au Temple, la feinte désolation de celle-ci, l'aveu, l'entrée à Troie et les noces adultérines. Nous n'avions pas encore eu de portrait de l'héroïne, mais voici comme elle nous est maintenant présentée (2) :

De trestotes beautez la flor,
De totes dames mireor,
De totes autres la gençor,
De trestotes la soveraine,
Ausi come color de graine
Est mout plus bele d'autre chose,
Et tot ausi come la rose
Sormonte les flors en beautez,
Trestot ausi, e plus assez,
Sormonta le beauté Heleine
Tote rien que nasqui humaine...

Fleur de toutes les beautés,
miroir pour toutes les femmes,
plus gracieuse que toutes autres,
reine parmi les reines.
De même que l'écarlate
surpasse toute autre couleur
et de même que la rose
surpasse les fleurs en vénusté,
ainsi, et beaucoup plus encore,
surpassait la beauté d'Hélène
toute chose qui naquit humaine.

Tout cela est encore un peu vague, mais voici qui est plus précis (3) :

Enz el mi lieu des dous sorciz,
Qu'ele aveit deugiez e soutiz,
Aveit un seing en tel endreit
Que merveilles li aveneit.

Juste entre les deux sourcis,
qu'elle avait allongés et fins,
un grain la marquait à telle place
qui lui allait à merveille.

Après le portrait de la beauté parfaite que nos faiseurs de contes jusqu'à notre temps, tireront à des milliers d'exemplaires, nous aurons même, originalité rare, celui de la beauté imparfaite ou, si l'on veut, la beauté du diable, qui est celle de Briséis (4) :

Briseïda fu avenant,
Ne fu petite ne trop grant.
Plus esteit bele e bloie e blanche
Que flor de lis ne neif sor branche ;
Mais les sorcilles li joigneient,
Que auques li mesavenaient.

Briséis était plaisante,
ni trop petite ni trop grande,
plus belle, plus blanche, plus brillante,
que fleur de lis ou neige sur branche,
mais ses sourcils se rejoignaient,
ce qui ne lui allait pas très bien.

C'est de ses amours avec Troïlus qu'après six batailles longuement narrées, il va maintenant être question. Ils se désolent

---

(1) *Le Roman de Troie*, éd. L. Constans, t. I, pp. 223-224.
(2) Vv. 5120-5130. J'ai, pour le v. 5127, adopté la leçon du Ms. J, et corrigé « de » en « en », ce qui me paraît nécessaire.
(3) Vv. 5133-5136.
(4) Vv. 5275-5280.

d'être séparés par les événements, Briséis étant livrée aux
Grecs par Priam, mais ses larmes n'inspirent point de pitié à
Benoît de Sainte-Maure, qui, misogyne comme l'auteur d'*Eneas*,
se livre, à propos de l'inconstance des femmes, aux plus scep-
tiques réflexions (1) :

A femme dure dueus petit,	Chez la femme le chagrin dure peu.
A l'un ueil plore, a l'autre rit,	D'un œil elle pleure, de l'autre rit.
Mout muënt tost li lor corage.	Elles changent vite leur humeur
Assez est fole la plus sage :	et la plus sage est encore bien folle.
Quant qu'ele a en set anz amé	Ce que sept ans elle a aimé
A ele en treis jorz oblié.	elle l'a oublié en trois jours,
Onc nule ne sot duel aveir.	jamais nulle ne connut douleur.

Une seule fait exception, dont Benoît appréhende à ce propos le courroux, parce qu'elle est sa protectrice et que l'œuvre
lui est dédiée : Éléonore, reconnaissable aux mots « *à riche dame
de riche rei* »... Mais à Briséis, Diomède, fils de Tydée, aura
vite fait oublier Troïlus. Bien qu'elle soit sa captive, c'est lui
qui cherche à la conquérir, et, acquisition capitale de l'amour
courtois, s'offre à elle comme vassal, lui demandant de le recevoir « *à chevalier et à ami* » et lui affirmant, comme à tant d'autres, qu'elle a été la première et qu'elle sera la dernière, ce qui
n'est pas plus assuré. D'abord on la voit se dérober, en un
discours plein de nuances et de finesse. Il ne faut pas s'enflam-
mer si vite. Mainte pucelle, dit la jeune fille avertie et prudente,
a eu à s'en repentir (2) : « Pour une qui en rit, il y en a six qui
en pleurent. » Elle qui vient d'être arrachée à son ami n'a cure
d'un nouvel engagement et fait au soupirant un petit cours de
morale, à l'usage des jeunes filles, dont pourront profiter les
lectrices de Benoît (3) :

« Guarder se deit de blasme aveir.	« Elle doit se garder du blâme.
Celes quil font plus sagement	Les plus prudentes qui sagement
En lor chambres celeement	dans leurs chambres secrètement
Ne se puent pas si guarder	le font, ne peuvent empêcher
D'els ne facent sovent parler. »	que souvent l'on ne parle d'elles. »

(1) Vv. 13441-13447. Sur ce thème, voir Faral, *Recherches sur les Sources
latines*, etc., p. 99 et n. 3.
   (2) Vv. 13635.
   (3) Vv. 13654-13658.

Tant de prudence ne la prive pas de terminer sa harangue par des paroles de meilleur augure. Elle ne rejette pas à tout jamais ses hommages, mais, pour l'instant, elle ne songe point à aimer. Que si son sentiment à cet égard venait à changer, elle ne penserait point à un autre qu'à lui. Et Diomède d'entendre fort bien ces réticences (1) :

Bien entendi as premier moz	Il comprit bien aux premiers mots
Qu'el n'esteit mie trop sauvage.	qu'elle n'était pas trop farouche.

Quelque espoir que cette conviction lui donne, il n'en est pas moins comme Énée, et à son imitation, bientôt en proie aux tortures physiques de l'Amour, dont les prodromes monotones ne nous sont que trop connus désormais. Ils n'échappent point non plus à la fille de Calchas ; elle en conçoit de l'orgueil et en profite pour rebuter le soupirant, ce qui provoque chez le conteur une nouvelle explosion de misogynie et des observations psychologiques, que nous avons d'ailleurs déjà lues dans l'*Eneas*, à peu près pareilles, mais moins poussées (2) :

Mout le conoist bien as sospirs	Elle perçoit bien à ses soupirs,
Qu'a li est del tot ententis ;	qu'il est tout à fait pris par elle,
Por ço l'en est treis tanz plus dure.	et elle lui devient trois fois plus dure.
Toz jors a femme tel nature :	Telle est la nature de la femme :
S'ele aperceit que vos l'ameiz	si elle aperçoit que vous l'aimez
Et que por li seiez destreiz,	et que d'elle vous êtes épris,
Sempres vos fera ses orguieuz,	sitôt vous sera dédaigneuse
Poi vos tornera puis ses ieuz	et ne tournera plus ses yeux
Que n'i ait dangier ne fierté	vers vous sans dédain ni fierté.
Mout avreiz ainz chier comparé	Vous l'aurez d'abord payé cher
Le bien qu'ele le vos deint faire.	le bien qu'elle daigne vous faire.
C'est une chose mout contraire,	C'est une chose très dure
Amer ço dont om n'est amez :	que d'aimer sans être aimé,
A merveille deit om tenir	et il est vraiment étonnant
Com ço puet onques avenir.	que cela puisse jamais se produire.

Chez Diomède aussi, comme chez Énée, l'amour engendre la prouesse. Il l'avoue, sans barguigner, ce que n'eût point fait un preux de Chanson de geste, dans la première moitié du XIIe siècle (3) :

«S'en vos n'aveie m'atendance	« Si je n'étais épris de vous,
Jamais ne cuit qu'escuz ne lance	je crois que bouclier ni lance
Fust par mei portez ne saisiz, »	ne seraient par moi portés, »

(1) Vv. 12682-12683.
(2) Vv. 15035-15050.
(3) Vv. 15159-15161.

et Briséis, transportée de cette peu mâle déclaration, lui octroie, en vraie dame de tournois, la manche droite de son vêtement pour lui servir de gonfanon.

Une dixième bataille, puis c'est au tour d'Achille au pied léger de tomber amoureux : à Polyxène s'adresseront ses hommages et ses vœux. Comme dans la tragédie du XVIIᵉ siècle, le héros, que nous croyions vulnérable au talon surtout, pâlira et rougira, et déjà se manifeste aussi, à son propos, un paradoxe sentimental qui le fera épris de la sœur de son ennemi, Hector (1) :

« N'est el ma mortel enemie ?	« N'est-elle ma mortelle ennemie ?
Oïl, mais or sera m'amie. »	Oui, eh bien ! elle sera ma maîtresse. »

Cette antithèse fondamentale, d'aimer celle qui le hait et le doit haïr, en tant que meurtrier d'un frère, ne fait que déchaîner sa passion, qui devient en quelque sorte furieuse et s'exprime en monologues exaspérés (t. III, p. 153 et s.). A tous les traits de ce discours, plus lourd de style que ceux de l'*Eneas*, on reconnaît la marque de l'anonyme qui le premier disserta bien du tumulte et des contradictions des sentiments, quand ce ne serait qu'à « *la douçor et la soatume* », réclamées à Cupidon par Achille pour le préserver de la mort qui le menace. N'ayant pu obtenir que les Grecs cessassent la guerre pour lui permettre de réaliser son propre dessein d'épouser Polyxène, il se retire sous la tente, ce qui provoque cette nouvelle réflexion désabusée du conteur (2).

Creance e fei, pere e seignor	Religion et foi, père et mari,
En ont ja relenqui plusor,	à maints Amour les fit quitter,
E granz terres e granz païs ;	et de grands biens, et de grands pays.
Qui tres bien est d'amor espris	Qui est vraiment pris par l'amour
Il n'a en sei sen ne reison.	n'a plus en soi bon sens ni raison.

Quand, dans la quinzième bataille, Diomède est grièvement blessé, Briséis, à laquelle revient une fois encore ce roman assez décousu, ne peut cacher son chagrin et l'amour qu'elle a conçu pour lui. En vain se reproche-t-elle à elle-même sa trahison envers Troïlus ; elle se réconforte en se disant qu'après tout il ne faut pas trop s'occuper des médisants et du qu'en dira-t-on et conclut (3) :

(1) Vv. 17657-17658.
(2) Vv. 18455-18459.
(3) Vv. 20318-20320.

Deus donge bien a Troïlus !	Grand bien fasse à Troïlus !
Quant nel puis aveir, ne il mei,	Ne pouvant l'avoir ni lui moi,
A cestui me doing e otrei.	je me donne à celui-ci.

Passons sur le meurtre d'Achille par Pâris, sur la mort de Polyxène et d'Hécube, sur la destruction de Troie, sur le parricide d'Oreste, sur les aventures d'Ulysse, d'Andromaque et d'Hermione et disons avec Benoît, un peu essoufflé aussi, à son 30301e octosyllabe (1) :

Ci ferons fin, bien est mesure,	Arrêtons-nous, il en est temps,
Auques tient nostre livre e dure.	notre conte a assez duré.

Ni plus ni moins qu'un Pindare, un Térence, ou un Ronsard, il lance un défi aux critiques médisants et envieux ; orgueil justifié en quelque mesure, car si nous avons insisté sur le développement qu'il a donné à la psychologie amoureuse et à l'étude physique et morale de la femme, il n'a pas moins porté aussi à un haut degré deux éléments qui joueront un rôle considérable dans l'art de romancer pendant les siècles suivants : le sentiment de la nature et le merveilleux.

C'est une description tout à fait agréable, et personnelle, encore qu'elle soit imposée par la poésie lyrique du Midi et du Nord, que cette évocation du Printemps qui figure presque au début (2) :

Quant vint contre le tens novel,	Quand arriva le temps nouveau
Que doucement chantent oisel,	où chantent doucement les oiseaux,
Que la flor pert e blanche et bele,	où la fleur perce blanche et belle,
E l'erbe est vert, fresche e novele ;	où l'herbe est verte, fraîche, nouvelle,
Quant li vergier sont gent flori	quand les vergers sont gentiment fleuris
Et de lor fueilles revesti,	et de leurs feuilles revêtus,
L'aure douce vente soëf,	que la brise douce souffle suave,
Lors fist Jason traire sa nef	lors Jason fit tirer sa nef
Dedenz la mer...	dedans la mer...

Au domaine du merveilleux, appartient surtout la fameuse chambre de Beauté qu'a fait édifier Priam et dont l'architecture rappelle celle du Palais de l'Empereur dans le *Pèlerinage de Charlemagne* (3). Tout l'or d'Arabie y flamboie, saphirs, agates, topazes, bérils, jaspes et chrysoprases. Nos poètes s'eni-

(1) Vv. 3093-3094.
(2) Vv. 953-961.
(3) Sur ce point, cf. Edm. Faral, *Le Merveilleux et ses sources dans les descriptions des Romans français du XII*e *siècle* dans les *Recherches*, déjà citées, pp. 307-388.

vrent avec ces mots et avec ces symboles de la richesse qui tou
jours leur échappe. Les pierres sont serties sur quatre piliers dont
le moindre vaut plus de 1200 marcs d'or. Sur deux d'entre eux
se dresse l'image de deux demoiselles, dont l'une tient un miroir
resplendissant comme les rayons de la lune ou du soleil. C'était
en soi déjà une prodigieuse rareté, mais ce qui l'était davantage
est sa fidélité à laquelle (1) :

I pueent conoistre e saveir	Peuvent connaître et savoir
Les danzeles se lor mantel	les demoiselles si leur manteau
Lor estont bien o lor cercel	leur va bien ou leur diadème,
E lor guimples e lor fermal.	ou leur guimpe ou leur fermail.

L'autre statue est plus précieuse encore, car, mesurant le
temps, elle dicte à chacun sa conduite (2) :

Quant termes esteit de l'aler	Le moment venu de partir,
E quant trop tost e quant trop tard.	s'il est trop tôt ou bien trop tard.

Ainsi contait Benoît, expert en choses rares et séduit déjà par
le mirage oriental non moins que par les subtilités de sentiment.
Les connaissait-il d'expérience ou en parlait-il d'ouï-dire seulement ? La même question se pose pour son compatriote Me François Rabelais, car Sainte-Maure est dans l'Indre-et-Loire entre
Chinon et Loches. Comme lui, il fut moine, comme lui bénédic-
tin, comme lui vert conteur et friand de choses amoureuses. Il
sut, lui aussi, à l'occasion, faire œuvre plus sérieuse, s'il est vrai,
comme Foerster le soutient contre l'avis de L. Constans, qu'il
faille l'identifier avec le Mestre Beneeit, auteur de la *Chronique
de Normandie* (3). L'homonymie est la *croix* des historiens. Le
dialecte est en tout cas cette κοινή normande, cette langue littéraire commune (on ne dira jamais assez l'importance de la Normandie dans notre littérature) (4), qui étend son domaine jusqu'à
Tours. Ainsi devait parler Éléonore, avec une pointe d'accent
méridional cependant ; elle retrouvait donc sa langue, dans le gros
livre qui lui était offert, car il n'est pas douteux que ce ne soit à
cette grande protectrice des lettres que s'applique la dédicace assez

---

(1) Vv. 14698-14701.
(2) Vv. 14884-14885.
(3) V. aussi *The Anglo Norman St-Brendan* de Beneeit, éd. p. E.-G.-R. Wa-
ters, Oxford, Clarendon Press, 1928, in-8°.
(4) Cf. C. de Boer, *La Normandie et la Renaissance classique dans la littérature française du XIIe siècle*, Groningue, de Waal, 1912, une br. in-8°.

singulièrement placée, au milieu du roman, aux v. 13457 à 13470 (1) peut-être pour avoir été tardivement agréée, en reconnaissance d'un don. Nous avons déjà dit en la rencontrant, après l'attaque contre l'inconstance féminine, que *riche dame de riche rei* ne paraît pouvoir s'appliquer qu'à Éléonore, mariée en 1152, mais dont l'époux Henri II Plantagenet n'est devenu roi qu'en 1154, ce qui nous fournit pour le *Roman de Troie* un *terminus a quo*, la limite antérieure qu'on ne peut dépasser pour le dater ; la borne postérieure, le *terminus ad quem* étant, selon les uns 1165, selon les autres, dont je suis, 1160.

L'œuvre eut un succès immense. En témoignent, non pas seulement les imitations dont elle fut l'objet à l'intérieur, mais aussi celles qu'on pratiqua à l'extérieur, en particulier en Allemagne ; je songe au *Liet von Troye* de Herbort von Fritzlar (entre 1190 et 1217) et au *Buch von Troye* (de 1287), inachevé, en 40.000 vers, de Konrad von Würzburg.

Ainsi la période qui va de 1150 à 1160 nous a apporté, dans l'histoire du roman, trois œuvres importantes, que nous avons appelées la triade classique (3) dont l'ordre chronologique semble bien être :

> *Roman de Thèbes,*
> *Eneas,*
> *Roman de Troie,*

allant du plus rude au plus raffiné, du plus dur au plus policé, du plus brutal au plus nuancé. Ce que la triade classique a donné de nouveau à nos lettres françaises peut se condenser dans la tableau suivant :

1) La matière antique, déjà introduite par le roman d'Alexandre et, pour un temps, triomphante ;

2) L'influence de Virgile et surtout d'Ovide (4) ;

3) L'exotisme et l'orientalisme : Asie Mineure, Byzance, les Indes ;

4) L'esprit païen substitué partiellement à l'esprit chrétien ;

---

(1) *Le Roman de Troie,* t. II, p. 302.
(2) Cf. H. Schneider, *Heldendichtung, Geistlichendichtung, Ritterdichtung,* Heidelberg, Winter, 1925, in-8°, pp. 257, 326 s.
(3) Cf. plus haut p. 36.
(4) On doit faire ici une place à *Piramus et Tisbé* (éd. p. C. de Boer, Paris, Champion, 1921, CLASSIQUES FRANÇAIS DU MOYEN AGE, in-12), étudié par Edm. Faral, *op. cit.,* pp. 5-61.

5) Le fantastique et l'*enchanterie* remplaçant le merveilleux chrétien de l'épopée (1) ;

6) La prééminence croissante de la femme, du *Roman de Thèbes* au *Roman de Troie* en passant par l'*Eneas* ;

7) L'exploit chevaleresque, fonction de l'amour ;

8) La prééminence de l'amour et de la psychologie amoureuse ;

9) L'octosyllabe à rime plate (2) qui sera pour près d'un siècle l'instrument d'expression narrative et dramatique.

L'amour installé dans le roman, le roman d'amour créé sous les auspices de l'antiquité, ce n'est rien moins qu'une révolution, une révolution française dans l'ordre littéraire et sentimental, et qui, comme l'autre, dans l'ordre politique, fera son tour du monde. *Gesta Dei per Francos*, les croisades ; *Gesta amoris per Francos*, le roman courtois. De l'expansion encore et toujours, et qui témoigne de l'universalité et de l'humanité de notre génie, plaisant et affable, accessible à la majorité des Européens cultivés, et vers qui ils vont spontanément comme vers le sourire d'une femme et le velouté de notre vin. Comme nous distribuâmes plus tard à domicile les franchises de l'humanité, nous répandîmes alors chez des peuples moins policés, les franchises de l'amour, ses hésitations, ses ardeurs, ses *doux-semblant*, toute une casuistique amoureuse que nous créions en même temps que la casuistique scolastique. Le français sera bien avant le xviie siècle, le maître de courtoisie et d'élégance, le commis du commerce féminin, l'initiateur à cette vie sociable qui applique le masque chatoyant et aimable de la politesse au brutal et uniforme visage de la sensualité (3).

---

(1) Cf. Ad. J. Dickman, *Le rôle du surnaturel dans les Chansons de geste*, Paris, Champion, 1926, in-8°.

(2) Cf. G. Melchior, *Der achtsilbler in der altfranzösischen Dichtung mit Ausschluss der Lyrik*, thèse de Leipzig, 1909, in-8°.

(3) L'auteur allemand de *Mauricius von Craon* édité par Schroeder reconnaît lui-même que mainte contrée s'est améliorée en chevalerie par l'enseignement des Français. (Cf. G. Paris, dans *Romania*, t. XXIII, p. 466.)

CHAPITRE III

LA VIE ET L'ACTIVITÉ LITTÉRAIRE
DE CHRÉTIEN DE TROYES

La preuve que les acquisitions de la Triade classique ne seront pas perdues, il faut la chercher dans les romanciers de la grande période de production narrative qui s'ouvre en 1160 et qu'on devrait connaître pour sa fécondité, au même titre que celle, qu'inaugura en 1761 la *Nouvelle Héloïse*. J'en pourrais prendre quatre : Jean Renart, Thomas, Gautier d'Arras, Chrétien de Troyes, je ne retiendrai que les deux derniers parce qu'ils furent rivaux d'œuvre et de gloire.

Gautier d'Arras a débuté dans la vie littéraire par un *Eracle* (1) dont le thème est exotique et oriental, plus exactement byzantin. Tout le moyen âge, et le xiie siècle en particulier, a rêvé de Constantinople comme d'une cité de merveilles. Ainsi que dans l'*Akédysséril* de Villiers de l'Isle-Adam : « la ville sainte apparaissait, violette, au fond des brumes d'or ; c'était un soir des vieux âges ». Notre chevalerie en rêva tellement qu'elle finit par s'y arrêter en 1204 et qu'elle ne la rendit plus.

Eracle raconte, sans doute d'après un roman byzantin ou latin disparu, la lutte d'Héraclius de Byzance (1er quart du viie siècle), soulevé contre Phocas. Gautier d'Arras a entrepris son « traité » pour Thibaut V, comte de Blois et de Chartres, le mari d'Alix, fille de Louis VII et d'Éléonore. Pour la mère, Benoît rédige le *Roman de Troie*; pour la fille, Gautier écrit *Eracle*. Le cycle n'est pas encore complet, il manque la troisième cour littéraire, celle de Marie, pour qui travaillera Chrétien. Gautier fera allusion aussi à cette dernière princesse et, comme le mariage qui la fait comtesse de Champagne est de 1164, le roman a dû

(1) Cf. Walter von Arras, *Ille und Galeron*, Halle, Niemeyer 1891, éd. Foerster. L'*Eracle* a été publié par Löseth, en 1890.

être écrit peu après. Il contient trois parties : la première est
un conte oriental, la deuxième un roman d'amour, la troisième
une chanson de croisade, singulier composé mais où entrent
les principaux mobiles de l'âme chevaleresque de la seconde
moitié du xiiᵉ siècle. Après sept ans de mariage, Mériadoc
et Cassine ont eu un fils nommé Éracle, qui a reçu trois dons
singuliers, celui de reconnaître ces trois choses les plus cachées
et qui échappent le plus facilement à l'entendement du commun
des hommes : la vertu des femmes, la qualité des chevaux, la
valeur des pierres :

Qu'il iert de femes conissiere   Il sera connaisseur en femmes
Et quanque vaut chevaus et piere savra.   et saura ce que vaut cheval ou pierre.

Cassine, ayant perdu son mari et vendu son fils au Sénéchal
de la Cour pour mille pièces d'or afin de se consacrer entièrement aux œuvres et d'assurer ainsi au défunt une place dans
le Paradis, Éracle est éduqué à la Cour de l'Empereur Laïs
et le fait profiter des dons qu'il a eus du ciel. Dans les pierres
qu'on vient offrir en vente au souverain, il découvre la plus
précieuse, celle qui préserve de l'inondation, du feu et des
blessures. Ensuite il lui trouve un cheval de race et enfin reçoit
pour mission de lui dénicher une femme fidèle, ce qui est plus
difficile :

Car femme prendre est mout grant chose,   Car prendre femme est délicat,
Cil prend l'ortie e cil le rose.   l'un prend l'ortie, l'autre la rose.

Il lui fait choisir Athénaïs. Malheureusement, la guerre éclate,
l'empereur est obligé de partir, et, au lieu de se fier aveuglément
au choix d'Éracle, il se méfie de la fidélité de sa femme et, —
ainsi sont-elles, — cet injurieux soupçon la jette dans les bras de
Paridès, à qui le sage empereur renonce d'ailleurs à la disputer.
    Qu'Éracle ensuite parte en expédition contre les Perses,
qu'il soit vainqueur de Cosdroès, ravisseur de la Sainte-Croix,
cela satisfait la partie de l'auditoire qui n'a pas cessé de songer
à reprendre la Terre Sainte aux Sarrasins, mais cela satisfait
mal notre goût classique pour l'unité du récit. Il y a là une
transition entre l'épopée et le roman (1). Son influence s'exercera sur le *Cligès* de Chrétien de Troyes, de même que celle

_____

(1) Voir Foulet (A.-L.), *Les sources de la Continuation Rothelin de l'Eracles*,
dans *Romania*, 1924, p. 427.

de l'*Ille et Galeron*, autre roman postérieur (vers 1167) de
Gautier, sur le *Lancelot*. Il semble qu'à chaque coup notre auteur
ait voulu dépasser son rival en traitant le même thème avec
plus de talent. Mais cette émulation n'est pas nécessaire pour
donner le branle au génie du romancier champenois. Il a suffi
qu'existât avant lui, parmi les conditions favorables d'une
époque que nous avons appelée une seconde Renaissance, la
triade classique, et même à la rigueur sa plus brillante étoile,
l'*Eneas*. La preuve ? Il y a longtemps que M. Wilmotte l'a fournie
par l'analyse de passages de Chrétien imités de la triade. Et
d'abord dans *Erec* :

Roman de Thèbes, vv. 2623-2624 (1)

Encosu l'ont en un chier paile
Qui fu aportez de Thessaile.

Erec, vv. 2407-2403

Dessor une coute de paille
Qu'aportee fu de Tessaille.

L'identité des rimes atteste l'emprunt. Autres imitations
de la Triade : la description de la robe d'*Érec*, œuvre de quatre
fées, comme dans *Eneas*, et où est brodée la représentation figurée
des sept arts, comme dans le *Roman de Thèbes*.

Pour *Cligès*, second roman de Chrétien, mêmes influences.
Thessala, qui veut dire magicienne, est un nom bien grec pour
la suivante d'une princesse allemande Fénice, vocable qui lui-
même n'a rien de germanique. On cesse de s'étonner, si on confère les deux caractéristiques que voici, appliquées, l'une à
Médée, par le *Roman de Troie*, l'autre à Thessala, par le *Cligès* :

Roman de Troie, vv. 1419-1420

Mais jo sai tant de nigromance
Que j'ai aprise des m'enfance

Cligès, vv. 3003-3004.

Qui l'avoit norrie d'anfance
Si savoit mout de nigromance.

Si l'on croit à une coïncidence, il suffit de citer là l'aveu de
Thessala aux vv. 3028-3031 de *Cligès*, qui montre que l'image
de Médée flotte dans la pensée du poète :

Si sai, se je l'osoie dire,
D'anchantemanz et de charaies
Bien esprovees et veraies
Plus qu'onques Medea ne sot...

Je sais, si j'osais le dire,
des charmes et des enchantements
plus éprouvés et plus sûrs,
que jamais Médée n'en sut...

Autre influence du roman de Benoît : quand Cligès propose
à Fénice de le suivre en Bretagne, il lui dit en substance :

(1) Cf. aussi *Roman de Troie*, vv. 1557-1558.

« Jamais Hélène ne fut reçue à Troie avec tant d'allégresse quand Pâris l'y eut amenée, que nous le serons. » On pourrait songer à une lecture d'Homère, mais en matière de sources littéraires, le recours à la plus facile et à la plus accessible est toujours le plus probable.

L'influence d'*Eneas* est plus sûre encore et est trahie aussi par des identités de rimes comme celle-ci (1) :

Eneas, vv. 1255-1256 [à propos de Didon]	*Cligès*, vv. 875-876
Ne puet guarir, si se demeine,	Que la dameisele demainne.
Molt traist la nuit et mal et peine.	Tote nuit est an si grant painne.
v. 1202	**v. 890**
Si com la destreingneît Amor.	Por cui la destraignoit Amors.

Mais, en ce qui touche l'*Eneas*, l'imitation est moins dans tel ou tel passage que dans la manière tout entière, dans l'art de la dissection psychologique, dans la casuistique amoureuse et surtout dans la pratique du dialogue et le maniement de l'octo-syllabe. Ces conquêtes-là restent, mais ce qui change, c'est le cadre, car ce n'est qu'à ses débuts que Chrétien cultivera la matière antique. Il est bien trop adroit pour s'y tenir. Il sait déjà qu'en littérature comme dans les habits et, surtout dans la littérature destinée aux femmes, comme dans leurs vête-ments, la mode change. A-t-on pendant dix ou quinze ans exploité la matière antique, Histoire d'Alexandre, Légende d'Œ-dipe, Siège de Troie, monde byzantin, il va falloir en changer, surtout si l'éclat d'une reine adulée des troubadours, la gran-deur de la monarchie des Plantagenets, le développement d'une littérature franco-normande en Angleterre, les jongleurs qui en viennent, sonnant des lais d'une nouvelle façon, attirent les regards vers la grande Ile, que son éloignement et ses brumes enveloppent de l'atmosphère indéterminée dans laquelle volon-tiers se drape le rêve. Ainsi s'expliquent la naissance et la diffu-sion de la matière celtique, qu'elle soit ou non passée par la Bretagne continentale, parente de race et de langue de la Cor-nouaille, du pays de Galles, de la verte Érin et de l'âpre Écosse. Un Nouveau Monde de légendes avait été découvert par nos clercs et nos trouvères normands ; ils allaient rapporter de ses mers boréales « blanches comme du lait », de ses rochers

(1) Cf. Wilmotte, *Évolution du Roman français*, etc., p. 43.

abrupts, de ses landes, de nouveaux philtres plus agissants, des
enchantements plus prodigieux, des passions plus sauvages,
des châteaux plus merveilleux que ceux de l'Orient et, surtout,
du rêve, de ce rêve flottant sans cesse dans les regards du
Celte aux yeux gris, qui reçut de ses Fées, à l'aurore des temps,
le don suprême de l'illusion.

Ainsi vont entrer dans notre littérature, et par nous seulement
(ne l'oublions pas), dans la littérature germanique, Arthur et
Guenièvre, Ké le sénéchal, qui a de l'esprit comme un Gallois,
Gauvain le loyal, Yvain l'héroïque, Merlin l'enchanteur,
Viviane la fée, Tristan le fatal, Iseut l'amoureuse, Perceval le
mystique, figures irréelles qui ravissent en extase l'imagination,
et en qui s'incarnent volontiers nos passions d'un jour pour par-
ticiper de leur éternité.

Comment ces figures nouvelles, dont s'enrichit d'une façon
durable notre sensibilité, ont-elles pénétré dans l'orbite de notre
littérature, fournissant à notre Chrètien la trame de ses récits,
sinon leur contenu rationnel et sentimental ? L'origine en doit
être cherchée dans l'*Historia regum Britanniae* de Geoffrey de Monmouth (1), un peu postérieure à 1135, et surtout dans la traduction qu'en donna Wace en 1155, *le Brut* (2), titre dans lequel on
retrouve le nom du héros éponyme des Bretons ou du pseudo-
fondateur du royaume. C'est chez eux que nos auteurs apprirent
à connaître Arthur, roi légendaire de la Grande-Bretagne, héros
assez terne, mais qui aura le mérite d'être l'arbitre ou, si l'on
veut, le souverain constitutionnel des pairs de la Table ronde,
ainsi taillée pour éviter qu'il y eût un haut et un bas bout et que
pussent surgir autour d'elle ces questions de préséance qui, entre
vassaux chatouilleux sur le point d'honneur, ont la même importance qu'entre les puissances. Artur ou Artus (3), comme le
Charlemagne, le Roland, le Guillaume *au courb nez* de nos chan-

(1) Edm. Faral, professeur au Collège de France, a publié une vaste
étude sur cet auteur et sur l'introduction de la matière celtique, *La Légende Arthurienne*, Paris, Champion, 1929, 3 vol. On se reportera aussi au
livre déjà cité de Bruce, *Evolution of the Arthurian Romance*, 1923, t. I,
pp. 1-36, et à ceux de E.-K. Chambers, *Arthur of Britain*, Londres, Sidgwick,
et Jackson, 1927, in-8°, et de A. Griscom, *The Historia Regum Britanniae
of Geoffrey of Monmouth*, Londres, Longmans, Green, 1929, in-8°.
(2) Cf. *Ibid.*, t. II, pp. 51-53. V. aussi A.-B. Hopkins, *The Influence of
Wace on the Arthurian Romances of Crestien de Troyes*. Diss. Chicago, Me-
nasha, Wisconsin, 1913, in-8°.
(3) Artus est le cas du sujet, Artur le cas régime, lequel est presque toujours celui qui s'est conservé.

sons de geste est peut-être le double légendaire d'un original historique, que mentionnent pour le vi⁰ siècle, l'anonyme *Historia
Britonum* (x⁰ siècle) et les *Annales Cambriae*, qui l'appellent
dux bellorum le chef de guerre (1). Mais déjà, à quatre cents ans
de distance, l'espace qui nous sépare de François I, il a pris des
allures légendaires et chrétiennes, puisqu'il porte sur l'épaule
l'*imago S. Mariae*, l'image de la Vierge. A la date de 537 est
décrite la bataille de Camban entre Arthur et Médraut (que nous
retrouverons sous le nom de Modred). Il devient roi, *Arthurus
rex,* et fera figure de héros national aussi illégitimement que Charlemagne en France. Un Gallois pour des Anglo-Saxons, des Danois
ou des Normands, un Germain pour des Français, un Troyen
pour des Latins, est-ce donc une règle que le héros éponyme
ou bien le fondateur de la puissance nationale soit un étranger ? Gaufrey né à Monmouth, et mort évêque de Saint-
Asaph vers 1154, reprend, vers 1136, ces données et, amplifiant
aussi les thèmes légendaires admis dix ans auparavant par
son compatriote Guillaume de Malmesbury dans les *Gesta regum
Anglorum*, lance, après ses *Prophéties Merlin*, cette *Historia
regum Britanniae* que Gaston Paris (2) qualifie d'audacieuse
mystification. Il y raconte la naissance extraordinaire du fils
d'Uther Pendragon (3) Arthur, qui, après avoir chassé de l'île les
Saxons, conquiert la Norvège, la Gaule, Rome. En son absence
le traître Modred, son propre neveu, s'empare du royaume et
épouse Guanhumara (la Guenièvre de nos romans), femme
d'Arthur. Celui-ci revient pour reprendre ce double bien. Terrible
bataille, au cours de laquelle Modred est tué et Arthur, mortellement blessé, transporté par les Fées dans l'île d'Avalon, les
Champs-Elysées celtiques.

Comme source, Geoffroy de Monmouth évoque *quemdam britannici sermonis librum vetustissimum* écrit par Brutus. Foerster
entend quelque antique livre écrit en langue celtique et venu
d'Armorique. Il lui plaît à dire. Comment faire fond sur l'affirmation d'un romancier, prompt à donner des gages de sa véracité en renvoyant à quelque grimoire que personne n'a jamais
vu ni ne verra, lui en tête ; et d'ailleurs qui dit qu'il faille tra-

---

(1) Faral, *La Légende arthurienne,* t. I, p. 133.
(2) *La Littérature française au moyen âge,* 3⁰ édition, 1905, p. 95.
(3) Par une de ces amusantes méprises, dont il est coutumier, V. Hugo,
dans *Les Burgraves,* II, 6, a scindé le mot en un nom et un titre : Uther
pandragon (tout à fait dragon ?) de Bretagne.

duire *Britannici* par Armoricain, c'est-à-dire de petite Bretagne ou Bretagne continentale. Mais Foerster a une arrière-pensée, celle d'étayer sa théorie de l'origine continentale de l'élément celtique dans le roman français. Ah ! la belle querelle qui, dans tout le dernier quart du XIX° siècle et le commencement du XX°, a mis aux prises Français et Allemands, Paris et Meyer contre Foerster et Zimmer, querelle de l'intelligence et surtout de l'ingéniosité, où il a coulé de l'encre heureusement et non du sang, et où, simplement, des savants respectables ont échangé leurs aménités.

Foerster, s'appuyant sur les travaux des celtisants H. Zimmer (1) et E. Windisch (2), est, de toute son énergie farouche et de tout son entêtement, pour l'origine continentale et bas-bretonne, G. Paris, de toute sa fermeté élégante, pour l'origine insulaire et anglo-normande. Les conquérants normands auraient pris aux Gallois et à leur littérature cette figure de héros pour la transposer dans la leur et de là l'acclimater en France. Il y aurait donc eu des romans d'Arthur en français dérivant d'originaux celtiques insulaires, dont, par exemple, les contes de *Gereint*, d'*Owen* et de *Peredur*, renfermés dans le recueil des *Mabinogion* (3), qui est du XIII° siècle, sont des survivances.

Impossible, répond Foerster (4), car ces trois récits sont de simples adaptations de l'*Erec*, de l'*Ivain* et du *Perceval* de Chrétien. En fait, ajoute-t-il, le plus ancien roman d'Artus est l'*Erec* de Chrétien de Troyes qui a créé le genre.

En France, c'est exact, mais la théorie continentale de Foerster ne tient pas assez compte des *lais* dont l'existence nous est attestée en Angleterre, en langue celtique ou anglaise, par Marie de France aux environs de 1165 et que colportaient, en traduction normande naturellement, des jongleurs pour lesquels Chrétien, en véritable homme de lettres, exprime çà et là le plus profond mépris, ce qui ne l'empêche nullement de s'enquérir des causes de leur succès et de les imiter.

Pour attester l'existence de ces lais bretons d'Angleterre,

(1) *Gött. Gel. Anzeigen*, 1890; *Z. f. fr. Spr. u. Lit.*, t. XII et XIII.
(2) *Das Keltische Brittannien u. Kaiser Arthur*, Leipzig, 1912, et *Zeitschrift für romanische philologie*, t. XXXVIII, 1ᵉʳ fasc., pp. 139 et s.
(3) Trad. p. J. Loth. dans le *Cours de littér. celtique* de d'Arbois de Jubainville, t. IV, 1889, 1-182.
(4) *Die Wiege der Artusdichtung*, dans *Der Karrenritter*, p. XCIX-CLII, et *Cligès*, p. XXVII ; *Zeitschrift*, t. XXXVIII, 1ᵉʳ fasc., p. 139, etc. Le meilleur et le plus récent exposé de la question est dans Bruce, *The Evolution of the Arthurian romance*, 1923, t. I, pp. 37-99.

qu'il me suffise de citer quelques vers de la délicieuse poétesse Marie, que nous appelons de France parce qu'elle nous a dit elle-même, dans l'épilogue de son *Ysopet* ou recueil de *fables ésopiques* :

> Marie ai nom, si sui de France.

Protégée d'Henri II et d'Éléonore, vivant à leur cour, et, aïeule de nos femmes écrivains, elle tenta de trouver une mode nouvelle, un genre nouveau qui plût à un public composé de seigneurs normands et anglais ; aussi ne pouvait-elle mentir quand, chantant ou faisant réciter en présence de ces derniers se *Lai du Chievrefueil,* où elle raconte comment Tristan s'est fait reconnaître d'Iseut par le symbole du chèvrefeuille enroulé autour de la baguette de coudrier (1) :

> Bele amie si est de nos,
> Ne vos sanz mei ne ge sanz vos,

elle invoque le lai de Tristan :

> Gotelef l'apelent Englois,
> Chievrefueil, le noment François (2) .

Quoi qu'il en soit de l'origine continentale ou insulaire des thèmes, un fait reste certain : leur caractère celtique. Mais un autre fait ne l'est pas moins et, sur ce point, il faut donner raison à Foerster, le caractère superficiel de cette influence. Nos romans d'aventures seront celtiques dans la mesure où la triade classique est gréco-latine, la légende d'Alexandre byzantine, et les romans du XVIIIe siècle, orientaux, c'est-à-dire qu'ils seront, avant tout, français, d'habits, de mœurs et d'esprit. Sans doute, à certains traits de brutalité singulière, on pourra, à travers des récits plus policés, retrouver leur rudesse originelle et de lointaines affinités barbares ; sans doute, et peut-être en partie à cause des interprétations romantiques et wagnériennes, ces légendes auront plus de puissance à émouvoir notre imagination, et nous nous plairons à attribuer ceci à la séduction du rêve celtique, c'est possible, mais, une fois de plus, la naturalisation est parfaite, l'expression définitive, et c'est sous l'adoubement du chevalier français et le bliaut en drap d'Arras ou de Reims, que ces héros et héroïnes des lettres, Arthur et Gauvain, Iseut et

---

(1) P. 106-7, au t. I de l'éd. Hoepffner, Strasbourg, Heitz, in-24 (BIBLIOTHECA ROMANICA).

(2) Angl. *goatleaf*, que traduit ou qui traduit exactement chèvrefeuille.

Guenièvre feront la conquête du monde et la croisade des cœurs.

Ce qu'il faut dire encore, c'est que, à un public un peu lassé des chansons de geste, et fatigué même des plus récents romans à l'antique, la matière celtique apporte un aliment nouveau, plaisant au goût par sa saveur étrange, mais néanmoins parfaitement assimilable. Jean Bodel, le trouvère d'Arras, le dira plus tard, en des vers trop connus, en commençant sa *Chanson des Saisnes* :

> Ne sont que trois materes à nul homme entendant
> De France, de Bretagne et de Rome la grant⸱

Mais ce témoignage est un peu tardif, puisqu'il date de la fin du xiiᵉ siècle, et j'aime bien mieux, pour marquer le changement de goût qui, entre 1160 et 1165, invite les romanciers et conteurs à changer de matière, invoquer le Prologue des *Lais* de Marie de France (1) :

Por ce començai à penser
D'aucune bone estoire faire
Et de Latin en Romanz traire,
Mais ne me fust gaires de pris,
Itant s'en sont autre entremis.
Des lais pensai qu'oïz avoie.

D'abord je me pris à songer
à composer quelque jolie histoire
traduite de latin en français,
mais j'en aurais tiré peu d'honneur,
tant nombreux sont ceux qui s'y sont
occupés.
Je pensai alors aux lais que j'avais entendus.

Ainsi vers 1165, date à laquelle ces vers ont dû être écrits, on est déjà fatigué de traduire du latin en français, d'adapter l'*Énéide* ou la *Thébaïde*. La grandeur et l'éclat de la cour des Plantagenets met les Bretons à la mode. Chrétien de Troyes, fin comme il est, hume le vent et lui larguera sa voile. Pourtant c'est dans la matière antique qu'il a fait son école. Ses premières œuvres sont sous le signe de l'*Eneas* et d'Ovide.

Nous le savons par son propre témoignage qu'on lit en tête du *Cligès* (vv. 1-10), et qui est à peu près tout ce que nous avons pour esquisser la biographie de sa jeunesse :

Cil qui fist d'*Erec et d'Enide*
Et *les Commandemanz Ovide*
Et *l'Art d'amors* an romanz mist
Et *le Mors de l'Espaule* fist,
Del Roi Marc et d'Iseut la blonde
Et *de la Hupe et de l'Aronde*

Celui qui a fait *Erec et Enide*
et traduisit en français les Règles
et *l'Art d'Aimer* d'Ovide
et composé *la Morsure de l'Epaule*,
conté du Roi Marc et d'Yseut la Blonde
et la Métamorphose de la huppe

---

(1) T. I, p. 2 de l'éd. Hoepffner pour la *Bibliotheca romanica*, Strasbourg, Heitz.

Et del Rossignol la Muance,   de l'hirondelle et du rossignol,
Un novel conte recomance   commence ici un nouveau roman
D'un vaslet qui an Grece fu   d'un jeune homme qui vivait en Grèce
Del lignage le roi Artu.   de la maison du roi Arthur.

Y a-t-il là un ordre chronologique ou un ordre fantaisiste
déterminé par les exigences du rythme ou de la rime ? Comme
nous n'en savons rien, le mieux est de grouper les titres ainsi
indiqués, par thème ou source d'inspiration. Ce qui nous frappe
le plus dans cette énumération, c'est l'énorme part qu'y prend
Ovide. Celui-ci semble avoir été le vrai maître de Chrétien
et en tout cas lui avoir fourni la matière de ses premiers essais,
que je rangerai, avec Foerster, sous le nom d'*Ovidiana*, la plupart perdus, et qui comprendraient :

1º Les *Comandemanz Ovide* (1), par lesquels il faut entendre
peut-être une adaptation en *romanz*, c'est-à-dire probablement en
français et non une transposition dans le genre qui va bientôt porter ce nom, des *Remedia Amoris* du poète latin. École de finesse
et de ruse, non pas de moralité. Mais je croirais plutôt qu'il
s'agit de *Regulae amoris*, pseudo-ovidiennes, telles qu'en rédi-
gera plus tard André le Chapelain.

2º *L'Art d'Amors*, autre adaptation d'une autre œuvre du même
poète cette fois authentique.

3º *Le Mors de l'Espaule*, littéralement la morsure de l'épaule,
titre par lequel est désignée une des *Métamorphoses* d'Ovide,
l'histoire de Tantale qui, ayant tué son fils Pélops, l'offre en
mets aux Dieux qui dînent à sa table. Déméter mange l'épaule.
Zeus ressuscite Pélops et lui en met une d'ivoire.

4º *De la hupe, de l'aronde et del rossignol la muance*, autre métamorphose, la vɪᵉ (vv. 412-674), celle qui raconte comment Philomèle, fille d'un roi d'Athènes, fut brutalisée par Térée, roi
de Thrace, époux de sa sœur Progné, lequel lui coupa la langue
pour l'empêcher de le dénoncer. Les deux sœurs, pour se venger
de lui, tuent le fils de Térée, Itys, et le servent à son père. Ces
récits sont décidément anthropophagiques et se réfèrent
sans doute à d'anciens cultes à sacrifices humains comme en
Syrie. Pour punir tous ces criminels, les dieux en font une inof-

---

(1) Il faut s'habituer à la détermination par simple juxtaposition, familière à la syntaxe de l'ancien français et que rendait possible l'existence
d'un cas régime, en général facile à distinguer du cas sujet par sa termi-
naison (absence d's au singulier) ou sa forme (*ber-baron*) ; nous en avons
conservé des survivances dans Hôtel-Dieu, Choisy-le-Roi, bain-Marie, etc.

fensive volière, changeant Philomèle en rossignol, Progné en hirondelle, Térée en huppe, Itys en chardonneret. Voilà pourquoi le rossignol s'appellera Philomèle dans notre poésie lyrique jusqu'à Lamartine compris.

Des quatre œuvres ovidiennes de Chrétien de Troyes, il est probable, voire presque certain, que la quatrième nous a été conservée, puisque, comme l'annonça, en 1884, Gaston Paris, à l'Académie des Inscriptions, on peut la retrouver dans un recueil de la fin du xiiie siècle intitulé l'*Ovide Moralisé* (1). Un romaniste hollandais, C. de Boer, n'a donc pas hésité à détacher ce récit et à le publier sous le titre de *Philomena, conte raconté d'après Ovide* par Chrétien de Troyes (2).

Avec une honnêteté fort rare chez les romanciers du moyen âge, peut-être même chez ceux d'aujourd'hui, l'auteur avoue expressément sa source et, insérant dans son *Ovide moralisé* la *Philomena*, il dit :

Mais j e ne descrirai le conte Fors si com CRESTIENS le conte Qui bien en translata la letre.	Mais je n'en transcrirai le conte sinon sous la forme que lui donna CHRÉTIEN qui l'a fort bien traduit.

Le récit terminé il conclut :

De *Philomena* faut le conte Si com CRESTIENS le raconte.	Ici finit le conte de PHILOMENA Ainsi que CHRÉTIEN le raconte.

En présence d'une affirmation aussi formelle, produite cependant à un siècle et demi de distance, on se croirait, à n'en pas douter, en possession de l'œuvre de jeunesse de Chrétien, si, au milieu de son récit, au v. 734 de l'édition de Boer, n'était invoqué un CRESTIEN LI GOIS :

La meisons estoit an un bois Ce conte CRESTIENS LI GOIS	La maison était dans un bois, Ainsi le dit CHRÉTIEN LE GOIS.

Comment expliquer ce nom singulier qui ne nous apparaît que là. Ailleurs, quand il se nommera, notre romancier s'appellera tout simplement CRESTIIEN (3), une fois dans *Erec*, au v. 9,

(1) Dont C. de Boer a déjà publié une notable partie en deux volumes dans les Mémoires de l'Académie d'Amsterdam, in-4°, 1915 et 1920.

(2) Thèse de doctorat de l'Université de Paris, Paris, Geuthner, 1909, in-8°. C'est la thèse d'un de ses élèves F. Zaman, *L'attribution de Philomena à Chrétien de Troyes* (Thèse de Leyde), Amsterdam, H.-J. Paris, 1928, in-8°, qui m'a rallié à sa manière de voir.

(3) Le *ien* n'est pas encore complètement nasalisé et le *n* s'entend. Il y a diérèse, d'où la graphie fréquente par deux *i*.

par son nom d'origine : CRESTIIEN DE TROIES. Plus tard, devenu
célèbre, il se contentera du seul prénom. De même Beneeit
de Sainte-More ne sera plus que mestre Beneeit de la *Chronique
de Normandie*, comme le Gautier d'Arras d'*Heraclius* n'est
plus que Gautier dans *Ille et Galeron*. Mais je le répète, pourquoi Chrétien se nomme-t-il *li Gois* dans *Philomena* ? L'éditeur de ce poème, G. de Boer, a beau expliquer qu'il s'agit là
d'un nom ou surnom assez répandu en Champagne (1) et que
Chrétien aurait ensuite laissé tomber, comme étant peut-être
trop vulgaire, il paraît impossible qu'il se présente à nous sous
deux noms aussi différents, et c'est cela surtout qui a amené
W. Foerster à nier que la *Philomena* insérée dans *l' Ovide moralisé*
fût véritablement de Chrétien. L'explication la plus plausible
est celle de F. Zaman (2), CRESTIIEN LI GOIS n'est pas le nom
de notre auteur, mais de celui de l'*Ovide moralisé* intervenant
pour une interpolation explicative. Nous aurons l'occasion d'y
revenir en étudiant les œuvres de jeunesse. Pour l'instant, bor-
nons-nous à continuer l'analyse du petit catalogue que l'auteur
nous a fourni.

En dehors des *Ovidiana*, qui sont au nombre de quatre, il
signale un roman ou un conte de *Tristan* (impossible d'en deviner
l'ampleur car le *conte del Graal* n'est point court). La matière
était toute nouvelle, n'ayant pas même été mentionnée en 1155
dans le *Brut* de Wace. Il est curieux que Chrétien se soit mis
un des premiers, sinon le premier, à la traiter ; avec son sens
sûr du dramatique, il en a vite aperçu la richesse et l'intérêt.
On est navré d'avoir, parmi tant d'autres pertes, aussi à enre-
gistrer celle-là.

Enfin Chrétien a fait *Érec et Énide*, c'est là un titre de gloire
sérieux, car nous avons affaire ici à une des maîtresses pièces
de son bagage littéraire. Il en a omis une, et on se demande
vraiment pourquoi c'est *Guillaume d'Angleterre*, que les historiens les plus avertis et les plus spécialisés en la matière, Wilmotte et Foerster, sont d'accord pour lui attribuer et pour
ranger parmi ses œuvres de jeunesse. Récapitulons donc ce
que nous avons appris sur elles et joignons-y l'énumération des
romans qui suivirent, pour obtenir un tableau aussi exactement
chronologique que possible de cette vaste production :

(1) *Vide infra,* p. 89, n. 1.
(2) *Op. cit.,* pp. 29-30.

1º *Ovidiana*, ou imitations d'Ovide ; *Remèdes* et *Art d'Amour* (perdus), *Pelops* (perdu), *Philomena* (conservé) (1).

2º *Guillaume d'Angleterre*, sorte de conte populaire.

3º *Tristan* (perdu).

4º *Érec et Énide*, un peu postérieurs à 1160, date que l'on peut assigner au roman de Troie qui s'y trouve évoqué ou imité.

5º *Cligès*, un peu antérieur à 1164, date du mariage de Marie, fille de Louis VII et d'Éléonore, avec le comte de Troyes, Henri Ier (1127-1181), parce que Marie n'y est pas mentionnée. Par contre il y est fait allusion à un livre de la bibliothèque de la cathédrale de Beauvais dépendant de Henri.

6º *Lancelot* ou le *Chevalier de la Charrette*, dont le thème, de l'aveu de l'auteur, lui a été baillé par Marie, donc postérieurement à 1164, roman abandonné par l'auteur et dont l'achèvement a été confié par lui à Geoffroy de Lagny.

7º *Yvain* ou *le Chevalier au Lion*. *Yvain* est postérieur à *Lancelot*, auquel il fait, par trois fois, allusion (3906-3715 ; 3818-3929 ; 4741-4746). La dernière semble même se référer à un *Lancelot* encore inachevé. Il est antérieur à 1174, puisqu'il y est fait allusion, comme étant toujours vivant, au sultan sarrasin Nour–ed–Dîn, contre lequel bataillaient les seigneurs chrétiens du royaume d'Antioche et qui mourut le 15 mai 1174. Or le poète dit avec une plaisante ironie, nous avons vu qu'on avait déjà de l'esprit en France (2) :

Aprés mangier sanz remuer Après le dîner, sans remuer,
Va chascuns Noradin tuer.   chacun est prêt à tuer Nour-ed-în.

8º *Perceval* ou *le Conte del Graal*, dont le thème lui a été donné, non par Henri Ier ou par son épouse Marie, mais par Philippe d'Alsace (3), le riche comte de Flandre, qui, né en 1143, succède à son père Thierry en 1168, se croise en 1190 et meurt au siège de Saint-Jean-d'Acre en 1191. C'est pendant la minorité de Philippe-Auguste, qui avait succédé à quinze ans à son père Louis VII, mort le 18 ou 19 septembre 1180, qu'apparut le mieux la puissance de Philippe d'Alsace, qui fut sinon le régent du moins l'arbitre du royaume, le jeune homme ayant tendance à s'appuyer d'ailleurs sur lui contre sa mère Adèle et les frères de celle-ci, les encombrants

(1) S. Hofer, *Zur Frage der Ovidiana* (*Zeitschrift für romanische Philologie*, 1928, p. 128-130), cherche en vain à les placer après *Erec*.

(2) *Yvain*, éd. Foerster, vv. 595-596.

(3) Voir sur lui l'article de H. Pirenne, dans la *Biographie Nationale* de Belgique.

Champenois. Il a même épousé contre leur volonté la nièce de
Philippe d'Alsace, Élisabeth de Hainaut (1), d'abord promise
à Henri de Troyes et qui apporte en dot Arras, Saint-Omer
Aire et Hesdin. L'oncle du roi, Henri Ier de Troyes, le protecteur de Chrétien, l'un des Champenois en question, étant
mort le 17 mars 1181, comment s'étonner si le romancier se
détourne d'une veuve morose, qui d'ailleurs a beaucoup délaissé
la courtoisie pour la piété, et s'il tourne ses regards, non vers
l'humble petit roi de l'Ile-de-France, mais vers le comte,
dont l'orgueil s'appuie sur les quatre membres de Flandre, Lille,
Ypres, Gand et Bruges, cités qui ont trouvé fortune en industrie,
liberté en négoce et dont Chrétien avait pu voir les marchands
somptueux aux foires annuelles de Champagne. Il y a toujours
du mendiant dans le poète, un mendiant orgueilleux qui rem-
bourse l'aumône de viande avec le fumet de la gloire.

Le *Perceval*, entrepris sur un livre que lui bailla Philippe d'Alsace,
est resté inachevé, non plus cette fois par la volonté de l'auteur
mais par celle de la mort. Il est donc probable que Chrétien est
décédé en Flandre, avant 1190, date du départ du comte pour
la croisade, dessein auquel le courtisan n'aurait pas manqué
de faire allusion, s'il lui avait été connu (2).

Comme il n'est pas fait mention dans la dédicace d'une comtesse
de Flandre, on serait tenté de placer la rédaction du *Perceval* et
la mort du poète entre le 26 mars 1182, date de la mort d'Isabelle de Vermandois (3), femme de Philippe d'Alsace, et le
remariage de celui-ci avec Mathilde de Portugal en août 1184.

Et voilà la trame sur laquelle est tissée de conjectures assez
vraisemblables la biographie du poète. Gaston Paris, à cause
de tel passage de *Lancelot* (5591-5594) (4), voit en lui un
héraut d'armes ; Ph.-Aug. Becker aperçoit dans la fin de ce
roman une description de choses vues : le couronnement de
Godefroy par son frère Henri II à Nantes (5). Libre à nous
aussi de compléter ces conjectures par l'imagination, de nous

(1) Cf. Cartellieri, *Philip-August*, Leipzig, 1900.
(2) Sur la date du *Perceval*, cf. Bruce, *op. cit.*, t. II, pp. 83-84.
(3) Elle était célèbre par ses « Jugements d'amour ». Philippe protégea
aussi Gautier d'Epinal et l'auteur anonyme du *Proverbe au vilain*.
(4) Cf. G. Paris, *Cligès*, dans *Mélanges de littérature française du Moyen
Age*, publiés par M. Roques, Paris, 1910, p. 252. Tout le chapitre ii est à lire
comme un modèle de critique élégante et érudite.
(5) Stefan Hofer a rendu vraisemblable un séjour de Chrétien à Nantes,
où il a pu prendre contact avec la matière celtique (*Zeitschrift f. rom. Phil.*,
1928, pp. 131-133).

figurer notre auteur sous la robe du clerc, car il était savant
bien qu'il ne fût pas *mestre* (1), et vaguement d'Église comme
tous les étudiants et les écrivains d'alors, ou sous le vêtement
court du jongleur qu'il méprise, s'accompagnant de la vielle
ou de la rote ; mais non ! comme on a rompu avec l'épopée,
on a abandonné aussi la mélopée ; c'est à une narration et non
à un récitatif que nous avons affaire désormais.

On peut encore supposer, et ceci n'est plus autant conjectural,
qu'avant de chercher refuge auprès de Henri de Troyes, Chrétien jeune a tenté sa chance auprès d'Éléonore. Il semble connaître plusieurs villes anglaises comme Shoreham ou Sorlin,
dont le nom a pu difficilement lui parvenir par les livres et décrire
exactement la position du château de Windsor. Il sait qu'Oxford
avoisine Wallingford, et que de Southampton on gagne facilement Winchester. Voilà plus qu'il n'en faut pour induire un
séjour en Angleterre après un séjour à Nantes (2), quoiqu'il
soit bien plus ignorant de la petite Bretagne.

Enfin, s'abandonnant aux fantaisies scientifiques à la manière
de Taine, on peut voir en lui, s'appuyant sur le nom de Chrétien
de Troyes, le premier de ces Champenois fins et spirituels, raisonnables et narquois, imaginatifs, mais sans folie, sensibles, mais sans
excès, dont La Fontaine reproduit le parfait état, qui pourrait
être simplement d'ailleurs l'aspect bourgeois du génie de la France.
Tout cela irait bien, si, à côté de La Fontaine, n'était né Racine
et, de notre temps, Claudel, en dépit de la théorie de la race, du
milieu et du moment.

Sans donc nous lancer dans des aventures moins excusables
que celles de nos romans qui n'ont pas la science pour prétexte
et la vérité pour objet, contentons-nous de ce que nous avons
et, à travers l'œuvre, tâchons d'atteindre l'âme, la sensibilité,
le tempérament de l'artiste, d'en dégager, s'il est possible, les
grandes lignes et l'évolution, et d'examiner ce qu'il a pu apporter à notre littérature d'acquisitions nouvelles ou de perfec-
tionnements dont bénéficieront les siècles suivants, peut-être
jusqu'au nôtre. Rien ne se perd d'une expérience littéraire qui
a connu le succès, et, partant, l'imitation.

(1) Il a lu non seulement Virgile et Ovide mais Macrobe (cf. Stefan Hofer,
Kristian und Macrobius, ibid., pp. 130-131), et *la Chronique du Moine de Saint-
Gall*, comme nous le verrons à propos du début de *Cligès*.

(2) G. Paris, *op. cit.*, p. 260.

CHAPITRE IV

LES ŒUVRES DE JEUNESSE

PHILOMENA

Malgré l'incertitude soulevée par le nom de Crestien Li Gois (1), nous pouvons commencer par analyser *Philomena*, en tant que type des *Ovidiana* ou imitation d'Ovide par lesquelles notre écrivain débuta dans la carrière des lettres.

Comme je l'ai fait pour l'*Eneas*, j'insisterai moins sur les parties identiques à l'original latin et davantage sur les différences, le goût du raisonnement psychologique qui apparaît déjà, les hésitations sur le cas, la substitution d'un vivant dialogue au mode narratif.

Pandion, roi d'Athènes, a deux filles qu'il aime beaucoup, Philomène, la cadette, et Progné, l'aînée, qu'il donna pour épouse au roi de Thrace Térée, ce qui nous est expliqué en dix octo-syllabes. Tristes noces d'ailleurs, célébrées sous de sinistres présages, aux cris des hulottes et des coucous, de la chouette et des corbeaux. Dans la salle, l'unique salle des châteaux, où l'on se serre autour d'un feu et où l'on cause, conte ou *fabloie*, toute la nuit ont volé les *maufé*, les démons Atropos et Tesiphone, toutes les *males destinées*. Cependant les deux époux, revenus en Thrace, ont un fils, pour leur malheur d'ailleurs, et qu'on appela Itis. Cinq ans ont passé, et voici que Progné a la nos-talgie de sa sœur Philomène. Térée promet d'aller la lui cher-cher, ce qu'il fait. A peine est-il arrivé, qu'elle se présente à lui et, bien que la langue de Platon, d'Homère et de Caton n'eût

---

(1) Sur ce nom, **v.** Gamillscheg, *Chrestien li Gois*, dans la *Zeitschrift für französische Sprache und Literatur*, t. XLVI (1921), fasc. 3 et 4, pp. 182-184, et C. de Boer, dans *Romania*, 1919, pp. 116-118.

pas suffi à décrire sa beauté, le poète s'essaie, à la façon de
Benoît, à nous faire le portrait de cette jeune fille, qu'il ne
traite pas selon le canon grec, mais selon l'idéal féminin de
son temps (1) :

Le front ot blanc et plain sanz fronce,	le front blanc et uni sans ride,
Les iauz plus clers qu'une jagonce (2),	les yeux plus clairs qu'une hyacinthe,
Large antr'oel, sorciz aligniez ;	large espace entre les yeux, sourcis
Nes ot ne fardez ne guigniez ;	bien alignés et non fardés,
Le nes ot haut et lonc et droit,	nez haut, long et droit,
Tel con biautez avoir le doit ;	comme la beauté doit les avoir ;
Fresche color ot an son vis	en son visage fraîche couleur,
De roses et de flor de lis.	de roses et de fleurs de lis.

Les voilà, les premières roses sur la joue des jeunes filles en
fleurs, roses durables, car elles mettront plus de six siècles à se
faner, du moins dans l'herbier des poètes et des romanciers :

Boche riant, levres grossettes	bouche riante, lèvres grossettes
Et un petitet vermeillettes	et un tantinet vermeillettes

(ne dirait-on pas du Ronsard ?)

Et plus soef oloit s'alainne	et son haleine était plus fraîche
Que pimanz ne basmes n'ançans.	qu'onguent, baume ou encens ;
Danz ot petiz, serrez et blans,	les dents menues, serrées et blanches,
Manton et col, gorge et peitrine	menton et cou, gorge et poitrine,
Ot plus blans que n'est nule ermine.	plus blancs qu'aucune hermine.

A ces hommes pour qui la Franque représente la race
conquérante et, partant, l'aristocratie, il ne faut point en effet
parler du ton basané ou bistre des femmes du Midi.

Autressi come deus pomettes	Ses deux petits seins
Estoient ses deus mamelettes.	étaient pareils à deux pommes,
Mains ot gresles, longues et blanches,	les mains grêles, longues et blanches,
Gresles les flanc, basses les hanches.	grêles les flancs, basses les hanches.

C'est presque un portrait d'aujourd'hui où la « pucelette
maigrelette » de Ronsard a le pas sur la « grasselette ».
Philomène sait aussi jouer aux *tables*, c'est-à-dire au trictrac,

(1) *Philomena*, éd. C. de Boer, Paris, Geuthner, 1909, in-8°, pp. 35-36,
vv. 145-164.
(2) Cf. Godefroy, *Dictionnaire de l'ancienne Langue française*, v° *jagonce*,
hyacinthe [pierre d'un jaune rougeâtre] ou, selon d'autres, grenat. Ce mot
est amené par la rime plus que par la justesse de la comparaison.

aux échecs, ou au vieux *six el as* (1), bref c'est une petite fille accomplie, connaissant tous les divertissements, de société qui peuvent la rendre agréable dans le monde. Elle ne le serait pas cependant si elle ignorait le bel art de fauconnerie, qui occupe tant de place dans la vie de château du moyen âge. Donc elle sait faire muer l'épervier aussi bien que filer la pourpre vermeille et peindre sur *coule* (2). Ne croyez pas qu'elle se borne aux ouvrages de dames, la poupée modèle, que le romancier propose comme mannequin aux jeunes filles de son temps. Sachant tout ce que femme doit savoir et non moins instruite que charmante (3) :

Des autors sot et de grameire	elle sait ses auteurs, et la grammaire.
Et sot bien feire vers et letre	Elle sait écrire en prose et en vers,
Et quand li plot s'i entremetre (4)	et à volonté toucher
Et del sautier et de la lire.	du psaltérion (5) et de la lyre.
Plus an sot qu'an ne porroit dire	Plus sn savait qu'on ne pût dire
Et de la gigue et de la rote.	et du violon et de la rote.
Soz ciel n'a lai ne son ne note	Il n'y avait ni lai, ni chant
Qu'el ne seüst bien vieler,	qu'elle ne sût accompagner de la vielle,
Et tant sot sagemant parler	et elle parlait avec tant de raison
Que solemant de sa parole	que sa seule parole
Seüst ele tenir escole.	était déjà un enseignement.

Térée la salue et l'embrasse et je laisse à penser si une beauté si parfaite tarde à lui ravir son cœur. Ce sont là jeux de vilain auxquels se complaît Amour. Elle hésite d'abord un peu à répondre à la pressante invitation de sa sœur, transmise par Térée, qui cependant ne s'est pas déclaré, et il est bien dur au père de se séparer, même pour quinze jours, du cher soutien de sa vieillesse. Il s'y résigne enfin avec des larmes « car les vieillards pleurent facilement », tandis que la jeune fille, toute joyeuse de l'imprévu du voyage, se laisse volontiers emmener, sans se douter qu'elle court à sa perte.

(1) Cf. Semrau, *Würfel und Würfelspiel im alten Frankreich*, Halle a.-S. 1910, p. 38.

(2) Couverture, d'où *coule pointe* [piquée], devenu *courte pointe*, cf. *Dictionnaire général* de Darmesteter, Hatzfeld et Thomas.

(3) Vv. 194-204. Le caractère scolastique de ce passage a été invoqué sans raison suffisante par A. Hilka contre l'attribution à Chrétien (cf. *Zeitschrift für romanische Philologie*, 1921, p. 734, et Zaman, *op. cit*, pp. 76-82).

(4) Je corrige *li* en *si*, correction très justifiable en bonne paléographie.

(5) Sorte de cithare. Cf. Gérold, *Les Instruments de musique au Moyen Age*, dans la *Revue des Cours et Conférences*, 1927-1928; p. 617-618, t. II, p. 360-366.

Le traître met à la voile, et, ayant abordé en Thrace, au lieu de la conduire à sa sœur, l'entraîne dans sa maison du bois (ainsi conte Crestien Li Gois), isolée de toute part, et là, il lui déclare sa passion criminelle (1) :

« Bele », fet-il, « or sachiez bien	« Belle », dit-il, « sachez bien
Que je vos aim et si vos pri	que je vous aime et je vous prie
Que de moi façoiz vostre ami,	de faire de moi votre ami
Et ceste chose soit celee,	et que cette chose reste cachée,
Se vos volez qu'ele et duree ».	si vous voulez qu'elle soit durable».
— Celee, biaus sire ? Por quoi ?	— Cachée, cher seigneur ? Pourquoi ?
Je vos aim bien si con je doi	Je vous aime bien comme je dois
Ne je ne m'an quier ja celer,	et je ne cherche pas à le cacher,
Mes se me volez apeler	mais si vous me requérez
D'amors qui soit contre droiture,	d'amour déshonnête,
Teisiez vos an, je n'an ai cure. —	taisez-vous, je n'en veux point. —
« Teirai, mes vos vos en teisiez.	« Je me tairai, si vous vous en taisez.
Tant vos aim et tant me pleisiez	Je vous aime tant, vous me plaisez tant
Que vuel que vos me consantez	que je veux que vous consentiez
Faire de vos mes volantez. »	à vous rendre à mon plaisir. »
— Avoi, sire, or vilenez vos !	— Fi ! seigneur, quelle horreur !
Ja Deu ne place qu'antre nos	A Dieu ne plaise qu'entre nous,
Ceste desleauté avaingne.	telle déloyauté se passe !
De ma seror vos ressovaingne	Qu'il vous souvienne de ma sœur,
Qui est vostre leal espose ;	qui est votre loyale épouse.
Ja ma suer n'iert de moi jalose	Je ne rendrai pas ma sœur jalouse,
Ne ja, se n'en suis porforciee,	et, à moins que je ne sois forcée,
Ne ferai riens qui li dessiee. —	je ne ferai chose qui lui déplaise. —
« Ne feroiz ? » — Non ! — « Et je vos jur,	« Vous ne le ferez pas ? » — Non ! — « Et
	[moi je vous jure,
Quant je vos taing ci a seür	puisque je vous tiens ici à ma discrétion
Et mes talanz feire me loist,	et que je puis satisfaire mon désir,
Ou buen vos soit ou tot vos poist	que vous le vouliez ou non,
Ne vos i vaudra rien deffanse :	aucune défense ne vous servira,
Tot ferai quanque mes cuers panse. »	et j'exécuterai tout ce que j'ai résolu. »
— Feroiz ? — « Oïl, sanz nul respit »...	— Vous le ferez ? — « Oui, sans délai»..

Épouvantée, morte de peur, éperdue de colère, d'angoisse et de douleur, elle l'adjure de renoncer à son funeste dessein, lui rappelant les promesses qu'il a faites au roi son père. En vain. Non content de la violer, le misérable lui coupe la langue pour qu'elle ne puisse révéler la honte qu'il lui a infligée et il la confie à la garde d'une vieille. Térée retourne en sa capitale et ne pouvant expliquer à Progné ce qui s'est passé, lui raconte que Philomène est morte. Elle a grande douleur, prend le deuil et

(1) Vv. 765-795.

fait à Pluton, « *sire des deables* », le sacrifice d'un taureau pour
le repos de l'âme de sa sœur. Mais la femme est plus rusée que
l'homme. Philomène dessine et brode sur une *courtine* toute
son histoire et la mande à Progné par la fille de la vieille. Celle-
là accepte le présent et secrètement suit de loin la messagère,
arrive à la maison du bois, y pénètre de vive force, emmène la
pauvre muette en une chambre secrète du palais. Le jeune Itis
l'y vient visiter et, par une sauvage inspiration de son « diable-
gardien », la reine venge sur lui la faute du père et le tue. Elle
donne la tête à Philomène, met tous ses soins à accommoder
le reste, invite son mari à venir manger seul de ce qu'il aime
le mieux. Le roi accepte, à condition que son fils y soit. « Il y
sera », dit, avec une féroce ironie, la traîtresse. « Nous ne serons
que nous trois. » Il se délecte de la hanche qu'on lui présente, puis
demande des nouvelles d'Itis. « Il n'est pas loin », dit-elle. « Tu
en as une partie en toi, l'autre partie est dehors », et Philomena de lui jeter, à la volée, le chef de l'enfant. Térée, fou de rage,
renverse la table, saisit une épée, menace de tuer les deux
sœurs. Alors advient un grand miracle (1) :

Car Tereus devint oisiaus	Car Térée devint un oiseau,
Orz et despiz, petiz et viauz.	laid et méprisable, petit et vieux.
De son poing li cheï l'espee	De sa main tombe l'épée,
Et il devint hupe copee...	et le voilà mué en huppe...
Progné devint une arondelle	Progné devient une hirondelle
Et Philomena rossignos...	et Philomène rossignol.....
Que quant il vient au prin d'esté,	C'est pourquoi quand vient le printemps
Que tot l'hiver avons passé,	et que tout l'hiver est passé,
Por les mauvés qu'ele tant het,	à cause des mauvais qu'elle hait,
Chante au plus doucement qu'el set	elle chante le plus doux qu'elle sait
Par le boschage : « Oci! Oci! ».	par les bocages : « Occis ! Occis ! ».
De *Philomena* leirai ci.	*Philomena* s'arrête ici.

Le conte finit donc, comme un vulgaire fabliau, sur un jeu
de mots et, dans l'ensemble, il faut avouer qu'il tourne court.
Autant la première partie, celle qui se termine à « *ce conte
Crestiiens Li Gois* », est alertement narrée, ornée de dévelop-
pements moraux, de raisonnements sur l'action aveugle de
l'amour et coupée de dialogues heureux et variés, autant la

(1) Vv. 1445-1468.

dernière partie est brutale, maladroite, allant trop vite au dénouement, ne ménageant pas les effets voulus. On se demanderait
presque si elle n'est pas une suite ajoutée par un remanieur
sans adresse à un récit laissé inachevé.

En tout cas il ne convient pas de s'attarder longtemps à un
essai dont l'authenticité n'est pas tout à fait assurée et qui est
inférieur au *Lai de l'Ombre* (1), à la plupart des *Lais* de Marie
de France et à *Pyrame et Tisbé* (2) qui, étant de même longueur et de même inspiration, peuvent le plus facilement lui
être comparés.

GUILLAUME D'ANGLETERRE

Il faudrait examiner par contre avec plus d'attention *Guillaume d'Angleterre*, qu'il convient, nous l'avons vu, d'ajouter,
bien qu'il ne l'ait pas mentionné au début de *Cligès* aux *juve-
nilia* de Chrétien (3) :

Crestiiens se viaut antremetre
sanz rien oster et sanz rien metre
de conter un conte par rime
ou consonant ou lionime.

Chrétien veut entreprendre,
sans rien ôter ni ajouter,
de faire un conte rimé
en rime riche ou léonine (4).

La matière, il l'a prise dans l'histoire d'Angleterre à « Saint-
Esmoing », c'est-à-dire au monastère de Saint-Edmond en Suf-
folk. Ce n'est pas la seule allusion à des lieux et à des choses de
ce pays, nous en trouverons d'autres, qui nous ont servi à sup-

---

(1) Édité par J. Bédier pour la Société des anciens textes français,
Paris, Didot, 1913, in-8°.

(2) Repris également dans l'*Ovide moralisé*, t. II, de l'éd. de Boer, pp. 18-
36, édité par C. de Boer, *Piramus et Tisbé*, Paris, 1921, in-12, dans les Classiques français du moyen age de M. Roques.

(3) Il a été avec raison compris par W. Foerster dans la grande édition
in-8° de Christian von Troyes, *Sämtliche erhaltene Werke*, Halle, M. Niemeyer,
où il figure au t. IV (1899), pp. 255-475. Il existe aussi une petite édition
W. Foerster, dans la Romanische Bibliothek, *Wilhelm von England* (*Guillaume d'Angleterre*), *Ein Abenteuerroman* von Kristian von Troyes, Halle a.-S.,
Niemeyer, 1911, in-12 ; c'est celle que nous suivrons. D'autre part, M. Wilmotte, qui ne doute pas non plus de l'attribution à notre écrivain, en a publié
une autre, dans la collection Roques, en 1927, mais que je n'ai pu qu'incomplètement utiliser. Sur l'attribution, voir les articles de ce savant dans
Le Moyen Age, t. II, 1889, p. 188 et s., et *Romania*, t. XLIV, 1 s.

(4) Où deux ou trois syllabes sont semblables.

poser dans les jeunes années du poète un séjour dans la grande Ile, devenue française par son aristocratie conquérante.

Il y avait une fois, en Angleterre, un roi très pieux et plein de charité, appelé Guillaume, et qui avait une épouse aussi belle que sage nommée Gratienne. Ils s'aimaient de tendre amour. Six années stérile, à la septième, la reine se sentit enceinte. Cette grossesse était déjà avancée, lorsque, au moment de se lever pour aller à matines, son mari aperçoit dans sa chambre une éblouissante clarté et entend une voix qui lui dit (1) :

<table>
<tr><td>« Rois, va en essil
De par De et de par son Fil
Le te di gié qu'il le te mande. »</td><td>« Roi, pars en exil. Je te le dis
de la part de Dieu et de son fils,
car c'est lui qui l'ordonne. »</td></tr>
</table>

Étonné, le visionnaire prend conseil de son chapelain qui, dans le doute, l'avise de faire quelque bonne action et, en particulier, de rendre tous les biens que, malgré sa sainteté, il a dérobés à autrui. Seconde vision, pareil avis du chapelain : répandez abondamment l'aumône, aux monastères surtout. Ainsi fut fait encore ; de ses joyaux et de ses trésors, ne lui reste qu'une coupe de verre. Survient la nuit, que les époux passent en prière ; à l'heure fatale, la clarté s'illumine, la voix, à nouveau, est entendue (2) :

<table>
<tr><td>« Rois, car t'an anble !
Va t'an tost, si feras que sages.
Je te sui de par De messages,
Qu'il viaut que an essil t'an ailles.
Mout le coroces et travailles
De ce que tu demores tant. »</td><td>« Roi, va-t'en,
va-t'en vite, tu feras bien.
Je te suis envoyé par Dieu,
qui veut qu'en exil tu ailles
Il s'irrite vivement
De te voir tant tarder. »</td></tr>
</table>

Cette fois, selon l'admonestation même du chapelain, aucun doute n'est plus possible, il faut se soumettre ; soucieux cependant d'épargner à sa compagne et au fruit qu'elle porte la rude épreuve, le mari songe à s'échapper à son insu ; mais la femme, une fois de plus, est la plus fine et ne se laisse point donner le change (3) :

<table>
<tr><td>« Nos avons mout eü ansanble
Joie, richesce, enor et eise ;
Duel, povreté, honte et meseise
Redevons ansanble andurer. »</td><td>« Nous avons eu toujours ensemble
joie et richesse, biens et plaisir ;
douleur, pauvreté, honte et malaise
devons donc ensemble souffrir. »</td></tr>
</table>

(1) *Guillaume d'Angleterre*, éd. Foerster, in-12, p. 5, vv. 83-84.
(2) Vv. 200-205.
(3) Vv. 282-285.

En vain le roi l'adjure-t-il de changer de dessein. Où mettra-t-elle au monde son enfant ? A quelle garde, à quelle nourrice pourra-t-elle le confier ? Si elle ne veut songer à elle, qu'au moins elle ait pitié du petit être. « Qu'à cela ne tienne », répond-elle, avec l'intrépidité et la robuste foi de son époque. « Dieu y pourvoira. »

A doux entêtement de femme, obéissance du mari. Profitant d'une nuit sans lune, ils s'échappent par une des fenêtres du château de Bristol, car la chambre en avait et non pas seulement des meurtrières ; la chose est encore assez rare pour que le conteur éprouve le besoin de la souligner, et ils se dirigent au plus épais de la forêt, sans bagage et sans destriers. Tandis qu'en vain leurs sujets effrayés les cherchent, ils y vivent de glands et de faînes, de poires et de pommes sauvages, de mûres, de baies, de cornouilles et de prunelles. Ils arrivent au bord de la mer, et c'est là que, dans une grotte du rocher, la mère ressent les premières douleurs. Le roi, tant bien que mal, l'assiste et enveloppe l'enfant dans le pan qu'avec l'épée il a coupé de son manteau, et, comme oreiller, il offre ses genoux. Mais voici que reprennent les douleurs et la reine accouche d'un second enfant, pour lequel il faut bientôt couper au manteau royal un second pan. L'accouchée est prise d'une faim si pressante qu'elle menace, si on ne l'apaise, de dévorer un des jumeaux. Le père s'apprête à se tailler plutôt dans la cuisse une belle tranche de chair. La pitié qu'elle en a lui fait prendre sa faim en patience et elle l'envoie mendier. Il avise des marchands qui venaient de débarquer, leur raconte son récent malheur ; ils ne le croient point, et le suivant pour vérifier ses dires, arrivent à la grotte, trouvent la femme à leur goût et l'emmènent sur leur nef, laissant le pauvre mari éperdu avec les deux nouveau-nés. Il va déposer l'un dans une barque, puis, au moment de quérir l'autre (pourquoi donc n'en a-t-il pas pris un sous chaque bras ?), il aperçoit un loup qui emporte le petit. Ayant poursuivi longtemps la bête, mais n'ayant pu l'atteindre, recru de fatigue, il s'endort. Des forains rencontrent le loup qui, lapidé, leur laisse sa proie qu'un d'eux fait sienne. Leur troupe s'avance vers le rivage, et trouve l'autre jumeau. Les voilà chacun pourvu d'un père adoptif. Cependant le roi mendiant s'éveille, maudit marchands, loup et bateaux, quand il ne trouve même plus celui où il avait laissé son enfant. Comble de malheur, un aigle vient du haut du ciel lui arracher la bourse qu'en échange de son épouse, un des ravisseurs lui a jeté. Cependant il remercie

Dieu, qui se plaît à éprouver ses serviteurs, s'accusant d'avoir trop longtemps péché par convoitise, ce dont il est aujourd'hui châtié. Enfin il réussit à se faire emmener par d'autres marchands qui, d'abord, le rouent de coups, puis l'entraînent en Écosse à Galveide (1), où un bourgeois aisé le prend à son service comme domestique, et bientôt comme majordome, sous le nom de Gui.

Ici, suivant un procédé familier au roman comme au théâtre du moyen âge, qui n'ont pas le souci, tout classique, de la liaison des scènes, « se tait le récit du roi » (2), et on parle de la reine. Les marchands qui l'ont enlevée débarquent à Sorlinc en Écosse, mais, comme ils n'arrivent pas à s'entendre sur l'attribution d'une si belle proie, le seigneur du pays, le vieux chevalier Gleolaïs, se l'arroge et la confie à sa femme. Celle-ci meurt et le veuf lui offre sa main ; elle se dérobe, comme il convient, alléguant que d'une vilaine on ne peut faire une châtelaine. Bien plus, elle se dit nonne échappée du couvent et ayant vécu sept ans comme *garce abandonnée*. Cette circonstance ne suffit pas à dégoûter le vieil amoureux, peut-être même l'allèche-t-elle. C'est le premier plaidoyer de notre littérature, mais non le dernier (3), en faveur de la femme tombée : (4)

« Que je resui mout antechiez	« Moi aussi je suis entaché
Et de folie et de pechiez !	de luxure et de péché !
Mout ai fet de ma volanté.	J'ai souvent cédé à mes désirs.
Por pechié ne por paranté,	Ni péché ni rang ne m'empêcheront
Ne leirai que je ne vos praingne.	de vous prendre pour femme.
Ne savez vos que la chastaingne	Ne savez-vous que la châtaigne
Douce et pleisanz ist de la broisse	agréable et douce sort de l'écale
Aspre et poignant de grant angoisse ?	amère et piquante à déplaisir ?
Je ne sai qui fu vostre pere,	Je ne sais qui était votre père,
Mes s'il fust rois ou anperere,	mais eût-il été roi ou empereur,
Ne porriiez vos plus valoir.	vous n'en sauriez valoir plus.
L'an ne puet pas conoistre à l'oir,	On ne peut toujours à l'héritier
Mainte foiz que li pere fu,	reconnaître ce que fut le père.
Maint mauvés sont de buens issu,	Maints mauvais sont de bons sortis,
Maint de mauvés, qu'estoient buen.	maints bons sont issus de mauvais.
Douce amie ! Voi ci le tuen,	Chère amie, tout ceci est tien,
Et tu soies ma douce suer.	tu seras ma chère compagne.

(1) Galloway au Sud-Ouest de l'Écosse.
(2) Vv. 1046-1048.
(3) Cf. Servais Etienne, *Le genre romanesque en France*, etc., Paris, Colin, 1922.
(4) Vv. 1167-1193.

Je sui toz tuens de si buen cuer,
Qu'il ne me chaut de ce d'arriere.
Ja por ce ne t'avrai mains chiere ;
Que enor a, qui se chastie
De mauvestié et de folie,
Et cil i doit avoir grand honte
Qui ne se chastie ne donte.
Chastiee t'ies et dontee
Et or t'a Deus si haut montee
Qu'il viaut que tu soies m'espose. »

Je suis si à toi de tout cœur
Que peu me chaut de ton passé.
Je ne t'en tiendrai pas moins chère,
car l'honneur vient à qui s'amende,
du mal et de la luxure,
et grand'honte doit avoir celui
qui ne s'amende ni se dompte.
Toi, tu t'es amendée et dompté
et Dieu t'a portée si haut
qu'il veut que tu sois mon épouse. »

Le plaidoyer ne manque ni d'éloquence ni de générosité mais il ne faudrait pas qu'il nous donnât le change sur la tendance aristocratique, qui est celle de l'ensemble du récit. La reine pleure, ne sachant plus que répondre, et se borne à solliciter un an d'abstinence charnelle pour parfaire le triennat, qui, à cet égard, lui a été imposé comme pénitence.

Le seigneur, d'ailleurs âgé, accepte cette restriction de ses droits conjugaux, convoque ses vassaux et épouse solennellement la servante inconnue.

« Et maintenant », observe le conteur lui-même, « il est temps que je vous parle des enfants ». La dispersion de cette malheureuse famille sert à justifier en effet, en quelque manière, le décousu du récit. Les marchands qui les ont recueillis ont abordé à Caithness, au nord-est de l'Écosse, et les ont fait baptiser, l'un sous le nom de Lovel, à cause du loup qui l'avait ravi, l'autre sous le nom de Marin, parce qu'il fut trouvé sur la mer. A dix ans il n'y avait pas d'enfants plus beaux ni mieux doués, car la Nature y avait pourvu. L'homme est ce que Nature l'a fait (1).

Adoptés et élevés par deux manants, ils ne deviendront pas des vilains et, ignorants de leur parenté, malgré une ressemblance frappante, ils refusent de se séparer pour aller en apprentissage de pelleterie. Leurs pères adoptifs les rossent d'importance et leur reprochent leur naissance. Fouchier chasse Marin, Goncelin veut chasser Lovel, mais adouci par les paroles de reconnaissance de son fils adoptif, lui donne deux mauvais chevaux et un valet nommé Rodain. Les jumeaux ne tardent pas à se retrouver, et Rodain prend Marin en croupe. Dans le bois, ils tuent un daim, mais le garde forestier les surprend et les mène devant le roi de Caithness, qui, au lieu de les punir, les trouvant

_____

(1) Vv. 1381-1404.

beaux et bien faits, les retient auprès de lui, leur donne chevaux et robes, et leur fait enseigner les arts de vénerie et fauconnerie.

Cependant leur père, devenu majordome d'un bourgeois, a, de plus en plus, conquis sa confiance, au point qu'il lui offre de lui confier 300 livres pour les faire fructifier en allant commercer (1)

An Flandres ou an Angleterre,	en Flandre ou en Angleterre,
Ou an Provance ou an Gascoingne.	ou en Provence ou en Gascogne.
Se tu sez feire ta besoingne	Si tu sais exercer ton métier
A Bar, a Provins ou a Troies,	à Bar, à Provins ou à Troies,
Ne puet estre, riches ne soies.	il ne se peut que riche ne sois.

« Bar, Provins, et Troies », ce sont les trois grandes foires de Champagne ; il y a là encore un trait qui semble rappeler les origines champenoises de Chrétien. En même temps il nous donne une idée de ce qu'on y vendait en décrivant la cargaison de peaux de chat grises et noires, peaux de lapins et d'écureuils, draps d'écarlate et bure, d'alun, de brésil et de graine qui servent à les teindre. Le roi-marchand en revient bientôt, nanti de plus d'argent qu'il n'en a reçu. Son maître en est si satisfait qu'il lui confie cette fois ses deux fils pour les mener avec lui à la foire de Bristol. Comme ainsi il trafiquait, il aperçoit un jeune homme tenant un cor qu'il reconnaît vite pour lui avoir appartenu et il le lui paye cinq sous. Le bruit s'en répand et, devant l'étal du pseudo-marchand, passent de ses anciens sujets qui, frappés de sa ressemblance avec le roi Guillaume, qui les avait quittés voilà vingt-quatre ans, en vont parler à son neveu et successeur. Celui-ci, fort ému, se rend au marché, et l'invite à le suivre en son palais pour faire de lui son sénéchal, mais le prétendu Gui de Galveide s'y refuse et rembarque. A peine la nef est-elle sortie du port que le gros temps menace et ceci nous vaut une description très vivante, on dirait presque vue, de la tempête, thème qui s'impose à tous les romans du temps (2) :

Lués que la nes del port eschape	A peine le navire est-il sorti du port
Et il furent an mer dedanz,	et est-il entré dans la mer
Comance a anforcier li vanz,	que commence à se lever le vent.
La mers anfle, li vanz anforce.	Le mer enfle, le vent s'accroît.
Cil escriënt : « A orce, a orce ! »,	Les marins crient : « A bâbord, à bâbord ! »,

---

(1) Vv. 1984-1988.
(2) Vv. 2294-2331. Sur ce thème de la tempête, cf. E. Pons, *Le Thème et le Sentiment de la Nature dans la poésie anglo-saxonne*, Strasbourg, Istra, 1925, in-8º, pp. 12-14. Le point de départ est celle du *Brut* de Wace (vv. 2524 et s.).

Mais les vagues formant esbolent,	mais les vagues fortement gonflent,
Qui la nef dehurtent et folent	heurtant et foulant la nef,
Si qu'andui li costé li croissent	au point qu'en craque la coque :
Et par po que les es ne froissent.	peu s'en faut que les ais ne se brisent.
La mers qui ore estoit igaus	La mer, qui naguère était unie,
Est plainne de monz et de vaus	est pleine de monts et de vallées.
Et ja sont si hautes les ondes	Si hautes sont les vagues
Et les valees si parfondes	et leurs creux si profonds
Que il ne pueent estal prandre	qu'ils ne peuvent s'arrêter
Ne de monter ne de desçandre.	de monter ni de descendre...
Li jorz retorne a oscurté,	L'obscurité succède au jour
Par tot a grant maleürté.	partout pour leur plus grand malheur.
Li ciaus troble, li ers espoisse.	Le ciel se trouble, l'air s'épaissit.
Ores est a vis que la mers croisse,	Parfois il semble que la mer grossisse
Or sanble que ele retraie.	parfois au contraire qu'elle s'apaise.
Li mestre mariniers s'esmaie	Le chef pilote s'effraie
Qui voit les vanz tancier toz quatre,	de voir les quatre vents de l'espace
A l'er et a la mer conbatre,	lutter avec l'air et la mer,
Si espart et foudroie et tonne.	Il éclaire, foudroie et tonne.
La nef tot de plain abandonne	Alors il abandonne le navire à lui-même
Et la leisse tote an balance.	et le laisse en jouet aux flots.
L'une onde à l'autre la balance	Une vague à l'autre le renvoie
Si come an joe à la pelote.	comme si elle jouait à la pelote.
L'une ore jusqu'as nues flote	L'une l'élève aux nuages,
L'autre jusqu'an abisme avale.	l'autre le descend aux abîmes.
Therfés s'escrie : « Cale, cale ! »,	Le pilote Therfés crie : « Cargue, Cargue ! »,
Mes tuit li quatre vant s'aïrent	mais les quatre vents se fâchent
Si qu'il desronpent et descirent	au point qu'ils rompent et déchirent
Totes les cordes et la voile :	toutes les cordes et la voile.
An mil pieces vole la toile,	La toile vole en mille pièces,
La voile ront et li maz froisse.	la voile se rompt, le mât se brise.
An la nef sont a grant angoisse	L'angoisse est grande dans la nef,
Si reclaimment De et sa croiz.	ils invoquent Dieu et la croix.

Ils demandent à saint Nicolas d'apaiser les vents s'entre-battant comme font les seigneurs de la terre, qui la ravagent et la détruisent. Mais ce ne fut qu'à l'aube du quatrième jour qu'ils firent trêve, ne laissant sur la place qu'un « ventelet » pour balayer l'air et le nettoyer. Le pilote Therfès peut reprendre la barre. Gui-Guillaume lui demande s'il se reconnaît et s'il sait où il est : « Oui », répond-il, « nous sommes près d'une île, mais, si vous voulez y aborder, cela vous coûtera gros, car d'abord le seigneur, puis la dame du pays, puis son sénéchal, viendront prendre sur votre bateau tout ce qui leur plaira. » De seigneur il n'y en a plus, mais la dame, aussitôt la nef annoncée, s'y précipite, pour y exercer ses droits régaliens. Elle a le visage caché et Guillaume ne peut distinguer ses traits, mais, à elle, ceux du marchand ne paraissent pas étrangers. Il lui semble qu'elle les a vus quelque part. Elle fait étaler les marchandises, draps et orfrois, couvertures et zibelines, fourrures et peaux d'hermine, jeu de *tables* (1) en argent et jeu d'échecs en or, mais elle ne considère qu'un cor d'ivoire suspendu au mât. Ses yeux vont du mât au roi et du roi au mât. Elle s'assied près de lui et, à son doigt, voit un anneau qui avait été à elle (le magasin des accessoires romanesques se complète), mais le pseudo-commerçant y tient tant qu'elle est contrainte de l'exiger pour l'obtenir, tandis que, le lui donnant, il soupire (2) :

« Malgré moi l'ai de mon cuer tret,	« Je l'ai tiré malgré moi de mon cœur,
Car an mon doi n'estoit il mie :	car ce n'était pas à mon doigt qu'il était,
Or vos ai donee ma vie... »	et je vous ai donné ma vie.... »

En reconnaissance de l'anneau, la dame lui offre, ainsi qu'à ses compagnons, l'hospitalité. A table, elle le fait asseoir à côté d'elle et, bien qu'elle reste voilée, son mari commence à la reconnaître, mais garde encore le silence. On amène les chiens dans la salle et alors le marchand-roi revoit tout à coup sa jeunesse. Songeant à la chasse, son passe-temps favori de jadis, il a comme une hallucination et, debout, leur crie (3) :

«Hu ! hu ! Bliaut, li cers s'an fuit ! »	« Hu ! hu ! Bliaut, le cerf s'en fuit ! »

Et comme la reine doucement lui demande pourquoi il a si fort crié, il avoue qu'il s'était revu, comme en rêve, chassant au bois un grand cerf quinze-cors, déjà forcé. Alors la dame lui offre de réaliser le songe et d'aller avec elle chasser au bois. Les chiens sont couplés, les chevaux sellés, les veneurs équipés. Parvenus aux essarts, ils débuchent un quinze-cors (4) :

Li cers s'an fuit, li chien glatissent,	Le cerf s'enfuit, les chiens aboient,
Par le bois espés se flatissent,	se jettent dans les fourrés épais.
Li bois tantist, li gauz resonne.	Le bois retentit, la futaie résonne.

Alors la dame, s'adressant au roi, lui révèle enfin ses aventures, comment elle fut recueillie par Gleolaïs qui lui offrit sa main et comment il mourut au bout d'un an, ayant observé son vœu d'abstinence charnelle et avant d'avoir été effectivement son

(1) Sorte de tric-trac.
(2) Vv. 2524-2526.
(3) V. 2614.
(4) Vv. 2675-2677.

époux, mais la laissant héritière de sa seigneurie. Depuis, un roi
voisin la convoite, elle et ses biens, et lui fait une guerre perpétuelle. Une rivière sépare leurs possessions. Que le roi se garde
de la franchir en courant le cerf, ce dont elle lui donne, maintenant, congé (1).

De li se part li rois atant	Le roi la quitte alors,
Corant, le cor au col pandu,	courant, le cor au col pendu,
S'a le cri des chiens antandu	il entend la voix des chiens,
Qui le cerf chacent et angressent.	qui chassent le cerf et le débuchent.
Trestuit si duremant l'anpressent	Tous si vivement le pressent
Que li cers crient moutlor anchauz ;	que le cerf craint fort leurs prises.
S'a tant foï que toz est chauz,	Il a tant couru qu'il est chaud,
Et pantoise et sue de greisse.	essoufflé et gras de sueur.
Droit vers la riviere s'esleisse,	Droit vers la rivière se coule,
Et tuit li chaceor remainnent.	et les chasseurs restent en arrière.
Li chien le cerf chacent et mainnent	Les chiens chassent le cerf et le mènent
Vers la riviere de randon.	l'acculant à la rivière.
Li rois let aler a bandon	Le roi laisse courre
Aprés les chiens son chaceor.	son destrier après les chiens ;
D'antrer an l'eve n'ot peor,	d'entrer dans l'eau il n'a point peur
Quant le cerf voit outre passer	quand il voit le cerf passer la rivière
Et toz les chiens aprés noer,	et les chiens nager après lui.
Si a oblié la doctrine	Il a oublié l'avertissement
Et la deffanse la reïne	et la défense de la reine
Qui li avoit dit et priié	qui l'avait si instamment prié
Que la riviere ne passast...	de ne pas passer le courant...
Li cers passe outre et tuit li chien	Le cerf l'a franchi, et les chiens
L'anchaucierent aprés si bien,	l'ont tant et si bien poursuivi
Qu'antor et anviron li vienent,	qu'ils l'ont cerné tout alentour,
As ners et as braons le tienent,	le happent aux jarrets et aux cuisses,
Si l'ont par force a terre mis.	et le jettent à terre de vive force.
Li rois voit que li cers est pris,	Le roi voit que le cerf est pris
Si comance a corner la prise.	et commence à corner la prise.

Deux chevaliers, passant non loin de là, vêtus du haubert,
protégés de l'écu et armés de la lance, l'ont entendu et le menacent de mort. Alors il leur raconte sa lamentable histoire.
Occasion pour le conteur de récapituler, à l'intention des auditeurs qui n'auraient pas entendu le début ou l'auraient oublié.
Mais ce rappel a aussi un but plus direct. Le roi n'a pas manqué
de mentionner le détail des deux pans de manteau dans lequel
il a enveloppé chacun des jumeaux, ni celui de l'aumônière
aux besants jetée par un des marchands et à lui dérobée par un
grand aigle. Comme les animaux sont eux-mêmes les agents

(1) Vv. 2724-2755.

du merveilleux et qu'il n'y a pas de raison valable pour que l'oiseau de Jupiter ne soit pas baptisé messager de Dieu, voilà qu'un aigle, le même assurément qui fut coupable du larcin, à ce point précis du récit du roi, descend du ciel pour lui remettre gracieusement l'aumônière et les besants qu'il a gardés vingt-quatre ans en son aire, étant assurément fort en peine de s'en servir. Par ce miracle la véracité de son récit est attestée. L'un des jeunes chevaliers, Lovel, s'écrie (1) :

« Biaus sire chiers ! se Des m'ait,	« Cher Seigneur, que Dieu m'assiste,
Mon pere estes, vostres fiz sui. »	Vous êtes mon père, je suis votre fils ! »

L'autre reconnaît à la fois son père et son frère. Substitution, supposition, reconnaissance, sont les trois ressorts du roman et de la comédie antique et le seront longtemps pour le roman et pour la comédie moderne. La preuve complète sera fournie par les deux pans que le roi identifie, on se demande à quel signe. Je vous laisse à penser la joie du père et des deux fils qui s'accolent et s'entrebaisent. Le souverain de Caïthness, mandé par message, prend sa part de leur joie et promet de faire chevaliers les deux jumeaux qui ont souvent guerroyé pour lui contre la dame sa voisine. « Ils ont mal fait », dit le père, « mais ils ignoraient que ce fût leur mère ». Celle-ci cependant s'inquiète de ne pas voir revenir son époux, que Dieu avait paru lui rendre et qu'elle soupçonne son voisin de lui avoir ravi. Elle fait proclamer le ban et se met en campagne. Quelle n'est pas sa surprise, sinon la nôtre, quand elle voit arriver au-devant d'elle, au gué de la rivière, son époux, accompagné du mortel ennemi et des deux jeunes écuyers, qui ont été les pires de ses persécuteurs. Cependant convaincue par les preuves qui lui sont fournies, elle étreint les jumeaux, qui se jettent ensuite à ses pieds, ainsi que leur maître, implorant tous leur pardon. Non seulement elle le lui accorde, mais lui abandonnera le fief de Sorlinc, avec la permission de son époux, qu'elle va suivre. Mais Marin et Lovel y mandent d'abord les deux marchands qui les ont élevés pour les remercier de les avoir « nourris ». Ils viennent et la reine leur donne des manteaux de vair et des robes de petit-gris. Ici, trait d'ironie du conteur. Les marchands disent qu'ils les vendront et que cela leur fera un joli bénéfice. La reine en rit et les assure que désormais ils n'auront plus besoin de

(1) Vv. 2864-2865.

fréquenter foires ni marchés ; ils seront. comblés de richesses et à l'abri du besoin, mais les vilains ne veulent rien entendre et persistent à vouloir vendre lesdites robes (1) :

« Dame ! vos nos tenez por soz.
Se cez robes estoient noz,
Nos an feriiens mout bien feire
De chascune quatorze peire
De gros eigniaus et de cordé. »
— Teisiez ! — « Dame ! par le cors Dé
Ja cez robes ne querons prandre,
Quant nos ne les porriiens vandre ».
La reïne fu mout cortoise,
De ce qu'ele ot pas ne li poise,
Car ele s'an rioit au mains
De la folie as deus vilains ;
Qu'an vilain a mout fole beste,
Mes ainz qu'ele ne les reveste,
Panse que d'eus achatera
Les robes, puis lor redonra,
Et dist : — Seignor ! or me vandroiz
Les robes, puis ses reprandroiz ;
Mes li marchiez ainsi prandra,
Que vestir les vos convandra. —
Et il dient qu'il les prandront
Volantiers et si les vandront
Por trante mars sanz rien leissier.
— Je n'an quier ja rien abeissier, —
Fet ele, — que mout bien le valent.
Trante mars d'arjant ne vos falent,
De ce soiiez tuit a seür. »
Cil respondent : « A buen eür
Si vos atandrons volantiers
Huit jorz ou quinze toz antiers. »
Lors se vestent des robes chieres :
Lor contenances et lor chieres
Furent si foles et si nices
Que des mantiaux et des pelices
Sanbloit, qu'an lor eûst presté.

« Madame, vous vous moquez de nous
Si ces robes étaient à nous,
nous en saurions bien tirer
De chacune quatorze couples
De gros agneaux à longue laine. »
— Taisez-vous ! — « Madame, corbleu
nous ne voulons pas prendre ces robes
Si nous ne pouvons pas les vendre. »
La reine qui était courtoise
ne s'irrita pas du propos.
Elle n'en riait pas moins
de la folie des deux vilains,
car le vilain est sotte bête.
Avant qu'elle ne les leur revête,
elle imagine de leur acheter les robes,
puis de les leur redonner
et dit : — Eh bien ! Messieurs, vendez-moi
les robes, puis vous les reprendrez ;
mais le marché se fera à cette condition
que vous serez forcés de les revêtir. —
Ils disent qu'ils les reprendront
volontiers, mais ils les vendront
trente marcs, sans en rien rabattre.
— Je ne songe pas à marchander, —
dit-elle, — car elles le valent bien.
Vous aurez les trente marcs d'argent,
Soyez en tout à fait assurés. —
Ils répondent : « A la bonne heure !
Nous vous accorderons même
de huit à quinze jours de crédit. »
Alors ils revêtent les riches robes,
mais leur contenance et leur figure
sont si sottes et si bêtes
qu'ils semblaient être revêtus
de manteaux et de robes d'emprunt.

Reste à faire venir le bourgeois qui avait si généreusement pris à son service le pseudo-Gui et à le récompenser, lui et ses fils, ce à quoi le roi d'Angleterre ne manque pas. De Sorlinc, où il s'embarque, il se rend en pèlerinage à cette roche où la reine accoucha et où commença leur calvaire, qu'il aime à se remémorer en ce lieu. Il y attend son neveu qui vient lui rendre

(1) Vv. 3237-3271.

son sceptre, et le roi et la reine font à Londres une entrée solennelle (1) :

Tes est de cest conte la fins :	Telle est la fin de ce conte.
Plus n'en sai, ne plus n'an i a.	Je n'en sais pas plus et il n'y en a pas plus.
La matiere si me conta	Ainsi m'en conta le sujet
Uns miens conpainz, Rogiers, li cointes,	un mien compagnon, Roger le courtois,
Qui de maint preudome est acointes.	qui est l'ami de maint homme de bien.

Qui est ce Roger qui lui bailla la matière, il est difficile d'en décider. S'agit-il comme le voulait Gröber (2) du poète Rogier de Lisaïs, auteur d'un *Isaire et Tentaïs* perdu. C'est possible, mais nullement assuré.

Quoi qu'il en soit, la source véritable doit être cherchée dans la légende de saint Eustache, et ceci fortifie singulièrement la récente et originale thèse de Maurice Wilmotte (3) sur le rôle de l'hagiographie dans la naissance et le développement du roman en France. Ne lit-on pas, en effet, dans l'histoire de saint Eustache, dont nous possédons une version du viiie ou du ixe siècle (4), une pieuse et gracieuse légende qui présente déjà les traits essentiels de la nôtre : deux époux et deux enfants (Placidas et Theosbita) ; les parents, pour l'amour du Christ, renoncent à leurs honneurs et à leurs biens pour errer par le vaste monde. Arrivés au bord d'un lac, ils se confient à un pêcheur pour les faire traverser ; celui-ci, gardant près de lui la femme, fait monter le père et les deux enfants et les pousse loin du rivage. Le courant les entraîne. Ils abordent ; poursuivant leur route, ils se heurtent à un fleuve. Le père passe d'abord un de ses enfants, le second est pris par un loup. Or, tandis que le père se précipite sur le loup, un lion lui ravit l'autre. Des bergers sauvent les deux enfants et les élèvent. Le père se réfugie dans un village, où lui-même il devient garde messier. Sa femme demeure chez le pêcheur, avec lequel elle refuse tout rapport, mais qui, en mourant, la constitue son héritière. Une guerre provoque la joyeuse réunion de cette famille dispersée.

---

(1) Vv. 3362-3366.

(2) *Grundriss der romanischen Philologie*, t. II, p. 524.

(3) *De l'origine du roman en France ; la tradition antique et les éléments chrétiens du roman*, Paris, Champion, 1923, in-8°. *La Vie de saint Eustache, poème français du XIIIe siècle*, a été éditée p. H. Petersen, Paris, Champion, 1928, in-12 (CLASSIQUES FRANÇAIS DU MOYEN AGE) et *La Vie de saint Eustache, version en prose française, du XIIIe siècle*, p. J. Murray, *ibid.*, 1929, in-12.

(4) *Guillaume d'Angleterre*, éd. Foerster, in-8°, t. IV, p. CLXXVI.

N'est-ce pas, de toute évidence, dans sa nudité, le thème qui se trouvait dans le livre de l'abbaye de Saint-Edmond, à supposer qu'il ait existé, ou que Rogier aura baillé à son ami Chrétien. Dans l'hagiographie gît le diamant en sa gangue, au poète de le dégager et de le tailler aux mille facettes de son imagination.

De l'élément religieux, il a conservé la piété du couple royal, la voix de Dieu, qui, la nuit, se fait entendre, l'arbitraire de cette volonté divine, plaisant au siècle résigné qui se repose en elle, mais il a travaillé l'aventure qui, réservé son point de départ, n'a plus rien de religieux, l'aventure contée depuis le fond des temps par la Mère l'Oie filandière, l'anecdote, si lointaine et partout si concordante, que la critique exercée par Bédier sur les *Fabliaux* nous interdit d'en chercher l'origine. Elle est dans l'Inde dans le *Dasakumara–tcharita* (1), on la trouve au Cachemir, au Pendjab, en Perse dans la mille et unième nuit, chez les Hébreux (2).

Aussi, sur la trame traditionnelle, Chrétien n'avait-il qu'à broder. Au fond ce n'est donc pas un conte pieux que *Guillaume d'Angleterre*, qu'un manuscrit appelle *Saint Guillaume*, c'est un roman d'aventure. Foerster a raison sur ce point, mais où il a tort, c'est d'y voir un récit de la vieillesse de Chrétien et non, comme Wilmotte, une œuvre de jeunesse. Ce qui me fait adopter cette dernière opinion est que *Guillaume d'Angleterre* ne mentionne ni Arthur ni Tristan. Pourtant, quelle tentation d'évoquer le premier en faisant circuler à travers la grande Bretagne et l'Écosse ses personnages ? Quelle tentation plus grande, d'évoquer le second à propos de la chasse, de la loge de feuillage dans la forêt et du bel art de vénerie ? Non, Chrétien n'a encore été qu'à l'école d'Ovide (il parle de Tantale aux v. 907-928, il s'inspire d'Horace au v. 2357, de Virgile au v. 3323). Je ne suis même pas bien sûr qu'il ait lu alors déjà *Eneas*, *Le roman de Thèbes* et *Le roman de Troie*, mais quel art accompli ! Une fois admise la docilité initiale à la voix mystérieuse de Dieu, donnée que la psychologie du temps rend vraisemblable et que nous n'avons pas à discuter, une fois reçu que cette volonté capricieuse continue à se jouer des destinées humaines et à séparer ce qu'elle avait uni, puis à réu-

---

(1) *Les Aventures de dix jeunes gens*, « collection de récits exquis, un des plus ravissants chefs d'œuvre de la littérature sanscrite », m'écrit l'éminent indianiste Sylvain Lévi. Elles ont été traduites par H. Fauche, dans un recueil intitulé *Tétrade*.

(2) Cf. Foerster, éd. in-12, p. vii-ix.

nir ce qu'elle avait séparé ; que l'instinct sauvage des animaux, aigle et loup, n'est, lui aussi, qu'un instrument de la même volonté divine, on peut se laisser aller au fil du récit et jouir des spectacles variés qu'il nous déroule : tempête et chasses, foires et marchés, vie de château et vie rustique, portraits de jeunes chevaliers, chez qui l'éducation des vilains n'a pas étouffé les plus nobles aspirations (« Nature domine Nourriture »), portrait de vieil amoureux et de femme fidèle. Il y a bien là, grâce à l'art souverain du conteur qui ne se lasse pas de narrer, de varier ses effets et d'intéresser en s'intéressant, de quoi ravir un public fatigué des chansons de geste, mais qui en a gardé le goût de l'invraisemblable et qui est habitué à la docilité envers Dieu des saints des pieuses légendes.

La composition de ce public, elle n'est pas difficile à deviner, elle est essentiellement aristocratique. Dans la salle du château, pour la veillée, autour de la cheminée héraldique, où le tronc d'arbre se calcine sur les chenets, autour du jongleur à la vielle, à la harpe, ou à la rote, ou autour de celui ou celle qui sait lire, se rassemblent des chevaliers ayant laissé haubert et heaume pour revêtir le pelisson fourré et qui, sur des peaux, s'étendent auprès des dames en bliauts de soie, aux longues tresses pendantes. Arrière vilain, il s'y poindra, car il entendra le poète railler cruellement sa vilenie, qui est irrémédiable, sa rapacité, qui est indécrottable

Qu'an vilain a mout fole beste.   car vilain est bien sotte bête.

Il ne sera même pas loué pour la générosité avec laquelle il recueille l'enfant abandonné. Encore s'agit-il de bourgeois ; que serait-ce s'il était question de serfs ? Même le gros marchand, semble-t-il, ne trouve pas grâce devant Chrétien, et ceci est plus étonnant, pour qui montre, comme lui, sa familiarité avec les foires de Champagne, Troyes, Provins, Bar et Lagny, dont était fait le luxe de ses futurs maîtres.

Ainsi, par sa fluidité, sa grâce, l'élégance et souvent l'éloquence de ses descriptions (on a entendu l'hallali et l'ouragan), la finesse de son ironie, *Guillaume d'Angleterre* est déjà l'œuvre d'un *qui dire siaut* (v. 18), d'un qui a l'habitude de conter, d'un poète de talent, écrira d'abord Gaston Paris, et non pas une « pitoyable rapsodie », comme le même critique la jugera par la suite.

Mais notre rôle n'est pas seulement de dégager d'une œuvre ce qu'elle contient, il faut encore indiquer les éléments qu'elle ne contient pas et, qu'étant donné l'époque où elle a été écrite, elle aurait pu présenter. Nous en avons signalé un : la légende arthurienne, en voici un second : l'amour courtois.

Le spectacle de l'attachement constant de deux époux, contre carré non par des changements de sentiments ou des rencontres humaines, mais par le seul arbitraire de la volonté divine et qui aboutit à la réunion finale, la femme étant restée pure malgré sa bigamie, voilà qui n'a rien de commun avec le caprice de la femme-divinité qui joue de son amoureux contrit comme d'une marionnette, ni avec l'adultère qui, spirituel ou charnel, est à la base de la conception des troubadours provençaux.

Ainsi donc, malgré son contact avec Ovide, le jeune romancier a encore deux terres inconnues à découvrir : l'amour courtois et l'inspiration celtique. C'est même leur absence qui me fait surtout inscrire *Guillaume d'Angleterre* en tête des œuvres de Chrétien parmi celles de sa jeunesse, car désormais il n'abandonnera plus ces deux données essentielles.

TRISTAN ET ISEUT

Dans la fameuse énumération du début de *Cligès*, nous lui avons entendu nommer un conte ou un roman

Del roi Marc et d'Iseut la blonde

et ce vers ne paraît pas susceptible de beaucoup d'interprétations, mais, qui le croirait, méconnaîtrait la subtilité des philologues. Après avoir supposé que le *Tristan* de Chrétien est à la base de tous les *Tristans* connus, celui de Béroul comme celui de Thomas, et qu'il s'était perdu, ni plus ni moins que celui de La Chievre, on alla (G. Paris) (1) jusqu'à en contester l'existence, ou du moins à ne plus l'assimiler qu'à une sorte de *lai* assez court, semblable à ce *Lai du Chievrefueil* (2), que composa la poétesse Marie de France et que nous avons déjà mentionné. Le fait est qu'il est un peu surprenant que l'œuvre d'un aussi célèbre romancier, si elle avait été considérable, se soit perdue, et surtout que ses successeurs et ses imitateurs ne l'aient pas nom-

---

(1) Cf. G. Paris, *Cligès*, dans les *Mélanges de littérature française du Moyen Age*, déjà cités, pp. 254-258.
(2) *Les Lais* de Marie de France, éd. Hœpffner (Bibliotheca Romanica), 1921, in-24, t. II, pp. 103-107.

mée, alors que celle de La Chievre (1) l'a été, à moins qu'elle ne soit désignée par allusion dans ce passage de Thomas (2) :

Entre ceus qui solent cunter	Ceux qui font profession de conter
E del cunte Tristran parler	et qui parlent de la légende de Tristan
Il en cuntent diversement.	la traitent bien diversement.

Mais, si quelque heureux chercheur ne découvre pas dans une de ces bibliothèques de lords anglais, lesquelles n'ont pas fini de nous révéler leurs trésors, un manuscrit du *Tristan* de Chrétien, comme tel autre y a retrouvé une de nos plus anciennes chansons de geste perdues, *La Chançun de Willame* (3), il faut se borner à des conjectures. Pourquoi Chrétien a-t-il écrit : « Du roi Marc » et non pas « de Tristan » ? Foerster répond : parce que le *Cligès* est un anti-Tristan et qu'il ne lui plaisait pas de mettre ici en valeur ce héros de l'amour adultérin. Argument spécieux. Avouons donc plutôt notre ignorance.

A-t-il raconté de point en point l'adorable légende, celle où la pauvre et sanglotante humanité a peut-être mis le plus de son âme et où elle a exprimé avec le plus de brûlante ardeur la fatalité et le tragique de l'amour sans intervention de puissances surnaturelles ? Disait-il la vie du jeune Tristan de Loonnois à la cour du roi Marc, son oncle, le combat avec le Morholt pour libérer la terre de Cornouailles du tribut de jeunes filles qu'elle doit à l'Irlande, la blessure, l'arrivée en Irlande, la guérison par Iseut, le cheveu d'or apporté par l'hirondelle dans la chambre du roi, et que Tristan reconnaît avoir appartenu à Iseut la blonde ; comment celui-ci s'offre à demander sa main pour son oncle ; comment il tue le dragon et, par un combat singulier contre le traître, qui prétend avoir tué la bête, conquiert la jeune fille ; comment celle-ci le reconnaît pour le meurtrier du Morholt, et comme elle s'irrite d'avoir été conquise pour le roi Marc ; la longue traversée ; le philtre de Brangien qui, destiné à la veille des noces et bu, par erreur,

---

(1) A moins que La Chèvre et Crestien Li Gois, angl. *goat*, prononcé à la française ne soient qu'un et même personnage comme le suppose C. de Boer, dans *Romania*, 1929, pp. 116-118.

(2) *Le Roman de Tristan* par Thomas, éd. p. J. Bédier (Société des Anciens textes français), Paris, Didot, 2 vol. in-8°, t. I, p. 377. *Le Roman de Tristan* de Béroul, publié p. L. Muret, a été édité dans la même collection en 1903, in-8°, et dans les Classiques français du moyen age, Paris, Champion, 2e éd., 1922, in-12.

(3) *La Chançun de Willame*, éd. El. Stearns Tyler, New-York, 1919, in-12.

par les jeunes gens les voue à jamais l'un à l'autre, la substitution de Brangien à Iseut dans le lit nuptial ? Ou l'auteur commençait-il plus tard, au point où débute le fragment de Béroul, par le rendez-vous des deux amants sous le pin où, par la traîtrise du nain Frocin, le roi les surprend ; la condamnation de Tristan ; celle d'Iseut livrée aux lépreux à l'horrible étreinte desquels son ami évadé l'arrache ; leur vie dans la forêt et comment ils y furent surpris par le roi Marc, ayant entre eux, par hasard, l'épée gardienne de chasteté ; le pardon du roi ; le jugement de Dieu, où la reine réussit à porter dans sa main le fer rouge, parce qu'elle a juré n'avoir jamais été dans d'autres bras que ceux de son mari et de ce mendiant qui lui a fait passer le gué et qui n'est que Tristan déguisé ?

En tout cas il ne semble pas que Chrétien ait traité la suite de la légende : le mariage de celui-ci avec Iseut aux blanches mains, qui ne parvient pas à lui faire oublier l'autre et dont il s'abstient ; Tristan mortellement blessé dans un combat aspirant à revoir sa seule *miresse*, et Kaherdin, frère de sa femme, la lui ramenant ; mais comme Iseut aux blanches mains lui annonce faussement que la nef, arrivée en vue des côtes, a arboré la voile noire, message de déception, il meurt sans avoir revu sa *druc*, qui, bientôt, débarque, et, s'étendant près du cadavre, expire sur lui.

Émouvant drame d'amour et de mort, le plus beau qu'aient jamais conté les lèvres des hommes et où ils retrouvent, dans le clair symbole du philtre, l'âpre mystère qui précipite l'un vers l'autre et comme malgré eux, deux êtres qui semblent s'être choisis du fond de l'éternité. Un grand savant doublé d'un grand artiste, Joseph Bédier, en a rassemblé les scènes éparses, celles qu'a contées Béroul, fruste poésie de jongleur qui, quoique datant de 1190 peut-être, a toutes les rudesses d'une épopée celtique, celles de Thomas, plus polies, plus ratiocinantes, et qui sont des environs de 1170, *La Folie Tristan*, conservée dans les manuscrits de Berne et d'Oxford (1), le *lai du Chievrefueil*, le *Tristan und Isolde* de Gottfried de Strasbourg et d'Eilhart d'Oberg, la *saga* norvégienne de frère Robert et le *Sir Tristrem*, le *Tristan en prose* et la *Tavola ritonda*, pour en faire une œuvre unique, qui a toute la valeur d'une reconstitu-

---

(1) Éditée par J. Bédier, pour la Société des Anciens Textes Français, Paris, Didot, 1907, in-8°.

tion érudite et le charme d'une création originale, cas unique dans notre littérature.

Maintenant, je le répète, qu'a pu être l'interprétation de Chrétien, nous n'avons, pour l'établir, que les cinq allusions précises, contenues dans *Érec*, lesquelles le montrent encore tout pénétré de la belle légende qu'il vient probablement de traiter et où il se plaît à puiser ses comparaisons. Il n'y a pas à en douter, la mode est alors à *Tristan et Iseut* ; les deux héros se sont emparés de la sensibilité de la génération de 1160 comme feront, exactement six siècles après, Saint-Preux et Julie. Voici donc d'abord deux évocations de la beauté d'Iseut (1) :

Por voir vos di qu'Iseuz la blonde N'ot tant les crins sors ne luisanz...	Je vous dis en vérité qu'Iseut la blonde n'avait cheveux si blonds ni si bril- [lants...
O lui une dame si bele Qu'Iseuz sanblast estre s'ancele ;	Près de lui une dame si belle qu'Iseut eût paru sa servante ;

un rappel du combat de Tristan et du géant Morholt dans l'île Samson, qui montre que pour Chrétien le récit commence bien avant le fragment conservé de Béroul (2) :

Onques ce cuit, tel joie n'ot La ou Tristanz le fier Morhot An l'isle Saint Sanson vainqui.	Il n'y eut certes pas, je crois, autant de joie quand Tristan vainquit le cruel Morholt dans l'île Saint-Samson.

Autre allusion, plus précise encore, à la substitution de Brangien à Iseut dans le lit nuptial (3) :

La ne fu pas Iseuz anblée Ne Brangiens an leu de li mise	Là l'Iseut n'y fut pas substituée et remplacée par une Brangien

et l'explication traditionnelle du nom du héros, présenté, cette fois, comme chevalier de la table ronde (4) :

Tristanz qui onques ne rist.	Tristan qui jamais ne rit.

(1) *Erec,* éd. Foerster, in-8°, au t. III de Kristian von Troyes, *Sämtliche Werke,* p. 16, vv. 424-425 ; p. 177, vv. 4943-4944.
(2) Vv. 1247-1249.
(3) Vv. 2076-2077.
(4) V. 1713. On se rappelle le passage de Joinville, *Histoire de saint Louis* (pp. 166-167 de l'éd. de Wailly, in-16, Paris, Hachette, 1921) : *La royne acoucha d'un fil qui ot non Jehan ; et l'appeloit on* TRITANT, *pour la grant dolour là où il fu nez.*

Les mentions ne sont pas moins nombreuses dans *Cligès*, mais elles y ont une tout autre portée, servant à marquer, cette fois, non plus l'affection de l'auteur pour la belle et sombre légende, mais une sorte de détachement pouvant aller jusqu'à l'aversion (1).

(1) E. Hœpffner, qui croit à un Tristan complet de Chrétien, a montré l'influence du *Cligès* et du *Lancelot* sur celui de Thomas. Cf. *Romania*, 1929, pp. 1-16.

CHAPITRE V

LE PREMIER ROMAN ARTHURIEN ET BRETON : *ÉREC ET ÉNIDE*

« Ils vous appellent *récréant.* »

Il est temps d'aborder maintenant la première grande œuvre de Chrétien conservée, dont personne au moins ne lui conteste la paternité et qui est authentiquement aussi le premier de ces romans arthuriens ou pseudo-celtiques qui devaient jouir d'une si singulière fortune, à l'intérieur et en dehors de nos frontières.

L'auteur se nomme, non sans fierté déjà, au début de son roman ; nous ne sommes plus au temps de l'anonymat ; l'homme de lettres tend à remplacer le jongleur, et l'écrivain à demeure, le chevalier errant de la parole. Il ne s'agit plus de travailler pour l'honneur de Dieu et le pain quotidien, mais pour l'éternité toute humaine que l'on espère et pour la gloire mondaine que l'on s'acquiert par ses écrits.

Comme Benoît au début du *Roman de Troie* ou l'auteur inconnu de l'*Éneas*, le romancier affirme que c'est le premier des devoirs, pour qui a quelque chose à dire, de ne le point celer (1) :

Por ce dit CRESTIIENS DE TROIES	C'est pourquoi Chrétien de Troies affirme
Que reisons est que totes voies	qu'il est raisonnable
Doit chascuns panser et antandre	que chacun s'efforce
A bien dire et a bien aprandre	de bien écrire et de bien instruire
Et tret d'un *conte d'avanture* (2)	et il tire d'un conte d'aventure
Une mout bele conjointure.	un fort beau sujet.

(1) Vv. 9-14. Mes citations seront empruntées à l'édition W. Foerster, in-8° t. III de Christian von Troyes, *Sämtliche Werke*, Halle, Niemeyer, 1890). Je rappelle qu'il existe aussi du même éditeur une édition in-12 (la 2e, dans ce format, est de 1909, t. XIII de la ROMANISCHE BIBLIOTHEK, même éditeur) et que nous possédons deux adaptations françaises d'*Érec et Énide*, celle d'André Mary, Paris, Boivin, 1923, et celle de Mme Lot-Borodine, Paris, de Boccard, 1924, in-24.

(2) Je reviendrai plus loin sur l'interprétation de ce vers, à propos des sources.

Crestiien de Troies — c'est la forme que l'histoire littéraire
devrait en fait conserver, — a nommé aussi le genre qu'il va
pratiquer, le roman *d'aventure*. Titre excellent qui montre que,
pour le lecteur, sinon pour l'auteur, qui a des visées plus hautes,
l'essentiel est dans les conjonctures, les péripéties, qui doivent
être les plus variées, les plus prenantes possible, fût-ce au
mépris de la vraisemblance (1) :

D'*Erec* (2), le fil Lac, est li contes,	Ce roman parle d'Érec, fils de Lac,
Que devant rois et devant contes	et, devant rois et seigneurs
Depecier et corronpre suelent	ont coutume de le massacrer
Cil qui de conter vivre vuelent.	ceux qui du métier de conteur vivent.

Voilà le coup droit porté à ces humbles confrères vagabonds
et chantants (3), qui vivent de leurs chants (4) et avec lesquels
Chrétien entend n'être pas confondu, des gâte-sauce qui font,
du bel art du romancier, un métier et, avec cette vanité insolente
qui, plus tard, sera celle de Ronsard et dont peut-être Chrétien
a pris le ton chez Horace (5), il affirmera (6) :

Des or comancerai l'estoire	Je vais donc commencer le récit
Qui toz jors mes iert an memoire	qui à jamais vivra dans la Mémoire,
Tant con durra crestiantez.	tant que durera la Chrétienté,
De ce s'est CRESTIIENS vantez.	du moins Chrétien s'en flatte.

Ceci n'est pas seulement orgueil d'artiste devant la réalisation de son rêve, qui, ayant pris corps dans un poème, une
statue, un tableau ou un monument, le rapproche le plus du

----

(1) Éd. Foerster, in-8°, vv. 19-22.

(2) J'ai cependant adopté comme titre *Érec et Enide*, à cause du début
de *Cligès* déjà cité.

(3) Ceux-ci d'ailleurs pratiquaient aussi le défi, voire l'insulte aux rivaux,
imitée de l'antique, témoin ces vers du *Couronnement de Louis* (éd. E. Langlois, dans les CLASSIQUES FRANÇAIS DU MOYEN AGE de M. Roques, Paris,
Champion, 1923), vv. 4-5. :

Vilains joglere ne sai por quei se vant	Je ne sais pourquoi se vanterait le vilain
Nul mot en die tresque on li comant.	jongleur d'en souffler mot jusqu'à ce qu'on [le lui ordonne.

(4) Le même auteur ou chanteur promet la suite, si l'auditoire se montre
assez généreux, *Cour. de Louis*, vv. 313-314 :

Com vos orrez ainz qu'il seit avespré,	Comme vous l'entendrez avant ce soir
Se vous donez tant que vueille chanter.	si vous donnez assez pour que je veuille [chanter.

(5) Voir mon *Ronsard, sa vie et son œuvre*, Paris, Boivin, 1924, in-12, pp. 11
et 100.

(6) Vv. 23-26.

Dieu créateur et peut éveiller en lui l'idée de l'éternité de la création. L'illusion, dans le cas particulier, n'est pas tout à fait sans fondement, puisque, aujourd'hui encore, les inventions du gentil Champenois sont susceptibles d'émouvoir, sinon notre sensibilité, du moins notre imagination.

Nous sommes à Pâques, un jour de printemps. Un poète du moyen âge peut-il chanter en dehors du renouveau ? Le lieu de la scène est Caradigan, qu'il ne faut pas, selon Zimmer, identifier avec l'actuelle ville de Cardigan dans la Galles du Sud (1), mais avec tout ce pays. Il n'importe. Nous sommes en une région aujourd'hui encore profondément celtique de race et de langue, de mœurs et de légendes. Le roi Arthur y tient sa cour, où se sont assemblés les meilleurs chevaliers, les plus nobles dames et *puceles*, elles-mêmes filles de roi. Arthur proclame que, pour restaurer une ancienne coutume, il veut courre le *blanc Cerf*, mais Gauvain, qui a son franc parler, lui en remontre le danger, car celui qui a tué le Blanc Cerf a le droit de désigner par un baiser la plus belle pucelle de la cour. Comme celle-ci ne peut manquer d'y compter de multiples rivales et des champions prêts à affirmer par les armes la supériorité de leur dame, d'innombrables combats ne sont-ils pas à prévoir ? L'objection est d'importance, mais parole de souverain ne saurait être retirée et, le lendemain, toute la cour, les seigneurs montés sur leurs destriers, arcs et flèches en sautoir, se met en branle. La reine Guenièvre les suit de loin sur un blanc palefroi, avec une *meschine* ou fille d'honneur et un chevalier qui s'appelle Érec et est *de la Table ronde*. Chrétien omet de nous expliquer ce que c'est, mais il entre dans ses habitudes et dans celles de tous les feuilletonistes de nous poser des énigmes que la suite du récit doit éclairer et qui piquent la curiosité du lecteur. Érec est beau, brave et courtois et n'a pas plus de vingt-cinq ans, le vrai âge pour plaire aux dames. Le conteur ne manque pas de nous décrire le costume : manteau bordé d'hermine, *cote* de soie diaprée de fleurs venant droit de Constantinople, chausses de brocart à fils d'or et d'argent, éperons d'or, l'épée ceinte au côté. La meute a bientôt débuché le cerf; les uns cornent, les autre huent, les chiens courent et aboient ; mais la reine Guenièvre est restée trop en arrière, avec sa suivante et Érec, pour pouvoir les entendre.

(1) Cf. p. 298 de *Érec et Énide*, éd. Foerster, in-8°.

Comme cependant, arrêtés dans un essart, ils écoutent, ils voient s'avancer vers eux, sur un destrier, un chevalier tout armé, le bouclier ou écu pendant au col, la lance au poing ; à sa droite chevauchait une pucelle de grand air, et devant eux, sur un roussin, un nain portant un fouet à nœuds. Sur l'ordre de la reine, sa fille d'honneur s'avance vers le groupe ; mais sans autre résultat que de recevoir les étrivières. Érec, survenant ensuite, n'est pas mieux accueilli. Sans doute il ne tiendrait qu'à lui d'abattre le maudit gnome, mais, étant désarmé, il craint la colère du maître, qu'il se borne à suivre de loin, après avoir juré à la reine d'en tirer vengeance avant trois jours. Elle rejoint la cour où le roi, ayant tué le Blanc Cerf, décide cependant d'attendre le retour d'Érec, avant d'attribuer le baiser à la plus belle.

Suivis à la trace par Érec, le chevalier, le nain et la pucelle arrivent à un bourg fortifié, où tous leur font fête et où ils s'arrêtent dans une hôtellerie. Érec, de son côté, avise un *preudome*, un brave *vavassor*, simple écuyer qui lui offre l'hospitalité et appelle aussitôt sa femme et sa fille. Celle-ci n'est vêtue que d'un *chainse* (1) blanc, sorte de tunique tout unie, passée par-dessus la chemise, et si usé qu'il était percé de maints trous. Mais si le vêtement était pauvre, combien était beau le corps dont Nature avait fait un chef-d'œuvre qu'Elle-même admirait et n'avait pu reproduire (2) :

Por voir vos di qu'Iseuz la blonde	En vérité, je vous le dis, Iseut la blonde
N'ot tant les crins sors ne luisanz	n'avait pas les cheveux si blonds ni si [brillants
Que a cesti ne fust neanz.	qu'auprès des siens ils n'eussent pâli.
Plus ot, que n'est la flor de lis,	Plus blancs et clairs que fleur de lis
Cler et blanc le front et le vis.	étaient son front et son visage.
Sor la blanchor par grant mervoille	Mais, sur cette blancheur, à miracle
D'une color fresche et vermoille,	se détachait la couleur rose et tendre
Que Nature li ot donee,	que lui avait donnée la Nature
Estoit sa face anluminee.	et dont était illuminée la face.
Li oel si grant clarté randoient	De ses yeux une telle clarté partait
Que deus estoiles resanbloient.	Que deux étoiles ils paraissaient.

---

(1) Pour ces détails de costume, on consultera outre J. Quicherat, *Histoire du Costume en France*, Paris, Hachette, 2ᵉ éd., 1877, in-4°, et Viollet-le-Duc, *Dictionnaire raisonné du mobilier français*, Paris, Rance et Morel, 1858-1875, 6 vol. in-8°, l'ouvrage plus récent de C. Enlart, *Le Costume*, Paris, 1916, A. Picard, in-8°, t. III de son *Manuel d'Archéologie française* et la thèse de E. R. Goddard, *Women's Costume in french texts of the eleventh and twelfth centuries*, Paris, les Presses Universitaires, 1927, in-8°.

(2) Vv. 424-434.

Elle était sortie de l'*ouvroir*, la chambre où, avec sa mère, elle travaillait. Quand elle a aperçu le chevalier, elle fait un pas en arrière, parce qu'elle ne le connaissait point. Elle a un peu honte et rougit. Mais le père lui ordonne de desseller le cheval, elle étrille celui-ci et le panse, le mène à la mangeoire qu'elle garnit de foin et d'avoine, puis revient. Toujours sur l'ordre de son père, la jeune fille mène par la main le nouveau venu dans la chambre que la mère a préparée, tendant les lits de couvre-pieds et de tapis. Le *vavasseur* n'a qu'un seul domestique et il fait lui-même la cuisine. Après souper, et sans trop de tact, Érec demande à son hôte pourquoi sa fille, qui est si belle, est si misérablement vêtue. «Pauvreté en est cause », lui répond-il. Par la guerre, il a tout perdu. Sans doute le comte, dont elle est la nièce, la prendrait volontiers pour sa femme, car elle est aussi sage que belle, mais, dans sa vanité, lui, attend que l'*aventure* amène meilleur parti, quelque roi ou fils de roi ; peut-être même, avec une jalousie de père, la veut-il garder auprès de lui, le plus longtemps possible (1) :

Quant je ai delez moi ma fille,	Lorsque j'ai près de moi ma fille,
Tot le mont ne pris une bille.	le monde ne me vaut un denier.
C'est mes deduiz, c'est mes deporz.	Elle est mon plaisir et ma joie,
C'est mes solaz, c'est mes conforz.	ma consolation, mon réconfort,
C'est mes avoirs, c'est mes tresors.	mon bien, et mon cher trésor,
Je n'aim tant rien come son cors.	je n'aime rien autant qu'elle.

Continuant à interroger son hôte, en cette heure d'après souper, qui, devant le feu clair, délie les langues, il lui demande pourquoi tant de chevaliers et de dames et d'écuyers encombrent les rues et les maisons de la ville. «C'est pour la fête du lendemain », lui est-il répondu. Sur une perche d'argent sera posé un épervier. Celui qui a une amie belle, sage et sans tache, pourra, si autre ne le lui conteste, s'en emparer. « Et qui est », interroge-t-il encore, « le chevalier à l'armure d'azur et d'or, suivi d'une jolie pucelle et d'un nain bossu » ? C'est celui qui, chaque année, prétend à l'épervier et l'obtient. Si personne, cette année encore, ne s'y oppose, il aura l'épervier, et pour toujours. Sans sourciller, Érec observe qu'il se chargerait bien de le disputer, pour peu que l'hôte consente à lui procurer des armes. «Qu'à cela ne tienne », répond celui-ci (2) :

(1) Vv. 541-546.
(2) Vv. 613-622.

Armes buenes et beles ai,   J'en ai des armes, bonnes et belles,
Que volantiers vos presterai.   que je vous prêterai volontiers.
Leanz est li haubers tresliz   Là-dedans est la cotte à triple maille,
Qui antre cinc çanz fu esliz ;   qui fut choisie entre cinq cents,
Et chauces ai buenes et chieres,   et les chausses bonnes et chères,
Cleres et beles et legieres.   brillantes, belles et légères.
Li hiaumes est et bruns et biaus,   Le casque est poli et beau,
Et li escuz fres et noviaus.   le bouclier frais et tout neuf.
Le cheval, l'espee et la lance,   Cheval, épée et lance,
Tot vos presterai sanz dotance.   je vous les prêterai aussi, soyez sûr.

Mais ces derniers présents il les refuse, car il ne veut d'autre épée que la sienne, d'autre cheval que celui qui l'a porté. Pourtant, s'il est maintenant assuré de pouvoir combattre, il lui manque la chaste et noble pucelle au nom de qui disputer l'épervier. Et celle-là il la demande à son hôte, ce sera la fille au *chainse* troué, mais belle entre les belles et, par-dessus toutes, digne d'emporter l'oiseau du vainqueur. Toutefois pour obtenir cet ultime prêt, il se nomme (1) :

« Sire, vos ne savez   « Seigneur, vous ne savez
Quel oste herbergié avez,   quel hôte vous avez hébergé,
De quel afaire et de quel jant.   de quel rang ni de quelle race.
Fiz sui d'un riche roi puissant :   Je suis fils d'un puissant roi :
Mes pere li rois Lac a non.   mon père se nomme le roi Lac.
Erec m'apelent li Breton.   Les Bretons m'appellent Erec,
De la cort le roi Artu sui,   je suis de la cour du roi Arthur,
Bien ai esté trois anz a lui.   j'ai été plus de trois ans auprès de lui.
Je ne sai s'an ceste contree   Je ne sais si en cette contrée
Vint onques nule renomee   est parvenue la renommée
Ne de mon pere ne de moi,   de mon père ou la mienne,
Mes je vos promet et otroi   mais je vous promets et vous jure
Se vos d'armes m'aparelliez   que si d'armes me fournissez
Et vostre fille me bailliez   et me confiez votre fille,
Demain a l'esprevier conquerre,   demain pour conquérir l'épervier,
Que je l'an manrai an ma terre,   je l'emmènerai dans mon pays,
Se Deus la victoire me done ;   si Dieu la victoire me donne.
Je li ferai porter corone,   Je lui ferai porter couronne
S'iert reïne de trois citez. »   et elle sera reine de trois cités. »
— « Ha ! biaus sire, est ce veritez ?   — « Ah, cher seigneur, est-ce donc vrai ?
Erec li fiz Lac estes vos ? » —   Êtes-vous Érec, le fils de Lac ? » —
« Ce sui je », fet-il, « a estros ».   « Je le suis », dit-il, « parfaitement ».

Le père n'hésite pas à confier au chevalier inconnu, son hôte d'un soir, les plus précieux des biens qu'a gardés sa pauvreté : ses armes et sa fille (2) :

(1) Vv. 647-668.
(2) Vv. 677-678.

Lors l'a prise parmi le poing :

— Tenez —, fet il, — je la vos doing. —

Et la prenant par la main :

— Tenez, — fait-il, — je vous la donne. —

Le consentement de la jeune fille, chose tout à fait secondaire semble-t-il, n'a été sollicité ni par le père ni par le prétendant. Il suffit que le père soit content, que la mère pleure de joie. Cependant (1)

La pucele sist tote coie ;
Mes mout estoit joianz et liee
De ce que li iert otroiiee,
Por ce que preuz iert et cortois ;
Et bien savoit qu'il seroit rois
Et ele meïsme enoere,
Riche reïne coronee.

La jeune fille restait assise sans dire mot,
mais elle était bien contente et heureuse
de ce qu'elle lui était accordée,
parce qu'il était preux et courtois
et qu'elle savait qu'il serait roi
et elle-même honorée
et riche reine couronnée.

Érec dormit peu cette nuit-là, malgré ses draps blancs et ses molles couvertures. Le lendemain, « aussitôt que l'aube eut crevé », il se lève, et avec ses hôtes va au *mouslier* faire chanter une messe du Saint-Esprit par un ermite, sans oublier l'offrande. Il y a dans ces récits, à la fois barbares et courtois, une teinture de christianisme, plaquée de-ci de-là, sans pénétrer la trame. Puis c'est l'*adoubement*, que pratique la pucelle elle-même, laçant les cuissarts de fer, le haubert qui revêt la nuque (*halsberg*) et le corps, la ventaille qui barre le bas du visage, le heaume qui coiffe le chef jusqu'aux yeux, lui ceignant l'épée au côté. D'un bond il est sur son cheval, car toutes les pièces de l'armure sont encore en souple tissu de maille (2) et ne sont pas les lourdes carapaces d'acier qu'elles constitueront au xvᵉ siècle. Alors elle apporte l'écu ou bouclier allongé et triangulaire, qu'elle pend au cou par la courroie, et la lance en bois de frêne qu'elle lui met au poing. Ne dirait-on pas une scène homérique ?

A son tour, la jeune fille monte sur un palefroi bai qu'on a sellé, sans ceinture ni manteau, à cause de sa pauvreté. Sur leur passage on entend murmurer la foule (3) :

Erec chevauche lance droite,
Delez lui la pucele adroite.
Tuit l'esgardent parmi les rues,

Érec chevauche, lance droite,
à ses côté la gracieuse fille.
Tous le regardent dans les rues,

(1) Vv. 684-690.
(2) Voir les *Peintures murales de l'église d'Artains*, publiées par A. Hallopeau, ou les sculptures des portails de Chartres reproduits dans *L'Histoire illustrée de la Littérature française* de G. Lanson, Paris, Hachette, 1924, t. I, p. 33.
(3) Vv. 747-772.

Et les granz janz et les menues.
Trestoz li pueples s'an mervoille,
Li uns dit a l'autre et consoille :
« Qui est, qui est cil chevaliers ?
Mout doit estre hardiz et fiers
Qui la bele pucele an mainne.
Cist anploiera bien sa painne.
Cist puet bien desresnier par droit
Que ceste la plus bele soit. »
Li uns dit a l'autre : « Por voir
Ceste doit l'esprevier avoir. »
Li un la pucele prisoient,
Et mains an i ot qui disoient :
« Deus ! qui puet cil chevaliers estre,
Qui la bele pucele adestre ? »
— Ne sai ! — « Ne sai », ce dit chascuns,
« Mes mout li siet li hiaumes bruns
Et cil haubers et cil escuz
Et cil branz d'acier esmoluz.
Mout est adroiz sor cel cheval.
Bien ressanble vaillant vassal.
Mout est bien fez et bien tailliez
De bras, de janbes et de piez. »

et nobles, et petites gens.
Tout le peuple s'en émerveille.
On s'interroge entre soi :
« Qui est, qui est ce chevalier ?
Il doit être hardi et fier
celui qui cette belle fille emmène.
Il ne perdra pas sa peine,
car il peut prétendre à bon droit
qu'elle est la plus belle. »
Ils se disent l'un à l'autre : « En vérité,
c'est celle-ci à qui revient l'épervier. »
Les uns vantaient la jeune fille
et maints autres disaient :
« Dieu ! qui peut être ce chevalier
qui chevauche à sa droite ? »
« Je ne sais, je ne sais », disait chacun,
« mais fort lui siéent le casque brillant
et sa cotte de mailles et le bouclier
et l'épée d'acier aiguisé.
Il est bien en selle sur son cheval
et paraît très vaillant chevalier.
Il est bien fait, bien découplé,
de bras, de jambes et de pieds. »

Eux ne s'attardent pas à écouter ce naïf bavardage des rues, si bien reproduit par le conteur, et ils se hâtent vers la perche à l'épervier. Le chevalier, flanqué de sa pucelle et de son nain, ne tardent pas à les y rejoindre, accompagné d'un grand concours d'hommes d'armes, de dames, de jeunes filles. Mais, autour de l'épervier, il y a déjà telle presse de vilains que le comte les doit disperser à coups de verge.

Le chevalier s'avance et, tranquillement, invite sa compagne à s'emparer de l'oiseau, mais Érec en fait autant pour la sienne, et c'est alors l'inévitable défi des deux rivaux et le non moins inévitable duel en champ clos (1) :

La place fut delivre et granz,
De totes parz furent les janz.
Cil plus d'un arpant s'antresloingnent,
Por assanbler les chevaus poingnent,
As fers des lances se requierent,
Par si grant vertu s'antrefierent
Que li escu percent et croissent,
Les lances esclicent et froissent,
Li arçon depiecent derriers :

La place était libre et large,
tout alentour l'occupait la foule.
Eux s'éloignent de plus d'un arpent,
puis pour se rejoindre piquent des deux ;
ils se cherchent avec le fer de leurs lances
et s'entrefrappent avec une telle ardeur
que les écus troués se brisent avec bruit.
Les lances éclatent et se cassent,
les arçons en arrière se fendent

(1) Vv. 863-894.

Guerpir lor estuet les estriers.
Contre terre anbedui se ruient,
Li cheval par le chanp s'an fuient.
Cil resont tost an piez sailli,
Des lances n'orent pas failli,
Les espees des fuerres traient,
Felenessement s'antressaient,
Des tranchanz granz cos s'antredonent,
Li hiaume quassent et resonent
Fiers est li chaples des espees...
Tot deronpent quan qu'il ataingnent,
Tranchent escuz, faussent haubers.
Del sanc vermoil rogist li fers...
Andeus les puceles ploroient :
Chascuns voit la soe plorer,
A Deu ses mains tandre et orer
Qu'il doint l'enor de la bataille
Celui qui por li se travaille.

et il leur faut vider les étriers.
A terre tous deux sont précipités,
leurs chevaux s'enfuient par la plaine.
Mais ils sont bientôt sur pied ;
après s'être bien mesurés avec la lance
les voici qui tirent les épées des fourreaux.
Ils se provoquent avec fureur,
du tranchant de grands coups se donnent ;
les casques se brisent et résonnent.
Farouche est l'entrechoquement des épées.
Ils brisent tout ce qu'ils peuvent atteindre
coupant boucliers, rompant les mailles,
du sang vermeil rougit le fer...
Les deux jeunes filles pleuraient.
Chacun voit la sienne en larmes
tendre ses mains vers Dieu et le prier
qu'il donne la victoire dans la bataille
à celui qui combat pour elle.

A l'invitation de son adversaire, Érec et lui s'accordent un moment de repos (1) :

Erec regarde vers s'amie
Qui por lui mout doucemant prie.
Tot maintenant qu'il l'a veüe,
Li est mout granz force creüe.

Érec regarde vers son amie,
qui prie avec ferveur pour lui
et, aussitôt qu'il l'a vue,
sa force s'en est accrue.

Nous noterons ce détail, la prouesse, qui un quart de siècle plus tôt s'accomplissait pour Dieu et pour l'empereur, se fait, dans le roman du moins, pour la dame, fontaine d'honneur, inspiratrice de bravoure. Il lui souvient aussi de Guenièvre, à qui il a promis de venger l'insulte faite à sa suivante par le nain, et, à nouveau, il lance à son adversaire l'injure et le défi homériques. Les hommes de jadis se battaient à distance rapprochée, autant à coups de langue qu'à coups de lance. Et la sauvage mêlée de recommencer. En fera-t-il Chrétien, de ces tableaux de combats singuliers pour la joie d'un public de chevaliers et plus encore peut-être des dames et des bourgeois, car rien ne plaît tant à ceux qui ne se battent point que les batailles des autres, auxquelles l'art du conteur leur fait prendre part, leur donnant sans danger l'illusion de la bravoure et le petit frisson de la peur. Érec est frappé à la tempe et une partie de son casque est enlevée. L'épée descend le long de la coiffe de doublure blanche, arrache un empan de la cotte de mailles, fend le bouclier jusqu'à la

(1) Vv. 911-914.

boucle, et la hanche sent le froid de l'acier. Mais le vaillant est sans peur et se venge durement. Brisant écu et haubert, dans l'épaule il lui enfonce l'épée jusqu'à l'os, faisant jaillir jusqu'à la ceinture le sang écarlate. Ni l'un ni l'autre n'ont plus rien pour se protéger le corps, mais, quoiqu'ils perdent tous deux le sang en abondance, ils ne cèdent pas un pouce de terrain.

Enfin Érec, d'un maître coup, met en pièces le casque de son adversaire. La coiffe en est déchirée, mais l'épée ne s'arrête pas au crâne, brisant un os et n'épargnant que le cerveau. Le vaincu implore sa grâce, alléguant qu'il n'est coupable d'aucune injure. « Si fait », lui répond son vainqueur, qui lui raconte par le menu la scène de la forêt et lui impose comme rançon de se mettre en route sans tarder pour Caradigan avec sa pucelle et son nain et de se rendre à la merci de la reine Guenièvre, lui annonçant en même temps le prochain retour d'Érec, accompagné de la jeune fille sans pareille.

Que son adversaire accomplisse cette prescription, sans chercher à l'éluder, notre héros n'en doute pas un instant. Nous sommes dans le royaume de chevalerie, dont la loi est la parole d'honneur (la belle notion que nous avons héritée de cette époque !), royaume idéal dont la réalisation terrestre est la féodalité, fondée sur l'hommage et le serment.

Est-il vrai qu'en cet heureux temps nul n'ait jamais rompu son serment ni violé sa foi ? On n'oserait l'affirmer, à commencer par le roi de France, Philippe-Auguste, légitimement suspect de trahison envers ce chevalier accompli, son vassal, Richard Cœur de Lion, qu'il fit peut-être retenir dans les prisons du duc d'Autriche, mais, si on peut le dire le plus souvent des chevaliers de la réalité, on peut le proclamer de la plupart des héros qui peuplent les romans.

Le serment est gagé sur le nom. Érec demande à son adversaire le sien. C'est Yder, fils de Nut. Nous avons conservé un roman dont il est le héros (1). Ces contes se multiplient comme les cellules par des scissiparités en pullulation indéfinie. *Sa foi li covient aquiler*. Pour s'acquitter de son engagement, il se met aussitôt en route et ne tarde pas à parvenir, toujours flanqué de sa pucelle et de son nain, à Caradigan, où Gauvain le vaillant et Ké le sénéchal les reçoivent d'abord et reconnaissent sans hésiter le trio qu'a décrit la reine. Celle-ci observe

---

(1) *Der altfranzösische Yderroman*, p. H. Gelzer, Dresde, 1913; Bruce (J.-D.) *The Evolution of Arthurian Romance*, 2ᵉ éd., 1928, t. II, pp. 220-224.

que l'écu porte la trace des coups, et le haubert est encore si couvert de sang qu'il semble plus rouge que blanc. Dans cet état, il s'incline devant elle, se rendant à sa merci et annonçant la prochaine arrivée d'Érec, son vainqueur. A la prière d'Arthur, la souveraine le déclare libre, s'il consent à demeurer à la cour.

Cependant sur le lieu du combat, « grands et petits, grêles et gros », font fête à Érec. « Dieu, quel chevalier ! disent-ils, il n'a pas son pareil sous le ciel » et, le comte en tête, ils l'accompagnent chez son hôte, qu'Érec se refuse à abandonner pour l'hospitalité seigneuriale. Il lui confirme sa promesse de prendre la jeune fille pour femme, mais, d'abord, il doit l'emmener à la cour du roi Arthur dans le simple appareil de son *chainse*, dont les trous laissent apercevoir la chemise. La fille du comte, sa cousine, en est fort indignée, mais en vain lui offre-t-elle ses robes ; sur ce point Érec est intraitable. Il n'accepte pour elle qu'un palefroi, plus vif que l'oiseau, et si doux à l'amble qu'on y est porté comme sur un navire.

Le lendemain, les deux futurs époux, à qui le comte et sa cour font la conduite, se mettent en route, elle n'emportant pour tout trésor que son épervier sur le poing et prenant congé des siens parmi les larmes (1) :

Li pere et la mere autresi	Le père et la mère aussi
La beisent sovant et menu.	la baisent à maintes reprises.
De plorer ne se sont tenu :	Ils ne retiennent pas leurs pleurs :
Au departir plore la mere,	ce départ fait pleurer la mère,
Plore la pucele et li pere.	la jeune fille et le père pleurent.
Teus est amors, teus est nature,	Tel est l'amour, telle Nature,
Teus est pitiez de norreture.	tel l'attachement à l'enfant qu'on a élevé.
Plorer les feisoit la pitiez	L'attachement les faisait pleurer
Et la douçors et l'amistiez,	et l'affection et l'amour
Qu'il avoient de lor anfant,	qu'ils avaient pour leur enfant,
Mais bien savoient neporquant	pourtant ils savaient que leur fille
Que lor fille en tel leu aloit,	en tel lieu se rendait
Don granz enors lor avandroit.	qu'un grand honneur leur en viendrait.

Les sentiments du jeune conquérant sont tout autres et, une fois débarrassé des bons parents, il ne se lasse pas d'admirer sa proie, qui était belle *à desmesure* (2) :

---

(1) Vv. 1458-1570. Cf. F. Lot, *L'épisode des larmes d'Énide dans Érec*, Romania, t. XXVIII, pp. 1-48, 341-347.

(2) Vv. 1486-1505.

De l'esgarder ne pot preu feire :
Quant plus l'esgarde, plus li plest.
Ne puet muër qu'il ne la best.
Volantiers pres de li se tret,
An li esgarder se refet.
Mout remire son chief le blont,
Ses iauz rianz et son cler front,
Le nes et la face et la boche,
Don granz douçors au cuer li toche.
Tot remire jusqu'a la hanche
Le manton et la gorge blanche,
Flans et costez et braz et mains ;
Mes ne regarde mie mains
La dameisele le vassal
De buen oel et de cuer leal...
Mout estoient igal et per
De corteisie et de biauté...

Il ne peut se rassasier de la voir,
plus il la regarde, plus elle lui plaît,
et il ne peut s'empêcher de l'embrasser.
Avec plaisir il s'approche d'elle
et à la contempler se délasse.
Il regarde cette tête blonde,
les yeux rieurs, ce front luisant,
le nez, le visage et la bouche,
et une grande douceur en baigne son cœur.
Son regard descend vers la hanche,
admirant le menton, la gorge blanche,
flancs et côtés et bras et mains,
mais elle ne regarde pas moins
son cavalier, la demoiselle
d'un œil favorable et d'un cœur loyal...
Ils étaient égaux et pairs
en courtoisie et en beauté...

Sans trop cependant s'attarder à ces mignardises, ils ont si bien piqué des deux qu'à midi déjà les voilà près du château de Caradigan. Pour les voir arriver de loin sont massés aux fenêtres les meilleurs seigneurs de la cour, Perceval le Gallois et Gauvain, entourant le roi Arthur et la reine Guenièvre, qui ne sont pas moins impatients. Ils le sont tant qu'ils se précipitent à la rencontre des arrivants. Le roi en personne a pris dans ses bras la jeune fille pour lui faire mettre pied à terre et, par la main, la conduit dans la grande salle aux parois de marbre. Érec s'avance après eux, donnant la main à la reine, et lui disant (1) :

« Je vous amain,
Dame, ma pucelle et m'amie
De povres garnimanz garnie.
Si com ele me fu donee,
Einsi la vos ai amenee.
D'un povre vavasor est fille.
Povretez maint prodome aville.
Ses peres est frans et cortois,
Mes que d'avoir a petit pois.
Et jantis dame est mout sa mere,
Qu'ele un riche conte a frere,
Ne por biauté ne por lignage
Ne doi je pas le mariage
De la pucele refuser.
Povretez li a fet user
Cest blanc chainse, tant que as cotes

« Je vous amène,
Madame, ma jeune amie,
vêtue de pauvres vêtements ;
telle qu'elle m'a été donnée
ainsi vous l'ai-je amenée.
Elle est la fille d'un pauvre hobereau.
Pauvreté abaisse maint brave homme,
son père est noble et courtois,
mais il a fort peu de bien.
Très noble est aussi sa mère,
puisqu'elle a pour frère un riche comte.
Pour la beauté comme pour la parenté
je ne dois pas me refuser
à épouser la jeune fille.
Voyez, la pauvreté lui a fait user
sa tunique blanche si bien qu'aux coudes

(1) Vv. 1554-1581.

An sont andeus les manches rotes.
Et neporquant, se moi pleüst,
Buenes robes assez eüst ;
Qu'une pucele, sa cosine,
Li vost doñer robe d'ermine,
De dras, de soie, veire ou grise ;
Mes je ne vos an nule guise
Que d'autre robe fust vestue
Tant que vos l'eüssiez veüe.
Ma douce dame, or an pansez !
Grant mestier a, bien le veez,
D'une bele robe avenant. »

les deux manches en sont déchirées,
Pourtant il ne tenait qu'à moi
qu'elle eût assez de bonnes robes,
car une jeune fille, sa cousine,
voulait lui en donner une d'hermine,
de drap ou de soie, mouchetée ou grise ;
mais je n'ai voulu à aucun prix
qu'elle fût vêtue d'une autre tunique
jusqu'à ce que vous l'ayez vue.
Maintenant, chère Dame, songez-y !
elle a besoin vous le voyez
d'une belle robe d'apparat. »

Aussitôt la reine de l'emmener dans sa chambre et de lui faire apporter un long *bliaut*, qui avait été taillé pour elle-même, fourré jusqu'aux manches, de blanche hermine et où, au col et au poignet, il avait bien été employé plus d'un demi-marc d'or battu tandis qu'y brillaient, serties dans l'or, des pierres précieuses, saphirs et émeraudes. Riche était ce *bliaut*, mais qu'était-ce à côté du manteau, si neuf qu'il attendait encore son agrafe : col de zibeline, avec une bordure de galons, où l'on avait employé plus d'une once d'or, d'un côté une hyacinthe, de l'autre un rubis plus brillant que la chandelle qui brûle, la doublure d'hermine plus blanche et plus fine qu'on en vit jamais ? L'étoffe était de pourpre, couverte de petites croix, indigo, vermeil, perse, blanches, vertes et jaunes. La reine réclame encore un ruban ouvré de fils de soie pour en faire les attaches du manteau avec deux fermaux d'or niellé.

Deux suivantes emmènent la pucelle et, la revêtant du *bliaut*, la ceignent d'une ceinture de brocard, et par-dessus drapent le manteau. Adieu le *chainse*, il est bon à donner. Parmi les cheveux blonds, elles ont tressé un fil d'or, pris dans un cercle de ruban brodé de fleurs de diverses couleurs. Elles l'amènent à la reine qui, à son tour, la conduit au roi ; celui-ci se lève et, avec lui, tous les chevaliers de la Table ronde, sur lesquels Chrétien va enfin s'expliquer. Saluons-les au passage ; ainsi que la jeune princesse dans la salle royale, eux font ici leur entrée dans la littérature française et européenne, où il ne sera bruit, pendant trois siècles, que de leurs coups d'épée, de leurs aventures et de leurs amours (1) :

(1) Vv. 1687-1704.

Mais d'auquanz des mellors barons	De quelques-uns des meilleurs chevaliers
Vos sai je bien dire les nons,	il m'est facile de vous dire les noms,
De ceus de *la Table Reonde*,	de ceux de *la Table ronde*,
Qui furent li mellor del monde.	qui furent les meilleurs du monde.
Devant toz les buens chevaliers	Avant tous les preux chevaliers
Doit estre Gauvains li premiers,	doit être Gauvain le premier,
Li seconz Erec li fiz Lac,	le second, Érec, fils de Lac,
Et li tierz Lanceloz del Lac.	le troisième, Lancelot du Lac.
Gornemanz de Gohort fu quarz,	Gornemant de Gohort était quatrième,
Et li quinz fu li Biaus Coarz.	et le cinquième le beau Couart,
Li sistes fu li Lez Hardiz,	le sixième, le Laid Hardi,
Li semes Melianz de Liz,	le septième, Méliant de Lis,
Li huitisme Mauduiz li sages,	le huitième, Mauduit le sage,
Nuemes Dodiniaus li sauvages.	le neuvième, Dodinel le sauvage.
Gandeluz soit dismes contez...	Gandelut fait le dixième...
Les autres vos dirai sanz nonbre	Les autres je vous les dirai sans compter,
Par ce que li nonbrers m'anconbre.	parce que l'énumération m'excède.

Ainsi Chrétien n'a pas été jusqu'à douze et on ne sait pas trop si les preux dont il va nous jeter ensuite les noms à la volée sont ou ne sont pas de la Table ronde, dont il s'abstient pour le moment, continuant le procédé des explications-appâts, morcelées et successives, de nous éclairer le sens. D'une collection, qui s'étend sur une cinquantaine de vers, je ne retiendrai que les noms auxquels des romans connus ont par la suite conféré une notoriété : Yvain, fils d'Urien, à qui Chrétien consacrera un poème, Tristan « qui jamais ne rit », dont nous avons parlé, Ké le sénéchal, dont nous reparlerons. Parfois, on a l'impression que l'auteur s'amuse, tel un Rabelais ou un Hugo, à lancer à la volée des noms étranges en un cliquetis de syllabes qui s'entrechoquent avec un bruit d'épée (1) :

Et Caverons de Robendic	Et Caveron de Robendic
Et li fiz au roi Quenedic	et le fils du roi Quenedic
Et li vaslez de Quintareus...	et le jeune fils de Quintareus...
Amauguins et Gales li chaux	Amauguin et Gale le chauve
Grains, Gornevains, et Carahés	Grain, Gornevain et Carahé
Et Torz li fiz le roi Arés...	et Tort, le fils du roi Aré...

Il est à croire que le public champenois devait se gausser aussi de tous ces noms barbares qui amusaient son oreille sans parler à son imagination. Quand la jeune fille voit tous ces brillants chevaliers qui, les yeux fixés sur elle, la détaillaient à loisir (2) :

(1) Vv. 1721-1728.
(2) Vv. 1754-1781.

Son chief ancline contre val,
Vergoingne an ot, ne fu mervoille,
La face l'an devint vermoille ;
Mes la honte si li avint
Que plus belle assez an devint.
Quant li rois la vit vergoignier
Ne la vost de lui esloignier.
Par la main doucemant l'a prise
Et delez lui a destre assise ;
De la senestre part s'assist
La reïne, qui au roi dist :
« Sire, si con je cuit et croi,
Bien doit venir a cort de roi
Qui par ses armes puet conquerre
Si bele fame an autre terre.
Bien feïsoit Erec a atandre !
Or poez vos le beisier prandre
De la plus bele de la cort.
Je ne cuit que nus vos an tort.
Ja nus ne dira, qui ne mante,
Que ceste ne soit la plus jante
Des puceles qui ceanz sont
Et de celes de tot le mont. »
Li Rois respont : « N'est pas mançonge ;
Cesti, s'an ne la me chalonge,
Donrai je del Blanc Cerf l'enor. »
Puis dist as chevaliers : « Seignor,
Qu'an dites-vous ?... »

Elle baisse la tête vers la terre,
intimidée, est-ce surprenant ?
Le rouge lui monte aux joues,
mais cette honte lui allait si bien
qu'elle devint encore plus belle.
Lorsque le roi la voit ainsi honteuse,
il ne veut pas qu'elle s'éloigne de lui.
Doucement il la prend par la main
et la fait asseoir à sa droite.
A sa gauche s'assied
la reine, qui dit au roi :
« Sire, à ce que je pense et crois,
il doit être le bien venu en cour de roi
celui qui par ses armes peut conquérir
si belle femme en terre étrangère.
Nous avions raison d'attendre Érec !
Vous pouvez prendre un baiser
maintenant à la plus belle de la cour.
Je ne crois pas que nul vous en empêche
car nul ne dira, sans mensonge,
que celle-ci n'est pas la plus gracieuse
des jeunes filles qui sont ici
et de celles du monde entier. »
Le Roi répond : « Ce n'est pas mensonge ;
à celle-ci, si personne ne me le conteste,
je donnerai l'honneur du Blanc Cerf. »
Puis aux chevaliers : « Seigneurs,
qu'en dites-vous ?... »

A cette question, il attache un long développement qui est un véritable cours de théorie politique sur la vérité, la loyauté et la justice dont est gardien le roi, qui ne doit pas plus faire tort au faible qu'au puissant (1). Il est le conservateur des coutumes et des lois qu'institua son père Pendragon. Parmi les barons, il n'y a qu'une voix pour accepter que le roi accorde à la belle l'hommage du Blanc Cerf et, en présence de tous, il l'accole, lui promettant de l'aimer en tout bien tout honneur et ici, dit Chrétien, finit le *premier vers*, c'est-à-dire la première partie du long récit.

Érec n'a pas oublié sa promesse envers le brave *vavasseur*, il lui envoie cinq chevaux de bât (2)

(1) Lieu commun de la poésie épique puisqu'on le trouve déjà au début du *Couronnement de Louis*, cf. entre autres vv. 174-263 de l'éd. Langlois, in-12. Sur la personne du roi Arthur, voir E.-K. Chambers, *Arthur of Britain*, Londres, Sidgwick et Jackson, in-8°, et Edm. Faral, *La Légende arthurienne*, Paris, Champion, 1930, 3 vol. in-8°.
(2) Vv. 1854-1858.

9

Chargiez de robes et de dras	chargés de robes et de draps,
De boqueranz et d'escarlates,	d'étoffes, de laine et d'écarlate,
De mars d'or et d'arjant an plates,	de marcs d'or, d'argent en barre,
De ver, de gris, de sebelins	de vair, petit gris, zibeline,
Et de porpres et d'osterins.	de pourpre et d'étoffes d'Orient.

Dix chevaliers et hommes d'armes de sa maison les convoient avec mission, après remise des présents, de les emmener en son royaume d'outre-Galles, dans les châteaux de Montrevel et Roadan qu'il leur destine. Érec demande à Arthur l'autorisation de pouvoir célébrer ses noces à sa cour et celui-ci appelle alors le ban et l'arrière-ban de ses vassaux. Nouvelle énumération avec nouvelles résonances étranges et quelques détails pittoresques faits pour séduire l'imagination, car, parmi eux, est Maheloas, seigneur de l'Ile de Verre, les Champs-Elysées celtiques, exempte de foudre et de tempête et au climat toujours égal, Graislemier de Fine Poterne et Guingomar, son frère, seigneur de l'Ile d'Avalon, autre appellation des mêmes Champs-Élysées, ami personnel de la fée Morgue. La voici qui entre à son tour dans notre littérature, la gracieuse fée qu'avec ses compagnes Magloire et Arsile honorera cent ans plus tard le bon trouvère Adam Le Bossu dans son *Jeu de la Feuillée*. Est-ce bien le terme qu'il faut, n'est-ce pas faire son entrée dans le grand monde qu'il serait mieux de dire, car le peuple lui ne les a pas oubliées et, au fond des campagnes, les aperçoit aujourd'hui encore par les clairs de lune, au lavoir ou sur la bruyère, ces gracieuses figures, *matres* et *fatae*, *damettes* ou fées de la mythologie gauloise.

Sont conviés encore David de Tintagel, Guerguesin, duc de Hautbois, Aguisié, le roi d'Écosse, dont on chercherait en vain le nom dans les annales, le roi Ban de Gomeret avec sa bande de jeunes gens imberbes, et Kerrin, le vieux roi de Riël, flanqué de trois cents burgraves, dont le plus jeune a cent quarante ans et dont les barbes blanches coulent en fleuve jusqu'à la ceinture, puis Bilis (1), le roi des Antipodes, seigneur des nains qui lui font escorte et dont il est le plus petit, plus menu que ses deux vassaux, Grigoras et Glecidalan, dont les noms cocasses font l'effet d'un grignotage de syllabes. Chrétien le fabuliste a bien dû s'amuser en déroulant ce défilé carnavalesque et son public aussi. Ni l'un ni l'autre ne sont tout à fait dupes des folies où ils se complaisent.

---

(1) Belis et Kerin sont dans l'*Historia* de Geoffroy, éd. Faral, pp. 293 et 97.

Quand Érec est sur le point d'épouser la jeune fille, il s'aperçoit qu'il ne connaît pas encore son nom (il n'était pas très curieux) et ce n'est qu'alors qu'on sut qu'elle s'appelait Énide. Ils reçoivent la bénédiction de l'archevêque de Canterbury, mais le romancier ne s'attarde pas à cette pieuse cérémonie. Il préfère de beaucoup nous décrire dans tous les détails une fête mondaine (1) :

Quant la corz fu tote assanblee,	Quand tout le monde fut rassemblé,
N'ot menestrel an la contree,	il n'y eut jongleur dans le pays,
Qui rien seüst de nul deduit,	expert en quelque divertissement
Que a la cort ne fussent tuit.	qui ne fût à la cour.
An la sale mout grant joie ot,	Dans la salle règne grand joie,
Chascuns servi de ce qu'il sot,	car chacun d'eux produit ses talents,
Cil saut, cil tume, cil anchante,	sauts, culbutes, tours de magie ;
Li uns conte, li autre chante,	l'un raconte et l'autre chante,
Li uns sifle, li autre note,	l'un siffle, l'autre joue,
Çil sert de harpe, cil de rote (2),	qui de la harpe, qui de la rote (2),
Cil de gigue (3), cil de viële,	qui du violon, qui de la vielle,
Cil flaüte, cil chalemele.	qui de la flûte, qui de la cornemuse.
Puceles carolent et dancent,	Les jeunes filles font des rondes et dansent,
Trestuit de joie feire tancent.	excitant tout le monde à la joie.
N'est riens qui joie puisse feire	Rien de ce qui peut en donner
Et cuer d'ome a leesce treire,	et porter l'allégresse au cœur de l'homme
Qui ne fust as noces le jor.	n'est omis aux noces en ce jour.
Sonent timbre, sonent tabor,	Sonnent timbales, sonnent tambours,
Muses, estives et fretel	cornemuses et flûtes,
Et buisines et chalemel.	trompettes et chalumeau.

Voilà pour la joie extérieure, qui ne fait que troubler et retarder celle des époux (4) :

Mout fu granz la joie el palés ;	La joie était grande dans le palais,
Mes tot le sorplus vos an les,	mais je vous fais quittes du reste,
S'orroiz la joie et le delit	pour vous dire la joie et le plaisir
Qui fu an la chambre et el lit...	qui furent en la chambre et au lit.
A cele premiere assanblee	A leur première réunion
La ne fu pas Yseuz anblee	l'Yseut ne fut pas supposée
Ne Brangiens an leu de li mise...	ni Brangien mise à sa place :
Cers chaciez, qui de soif alainne,	cerf aux abois, qui halète de soif
Ne desirre tant la fontainne	ne désire pas tant la fontaine,
N'espreviers ne vient a reclaim	ni l'épervier ne répond à l'appel
Si volantiers, quant il a faim,	plus volontiers, quand il a faim,

(1) Vv. 2035-2054. Sur *Les Noces d'Erec el Enide*, voir l'art. de F. Lot dans le *Romania*, t. XLVI (1920), pp. 39-45.

(2) Instrument à cordes crétois, dit Foerster. Sur ces *Instrumenis de Musique au Moyen Age*, voir les leçons de Th. Gérold dans la *Revue des Cours et Conférences*, 1927-1928, t. II, pp. 360-366.

(3) *Gigue* est l'allemand *Geipge*.

(4) Vv. 2069-2108.

Que plus volantiers ne venissent
A ce que nu s'antretenissent.
Cele nuit ont bien restoré
Ce que il ont tant demoré.
Quant vuidiee lor fu la chanbre,
Lor droit randent à chascun manbre,
Li oel d'esgarder se refont,
Cil qui d'amors la voie font
Et lor message au cuer anvoient,
Que mout lor plest quan que il voient.
Aprés le message des iauz
Vient la douçors qui mout vaut miauz
Des beisiers qui amor atraient.
Andui cele douçor essaient,
Et lor cuers dedanz an aboivrent
Si qu'a grant painne s'an desoivrent ;
De beisier fu li premiers jeus.
Et l'amors, qui est antr'aus deus,
Fist la pucele plus hardie,
De rien ne s'est acoardie ;
Tot sofri, que que li grevast.
Einçois qu'ele se relevast,
Ot perdu le non de pucele ;
Au matin fu dame novele.

qu'eux plus ardemment ne souhaitent
de se connaître sans voiles.
Cette nuit, ils se dédommagèrent
de leur trop longue attente.
Quand on leur a quitté la chambre,
ils rendent à chaque sens ses droits.
Les yeux de regarder se repaissent,
eux qui ouvrent la voie à l'amour
et envoient au cœur leur message,
car leur plaît tout ce qu'ils contemplent.
Après le message des yeux
vient la douceur, qui vaut bien mieux
des baisers attirant l'amour.
Tous deux goûtent cette douceur
et en abreuvent leurs cœurs
au point qu'ils s'en privent avec peine.
Le baiser est leur premier jeu,
mais l'amour qui est entre eux
rend la jeune fille plus hardie,
bientôt elle n'a plus peur de rien.
Elle souffrit tout, quoi qu'il lui coûtât,
et avant qu'elle se relevât,
elle perdit le nom de pucelle ;
au matin, fut dame nouvelle.

Chrétien ne fera plus de tableau aussi voluptueux et il est visible qu'il a mis là toute la flamme ardente de sa jeunesse, mais, si hardi qu'il soit, le tableau reste, sinon chaste, du moins décent, et nous restons fort au-dessus des grossièretés du fabliau presque contemporain, *Richeut* l'entremetteuse, ou des ignominies de l'*Alda* du pieux (?) moine Guillaume de Blois. Bien que notre auteur ait eu, au début, des paroles fort méprisantes pour ceux qui vivent du métier de conteur, s'il rejette le salaire, il ne méprise pas le cadeau et c'est une exhortation non déguisée à la générosité que cette description détaillée et inutile au récit, des présents accordés aux jongleurs après la fête (1) :

Cel jor furent jugleor lié;
Car tuit furent a gré paiié.
Tot fu randu quan qu'il acrurent
Et main bel don doné lor furent,
Robes de ver et d'erminetes,
De conins et de violetes,
D'escarlates, de dras de soie,

En ce jour les jongleurs furent contents,
car tous furent payés à leur gré.
Toutes leurs dettes furent acquittées
et maint beau don leur fut donné :
robes fourrées de vair et d'hermine,
de peaux de lapin et de laine fine,
de drap d'écarlate et de soie.

(1) Vv. 2109-2118.

Qui vost cheval, qui vost monoie :
Chascuns ot don lonc son savoir
Si buen com il le dut avoir.

Voulait-il cheval ou argent,
chacun eut don selon son savoir,
aussi grand qu'il lui revenait.

Après d'aussi transparentes allusions, on s'attend presque à une quête. Ne nous pressons pas trop d'accuser Chrétien de mendicité : Marot sollicitait, Ronsard réclamait, Corneille flattait, toujours pour le même motif. Il faut bien vivre, l'art assure la subsistance éternelle et non le pain quotidien.

Les fêtes durèrent quinze jours et se terminèrent par un tournoi, occasion d'une nouvelle et brillante description (1) :

La ot tante vermoille ansaingne
Et tante bloe et tante blanche,
Et tante guinple et tante manche,
Qui par amors furent dorees ;
Tant i ot lances aportees
D'arjant et de sinople taintes :
D'or et d'azur an i ot maintes...
Iluec vit an le jor lacier
Maint hiaume a or et maint d'acier,
Tant vert, tant jaune, tant vermoil
Reluire contre le soleil,
Tant blazon et tant haubere blanc,
Tante espee a senestre flanc,
Tant buens escuz fres et noviaus,
D'arjant et de sinople biaus,
Et tant d'azur a bocles d'or,
Tant buen cheval bauçant et sor,
Fauves et blans et noirs et bes :
Tuit s'antrevienent a eslés.
D'armes est toz coverz li chans.
D'anbes deux parz fremist li rans ;
An l'estor lieve li escrois,
Des lances est mout granz li frois.
Lances brisent et escu troent,
Li hauberc faussent et descloent,
Seles vuident, chevalier tument,
Li cheval süent et escument.

On y vit mainte enseigne rouge,
mainte bleue et mainte blanche,
mainte guimpe et mainte manche,
naguère données par amour.
Mainte lance y est apportée
teinte d'argent et de rouge
et mainte d'or et d'azur...
En ce jour on y vit lacer
tant de heaumes d'or et d'acier
verts, jaunes et vermeils,
qui reluisaient au soleil,
tant d'écus et de hauberts blancs,
tant d'épées attachées au flanc gauche,
tant de boucliers frais et nouveaux,
brillants d'argent, de vermillon,
d'azur, à boucles d'or.
Tant de chevaux pommelés et alezans,
fauves et blancs, noirs et bais,
fondent les uns sur les autres !
La plaine est toute couverte d'armes.
Des deux côtés ondule la ligne de combat,
de la mêlée un craquement s'élève,
si grand est le fracas des lances.
Lances se brisent, écus sont percés,
les hauberts rompus et troués,
les chevaliers vident les arçons,
les chevaux suent et écument.

Sans doute c'est le Turold ou le pseudo-Turold de la *Chanson de Roland* qui a révélé à ses successeurs le secret des descriptions de bataille, mais celle-ci l'emporte sur toutes en précision d'expression et en force d'évocation. Même à travers une traduction, si imparfaite qu'elle soit, on sent le grand peintre.

(1) Vv. 2138-2166.

Le jeune époux ne reste pas inférieur à la prouesse qui déjà lui a valu sa plus belle conquête. Il se mesure à l'Orgueilleux de la Lande et nous avons dans ce nom le prototype de ceux qu'empruntera et chérira Walter Scott, puis, l'ayant désarçonné, il s'attaque au roi de la Rouge Cité, qui subit le même sort. La ligne adverse frémit et tremble devant lui.

Le nouvel Absalon prend enfin congé du roi Arthur pour emmener son épouse en son pays de Carnant (1) où règne le roi Lac, beau pays, en vérité, de forêts et de prairies, de vignes et de vergers, de jeunes gens braves et gais, de clercs instruits, de belles jeunes filles et de riches bourgeois. Le roi, prévenu de l'arrivée, fait sonner du cor, tendre les rues de tapisseries et de draps de soie. Suivi d'innombrables hommes d'armes et de tout un peuple, il s'avance à la rencontre du couple pour honorer son fils et sa bru. Ils vont faire leurs dévotions devant l'image de Notre-Dame, puis se rendent au palais où Érec reçoit les riches présents des chevaliers et des bourgeois, coupe d'or, vautour non mué, brachet, lévrier, destrier d'Espagne, écu, oriflamme, épée ou heaume. Mais tous se réjouissent plus encore de l'arrivée d'Énide (2),

Por la grant biauté qu'an li virent,	pour la grande beauté qu'ils lui voyaient
Et plus ancor por sa franchise.	et plus encore pour sa noblesse.
An une chanbre fu assise,	Elle recevait, dans une chambre assise
Dessor une coute de paille,	sur une couverture de soie
Qu'aportee fu de Tessaille (3).	venue de Thessalie.
Antor ot mainte bele dame ;	Elle avait autour d'elle mainte belle dame
Mes aussi con la clere jame	mais, autant que la pierre précieuse
Reluist dessor le bis chaillo	passe en clarté le caillou gris,
Et la rose sor le pavo :	et la rose le pavot,
Aussi iert Enide plus bele	autant Énide était plus belle
Que nule dame ne pucele	que nulle dame ni pucelle
Qui fust trovee an tot le monde...	qu'on pût par le monde trouver...

Tant de beautés, objet de tant d'égards, ne va pas sans inconvénients, et Érec s'abîmait dans leur contemplation. Nous touchons ici à ce qui est proprement le nœud du récit et le tournant du drame (4)

---

(1) Est-ce Caer Nant (= Nantes), comme le veut H. Zimmer ou Carnant dans le Sud du Pays de Galles, selon J. Loth, ou Ros Carnant, en Cornouailles, selon F. Lot ?
(2) Vv. 2404-2415.
(3) Cf. ici plus haut p. 75.
(4) Vv. 2434-2467.

Mes tant l'ama Erec d'amors	Érec l'aimait tant d'amour
Que d'armes mes ne li chaloit,	que plus des armes ne se souciait
Ne a tornoiemant n'aloit :	et n'allait plus au tournoi.
N'avoit mes soing de tornoiier ;	De jouter il ne s'occupait point :
A sa fame aloit dosnoiier.	il faisait la cour à sa femme.
De li fist s'amie et sa drue.	D'elle il avait fait sa maîtresse ;
Tot mist son cuer et s'antandue	tout son cœur et tout son soin
An li acoler et beisier ;	il le mettait à l'accoler et l'embrasser,
Ne se queroit d'el aeisier.	sans prendre plaisir à autre chose.
Si conpaignon duel an avoient,	Ses compagnons en avaient du chagrin
Antr'aus sovant se demantoient	et se plaignaient entre eux à haute voix
De ce que trop l'amoit assez.	qu'il l'aimât vraiment trop.
Sovant estoit midis passez,	Souvent il était midi passé
Einçois que de lez li levast...	avant qu'il ne se levât d'à côté d'elle...
Tant fut blasmez de totes janz	Il fut tant blâmé par tous,
De chevaliers et de serjanz	chevaliers ou bien écuyers,
Qu'Enide l'oï antredire,	qu'Énide leur entendit dire entre eux
Que *recreant* aloit ses sire	que son seigneur avait renoncé
D'armes et de chevalerie...	aux armes et à la chevalerie...

Récréant. Voilà le mot essentiel, le mot-pivot du roman, celui qui en constitue la thèse même, car Chrétien, quoiqu'on en puisse penser, n'écrit pas uniquement pour le plaisir de conter, il a une idée qui lui est chère, un thème qu'il développe, une proposition qu'il défend. Il est le premier romancier à thèse, le premier qui tenta de féconder le récit par l'idée, et de le faire servir à la démonstration de celle-ci. *Récréant* (1) est un terme à multiples nuances, mais qui, toutes, se ramènent à celle de lâche renoncement, d'abandon. Cet adjectif est, en fait, le participe présent de *recroire*, qui signifie négliger, se relâcher, s'amollir, cesser, s'abstenir, voire se rendre. Il peut donc aller de la nuance de veule jusqu'à celle de lâche, en passant par celle de oisif et de vaincu. Le *récréant*, c'est le vaincu de la vie, celui qui cesse de lutter ; et l'on comprend que cette attitude ou cette situation, qui est la négation de l'activité, de la gaie bravoure française en face de l'infortune et à l'encontre de la mort, est la plus déplaisante à notre nation et à notre tempérament.

Dans l'ordre de l'amour et de la prouesse, *récréant* est celui qui s'abandonne aux délices de l'un pour négliger la gloire de l'autre. Or c'est tout le problème de la vie, celui que Pascal, s'il est bien, comme le croit Gustave Lanson, l'auteur du traité des *Passions de l'amour*, a magistralement posé : la vie de l'homme

---

(1) Le mot a été conservé en anglais, avec le sens de «lâche».

oscille entre l'amour et l'ambition, nous dirons ici entre l'amour et la gloire, la jouissance et l'action. On ne peut imputer à crime à un chevalier d'aimer une dame, à condition que cette dame lui soit inspiratrice de hauts faits, et la passion, source de bravoure. Mais, sans doute, pour que l'homme s'efforce, sans même hésiter, à jeter le poids de sa vie dans la balance du destin, il faut qu'il ait à atteindre ou le corps et l'âme d'une femme, ou les biens et les honneurs. Quand il a conquis l'un et l'autre, les uns et les autres, il est fréquent qu'il s'endorme dans la volupté ou dans la renommée. Il est alors *récréant* et la femme, que sa prouesse a conquise et à laquelle il consacre la mollesse de ses jours et les délices de ses nuits, en souffre elle-même, privée, pour le culte de son autel, de l'encens de gloire qui enivre sa vanité. Aussi Énide, qui s'est sentie conquise par le plus brave après Gauvain, s'offense-t-elle de la persistante rumeur.

Or, un matin, qu'ils étaient couchés dans le lit, enlacés bras à bras, bouche à bouche, comme ceux qui s'entr'aiment, que lui dormait, qu'elle veillait, ces propos lui reviennent en mémoire ; elle ne peut s'empêcher de pleurer et, contemplant le corps bien fait, le visage clair de son seigneur endormi (1),

Et dist : « Lasse, con mar m'esmui	elle dit : « Las ! pour mon malheur je quittai
De mon païs ! Que ving ça querre ?	mon pays ! Que vins-je chercher ici ?
Bien me devroit sorbir la terre,	La terre me devrait engloutir,
Quant toz li miaudre chevaliers,	puisque le plus vaillant chevalier,
Li plus hardiz et li plus fiers,	le plus hardi et le plus fier,
Li plus frans et li plus cortois,	le plus noble et le plus courtois,
Qui onques fust ne cuens ne rois,	qui jamais fut comte ni roi,
A del tot an tot relanquie	a de point en point délaissé
Por moi tote chevalerie.	pour moi toute prouesse.
Donques, l'ai je honi por voir...	Je l'ai donc déshonoré en vérité,
Nel vossisse por nul avoir. »	je ne le voudrais pour rien au monde. »
Lors li a dit : « Con mar i fus ! »	Elle lui dit alors : « Tu es venu pour ton [malheur ! »
A tant se test...	Puis elle se tait...

Érec, dans son demi-sommeil, entend la dernière phrase, puis s'éveillant tout à fait, s'étonne de voir sa femme en larmes et exige une explication. Elle s'efforce de nier le propos ; ensuite, contrainte d'obéir, elle confesse (2) :

(1) Vv. 2496-2509.
(2) Vv. 2540-2555.

« Sire, quant vos si m'angoissiez,
La verité vos an dirai,
Ja plus ne le vos celerai ;
Mes je criem bien ne vos enuit.
Par ceste terre dïent tuit,
Li noir et li blont et li ros,
Que granz domages est de vos
Que voz armes antreleissiez ;
Vostre pris an est abeissiez.
Tuit soloient dire l'autre an
Qu'an tot le mont ne savoit l'an
Mellor chevalier ne plus preu ;
Vostre parauz n'estoit nul leu.
Or se vont tuit de vos gabant,
Vieil et juene, petit et grant ;
Recreant vos apelent tuit. »

« Seigneur, puisque vous me tourmentez
ainsi, je vous dirai la vérité,
sans plus longtemps vous la celer,
mais je crains qu'elle ne vous peine.
Par le pays tous vont disant,
les bruns, les blonds comme les roux,
qu'il est bien dommage de vous
que vos armes vous délaissiez.
Votre valeur en est diminuée.
Naguère tous se plaisaient à proclamer
que dans le monde entier on ne savait
meilleur chevalier ni plus brave,
que nulle part vous n'aviez d'égal.
Maintenant tous de vons se gaussent
vieux et jeunes, petits et grands,
et vous appellent lâche. »

Elle lui dit longuement sa peine de l'entendre ainsi outragé et de sentir le blâme retomber sur elle. Voilà ce qui justifiait les mots échappés à son amère angoisse : « Tu es venu pour ton malheur ! » Il faut qu'il change de conduite, pour reconquérir son ancienne gloire (1) :

— Dame —, fet il, — droit en eüstes.
Et cil qui m'an blasment ont droit.
Aparelliez vos or androit ;
Por chevauchier vos aprestez.
Levez de ci, si vos vestez
De vostre robe la plus bele,
Et feites metre vostre sele
Sor vostre mellor palefroi. —
Or est Enide en grant esfroi :
Mout se lieve triste et pansive,
A li sole tance et estrive
De la folie qu'ele dist :...
« Ha ! » fet ele, « fole mauveise !
Or estoie je trop a eise ;
Qu'il ne me faloit nule chose...
Deus ! don ne m'amoit trop mes sire ?
An foi, lasse, trop m'amoit il.
Or m'estuet aler an essil !...
Ne set qu'est biens qui mal n'essaie ».

—Madame —, fait-il, —vous aviez raison,
et ceux qui me blâment ont raison aussi.
Préparez-vous sur-le-champ
et apprêtez-vous à monter à cheval.
Levez-vous ; revêtez-vous
de votre plus belle robe,
et faites mettre votre selle
sur votre meilleur destrier. —
Énide éprouve un grand émoi.
Triste et pensive, elle se lève
et en soi-même se reproche
la folie qu'elle a dite...
« Ah ! » fait-elle, « méchante sotte !
je vivais trop à mon aise,
il ne me manquait nulle chose.
Dieu ! il m'aimait donc trop mon époux ?
Eh ! oui, hélas, il m'aimait trop.
Maintenant me voilà bannie.
On ne reconnaît son bonheur
que quand le malheur vous atteint ».

Obéissant aux ordres de son époux, Énide revêt sa meilleure robe et fait seller son cheval pie. Pendant ce temps Érec se fait

(1) Vv. 2576-2610.

lacer ses chausses d'acier éclatant, passe son haubert, dont les
mailles d'argent étaient si subtilement tressées qu'on ne les sentait pas plus sur la chemise qu'une cotte de soie, et coiffe son
heaume à liséré d'or, plus brillant qu'une glace, ceint son épée,
et fait amener son cheval bai de Gascogne. Au serviteur qui
l'assiste, il ordonne de monter à la chambre de la tour et d'en
faire descendre Énide, qui se précipite, ignorante du sort qui
l'attend et, à sa suite, le roi Lac et cent chevaliers, qui s'offrent à
suivre leur jeune maître. En vain ; il ne veut d'autre compagnie
que celle de sa femme et à toutes les questions qu'on lui pose
refuse de répondre. Il se borne à recommander à son père la
jeune femme, pour le cas où elle resterait veuve. Le roi et ses
chevaliers se lamentent de ce départ comme d'une mort, pleurent et se pâment (1) :

Erec s'an va, sa fame en mainne,	Érec s'en va, emmenant sa femme,
Ne set quel part, an avanture.	il ne sait où, à l'aventure.
— Alez, fet-il, — grant aleüre,	— Allez —, dit-il, — à grande allure,
Et gardez ne soiiez tant ose,	et gardez-vous d'avoir l'audace,
Se vos veez nes une chose,	quelque chose que vous voyiez,
Que vos m'an diiez ce ne quoi.	de m'en dire quoi que ce soit.
Gardez ja n'an parlez a moi,	Gardez-vous de me parler,
Se je ne vos aresne avant... —	si je ne vous adresse d'abord la parole... —
« Sire », fet ele, « a buen eür ».	« Bien vous en vienne, seigneur », fait-elle.
Devant s'est mise, si se tot.	Elle passa devant, puis se tut.
Li uns a l'autre ne dit mot,	L'un à l'autre ne dit plus mot,
Mes mout est Enide dolante,	mais Énide est bien chagrine ;
A li meïsme se demante	en elle-même elle se lamente
Soef an bas, que il ne l'oie.	tout bas, pour qu'il ne l'entende pas.
« Lasse, » fet ele, « a si grant joie	« Hélas ! », fait-elle, « en si grand'joie
M'avoit Deus mise et essauciee,	Dieu m'avait mise et haussée
Or m'a an po d'ore abeissiee.	et en peu de temps m'a abaissée.
Fortune, qui m'avoit atreite,	Fortune, qui m'avait attirée,
Tost a a li sa main retreite.	a ensuite retiré sa main.
De ce ne me chaussist il, lasse,	Je ne m'en soucierais point, pauvre,
S'a monseignor parler osasse.	si j'osais parler à mon seigneur,
Mes de ce sui morte et traïe	mais je suis perdue et abandonnée,
Que mes sire m'a anhaïe.	puisque mon seigneur me hait.
Anhaïe m'a, bien le voi,	Il me hait, je le vois bien,
Quant il ne viaut parler a moi	puisqu'il ne veut plus me parler
Ne je tant hardie ne sui	et je ne suis pas assez hardie
Que je os regarder vers lui ».	pour oser même le regarder ».

Tandis qu'elle gémit de la sorte, voici que sort du bois **un**

(1) Vv. 2766-2794.

chevalier, vivant de brigandage et ayant avec lui deux compagnons également armés. Énide a vu le péril (1) :

« Deus », fet ele, « que porrai dire ?	« Dieu », fait-elle, « que pourrai-je dire ?
Or iert ja morz ou pris mes sire ;	Mon seigneur va être tué ou pris,
Que cil sont troi, et il est seus...	car ils sont trois et lui est seul,...
Deus, serai je donc si coarde	Dieu, serai-je donc assez couarde
Que dire ne li oserai ?	pour ne rien oser lui dire ?
Ja si coarde ne serai.	Non ! je ne serai pas si couarde,
Je li dirai, nel leirai pas ».	rien ne m'empêchera de parler ».
Vers lui s'antorne enes le pas,	Elle se tourne aussitôt vers lui
Et dist : « Biaus sire, ou pansez vos ?	et dit : « Cher sire, à quoi pensez-vous ?
Ci vienent poignant aprés vos	Voilà qu'arrivent, fonçant sur vous,
Troi chevalier qui mout vos chacent.	trois chevaliers qui vous poursuivent.
Peor ai que mal ne vos facent. »	J'ai peur qu'ils vous fassent dommage. »
— Cui ? — fet Erec — qu'avez vos dit ?	— A qui ? — fait Érec — qu'avez-vous dit ?
Or me prisiez vos mout petit.	Vous m'estimez donc bien peu,
Trop avez fet grant hardemant,	et c'est de votre part singulière audace
Que avez mon comandemant	d'avoir violé mes ordres
Et ma defanse trespassee.	et outrepassé ma défense.
Ceste foiz vos iert pardonee ;	Je vous pardonne pour cette fois,
Mes s'autre foiz vos avenoit,	mais si cela vous arrivait encore,
Ja pardoné ne vos seroit. —	il ne vous serait plus pardonné. —

Ce petit sermon terminé, il tourne sa lance vers le premier chevalier, le défie et l'abat. Le second se précipite, il le jette à terre, et le blesse, la fuite n'empêche pas le troisième d'être désarçonné. Ces perpétuels et inévitables triomphes ne laissent pas d'agacer un peu et nous ne sommes qu'au début.

Pourtant Chrétien excelle à varier les péripéties de ces combats, qui ont le tort de ne pas bien mériter l'épithète de singuliers. Érec rassemble les trois chevaux, le blanc, le noir et le pie, et il ordonne à Énide de les chasser devant elle, proférant les pires menaces pour le cas où elle aurait l'outrecuidance de prononcer encore un seul mot sans sa permission. Elle en profite pour lui répondre (2) :

« Non ferai gié	« Je ne le ferai
Ja mes, biaus sire, s'il vos plest. »	plus jamais, cher seigneur, s'il vous plaît. »
Lors s'an vont, et cele se test.	Puis ils s'en vont et elle se tait.

Ils n'ont pas fait une lieue que paraissent cinq chevaliers, lance sur feutre, écus attachés au cou et heaumes lacés, cherchant

(1) Vv. 2833-2856.
(2) Vv. 2922-2924.

aventure. L'un convoite la femme, l'autre un destrier, un troisième les armes d'Érec, mais il faut les prendre. Celui-ci les voit
s'avancer, mais feint de ne pas les apercevoir. Le sang d'Énide
ne fait qu'un tour. Monologue traduisant ses hésitations (1) :

« Deus, mes sire ne les voit mie!
Qu'atant je donc, mauveise fole ?
Trop ai or chiere ma parole,
Quant je ne li ai dit pieç'a...
Il m'ocirra . Assez m'ocie !
Ne leirai que je ne li die. »
Lors l'apele doucement : « Sire ! »
— Cui ? — fet il. — Que volez-vos
                              dire ? —
« Sire, merci. Dire vos vuel
Que desbuchié sont de cel bruel
Cinc chevalier, dont mout m'esmai.
Je pans et aparceü ai
Qu'il se vuelent a vos conbatre.
Arriere sont remés li quatre,
Et li cinquismes a vos muet
Tant con chevaus porter le puet... »
Erec respont : — Mar le pansastes
Quant ma parole trespassastes...
Et ne porquant tres bien savoie
Que vos gueires ne me prisiez.
C'est servises mal anploiiez,
Que je ne vos an sai nul gre,
Einz sachiez que plus vos an he.
Dit le vos ai, et di ancore,
Ancor le vos pardonrai ore,
Mes autre foiz vos an gardez...

« Dieu ! mon seigneur ne les voit pas
qu'attends-je donc mauvaise folle ?
Mes mots sont donc si précieux
que je ne les ai prononcés déjà...
Il va me tuer... Eh ! qu'il me tue!
cela ne m'empêchera pas de lui parler. »
Alors elle appelle doucement : « Sire ! »
— A qui parlez-vous ? — fait-il ? —
          [Que voulez-vous dire ? —
« Seigneur, pardon. Je veux vous dire
que de ce breuil ont débouché
cinq chevaliers, j'en suis très effrayée.
Je pense et j'ai bien reconnu
qu'ils veulent vous combattre.
Quatre sont restés en arrière
et le cinquième s'avance vers vous
de toute la vitesse de son cheval... »
Érec répond : — Malheur à vous
d'avoir transgressé mes ordres ...
Et pourtant je le savais bien
que vous ne m'estimiez guère.
Vous avez perdu votre peine,
car je ne vous en sais nul gré
et je ne vous en hais que davantage.
Je vous l'ai dit et vous le répète,
je vous pardonnerai encore,
mais une autre fois prenez garde... —

Ensuite, c'est l'inévitable bataille avec son inévitable dénouement ; les chevaliers assaillent successivement, car tout brigands
qu'ils sont, ils ont, comme les précédents, un certain sentiment de
l'honneur, qui les empêche de tomber simultanément à cinq sur
un cavalier isolé. Le premier est blessé, le second tué, le troisième
abattu et noyé. Les deux derniers, pour ne pas partager le même
sort, traversent la rivière, Érec les poursuit, terrasse l'un, tandis
que l'autre, de peur, se laisse choir à terre, où son généreux
adversaire l'abandonne, se contentant d'emmener les cinq
chevaux qu'il confie à Énide : cinq et trois, cela fait huit
qu'elle aura à pousser devant elle, toujours sans mot dire (2).

(1) Vv. 2974-3007.
(2) Vv. 3086-3123.

Chevauchié ont jusqu'a la nuit,	Ils chevauchent jusqu'à la nuit
Que vile ne recet ne virent.	sans apercevoir ville ni abri.
A l'anuitier lor ostel prirent	A la tombée de la nuit, ils cherchent asile
Soz un aubor an une lande.	sous un aubier dans une lande.
Erec a la dame comande	Érec ordonne à sa femme
Qu'ele dorme et il vellera.	de dormir, tandis que lui veillera.
Cele respont que nel fera,	Elle répond qu'elle n'en fera rien,
Car n'est droiz, ne feire nel viaut.	car ce n'est pas juste et elle ne le veut pas.
Il dormira, qui plus se diaut.	Qu'il dorme puisqu'il peine le plus.
Erec l'otroie et bel li fu.	Érec l'accorde et y consent.
A son chief a mis son escu.	Sous sa tête il a mis son bouclier.
Et la dame son mantel prant,	La dame prend son propre manteau
Sor lui de chief an chief l'estant.	et l'étend sur lui de la tête aux pieds.
Cil dormi et cele vella ;	Lui dormit, elle veilla,
Onques la nuit ne somella,	toute la nuit ne sommeilla,
Einz tint par les frains an sa main	tenant en la main par les rênes,
Les chevaus jusqu'à l'andemain,	les chevaux jusqu'au lendemain.
Et mout s'est blasmee et maudite	Elle se blâme et se maudit
De la parole qu'ele ot dite,	de la phrase qu'elle a proférée ;
Et dist que mal a espleitié,	elle se dit qu'elle a bien mal agi
Ne n'a mie de la meitié	et qu'elle ne récolte pas la moitié
Tant mal com ele a desservi.	du mal qu'elle a mérité.
« Lasse », fet ele, « con mar vi	« Hélas », fait-elle, « pour mon malheur,
Mon orguel et ma sorcuidance !	j'ai vu mon orgueil et mon outrecuidance,
Savoir pooie sanz dotance	Je pouvais bien savoir à n'en pas douter
Que tel chevalier ne mellor	que tel chevalier ni meilleur
Ne savoit l'an de mon seignor.	ne connaissait-on que mon seigneur,
Bien le savoie, or le sai miauz ;	je le savais, je le sais mieux,
Car je l'ai veü a mes iauz	car je l'ai vu sous mes yeux
Que trois ne cinc armez ne dote.	ne craindre trois ni cinq hommes armés.
Honie soit ma langue tote,	Honnie soit ma langue toute
Qui l'orgueil et l'outrage dist	qui a dit outrage et orgueil,
Don mes cors a tel honte gist. »	qui m'ont précipitée en telle honte. »
Si s'est tote nuit demantee	Ainsi elle se lamente toute la nuit
Jusqu'au demain a l'ajornée.	jusqu'au lendemain, au point du jour.
Erec se lieve par matin,	Érec se lève de grand matin,
Si se remetent au chemin,	et ils se remettent en route,
Ele devant et il deriers.	elle devant et lui derrière.

Vers midi, ils rencontrent un écuyer suivi de deux serviteurs, portant des fromages, de la tourte et du vin destinés aux faucheurs du comte Galoain. Très courtois, et les voyant fatigués, l'écuyer leur offre une dînette sur l'herbe, en échange de quoi Érec lui fait présent d'un des chevaux. Son maître s'étonne de le voir revenir en si bel arroi et lui ayant fait narrer sa rencontre, il va rendre visite à celui que l'écuyer avait conduit chez un bourgeois de la ville. Énide lui fait si grande impression qu'il s'éprend d'elle et, allant s'asseoir, avec la permission du mari, sur un escabeau à ses pieds, il fait à voix basse ses offres de service (1) :

— Haï —, fet il —, com il me poise
Quant vos alez a tel vitance !
Grant duel an ai et grant pesance ;
Mes se croire me voliiez,
Enor et preu i avriiez
Et mout granz biens vos an vandroit.
A vostre biauté covandroit
Granz enors et granz seignorie.
Je feroie de vos m'amie.
S'il vos pleisoit et bel vos iere ;
Vos seriiez m'amie chiere
Et dame de tote ma terre.
Quant je d'amor vos daing requerre,
Ne m'an devez pas escondire.
Bien sai et voi que vostre sire
Ne vos aimme ne ne vos prise.
A buen seignor vos seroiz prise
Se vos avuec moi remenez. —
« Sire, de neant vos penez ! »
Fet Enide. « Ce ne puet estre.
He ! miauz fusse je or a nestre
Ou an un feu d'espines arse,
Si que la çandre fust esparse,
Que j'eusse de rien faussé
Vers mon seignor, ne anpansé
Felenie ne traïson.
Trop avez fet grant mesprison
Qui tel chose m'avez requise.
Je nel feroie an nule guise. »

— Ah ! — lui dit-il, — comme il me pèse
de vous voir aller en telle pauvreté.
J'en ai grand chagrin et grand souci !
Mais, si vous m'en voulez croire,
vous auriez honneur et richesse
et un grand bien vous en viendrait.
A votre beauté conviendraient
grandes terres et grand pouvoir.
Je ferais de vous mon amie,
s'il vous plaisait et vous semblait bon.
Vous seriez mon amie très chère
et souveraine de toute ma terre.
Si d'amour requérir vous daigne,
ne devez pas me refuser.
Je sais et vois que votre seigneur
ne vous aime ni ne vous prise.
Vous trouverez en moi un bon maître,
si vous restez avec moi... —
« Sire, vous vous donnez peine inutile »,
fait Énide. « Cela ne peut pas être.
Ah ! que ne fussé-je jamais née
ou que je fusse brûlée sur un bûcher,
et que ma cendre fût éparpillée au vent,
plutôt que de me voir tromper en rien
mon seigneur, ni tramer contre lui
félonie ou trahison.
Vous avez bien mal agi
en me proposant cette chose
que je ne ferais pour rien au monde. »

Surpris et irrité de cette résistance aussi vive qu'inattendue, le mauvais hôte passe de la prière à le menace, observant, tel Énéas (2) :

— Bien est voirs que fame s'orguelle,
Quant l'an plus la prie et losange ;
Mes qui la honist et leidange,
Cil la trueve mellor sovant. —

— Il est vrai que la femme s'enorgueillit
plus on la prie et plus on la flatte ;
mais celui qui l'insulte et l'outrage
la trouve souvent plus souple. —

Puis il proclame son dessein de faire tuer son rival légitime ; rendue astucieuse par la crainte et par l'amour, la fidèle épouse feint de s'être radoucie (3) :

(1) Vv. 3316-3344.
(2) Vv. 3350-3353. Pour *Eneas*, cf. p. 56.
(3) Vv. 3364-3371.

« Rapaiiez vos, je vos an pri
Car je ferai vostre pleisir.
Por vostre me poez tenir.
Je suis vostre et estre le vuel
Ne vos ai rien dit par orguel,
Mes por savoir et esprover...
Que vos m'amessiez de buen cuer. »

« Apaisez-vous, je vous en prie ;
car je ferai votre volonté.
Vous pouvez me tenir pour vôtre.
Je suis vôtre et je le veux être.
ce n'est pas par orgueil que j'ai parlé,
mais pour savoir et éprouver...
si vous m'aimiez de tout votre cœur. »

Profitant de son avantage, elle l'adjure d'attendre jusqu'au lendemain pour surprendre à coup sûr Érec au réveil : « Le cœur pense autrement que ne dit la bouche », qui appuie son long mensonge par la déclaration la plus crue. On se demande avec inquiétude si les *honnestes dames* du temps parlaient ainsi. Le séducteur engage sa parole et prend congé des époux, qui vont s'étendre séparément sur les deux lits qu'on leur a dressés là. Lui dort sans souci, elle veille, bourrelée d'inquiétude et, au petit jour, se décide à parler, violant une fois de plus sa cruelle consigne de silence (1) :

« Ha, sire », fet ele, « merci !
Levez isnelemant de ci,
Que traiz estes antreset
Sanz achoison et sanz forfet.
Li cuens est traître provez.
Se ci poez estre trovez,
Ja n'eschaperoiz de la place,
Que tot desmanbrer ne vos face.
Avoir me viaut, por ce vos het.
Mes se Deu plest, qui toz biens set (2)
Vos n'i seroiz ne morz ne pris.
Des ersoir vos eüst ocis,
Se creanté ne li eüsse
Que s'amie et sa fame fusse.
Ja le verroiz ceanz venir :
Prendre me viaut et retenir,
Et vos ocirre s'il vos treuve ».
Or ot Erec que bien se prueve
Vers lui sa fame leaumant.
— Dame —, fet il, — isnelemant
Feites noz chevaus anseler,
Et corez nostre oste apeler... —

« Ah ! seigneur », fait-elle, « grâce,
levez-vous vite d'ici,
car vous êtes trahi en tout point,
sans faute ou forfait de votre part.
Le comte est un traître fieffé.
Si l'on peut vous trouver ici,
vous n'en échapperez pas,
sans qu'il vous fasse écarteler.
Il veut me posséder, pour quoi il vous hait.
Mais si plaît à Dieu, de qui vient tout bien,
vous ne serez ni tué ni pris.
Dès hier soir il vous eût assassiné,
si je ne lui eusse promis
que je serais sa maîtresse et sa femme.
Vous le verrez arriver bientôt :
il veut me prendre et me retenir,
et vous tuer, s'il vous trouve ».
Cette fois Érec voit bien que sa femme
agit loyalement envers lui.
— Madame, — fait-il, — rapidement
faites seller nos chevaux,
et courez appeler notre hôte —...

A ce dernier Érec offre en payement de son hospitalité les sept chevaux qu'il a pris aux brigands et le bourgeois s'incline jusqu'à

(1) Vv. 3469-3490.
(2) Je lis : « fet ».

terre. Déçu dans son espoir, le comte suit les fugitifs à la trace et, avec ses hommes d'armes, les atteint à la lisière d'une forêt. Les voyant se ruer si nombreux que le val en est plein, une fois de plus la pauvre Énide rompt la défense que son époux lui a renouvelée (1) :

« Haï ! sire ! », fet elle, « haï !	« Aïe, seigneur », fait-elle, « aïe,
Con vos a cist cuens anhaï,	comme ce comte doit vous haïr
Qui por vos amainne tel ost !	pour s'être fait suivre d'une telle armée !
Sire, car chevauchiez plus tost,	Seigneur, chevauchez donc au plus vite.
Tant qu'an cele forest soïiens.	que nous soyons dans cette forêt.
Espoir tost eschaperiiens,	Peut-être nous leur échapperions,
Car cil sont ancor mout arriere.	car ils sont encore assez loin.
Se vos alez an tel meniere,	Si vous allez de telle façon,
Ne poez de mort eschaper,	vous ne pouvez échapper à la mort,
Que n'estes mie per a per ».	la partie n'étant pas égale ».
Erec respont : — Po me prisiez,	Érec répond : — Vous m'estimez peu,
Ma parole mout despisiez.	et faites fi de mes paroles.
Je ne vos sai tant bel priier	J'ai beau vous en prier,
Que je vos puisse chastiier.	je ne puis vous amender.
Mes se Deus et de moi merci	Mais, si Dieu me fait la grâce
Tant qu'eschaper puisse de ci,	de pouvoir échapper d'ici,
Ceste vos iert mout chier vandue,	cette faute, vous la payerez cher,
Se corages ne me remue. —	si mon sentiment ne change. —

L'heure n'est pas à la discussion. Érec fait faire à son cheval un tête à queue et se jette sur le sénéchal, qui précédait le gros à quatre traits d'arbalète, et le sert de l'épée, puis il se précipite sur le comte qui devançait ses gens de neuf arpents et, après une vive passe d'armes, il lui enfonce sa lance à travers le ventre, enfin ne pouvant affronter le gros de la troupe, car la force et la bravoure du plus vaillant chevalier ont tout de même leurs limites, il donne de l'éperon et, toujours suivi de son épouse, atterrée et muette, il s'enfonce dans la forêt. Sur ces entrefaites les écuyers ont atteint leur maître, qui gît à terre, l'estomac ouvert. Le mourant les entend jurer la perte du meurtrier, mais trouve la force de se redresser et, ouvrant un peu les yeux, pris de remords, il détourne ses hommes de la poursuite (2) :

— Seignor, — fet il, — a toz vos di	— Seigneurs, — fait-il, — je vous dis à tous
Qu'il n'i et un seul si hardi,	que pas un de vous ne soit si hardi,
Fort ne foible, ne haut ne bas,	grand ou petit, faible ou fort,
Qui ost aler avant un pas.	d'oser avancer d'un pas.
Retornez tuit isnelemant !	Retournez tous au plus vite !

(1) Vv. 3553-3570.
(2) Vv. 3635-3662.

Espleitié ai vilainnemant.	J'ai vilainement agi
De ma vilenie me poise.	et déplore ma vilenie.
Mout est preuz et sage et cortoise	Elle est très noble, sage, courtoise,
La dame qui deceü m'a.	la dame qui m'a trompé.
Sa biautez d'amor m'aluma :	Sa beauté m'a fait brûler d'amour :
Por ce que je la desiroie	parce que je la désirais,
Son seignor ocirre voloie	j'ai voulu tuer son époux
Et li par force retenir.	et la lui retenir de force.
Bien m'an devoit maus avenir.	Mal devait m'en prendre.
Sor moi an est venuz li maus.	Le malheur s'est abattu sur moi,
Que fel feisoie et desleaus	car je faisais le félon, le déloyal,
Et traïtres et forsenez !	le traître et le forcené.
Onques ne fu de mere nez	Jamais ne fut de mère né
Miaudre chevaliers de cestui... —	meilleur chevalier que celui-ci... —
Einsi fu Erec delivrez.	Ainsi fut Érec délivré.

Au débucher de la forêt, les fugitifs aperçoivent un château fort, protégé par une douve, sur laquelle est jeté un pont. Averti par le guetteur de la tour, son possesseur s'arme et se précipite à la rencontre de l'arrivant, décidé à lui vendre chèrement l'accès de la place. Il aurait pu d'abord l'*arraisonner* pour lui demander ses intentions, mais les mœurs n'étaient pas aussi pacifiques, surtout dans la fiction romanesque. Énide, de nouveau, a aperçu le danger, mais Érec l'a-t-il vu ? Elle tressaille d'angoisse (1) :

Enide ot la noise et l'esfroi.	Énide entend le bruit et le tumulte.
A po que de son palefroi	Peu s'en faut que de son palefroi
Ne chel jus pasmee et vainne.	elle ne tombe à terre pâmée.
An tot le cors de li n'ot vainne	Dans tout son corps, pas une veine
Don ne li remuast li sans.	dont le sang ne se troublât.
Toz li devint pales et blans	Son visage devint pâle et blanc,
Li vis, con se ele fust morte.	comme si elle était morte.
Mout se despoire et desconforte,	Elle se désespère et se désole
Que son seignor dire ne l'ose...	de ne pas oser parler à son seigneur...

Mais, également paralysée par la crainte de l'ennemi et par celle de son mari, elle ne sait si elle doit parler ou se taire. La langue remue, la voix ne sort pas, étranglée derrière les dents. Cependant elle réussit à parler et, enfreignant une fois de plus la rigoureuse interdiction, l'avertit du danger qui point (2) :

Ele di dist. Cil la menace,	Elle parle. Lui la menace,
Mes n'a talant que mal li face ;	mais n'a envie de lui faire du mal,
Qu'il aparçoit et conoist bien	car il aperçoit et reconnaît bien
Qu'ele l'aimme sor tote rien,	qu'elle l'aime par-dessus toute chose
Et il li tant que plus ne puet.	et lui elle, on ne peut plus.

(1) Vv. 3715-3723.
(2) Vv. 3765-3769.

Le monotone duel s'engage, écus rompus, hauberts démaillés, lances brisées, les épées faisant jaillir des heaumes qu'elles frappent des étincelles. Énide, éperdue, se tord les mains, se tire les cheveux, verse toutes ses larmes. De tierce à none, c'est-à-dire de neuf heures du matin à trois heures de l'après-midi, dure la bataille, jusqu'à ce que l'adversaire ait, sur le bouclier d'Érec, brisé son épée. Le vainqueur le poursuit, l'autre crie merci et, sur l'injonction de celui qui le menace, il se nomme : c'est Guivret le petit, roi des Irlandais, qui s'émerveille, quand le fils du roi Lac s'est nommé à son tour, et qui s'offre à devenir son vassal. Érec accepte, à condition seulement que Guivret lui promette son aide, si jamais il en est sollicité. Les adversaires se réconcilient sur le terrain et échangent le baiser de paix. Ayant étanché son sang avec un des pans de la chemise de son adversaire, le héros se remet à la voie, jusqu'à ce qu'il arrive près d'une forêt giboyeuse, où Arthur et sa cour sont allés chasser. A un charme, Gauvain a attaché son cheval, appelé Gringalet, un écu à ses armes et sa lance de frêne. Ké le sénéchal s'en empare par jeu et, s'étant éloigné en cet équipage, il rencontre Érec qui ne se laisse pas tromper par cet accoutrement et le reconnaît, tandis que l'écu bosselé et déteint, la ventaille, la guimpe qu'Énide a abaissée sur son visage contre la poussière et le hâle, les rendent tous deux méconnaissables. Ké les invite d'abord à le suivre auprès d'Arthur, et comme Érec s'y refuse, il veut l'y entraîner de force. S'ensuit une brève mêlée, au cours de laquelle Ké est abattu d'un coup de bois de lance, puis va conter sa mésaventure au roi, qui envoie Gauvain lui-même au-devant de l'inconnu. L'invitation ne trouve pas meilleur accueil, mais Gauvain a mandé à Arthur d'avancer ses tentes, et Érec s'y trouve en quelque sorte pris au piège ; alors il se nomme, Gauvain soulève le heaume, délace la ventaille et l'embrasse ainsi qu'Énide. Arthur et Guenièvre leur font fête aussi. Le roi panse lui-même les plaies avec un onguent que lui a donné la fée Morgue sa sœur. Mais, le lendemain, impossible de retenir le blessé qui s'obstine à poursuivre la rude aventure sur laquelle il ne s'explique pas. Ayant quitté la cour, il pénètre dans une forêt, où il entend une jeune fille crier au secours. Il quitte sa femme, lui ordonnant de ne pas le suivre et trouve une pucelle pleurant, parce que deux géants venaient de lui enlever son ami. Le preux n'hésite pas, et, les suivant à la trace, ne tarde pas à les atteindre. Ils sont armés de massues et de fouets avec **lesquels** ils battaient leur prisonnier, déchaussé, juché sur une **bête de** somme, les mains liées comme un malfaiteur. Érec les défie, frappe le premier dans l'œil et lui passe sa lance à travers la tête, puis, d'un coup d'épée, fend l'autre en deux. Nous sommes ici plus près d'un *gab*, nous dirions aujourd'hui d'une « galéja de » de la *Chanson du Pèlerinage de Charlemagne*, que de la réalité. Le délivré, qui s'appelle Cadoc de Tabriol, ne se tient plus de joie et ira avec sa maîtresse raconter au roi Arthur le nouvel exploit d'Érec, qui va rejoindre son Énide, mais, par l'effort, les plaies se sont rouvertes et, tout sanglant et pâmé, il s'abat à ses pieds. Elle, au comble du désespoir, à son tour se pâme sur lui, puis, revenue à elle, s'accuse d'être cause de la mort de son cher seigneur (1) :

Devant son seignor s'est assise,	Devant son époux elle s'est assise,
Et met sor ses genouz son chief.	la tête de celui-ci sur ses genoux,
Son duel comance de rechief :	et commence à nouveau sa plainte :
« Ha », fet ele, « con mar i fus,	« Ah ! » fait-elle, « que tu as été infortuné,
Sire, cui parauz n'estoit nus ;	Seigneur, qui n'avais point ton pareil.
Qu'an toi s'estoit biautez miree,	En toi s'était mirée Beauté,
Proesce s'i iert esprovee,	en toi Prouesse éprouvée,
Savoirs t'avoit son cuer doné,	Sagesse t'avait donné son cœur,
Largesce t'avoit coroné,	Largesse t'avait couronné,
Cele sanz cui nus n'a grant pris.	sans laquelle nul n'a grand'valeur.
Mes qu'ai je dit ? Trop ai mespris,	Mais qu'ai-je dit ? J'ai trop péché,
Qui la parole ai manteüe,	moi qui ai prononcé la phrase
Dont mes sire a mort receüe,	qui a frappé mon seigneur à mort,
La mortel parole antoschiee,	cette mortelle parole empoisonnée
Qui me doit estre reprochiee ;	qui me doit être reprochée ;
Et je reconois et otroi	car je reconnais et j'accorde
Que nus n'i a coupes fors moi.	que nul n'est coupable que moi ;
Je sole an doi estre blasmee ».	seule j'en dois être blâmée ».
Lors rechiet a terre pasmee ;	Lors, pâmée, elle retombe à terre.
Et quand ele releva sus,	Quand elle se relève,
Si se rescrie plus et plus :	elle s'écrie de plus en plus :
« Deus, que ferai ? Por quoi vif tant ?	« Dieu, que faire ? Pourquoi vivre tant ?
Morz que demore et que atant,	La mort que tarde-t-elle ? qu'attend-elle ?
Que ne me prant sanz nul respit ?	Que ne me prend-elle sans nul répit ?
Trop m'a la morz an grant despit !	La mort me méprise donc tant !
Quant ele ocirre ne me daingne,	Puis qu'elle ne daigne pas me tuer,
Moi meïsme estuet que je praingne	il faut que je tire moi-même
La vanjance de mon forfet.	vengeance de mon crime ?
Einsi morrai, mal gre an et	Ainsi je mourrai, en dépit qu'en ait
La morz qui ne me viaut eidier.	la mort, qui ne me veut assister.
Ne puis morir por soheidier,	Mais je ne puis mourir par mes souhaits,
Ne rien ne m'i vaudroit conplainte.	rien ne me sert de me plaindre.
L'espee que mes sire a çainte,	L'épée que mon seigneur a ceinte

1) Vv. 4632-4671.

Doit par reison sa mort vangier... »   doit à bon droit venger sa mort... »
L'espee fors del fuerre tret,   Elle tire l'épée du fourreau
Si la comance a regarder.   et se met à la contempler.
Deus la fist un po retarder,   Dieu la fait un peu tarder,
Qui plains est de misericorde.   étant plein de miséricorde.

Tandis qu'elle se remémore sa douleur et son malheur, voilà que passe un chevalier, qui l'a entendue de loin crier et pleurer ; il s'empresse de lui arracher l'épée des mains et lui demande, montrant le blessé étendu, si elle est sa femme ou son amie. L'un et l'autre, répond-elle. Et le comte de la consoler (1) :

— Dame, — fet-il, — por Deu vos pri,   — Madame, je vous en prie pour Dieu,
De vos meïsme aiiez merci !   — fait-il, — ayez pitié de vous-même !
Bien est reisons que duel aiiez...   Il est légitime que vous ayez du chagrin...
Confortez vos ! ce sera sans.   Mais consolez-vous, vous ferez bien.
Deus vos fera liee par tans.   Dieu, à la longue, vous rendra la joie :
Vostre biautez, qui tant est fine,   votre beauté, qui est si précieuse,
Buene avanture vos destine ;   vous destine belle aventure,
Que je vos recevrai a fame,   car je vous prendrai pour femme,
De vos ferai contesse et dame.   je vous ferai dame et comtesse ;
Ce vos doit mout reconforter ;   voilà qui doit vous consoler.
Et j'an ferai le cors porter,   Et je ferai emporter le corps
S'iert mis an terre a grant enor...   et ensevelir avec de grands honneurs.
Cele respont : « Sire, fuiiez !   Elle répond : « Arrière, seigneur,
Por Deu merci, leissiez m'ester.   par la grâce de Dieu, laissez-moi,
Ne poez ci rien conquester.   vous n'avez rien à conquérir ici.
Riens qu'an poïst dire ne feire,   Rien de ce que vous pourriez dire et faire,
Ne me porroit a joie atreire. »   ne me pourrait inciter à la joie. »

J'ai déjà observé que cette brusque invitation au mariage, adressée à une veuve ou à une femme que l'on croit telle, est moins choquante au moyen âge qu'à une autre époque, parce qu'il importe de ne pas laisser le fief tomber en quenouille. Sur une litière improvisée, les chevaliers emportent le corps au château de Limors, où ils se proposent de l'enterrer. Énide continue à se lamenter, souvent elle tombe en pâmoison, on la relève, et le cortège poursuit sa marche jusqu'au palais. Sur une table au milieu de la salle, est déposé le corps avec, auprès de lui, la lance et le bouclier. Pendant ce temps le comte mande son chapelain, qui le marie à la dame, malgré ses protestations. De force il l'assied à table et s'essaie à la consoler (2) :

(1) Vv. 4691-4712.
(2) Vv. 4790-4876.

— Dame—, fet il, — il vos estuet
Cest duel leissier et obliër.
Mout vos poez an moi fiër
D'enor et de richesce avoir.
Certainement poez savoir
Que morz hon per duel ne revit ;
Qu'onques nus avenir nel vit.
Sovaingne vos de quel poverte
Vos est granz richesce aoverte...
N'est pas fortune anvers vos chiche,
Qui tel enor vos a donee
Qu'or seroiz contesse clamee.
Voirs est que morz est vostre sire :
Se vos an avez duel et ire,
Cuidiez vos que je m'an mervoil ?
Naie. Mes je vos doing consoil,
Le mellor que doner vos sai.
Quant je espose vos ai,
Mout vos devez esleecier.
Gardez vos de moi correcier !
Mangiez, que je vos an semoing. —
Cele respond : « Sire, n'ai soing.
Certes ja tant con je vivrai,
Ne mangerai ne ne bevrai,
Se je ne voi mangier einçois
Mon seignor qui gist sor cel dois. »
— Dame, ce ne puet avenir.
Por fole vos feites tenir,
Quant vos si grant folie dites.
Vos an avroiz males merites,
S'ui mes vos an feites semondre.
Cele mot ne li vost respondre,
Qui rien ne prise sa menace ;
Et li cuens la fiert an la face.
Cele s'escrie, et li baron
Le conte blasment anviron.
« Ostez, sire ! », font il au conte.
« Mout devriiez avoir grant honte,
Qui ceste dame avez ferue
Por ce que ele ne manjue.
Trop grant vilenie avez feite.
Se ceste dame se desheite
Por son seignor qu'ele voit mort,
Nus ne doit dire qu'ele et tort ».
— Teisiez vos an tuit —, fet li cuens,
— La dame est moie, et je sui suens,
Si ferai de li mon pleisir. —
Lors ne se pot cele teisir,
Einz jure que ja soie n'iert.
Et li cuens hauce, si refiert,

— Madame —, fait-il, — il vous faut
quitter et oublier ce deuil.
Vous pouvez vous fier à moi
pour acquérir honneur et richesse.
Vous devez bien savoir
que la douleur ne ressuscite pas un mort,
car personne n'a jamais vu arriver cela.
Qu'il vous souvienne de quelle pauvreté
vous pouvez passer à grande richesse.
La fortune n'est pas chiche envers vous,
puisqu'elle vous a donné l'honneur
d'être bientôt appelée comtesse.
Il est vrai que votre mari est mort.
Si vous en avez douleur et chagrin,
croyez-vous que je m'en étonne ?
Non ! mais, je vous donne le conseil
le meilleur que je sache.
Puisque je vous ai épousée,
vous devez-vous réjouir beaucoup.
Gardez-vous de me courroucer.
Mangez, car je vous y invite. —
Elle répond : «Seigneur, je n'en ai cure.
Je jure que, tant que je vivrai,
je ne mangerai ni ne boirai,
si je ne vois manger avant
mon seigneur, qui gît sur cette table. »
— Madame, cela ne peut arriver.
Vous vous faites tenir pour folle.
quand si grande sottise dites.
Vous aurez mauvais récompense.
si vous vous faites prier davantage.
Elle ne voulut plus mot répondre,
ne faisant cas de sa menace.
Le comte la frappe au visage.
elle crie et les barons
blâment le comte alentour :
« Arrière, seigneur ! » disent-ils au comte,
« vous devriez avoir grand'honte
d'avoir ainsi frappé cette dame
parce qu'elle ne mange point.
Vous avez fait grand'vilenie.
Si cette dame se désespère
à cause de son seigneur qu'elle voit mort,
personne ne doit l'en blâmer ».
— Taisez-vous tous, — fait le comte,
—la dame est mienne, et je suis sien,
et je ferai d'elle mon plaisir. —
Alors elle ne put plus se taire
mais jure qu'elle ne sera pas sienne.
Le comte lève le bras, refrappe

Et cele s'escria an haut.
« Ha ! fel », fet ele, « ne me chaut
Que tu me dies ne ne faces !
Ne criem tes cos ne tes menaces.
Assez me bat, assez me fier !
Ja tant ne te troverai fier
Que por toi face plus ne mains,
Setu or androit a tes mains
Me devoies les iauz sachier
Ou trestote vive escorchier ».
Antre ces diz et cez tançons
Revint Erec de pasmeisons
Aussi con li hon qui s'esvoille.
S'il s'esbaï, ne fu mervoille,
Des janz qu'il vit anviron lui ;
Mes grant duel ot et grant enui,
Quant la voiz sa fame antandi.
Del dois a terre desçandi,
Et tret l'espee isnelemant.
Ire li done hardemant,
Et l'amors qu'a sa fame avoit.
Cele part cort ou il la voit,
Et fiert parmi le chief le conte
Si qu'il l'escervele et esfronte
Sans desfiance et sanz parole ;
Li sans et la cervele an vole.
Li chevalier saillent des tables,
Tuit cuident que ce soit deables,
Qui leanz soit entr'aus venuz.
N'i remaint juenes ne chenuz...
Et criënt tuit, et foible et fort
« Fuiiez, fuiiez ! vez ci le mort ! »

et elle crie à haute voix.
« Ah ! traître », fait-elle, « peu m'importe
ce que tu dises ou que tu fasses.
Je ne crains ni tes menaces ni tes coups.
Bats-moi, frappe-moi, à ton aise !
Je ne te trouverai pas si terrible
que je fasse plus cas de toi,
quand même sur-le-champ, de tes mains,
tu me devrais arracher les yeux
ou écorcher toute vive ».
Pendant ces paroles et cette dispute
Érec revient de son évanouissement,
ainsi qu'un homme qui s'éveille.
Rien de surprenant à ce qu'il s'étonne
des gens qu'il voit autour de lui ;
mais il a grand chagrin et grand émoi,
quand il entend la voix de sa femme.
De la table il descend à terre
et vivement tire l'épée.
La douleur lui donne courage
Et l'amour qu'il avait pour sa femme.
Il court là où il la voit,
et frappe le comte à la tête,
au point qu'il lui brise crâne et front,
sans l'avoir défié ni interpellé.
Le sang et la cervelle en giclent.
Les chevaliers se lèvent de table,
tous croient que c'est le diable,
qui est venu là entre eux.
Ni jeunes ni vieux ne demeurent
et tous crient, forts et faibles :
« Fuyez ! Fuyez, voici le mort...! »

Érec prend son écu et sa lance, avise dehors un destrier tout harnaché, qu'un valet mène à l'abreuvoir, met celui-ci en fuite ; et monte en selle, tandis qu'Énide, prenant l'étrier, saute sur l'encolure ; les voilà bientôt au large (1) :

Et Erec, qui sa fame an porte,
L'acole et beise et reconforte.
Antre ses braz contre son cuer
L'estraint et dit : — Ma douce suer,
Bien vos ai de tot essaiee !
Ne soiiez de rien esmaiee,
Qu'or vos aim plus qu'einz mes ne fis,
Et je resui certains et fis,

Érec, qui emporte sa femme,
l'accole, l'embrasse et la console.
Entre ses bras contre son cœur
il l'étreint et dit : — Ma douce sœur,
Je vous ai assez éprouvée !
Ne craignez plus rien,
car je vous aime plus que jamais,
et je suis de mon côté certain et sûr

(1) Vv. 4915-4936.

Que vos m'amez parfitemant.
Tot a vostre comandemant
Vuel estre des or an avant,
Aussi con j'estoie devant.
Et se vos rien m'avez mesdite,
Je le vos pardoing et claim quite
Del forfet et de la parole. —
Adons la rebeise et acole.
Or n'est pas Enide a maleise,
Quant ses sire l'acole et beise,
Et de s'amor la rasseüre.
Par nuit s'an vont grant aleüre,
Et ce lor fet grant soatume
Que la lune cler lor alume.

que vous m'aimez parfaitement.
Tout à votre volonté
je veux être dorénavant
comme je l'étais naguère,
et si vous avez mal parlé de moi,
je vous le pardonne et vous tiens quitte
de la faute et de la parole. —
Alors la rebaise et l'accole.
Énide n'est pas malheureuse
que son seigneur l'accole et l'embrasse
et de son amour à nouveau l'assure.
Par la nuit s'en vont à toute allure
et ce leur est grande douceur
que la lune si brillamment les éclaire.

Nous verrions volontiers finir ici le roman et rentrer les deux époux réconciliés en leur royaume de Lac, où ils couleraient des jours heureux et auraient, comme dans les contes de fées, beaucoup d'héritiers, mais la loi du genre ne le veut pas ainsi. Le moyen âge est un grand enfant qui demande toujours « et puis après ? » et qu'on ne satisfait que par de nouvelles aventures, plus extraordinaires et plus invraisemblables que les précédentes. Chrétien, en conteur avisé, connaît à merveille les goûts et les besoins de son auditoire et de ses lectrices de la Chambre des Dames, qui, dans les longues veillées du château, ont le temps d'écouter en brodant ou en filant, et il s'entend à tenir leur curiosité en éveil. Il est encore trop tôt pour conclure.

Guivret le petit, que l'on n'a pas oublié, a ouï-dire qu'un chevalier errant avait été trouvé mort dans la forêt et, auprès de lui, une dame si belle qu'Iseut eût paru sa servante et que, recueillie par le comte Oringle de Limors, elle est convoitée par lui comme épouse. Guivret se met en tête de la lui disputer, car il a deviné de qui il s'agit. Il chevauche donc vers Limors avec ses chevaliers. Vers minuit Érec les aperçoit et, se méfiant, fait descendre Énide et la cache derrière une haie, mais va, lui, bravement, malgré sa fatigue, à leur rencontre. Sans se nommer, Guivret et lui foncent l'un sur l'autre et joutent. Singulière façon de faire connaissance ou de se reconnaître. La lutte est inégale, car l'un est affaibli, l'autre est fort, et Érec vide les arçons. L'épouse voyant son seigneur à terre, sort de sa cachette pour lui venir en aide, et reproche vivement à l'adversaire d'avoir attaqué un homme blessé et sans force. Guivret la rassure, elle se nomme. Aussitôt de se précipiter vers son ami, qui lui pardonne, et de lui offrir l'hospitalité dans son château de Penevric où ses sœurs le guériront. Quand au bout de quinze jours ce fut chose faite, les deux époux purent jouir de leur bonheur retrouvé et oublier leurs longues épreuves. Bientôt, en riche appareil, comblés de cadeaux, d'armes, de chevaux, et suivis par Guivret, ils se remettent en route. Chemin faisant, ils arrivent devant un somptueux château fort dont les murailles sont protégées par des fossés à l'eau profonde, c'est Brandiganz, qui appartient au roi Évrain. Érec s'y veut arrêter, son ami Guivret l'en détourne ; on y trouverait la mort, car nul n'est revenu de l'aventure qu'on y courait. Comment s'appelle cette aventure ? insiste Érec. « *La Joie de la Cour*», lui est-il répondu. Il n'en faut pas plus pour exciter la batailleuse envie du preux et éveiller en lui le désir de faire triompher sa bravoure, là où les autres ont rencontré leur fin. Le nom seul est déjà fait pour l'attirer (1) :

Riens ne me porroit retenir	Rien ne me pourrait retenir
Que je n'aille querre la JOIE.	d'aller chercher la JOIE.

Ils passent les barrières et le pont ; la foule, autour d'eux, s'assemblant dans les rues, admire la beauté d'Érec (2) :

Tuit an consoillent et parolent ;	Tous en parlent à basse voix ;
Nes les puceles qui querolent	même les jeunes filles qui dansent
Lor chant an laissent et retardent.	cessent leur chant et s'arrêtent.
Totes ansamble le regardent	Toutes ensemble le regardent
Et de sa grant biauté se saingnent	et, voyant sa beauté, se signent
Et a grant mervoille le plaingnent.	et le plaignent extraordinairement.
An bas dit l'une a l'autre : « Lasse !	L'une dit à l'autre tout bas : « Hélas !
Cist chevaliers qui par ci passe	Ce chevalier, qui passe par ici,
Vet a la JOIE DE LA CORT.	va à la JOIE DE LA COUR.
Dolanz an iert einz qu'il s'an tort ;	Il lui coûtera avant qu'il n'en revienne ;
Onques nus ne vint d'autre terre	jamais personne ne vint d'une autre terre
La JOIE DE LA CORT requerre	rechercher la JOIE DE LA COUR,
Qui n'i eûst honte et domage	sans avoir dommage ni honte,
Et n'i leissast la teste an gage ».	ni y laisser sa tête en gage. »
Aprés por ce qu'il l'antande	Ensuite, et pour qu'il l'entende,
Diënt an haut : « Deus te defande,	elles disent tout haut : « Dieu te défende,
Chevaliers ! de mesavanture ;	chevalier, de toute mésaventure,
Car mout es biaus a desmesure,	car tu es beau excessivement
Et mout fet ta biautez a plaindre ;	et ta beauté est bien à plaindre,
Car demain la verrons estaindre.	car demain nous la verrons éteinte.
A demain est ta morz venue ;	Demain sera ta mort venue,
Demain morras sanz atandue,	demain tu mourras sans rémission,
Se Deus ne te garde et defant. »	si Dieu ne te garde et défend. »

(1) Vv. 5472-5473.
(2) Vv. 5503-5525.

Érec les entend, mais n'en tremble point. Le roi Évrain fait fête
à lui et à sa suite. Après souper, son invité lui demande *la Joie
de la Cour*. En vain essaie-t-on de l'en détourner, mais plus
l'aventure est dangereuse, plus il la désire. Le lendemain, au
grand désespoir de sa femme, Érec revêt les belles armes nouvelles que lui a envoyées Évrain. Celui-ci, suivi d'une foule apeurée,
l'accompagne jusqu'au verger merveilleux que protège par nigromance une invisible muraille d'air. Hiver et été les fruits y sont
mûrs et ne se laissent pas emporter, les oiseaux y chantent, disant
la joie à laquelle aspire le conquérant, mais, sur des pieux, brillent
des heaumes et, sous chaque heaume, grimace un crâne. Un seul
pieu est encore vide, attendant sa garniture, un cor d'ivoire y est
suspendu dont personne n'a jamais pu sonner. Le roi et sa
suite laissent Érec, qui prend congé d'Énide qu'il réconforte.
Demeuré seul, le héros s'avance et, sous un sycomore, trouve une
pucelle couchée sur un lit d'argent couvert d'un drap brodé d'or,
plus belle que Lavine de Laurente (encore un souvenir de l'*Eneas*).
Pour la protéger contre l'intrus, s'avance un chevalier très
grand, aux armes vermeilles, qui le menace et le défie. Bataille ;
ils se désarçonnent l'un l'autre, puis continuent le combat à
pied jusqu'à ce que le chevalier géant soit à terre et que son adversaire l'ait forcé à lui révéler *la Joie de la Cour*. A la jeune
fille qui est là étendue, il promit jadis de demeurer près d'elle
en ce verger, jusqu'à ce qu'il fût vaincu par un de ceux qui y
entraient pour chercher aventure. Qui peut rien refuser à son
amie ? Elle voulait le garder ; elle le garda, et il avait combattu
pour elle franc jeu. Lui, Mabonagrain, relevé désormais de son
serment, le roi Évrain, son oncle, en aura grande joie ; c'est
pourquoi l'épreuve est appelée : *La Joie de la Cour*, mais, pour
qu'elle éclate, il faut encore sonner du fameux cor ; Érec le fait
et, de loin, Énide, Guivret, Évrain, le peuple entier, se réjouissent. Les dames composent un lai qu'elles appellent : *le lai de
Joie* (1). Il n'y en a qu'une qui se désole, c'est la pucelle du lit
d'argent, privée de son amant, mais Énide, bonne âme, va la
consoler et reconnaît en elle une sienne cousine (il faut, comme
Érec, ne s'étonner de rien). Tout est en liesse et la foule en
fête (2) :

---

(1) V. 6188. Chrétien ajoute : « Mes n'est gueires li lais seüz » [su, con-
nu] ; il n'a peut être jamais existé.
(2) Vv. 6382-6384.

Rotes, harpes, viëles sonent,   Rotes, harpes, vielles sonnent
Gigues, sautier, et sinfonies   violons, psaltérions, cifoines (1)
Et tres totes les armonies   et toutes les harmonies
Qu'an poïst dire ne nomer.   qu'on pourrait dire et nommer.

Après trois jours de réjouissances, Érec, Guivret et Énide prennent congé d'Évrain, et, au bout de plus d'une semaine, arrivent à Robais, où Arthur et Guenièvre séjournent avec cinq cents chevaliers seulement. Ils font grand accueil aux arrivants et se font raconter de point en point par le héros ses aventures (2) :

Des trois chevaliers qu'il conquist,   des trois chevaliers qu'il vainquit
Et puis des cinc, et puis del conte   et puis des cinq et puis du comte,
Qui li vost feire si grant honte,   qui voulut lui faire si grande honte
Et puis des deux jaianz aprés...   et puis des deux géants après...
Jusque là ou il esfronta   jusqu'au moment où il brisa le front
Le conte Oringle de Limors.   au comte Oringle de Limors.

Récapitulation qui n'est pas superflue, mais que l'auteur déclare cependant ne pas vouloir plus complète. Après un assez long séjour à la cour à Tintaguel, aujourd'hui Tintagel en Cornouailles (3), Érec apprend la mort de son père, et Arthur promet d'aller à Noël le couronner à Nantes en Bretagne, où viennent aussi les parents d'Énide (4) :

De mainte diverse contree   Et de mainte diverse contrée
I ot contes et dus et rois,   y eut comtes, ducs et rois,
Normanz, Bretons, Escoz, Irois ;   Normands, Bretons, Ecossais, Irlandais.
D'Angleterre et de Cornoaille   D'Angleterre et de Cornoaille
I ot mout riche baronaille ;   y vinrent maints riches barons ;
Que des Galles jusqu'an Anjo,   du Pays de Galles jusqu'en Anjou,
Ne el Mainne ne an Peïto   du Maine ni du Poitou,
N'ot chevalier de grant afeire   n'y eut chevalier de haute extraction,
Ne jantil dame deboneire,...   ni gentille dame courtoise...
Ne fussent a la cort a Nantes.   qui ne fussent à la cour de Nantes.

Je ne crois pas qu'on ait déjà remarqué que tous les noms cités là se rapportent aux États de la monarchie anglo-angevine des Plantagenets, au royaume d'Henri II Plantagenet et d'Éléonore, dont Chrétien semble vouloir ici faire ressortir la puissance et s'acquérir la sympathie, mais Philippe-Auguste Becker a fait

(1) Instrument à cordes. Cf. Gérold, article cité plus haut, p. 129.
(2) Vv. 6488-6495.
(3) On verra une image de ses ruines dans *L'Histoire illustrée de la Littérature française*, de Bédier et Hazard, t. I, p. 23.
(4) Vv. 6644-6654.

observer que cette description des noces célébrées à Nantes s'appliquait tout à fait au couronnement dans cette ville de Godefroy, frère d'Henri II, en 1158 (1), cérémonie à laquelle notre auteur aurait pu assister et dont il se serait inspiré ici. Je doute cependant qu'Henri y fît d'aussi larges distributions qu'Arthur et le romancier les propose en exemple et en invite à la générosité des princes (2) :

Or oez, se vos comandez,	Or écoutez, si vous voulez
La grant joie et la grant hautesce,	la grande joie et solennité,
La seignorie et la richesce,	l'éclat et la richesse
Qui a la cort fu demenee.	qui s'étalèrent à la cour.
Einçois que none fust sonee,	Avant que trois heures aient sonné,
Ot adobé li rois Artus	le roi Arthur avait armé
Quatre çanz chevaliers et plus,	quatre cents chevaliers et plus,
Toz fiz de contes et de rois.	tous fils de comtes et de rois.
Chevaus dona a chascun trois,	A chacun il donna trois chevaux
Et robes a chascun deus peire	et à chacun deux paires de deux robes,
Por ce que sa corz miaudre apeire.	pour faire figure en sa cour.
Mout fu li rois puissanz et larges :	Le roi était puissant et généreux.
Ne dona pas mantiaus de sarges,	Ce ne fut pas manteaux de serge
Ne de conins ne de brunetes,	ni de peau de lapin ni de bure
Mes de samiz et d'erminetes,	qu'il donna, mais de samit et d'hermine,
De ver antiers et de diaspres,	de pur petit gris et de soie brochée,
Listez d'orfrois roides et aspres.	bordés de raide orfroi.
Alixandres, qui tant conquist,	Alexandre le conquérant,
Qui soz lui tot le monde mist	qui soumit le monde entier
Et tant fu larges et tant riches,	et fut si large et si riche,
Vers cestui fu povres et chiches.	à côté de lui était chiche et pauvre.
Cesar, l'anperere de Rome,	César, l'empereur de Rome,
Et tuit li roi que l'an vos nome	et tous les rois que l'on vous nomme
An diz et an chançons de geste,	dans les poèmes et chansons de geste,
Ne dona tant a une feste	ne donna tant en une fête
Come li rois Artus dona	que le roi Arthur donna
Le jor que Erec corona.	le jour où il couronna Érec.

Tout en avouant la difficulté de la description de ce couronnement, Chrétien veut la tenter en s'inspirant de Macrobe (3). Il peint les deux fauteuils d'ivoire et d'or, don de Bruiant des Isles, et qui vont servir à Arthur et à Érec, la robe de moire de celui-ci, où quatre fées ont peint géométrie, qui mesure le monde, arithmétique qui mesure les jours, la musique qui préside aux

(1) Cf. le Kristian von Troyes *Wörterbuch*, de Foerster, p. 56*.
(2) Vv. 6656-6682.
(3) Cf. l'article de St. Hofer dans la *Zeitschrift für romanische Philologie*, 1928, pp. 130-131.

chants et déchants, aux instruments et aux jeux, l'astronomie
qui lit notre destin dans les étoiles. La doublure est fourrée de bar-
bioletes, singulières petites bêtes, à la tête vermeille, au dos
rouge, au ventre vert et à la queue bleue, venues directement de
l'*Éneas*. Le manteau n'est pas moins riche avec son col aux
attaches enrichies de chrysolites et d'améthystes montées sur
or. Guivret et Gauvain vont chercher Énide, que la reine Guenièvre habillait. Arthur pose sur le front des nouveaux souverains
des couronnes d'or massif, rehaussées d'escarboucles, plus écla-
tantes que la clarté de la lune. L'évêque de Nantes leur donne
l'onction, Arthur met dans la main d'Érec un sceptre fait d'une
émeraude unique ; puis ils entendent la messe à l'église cathédrale, d'où une procession, accompagnant de saintes reliques,
vient à leur rencontre. La foule est telle que seules les dames et
les chevaliers peuvent trouver place dans la nef, où les vilains
ne réussissent pas à entrer, non plus que dans le roman. Le cortège revient au palais (1), où plus de cinq cents tables sont
dressées, « ou plutôt », rectifie le conteur, « car vous ne me croiriez pas, il y eut cinq salles pleines de tables, à chacune desquelles étaient assis cent chevaliers, présidés par un roi ou un
duc ou un comte ». La fête terminée, le roi quitte cette assemblée de rois, de ducs, de comtes, de hautes et menues gens, non
sans les avoir encore, dernière allusion finale, comblés de
cadeaux (2) :

Mout lor ot doné largemant	Il leur donna très largement
Chevaus et armes et arjant,	chevaux et armes et argent,
Dras et pailes de mainte guise,	draps et soies de mainte façon,
Por ce qu'il iert de grant franchise	parce qu'il était de grande noblesse
Et por Erec qu'il ama tant.	et en faveur d'Érec qu'il aimait tant.
Li contes fine ci a tant.	Ici finit le conte.

Comme Chrétien je m'excuse d'une si longue description et
d'une trop minutieuse analyse, mais quand il s'agit d'œuvres si
peu connues, du moins en France, il faut d'abord en pénétrer le
contenu avant d'en examiner la valeur.

Ce qu'il importe d'abord de mettre en relief, c'est qu'*Érec et*

(1) St. Hofer, dans la *Zeitschrift für romanische Philologie*, 1928, pp. 131-133,
croit reconnaître dans cette description la topographie de Nantes, ce qui
confirmerait l'hypothèse de Ph.-Aug. Becker d'un séjour de Chrétien dans
cette ville, où il aurait même peut-être composé *Erec et Enide*, et pris contact
avec la matière de Bretagne. La visite des lieux me rallie à sa thèse.
(2) Vv. 6953-6958 et dernier.

Enide, malgré l'incertitude relative qui subsiste au sujet de sa date, est, peu de temps après 1160, ou plus exactement entre 1160 et 1164, le premier roman du cycle breton, le premier récit par conséquent dont les héros ont pour pôle magnétique la cour d'Arthur, d'où ils s'éloignent, où ils passent, et où ils reviennent. Figure un peu inconsistante que celle de ce souverain, mais qui emprunte sa grandeur à celle des héros dont il s'environne et qui est comme le parangon de l'honneur, le centre et l'aboutissant de la prouesse. Il est au *conte d'aventure* (on se rappelle cette expression qui apparaît pour la première fois au vers 13 d'*Érec*) ce que Charlemagne est à la chanson de geste, moins agissant qu'agi, moins héros qu'inspirateur et juge de l'héroïsme. A côté d'Arthur, sa femme Guenièvre ne fait, dans *Érec* du moins, ni meilleure ni pire figure. Elle est souveraine tout simplement et parangon de courtoisie, comme son époux l'est d'honneur et de bravoure, mais elle n'a pas encore autrement d'importance ; elle en aura une dans *Lancelot*.

Ils trônent dans la grande salle, ou sous les loges qui l'entourent, ou dans leur tente aux lisières des forêts, dans la lande ou dans les essarts, sur lesquels fleurissent le plus volontiers les genêts d'or de la légende, suscitée par l'évocation de la fée Morgue, sœur d'Arthur (v. 1957) ou par l'apparition, aux noces d'Érec, du roi des géants et du roi des nains. Tous les héros, depuis Gauvain, Yvain, Tristan *qui jamais ne rit*, jusqu'à Érec, ont, eux aussi, quelque chose de fantastique car, si leur bravoure peut à la rigueur être celle que déployaient en mille rencontres les croisés, leur invulnérabilité aux plus rudes coups, leur incroyable résistance aux blessures et à la fatigue tient du prodige, mais surtout l'*aventure* qui s'offre sans cesse à eux pour faire l'exercice et l'essai de cette bravoure, nous transpose dans le fantastique. Je ne parle pas de ces magnanimes brigands qui, embusqués par groupes de trois ou de cinq, ont toujours cependant la générosité et le bon goût de n'attaquer le chevalier errant que, un à un, pour se faire battre congrûment en toute loyauté, ni de ces deux géants armés de massues qu'affronte notre héros et qu'il pourfend avec son épée comme avec une cognée de bûcheron, mais du caractère légendaire de l'aventure qui nous reporte toujours dans le plus lointain passé.

C'est même un des éléments sur lesquels les historiens ont le plus insisté et beaucoup trop insisté, le caractère folklorique (1),

(1) Voir Van Gennep, le *Folklore*, Paris, Stock, 1924; in-12.

de l'*aventure* chez Chrétien, son mystère qui plonge dans la nuit des temps, mais dont lui, n'étant ni folkloriste, ni sociologue comparatiste, a moins bien que nous compris le secret. Il n'y a vu que l'imprévu, l'irréel et le merveilleux, nous y voyons le traditionnel et nous cherchons à y retrouver les rites lointains des anciens âges, les croyances celtiques aux royaumes de l'au-delà d'où ne reviennent que l'élu et celles que sa bravoure délivre ; nous y trouvons, comme dans les contes de la Mère l'Oie, les premiers bégaiements de l'imagination primitive, créatrice de faciles symboles, et en communication directe avec la nature dont elle tente de pénétrer les lois, de forcer les secrets, d'asservir les puissances. Que représente à cet égard, au début d'*Erec*, la chasse du Blanc Cerf, qui donne à celui qui l'a conquis le droit d'embrasser la plus belle, quel rite d'enlèvement ou de prélèvement rappelle-t-elle ? Nous ne savons ! Et à parler franc, du point de vue de l'analyse littéraire et intrinsèque de l'œuvre, il importe peu de le savoir. Quel est le sens de la conquête de l'Épervier par la plus belle, nous ne savons non plus, mais nous pouvons bien rapporter *la Joie de la Cort* (1) aux contes de la princesse gardée par un géant et délivrée par un preux, ou peut-être même à quelque légende de la mort, apparentée à celle d'Orphée délivrant Eurydice, de Démêter et de Perséphone, autrement dit à quelque mythe d'hiver et de printemps, de mort et de résurrection, mais, à l'inverse des philologues de l'âge précédent, il convient de ne pas y insister, car Chrétien n'en a eu nulle connaissance (2). A son accoutumée, il ramasse les matériaux celtiques ou antiques (à ces derniers on n'a pas accordé assez d'attention) épars dans un ou plusieurs *lais* entendus de ses ennemis les jongleurs, des vilains ignorants de l'art de narrer ou qui racontent pour de l'argent, mais qui ne savent pas comme lui orner la matière.

Et c'est qu'en effet Chrétien a singulièrement transformé ce qui était à l'origine un tissu de récits pseudo-historiques, de légendes, de contes de fées et d'histoires de géants, en un *roman à thèse* et c'est là, sans doute, plus que dans l'introduction de la matière celtique, pour laquelle Marie de France, Gautier d'Arras, Béroul, Thomas, ou des *lais* anonymes eussent à la rigueur suffi, que réside sa véritable originalité.

(1) Cf. PHILIPOT, *Un épisode d'Erec et d'Enide, la Joie de la Cour*, dans *Romania*, XXV, 1896, pp. 258-294.
(2) Sur les rapports de cet épisode avec Le Bel Inconnu, *Li biaus Desconneüs* de Renaut de Beaujeu, v. l'éd. Perrie Williams, Oxford, Fox, 1915, in-8°, pp. XXXIX-XL.

Sans doute on peut lui reprocher de n'avoir pas suffisamment individualisé ses personnages. Érec est *le* chevalier sans peur et sans reproche, audacieux jusqu'à la témérité, dur jusqu'à l'insensibilité, amoureux jusqu'à l'oubli de la prouesse, libérateur des jeunes filles opprimées, soit qu'il leur rende leur amant perdu ou les débarrasse de leur tyran, fidèle à ses promesses envers autrui ou envers lui-même, une âme de bronze sous un corselet de métal ; mais c'est là un type unique créé, pour plus de trois cents ans et sur lequel, dans son château de la Manche, se modèlera un délicieux fou qui s'appelle Don Quichotte, et même qui dira si ce preux ne survit pas chez les bretteurs du règne de Louis XIII, chez les héros de Corneille et chez nos Saint-Cyriens qui follement, en 1914, comme ils l'avaient juré, menaient la charge en gants blancs et casoar rouge ?

En regard d'Érec, Énide est d'abord la jeune fille dont aucune imperfection n'entache la beauté physique et morale et qui, dans le mariage, sera le type, parfait aussi, de la idélité et de la soumission. Toute épreuve que lui infligera son mari, pour une faute qui peut nous paraître vénielle, la trouvera respectueuse et inébranlable : aucune prouesse de séducteur, aucun appât de richesse et de pouvoir ne sauraient la détourner de son attachement à l'époux. Elle est déjà une Grisélidis, sur qui ne plane même aucun soupçon.

L'œuvre du début de notre romancier ne nous met donc pas d'emblée dans la donnée de l'amour courtois. La femme mariée est ici plus serve que reine. Il s'agit pourtant d'un roman d'amour, mais d'amour conjugal, ce qui est, on le sait, la négation de la donnée essentielle de la poésie lyrique provençale (1).

Ce roman à thèse pose un problème d'allure toute cornélienne déjà, celui qui ne cessera de préoccuper Chrétien dans sa grande période de production, le problème du chevalier *récréant* ou, pour me servir d'un terme moins hermétique, *du renoncement à la prouesse pour l'amour*. Car là est bien l'idée centrale, axiale, cruciale du récit, ce qui l'empêche d'être exclusivement un *conte d'aventure* et lui confère une signification plus élevée. Voici un chevalier, le plus brave qui fût jamais, qui conquiert,

(1) Je me sépare sur ce point de St. Hofer, *Die Problemstellung im Erec* (*Zeitschrift für romanische Philologie*, t. XLVIII, 1928, pp. 123-128) où l'on trouvera le résumé des opinions divergentes formulées avant la sienne sur la thèse de l'*Erec*. Cf. aussi l'article de Ch. Grimm, *Chrestien de Troyes' attitude towards woman*, dans la *Romanic Review*, t. XVI, 3, juillet-septembre 1925, p. 236.

par le plus bel exploit, la plus belle fille du monde. Comment
s'étonner si, l'ayant épousée, il en devient follement épris. Aimer
son épouse légitime ! Combien la France du Nord est donc encore rebelle à la conception méridionale qui aboutit à cette formule dictée, dit-on, par Marie de Champagne à André le Chapelain pour son *Art d'aimer*, que « l'Amour ne peut exister entre
époux » (1).

Érec s'endort dans les délices, il en oublie les tournois et les
joutes, l'exploit et l'aventure. Qu'elles continuent leur sommeil,
les belles au bois dormant captives de géants cruels, qu'elles
pleurent, les héritières privées de leur hoirie et les jeunes filles à
qui l'on a ravi leur amant…, le héros ne quitte qu'à midi le lit
nuptial et passe le reste de la journée à rêver aux délices de
la nuit qui passa et de celle qui l'attend. Mais l'opinion, maîtresse plus exigeante, s'irrite ; ils murmurent entre eux les barons,
et pas à voix si basse qu'Énide ne puisse entendre le reproche de
récréantise que l'on fait à son mari, mot singulier, riche de contenu, qui traduit l'idée de vieillir et de se gâter, de déchoir et
de renoncer, voire, si l'on s'y entête, de lâcheté et de couardise.
Il n'y a pas pire injure à l'endroit du chevalier, il n'y a pas pire
insulte pour la dame qui le possède, car d'inspiratrice de bravoure elle tombe au rang d'endormeuse d'énergie. Il y a là une
conception de l'amour-dignité, tirage avant la lettre de celle qui
figure au *Traité des Passions* qu'écrivit Descartes pour sa
chère princesse Élisabeth (2). Comment s'étonner si elle se lamente sur l'époux, l'épouse-amante qui a diminué le trésor de
prouesse qui lui fut dédié. Elle pleure, se répète à elle-même le
reproche entendu, mais il ne dormait qu'à demi, l'a ouïe et se
le fait répéter. L'illumination éclate en lui et il conçoit une terrible épreuve. Suivi de cette femme qui l'aime et que lui a trop
aimée, il va à nouveau courir l'aventure, cherchant les plus terribles et les plus audacieuses, et lui imposant, à elle qui les pré-
voit et les appréhende, la loi de l'absolu silence, signe du mépris qu'il a pour elle. Ah ! elle a pu douter de lui et de sa bravoure

---

(1) *Amorem non posse suas inter duos conjugales extendere vires* (éd. Trojel
du *De arte honeste amandi*, p. 133) cité par M. Borodine, *La Femme et l'Amour
au XIIᵉ siècle d'après les Poèmes de Chrétien de Troyes*, Paris, Picard, 1909,
in-8°, p. 16, n. 1.
(2) M. Barrès voulait faire de ces deux personnages les héros d'un roman à
thèse aussi, qu'il n'a pas achevé. Cf. G. Cohen et Ch. Lucas de Pesloüan
*Le dernier projet littéraire de Maurice Barrès, Descartes et la Princesse Éli-
sabeth*, Paris, Les Amis d'Edouard, n° 143, 1929, petit in-4°.

sur la foi des *losengiers* ou calomniateurs ! Il lui fera bien voir qu'il n'est point déchu de son ancienne valeur, et qu'il est plus que jamais le grand dompteur de l'aventure. A chaque fois qu'elle l'avertit du danger il lui reproche d'avoir violé le silence et d'avoir douté de lui. Ce n'est qu'après la scène du pseudo-mort ressuscité, quand, une fois de plus, il a vu Énide résister aux sollicitations du comte de Limors qui s'est fait unir à elle par son châpelain que, dans la lande où ils ont fui, sur l'encolure de son cheval, il l'embrasse et reconnaît sa douce et patiente fidélité à travers les pires épreuves. Pourquoi lui inflige-t-il encore la plus dure, celle de *la Joie de la Cour*, qui en dépit de son nom, ne semble devoir aboutir qu'à la mort, c'est le secret du romancier ? On l'aurait attendue plus tôt, comme couronnement des autres épreuves, en une gradation de danger et de terreur, à moins qu'il n'ait voulu opposer là la maîtresse égoïste et vaniteuse de Mabonagrain à l'épouse-amante désintéressée d'Érec (1) ou plutôt qu'il n'ait voulu prouver que le mariage, l'amour et la prouesse seraient désormais, en son héros, parfaitement conciliables.

Ainsi, malgré ce défaut et d'autres, par exemple l'inattendu et le décousu des diverses épreuves que court le héros et qui ne sont déterminées que par le hasard et la fantaisie du conteur, malgré leur monotonie relative, Chrétien s'entend à les varier, assez pour que l'attention ne faiblisse pas un instant et que l'on suive avec passion, parfois avec angoisse, les dangers d'Érec et les tourments d'Énide.

Ce qui entretient aussi l'intérêt est le débat psychologique que l'auteur excelle à instituer, les incertitudes rendues dans des monologues, pareils aux stances cornéliennes, et par lesquels l'héroïne expose son état d'âme en se parlant à elle-même (2). Le dramatique n'est pas toujours au théâtre, comme le lyrisme n'est pas toujours dans la poésie. L'un et l'autre peuvent trouver leur refuge dans le roman, et c'est bien ce qui se passe ici. Qu'il suffise de rappeler le désespoir initial d'Énide, qui révèle à Érec sa *récréance*, celui qui suit cette révélation, et le débat intérieur qui éclate chez elle à chaque fois qu'elle se sent obligée de violer la consigne pour prévenir son mari d'un danger menaçant.

Dramatiques aussi, au sens scénique du mot, sont les dialogues

---

(1) Telle est l'interprétation de Myrrha Borodine, *op. cit.*, p. 74.
(2) Sur ces monologues cf. G. Paris, *Cligès*, dans *Mélanges de littérature française du Moyen Age*, publiés par M. Roques, Paris, 1910, pp. 276-277.

qui entrecoupent le récit, comme dans la tentative de séduction d'Énide par le comte Galoain et, plus tard, par le comte
de Limors.

Ce qui éveille encore l'intérêt, c'est celui que le conteur
paraît prendre lui-même à son récit, son intervention discrète,
mais visible, la sympathie qu'il éprouve pour ses personnages,
sa haine à l'égard des traîtres qui menacent leur bonheur, leur
sécurité ou leur vie (1) :

Mais Deus li porra bien eidier	Mais Dieu pourra lui venir en aide
Et je cuit que si fera il.	et je crois qu'il le fera.

A côté de l'art du dramaturge et du conteur qui sait tenir
son auditeur ou son lecteur en haleine, il faut marquer celui du
peintre qui sait brosser largement le décor de son tableau, scènes
de chasse, rues animées par une foule bavarde et badaude (2),
maisons de bourgeois tassées dans l'enceinte fortifiée et serrées
autour du château tutélaire, la salle seigneuriale avec sa cheminée, ses coussins tenant lieu de sièges, ses longues conversations, les repas et les fêtes, les danses des jeunes filles, les jeux
de tric-trac et d'échecs, les sons des harpes et des *rotes*, les
récitations et parades des jongleurs. Ce que peint Chrétien,
pour la joie de son auditoire ou de ses lecteurs nobles ou bourgeois, c'est de préférence la vie riche et somptueuse à
laquelle aspire leur avide médiocrité, les vêtements doublés
d'hermine, au col rehaussé de pierres précieuses, les orfrois
et les étoffes lamées d'argent, dont rêvent les femmes et
les jeunes filles. Il est le maître de la mode, chez qui elles
verront ce qui se porte et ce qui fera plus séduisante aux yeux
des hommes leur beauté. Elles y trouveront toutes les manières
courtoises : comment on prend par la main le chevalier qu'on
introduit dans la salle, comment on fait l'infirmière en ce temps
de plaies et de bosses, comment on panse les blessures, après les
avoir lavées et les avoir enduites d'un onguent merveilleux (3),
comment on lui donne le bain, en tout bien tout honneur. Elles
y voient aussi les délices de la volupté dont l'Église les détourne

(1) Vv. 3428-3429.
(2) Vv. 345-360 ; vv. 747-772.
(3) Pp. 186-187. Voir Krick, *Vie sociale et privée des Français au
XII*ᵉ *siècle, dans les Romans de Chrestien de Troyes*, Programm Kreuznach,
1885 ; P. Mertens, *Die kulturhistorichen Momente in den Romanen des
Chrestien de Troyes*, thèse d'Erlangen, 1900.

et vers laquelle leur tendre chair les appelle, et peut-être volontiers elles accepteraient de rendre *récréant* leur époux, sûres
de n'être jamais elles-mêmes les *récréantes* de l'amour.

Au reste l'auteur est moral et on ne saurait leur en déconseiller
la lecture, puisque cette langueur du plaisir, il ne l'a peinte jusqu'à présent que dans le mariage. Sa thèse est encore et je crois
qu'au fond de lui-même, c'est sa doctrine fondamentale, que l'é-
pouse doit être une maîtresse (1) :

Si li comança a anquerre	Et il se mit à s'informer
Del chevalier qu'ele li die	du chevalier, la priant de lui dire
S'ele estoit sa fame ou s'amie.	si elle était sa femme ou son amie.
« L'un et l'autre », fet ele, « sire ».	« L'un et l'autre, » dit-elle, « seigneur ».

L'auteur est même un peu trop moral, parce que les malfaiteurs et les brigands, les orgueilleux et les séducteurs, les géants
cruels y sont toujours uniformément punis, jusqu'à l'agace-
ment du lecteur.

Aux hommes, il plaît de trouver chez lui l'évocation de la
beauté des femmes et du plaisir qu'elles donnent à qui sait les
conquérir, mais aussi les moyens de les séduire par la bravoure et
la courtoisie, l'exploit et la grâce. On voudrait connaître dans
quelle mesure le roman reflète la réalité ou au contraire l'inspire,
mais il y a là un jeu impénétrable d'actions et de réactions et
l'on ne saura jamais jusqu'à quel point la chanson de geste n'a
pu encourager la prouesse qu'elle exaltait. Il est certain en tout
cas que la glorification de l'*aventure* (2), enveloppée de mystère,
et dont le danger n'est qu'une attraction de plus, n'a pas laissé
de fausser et d'entraîner bien des imaginations de jeunes gens
avant celle du seigneur de la Manche.

Mais, de même que les jeunes filles vont chercher chez Chrétien, en l'absence de journaux de modes et de magazines leur
révélant à domicile les secrets des dernières fanfreluches de la
vanité féminine, eux prennent chez lui les modèles des heaumes
cerclés d'or, des hauberts aux mailles si fines qu'elles ne blessent pas plus la peau qu'une chemise. En l'absence de journaux
de sport, ils trouvent ici de magnifiques descriptions de tournois (3) et aussi des renseignements sur les meilleures races

(1) Vv. 4684-4687.
(2) Cf. vv. 5428-5433.
(3) Pp. 79-81.

de chevaux, la couleur de leur robe, le port et l'aspect de leur tête. En voici un en action (1) :

E sist sor un mout fort cheval
Qui si grant esfroi demenoit
Que dessoz ses piez esgrunoit
Les chaillos plus menuemant
Que muele n'esquache fromant,
Et s'an voloient de toz sans
Estanceles cleres ardanz,
Que des quatre piez iert avis
Que tuit fussent de feu espris (2).

Il était monté sur un cheval si vigoureux
qui menait un tel train,
que sous ses pieds il cassait
les cailloux aussi menu
que la meule écrase le froment
et en tous sens s'envolaient
les étincelles claires, ardentes,
si bien que des quatre pieds on eût dit
qu'ils étaient tous flambant de feu (2).

Il y a donc chez Chrétien non seulement un narrateur animé, mais un maître de la description, encore qu'il blâme celles qui sont trop longues et qui retarderaient la marche du récit (3) :

Mes por quoi vos deviseroie
Les peintures, les dras de soie,
Don la chanbre estoit anbelie ?
Le tans gasteroie an folie,
Ne je ne le vuel pas gaster,
Einçois me vuel un po haster ;
Car qui tost va la droite voie,
Passe celui qui se desvoie...

Mais pourquoi vous raconterais-je
les peintures, les draps de soie,
dont la chambre était embellie ?
Je perdrais mon temps à des bagatelles.
Or je ne veux pas le perdre
et préfère me hâter un peu,
car celui qui va droit son chemin
dépasse celui qui s'égare...

Il blâme aussi les répétitions (4) :

Mes a conter le vos relés
Por ce que d'enui croist son conte
Qui deus foiz une chose conte.

Mais je m'abstiens de le répéter,
parce qu'il répand l'ennui sur son roman
celui qui deux fois raconte la même chose.

Il y avait déjà quelques paysages dans la *Chanson de Roland* (5),

Halt sunt li pui e tenebrus e grant,
Li val parfunt e les ewes curant

Hauts sont les monts et ténébreux et
[grands,
Profonds les vals et rapides les ondes

(1) Vv. 3706-3714.
(2) L'image vient du *Roman de Thèbes*, éd. Constans, vv. 6256-6259 :

Li Greu brochent a granz galos
Le fou font saillir des chaillos.

Les Grecs s'élancent au grand galop,
le feu font sortir des cailloux.

(3) Vv. 5571-5578.
(4) Vv. 6324-6326.
(5) Publiée d'après le manuscrit d'Oxford par Joseph Bédier, Paris, Piazza [1922], in-12, p. 138, vv. 1830-1831.

il y en a davantage chez Chrétien, surtout des clairs de lune qu'il paraît affectionner, parce que leur lumière un peu irréelle et déjà romantique convient au caractère fantastique du récit. Il aime à marquer les apparitions (1) :

Par nuit s'an vont grant aleüre,	Par la nuit s'en vont à toute allure
Et ce lor fet grant soatume	et ce leur est grande douceur
Que la lune cler lor alume	que la lune si brillamment les éclaire

ou les éclipses de l'astre (2) :

Qu'an l'onbre d'une nue brune	Car dans l'ombre d'une nue brune
S'estoit esconsee la lune.	s'était évanouie la lune.

Plus encore il excelle dans le portrait, qu'il peint de couleurs vives et précises, volontiers notant le détail d'une attitude, plus propre à évoquer un personnage qu'un inventaire des traits qui le composent (3) :

Et la pucele o le cler vis,	Et la jeune fille au clair visage
Qui de l'alete d'un plovier	qui de l'aile d'un pluvier
Peissoit sor son poing l'esprevier,	paissait sur son poing l'épervier,

ou bien voici un geste plus féminin encore (4) :

Et la dame par grant veisdie	Et la dame, par grande astuce,
Por ce qu'ele ne voloit mie	parce qu'elle ne voulait point
Qu'il la coneüst ne veïst,	qu'il la reconnût ni la vît,
Aussi con s'ele le feïst	comme si elle l'avait fait
Por le hasle et por la poudriere	pour le hâle ou pour la poussière,
Mist sa guinple devant sa chiere.	rabattit sa guimpe devant son visage.

Comme tout véritable poète, c'est à coup de comparaisons et d'images que décrit Chrétien. J'ai déjà cité celle du cheval, écrasant les cailloux comme la meule le grain et dont les sabots semblent en feu, mais je rappelle celles qui se rapportent à la beauté d'Énide et qui n'étaient pas encore aussi usées qu'elles peuvent le paraître aujourd'hui (5) :

---

(1) Vv. 4934-4936.
(2) Vv. 4999-5000.
(3) Vv. 1306-1308. Le trait vient du *Roman de Thèbes* (Vv. 3857-3858), où Ismène

Sor son poign tint un espervier	Sur son poing tenait un épervier
Que pot de l'ele d'un plovie.	qu'elle paissait de l'aile d'un pluvier.

(4) Vv. 3977-3982.
(5) Vv. 2410-2415.

Mes aussi con la clere jame　　　　　　Mais autant que la pierre précieuse
Reluist dessor le bis chaillo　　　　　　passe en clarté le caillou gris
Et la rose sor le pavo :　　　　　　　　et la rose passe le pavot,
Aussi iert Enide plus bele　　　　　　　autant Énide était plus belle
Que nule dame ne pucele　　　　　　　que nulle dame ni pucelle
Qui fust trovee au tot le monde.　　　　qu'on pût par le monde trouver.

Plus neuves assurément, parce que empruntées aux choses vues, les deux comparaisons qui servent à rendre le désir des deux jeunes époux (1) :

Cers chaciez, qui de soif alainne,　　　　Le cerf aux abois, qui halète de soif,
Ne desirre tant la fontainne　　　　　　ne désire pas tant la fontaine,
N'espreviers ne vient a reclaim　　　　　ni l'épervier ne répond à l'appel
Si volantiers, quant il a faim　　　　　　plus volontiers, quand il a faim,
Que plus volantiers ne venissent　　　　qu'eux plus ardemment ne souhaitent
A ce que nu s'entretenissent.　　　　　　de se connaître sans voiles.

Il n'est pas difficile de concevoir ce que l'adaptation fait perdre à de pareilles citations. Les qualités narratives et dramatiques de Chrétien sont grandes, son imagination vive, l'intérêt de son récit soutenu, son art de le faire servir à la défense d'une thèse, digne de louanges. Il n'en est pas moins et avant tout un styliste. Là est son véritable mérite qu'il importe de mettre en relief et qui l'élève à cent coudées au-dessus de ses contemporains et de ses successeurs.

On en arrive même à se demander si ce n'est pas un défaut essentiel de la critique de discuter trop longuement les idées, les tendances d'un écrivain et de reléguer dans un chapitre final l'étude de son style qui est probablement, dans l'ordre littéraire, pour lui et pour le genre qu'il cultive, l'élément essentiel. D'autres que Chrétien ont traité la matière celtique et y ont puisé des sujets, nul ne l'a fait dans une langue plus alerte et plus séduisante.

Je ne dis pas qu'il n'y ait parfois çà et là un peu de verbiage dans le développement, comme à propos (p. 54-55) de l'amour et de la pitié qui font pleurer les parents quittant leur fille ; mais ce sont vingt vers, là où de verbeux auteurs de l'âge suivant, dans le genre didactique et allégorique, en mettront deux cents ou deux mille. Parfois, mais beaucoup plus rarement que chez ceuxci, on aperçoit la répétition qui alanguit la phrase et donne l'im-

(1) Vv. 2081-2086.

pression d'une cheville, destinée à fournir la rime du vers précédent (1) :

S'il vos pleisoit et bel vos iere.   S'il vous plaisait et vous semblait bon.

Mais en revanche, que de formules d'une concision lapidaire, comme celle que notre syntaxe moderne ne permet plus de rendre (2) :

El panse cuers que ne dit boche.   Autrement pense le cœur que ne dit la
                                                                  [bouche.

D'une façon générale, on ne saurait trop admirer et louer la maîtrise avec laquelle le romancier se tire de l'immense difficulté qu'il y a à raconter en vers, sans que le lecteur s'aperçoive de cette difficulté. Celui-ci jouit au contraire de la fluidité de ce courant rythmique, qui devait caresser surtout l'oreille des auditeurs et des auditrices, bien plus nombreux que les lecteurs à une époque où les exemplaires manuscrits du livre étaient rares et chers et où bien des seigneurs, et plus encore de bourgeois, ne savaient pas lire. Sensibles à l'harmonie du vers, de cet octosyllabe qui, employé pour la première fois, semble-t-il, dans la *Vie de saint Léger,* ou dans *La Passion* de Clermont n'avait pas encore deux siècles d'existence, ils l'étaient (3) davantage encore à la sonorité de la rime, invention toute nouvelle qui donnait à l'oreille l'agréable sensation d'une homophonie plus complète et plus variée que la simple et monotone assonance de la voyelle accentuée, indéfiniment répétée dans la laisse des Chansons de geste. Il est vrai que la musique instrumentale y prête son soutien au jongleur tandis que l'auteur se trouve ici livré aux seules ressources de sa langue.

On ne peut pas dire que Chrétien ait déjà fait rendre à l'octosyllabe tout ce qu'y mettront les siècles suivants, mais il sait déjà, à l'occasion, assembler les voyelles claires, quand il veut évoquer des figures de grâce et d'éclat et entrechoquer les consonnes, explosives, fricatives, sifflantes, quand il veut rendre un bruit discordant (4) :

(1) V. 3325. Il a rompu ce couple monotone des deux rimes plates (cf. P. Meyer, *Romania*, t. XXIII, pp. 17-18). et l'a enjambé souvent, avec infiniment de grâce.
(2) V. 3384.
(3) Cf. K. Bartsch, *Chrestomathie de l'Ancien français,* 7e éd. revue par A. Horning, Leipzig, Vogel, 1901, in-8°, respectivement, pp. 7 et 14.
(4) Vv. 869-870.

Que li escu percent et croissent   Les écus troués se brisent avec bruit,
Les lances esclicent et froissent...   les lances éclatent et se cassent...

Un contemporain eut donc raison d'écrire que Chrétien maniait le beau français à pleine main (1) et lui-même ne saurait encourir de reproche pour avoir dit, non sans orgueil, en commençant cette œuvre de début où il fait preuve déjà de tant de jeune maîtrise (2) :

Des or comancerai l'estoire   Je vais commencer cette histoire
Qui toz jors mes iert an memoire   dont on conservera mémoire
Tant con durra crestiantez   tant que durera chrétienté,
De ce s'est CRESTIIENS vantez.   du moins CHRÉTIEN s'en est vanté (3).

(1) *Le bel françois trestout a plain*, dit Huon de Méri, dans son *Tornoiement Antecrist*, éd. Wimmer, 1888, p. 104.

(2) Vv. 23-26.

(3) Il ne sera question ici de l'*Érec* de Hartmann von Aue (cf. Piquet, *Étude sur Hartmann d'Aue*, Paris, 1898, ni de l'*Erex Saga* des Norvégiens, ni du Mabinogi gallois de *Geraint et Enid*, imitations étrangères dont la comparaison permet parfois de restituer de plus anciens états de la légende qui ne nous intéressent point ici ou d'attester l'immense réputation de Chrétien de Troyes en dehors de nos frontières, laquelle pourrait et devrait faire l'objet d'un nouveau livre. Voir, en attendant, la grande édition Foerster, in-8°, p. XVIII, et Myrrha Borodine, *op. cit.*, p. 22, n. 1, ainsi que les notes des pages suivantes, 23 à 76, où sont marquées brièvement les divergences entre les imitateurs et leur modèle.

CHAPITRE VI

UN ANTI-TRISTAN :
CLIGÈS

« *Qui a le cœur ait le corps* »

Nous avons déjà cité le début de *Cligès* où, jetant un regard en arrière, le jeune romancier énumère, non sans fierté, les œuvres qu'il a produites et dont la réputation qu'elles lui ont acquise, lui semble auprès du public lettré la meilleure des introductions. Outre la précieuse liste qu'il fournit, ce début, avec une netteté d'exposition toute française, nous met au fait du nouveau dessein poursuivi par l'auteur (1) :

Cil qui fist d'*Erec et d'Enide*...
Un novel conte recomance
D'un vaslet qui an Grece fu
Del lignage le roi Artu.

Celui qui fit *Erec et Énide*...
commence ici un nouveau roman
d'un jeune homme qui vivait en Grèce
de la maison du roi Arthur.

La Grèce ? Le proche Orient est donc encore à la mode, et ceci nous rappelle l'*Éracle* de Gautier d'Arras. Mais l'attraction n'en est plus suffisante, il y faut joindre, par quelque artifice, la Grande-Bretagne et son roi Arthur, plus en vogue encore (2) :

...por pris et por los conquerre
Ala de Grece an Angleterre,
Qui lors estoit Bretaingne dite.
Ceste estoire trovons escrite,
Que cónter vos vuel et retreire,
An un des livres de l'aumeire
Mon seignor Saint Pere a Biauveiz.
De la fu li contes estreiz,
Don cest romanz fist Crestiiens.

Pour conquérir honneur et gloire
il alla de Grèce en Angleterre,
qui alors s'appelait Bretagne.
Cette histoire que je vous veux conter
nous la trouvons écrite
dans un des livres de la bibliothèque
de Monseigneur Saint Pierre à Beauvais
De là fut extraite la matière
dont Chrétien a fait ce roman.

(1) *Cligès* von Kristian von Troyes, au t. I des *Sämtliche Werke*, éd. p. W. Foerster, Halle, Niemeyer, 1884, in-8°, p. 1, vv. 1-10 ; cf. ici p. 81.
(2) Vv. 15-23.

Cette façon de se nommer se justifie en un texte dépourvu de feuille de titre et destiné plutôt à être entendu que lu. L'indication de source, vraie ou fausse, peut-être bien vraie, nous a permis de dater le *Cligès* des environs de 1164, car Beauvais est à Henri Ier de Champagne, qui pouvait être sensible à l'évocation d'un des monastères dont il était le protecteur et l'avoué ou administrateur, mais, aucune allusion n'étant faite à Marie, on peut légitimement supposer *Cligès* antérieur à 1164, date du mariage de celle-ci avec le Champenois. Nous noterons encore ce trait important pour la méthode de Chrétien : d'un conte, il fait un roman ; car il semble établir ici entre les deux termes, le premier désignant un récit assez court, le second un récit plus long, une distinction nette. De la véracité qui selon lui s'attache au livre parce qu'il est ancien, on peut faire bon marché (1) :

Li livres est mout anciiens,	Le livre est très ancien,
Qui tesmoingne l'estoire a voire...	qui atteste la vérité de cette histoire...
Par les livres que nos avons	Par les livres que nous avons
Les feiz des anciiens savons	nous connaissons les hauts faits des an-
Et del siecle qui fu jadis. —	et la vie du temps passé. [ciens
Ce nos ont nostre livre apris	Nos livres nous ont appris
Que Grece ot de chevalerie	que la Grèce fut, en chevalerie
Le premier los et de clergie.	et en science, la plus renommée ;
Puis vint chevalerie a Rome	puis la chevalerie passa à Rome,
Et de la clergie la some,	et avec elle la somme de science,
Qui or est an France venue.	qui maintenant en France sont venues.
Deus doint qu'ele i soit retenue,	Dieu donne qu'elles y soient retenues
Et que li leus li abelisse	et que le séjour tant leur plaise
Tant que ja meis de France n'isse	que jamais ne sorte de France
L'enors qui s'i est arestee.	la gloire qui s'y est arrêtée.

Curieux passage (2), qui atteste la fréquentation des Écoles et qui renferme une vue assez juste de la marche de la civilisation de l'est à l'ouest dans le bassin méditerranéen, mais qui atteste aussi un sentiment d'orgueil patriotique, plus rare dans le roman d'aventure que dans la chanson de geste. On remarquera encore que Chrétien, confident de la chevalerie, semble attacher autant d'importance au lustre qu'elle donne qu'aux sciences et arts qu'enveloppe le mot de *clergie*, mais ce n'est

(1) Vv. 24-39.
(2) Dont mon collègue Et. Gilson a retrouvé la source scolastique, qui avait échappé à G. Paris dans son fameux article sur *Cligès* reproduit par les *Mélanges de Littérature française du Moyen Age*, publiés par M. Roques, Paris, 1910, t. I, p. 269-271. Le *De translatione studii* vient du premier chapitre de la *Chronique du Moine de Saint-Gall*, passé aux *Chroniques de Saint-Denis*. La Renaissance, dans son patriotisme érudit, s'en souviendra.

qu'une apparence, destinée à flatter son vaillant et ignorant auditoire masculin.

En Grèce et à Constantinople régnait jadis un empereur, nommé Alexandre, qui n'a rien de commun avec le célèbre Macédonien et dont la femme était Tantalis. Celle-ci lui donna deux fils, dont l'aîné s'appela Alexandre, comme son père, et le second Alis. Étant courageux et fier, Alexandre ne daigna pas devenir chevalier en son pays et la renommée de la cour d'Arthur étant parvenue jusqu'à lui, il demande à son père la permission de se rendre en Bretagne et en Cornouailles (1) :

Nus ne m'an porroit enorter	Nul ne pourrait me convaincre
Par proiiere en par losange	par prière ou par flatterie
Que je n'aille an la terre estrange	de ne point aller en la terre étrangère
Veoir le roi et les barons,	voir le roi et les seigneurs
De cui si granz est li renons	dont si grand est le renom
De corteisie et de proëce.	de courtoisie et de vaillance.
Maint haut home par lor perece	Maints hauts hommes par leur paresse
Perdent grant los, que il porroient	perdent la grande gloire qu'ils pourraient
Avoir, se par le monde erroient.	acquérir, si de par le monde erraient.

A rester calfeutré entre les quatre murs de son château ou de son palais, on ne peut acquérir honneur et gloire. Est-ce la croisade qui dicte cette morale et crée cet état d'esprit, inquiet et mouvant, de la chevalerie française, ou inversement la croisade n'en est-elle partiellement qu'une résultante, il est malaisé de le déterminer. Toujours est-il que la condition du chevalier errant est ici nettement exposée et la notion d'*errance* associée à celle de l'aventure et de la gloire (2) :

Ne s'acordent pas bien ansanble	Ils ne s'accordent guère ensemble
Repos et los, si con moi sanble.	repos et gloire, à ce qu'il me semble.

Quoiqu'il en éprouve à la fois joie et peine, le père se laisse convaincre et lui donne deux barques pleines d'or et d'argent, lui recommandant d'être libéral et courtois, car toujours l'exhortation à la largesse, thème scolaire et aussi invite à son auditoire ou aux puissants qui le protègent, demeure parmi les préoccupations du poète (3) :

(1) Vv. 148-156.
(2) Vv. 157-158.
(3) Vv. 193-198.

« Que largece est dame et reïne,
Qui totes vertuz anlumine,
Ne n'est mie grief a prover.
An quel leu porroit l'an trover
Home, tant soit poissanz ne riches,
Ne soit blasmez, se il est chiches ? »

« Que largesse soit la dame et reine
qui illumine toute vertu,
ce n'est pas difficile à prouver.
En quel lieu pourrait-on rencontrer
un homme, si puissant soit-il ou si riche,
qui blâmé ne soit, s'il est chiche ? »

Après avoir pris congé de l'empereur et de l'impératrice et avoir embarqué leurs richesses, Alexandre met à la voile ; il navigue pendant tout avril et une partie de mai, jusqu'à ce qu'il arrive à un port sous Hantone, c'est-à-dire à Southampton ; ses compagnons et lui, pâles et affaiblis par le mal de mer, ont grande joie de reprendre terre enfin. Ils s'informent d'Arthur qu'on leur dit être à Guincestre, à Winchester sur l'Itching, qui se jette dans la mer près Southampton. Encore une réminiscence de choses vues sans doute, comme la mention du mal de mer est un souvenir de nausées éprouvées. Suivi de ses douze compagnons ainsi que lui jeunes, bien faits et vêtus de robes semblables, Alexandre avec eux s'agenouille devant le roi, lui adresse une jolie harangue pour le prier de les faire tous chevaliers. Arthur ainsi que Gauvain, son neveu, les accueille avec bonté. Alexandre avec sa suite descend chez un bourgeois de la ville, et, prenant à la lettre le conseil de l'empereur, il dépense sans compter. Le moment est venu où Arthur a décidé de quitter l'Angleterre pour visiter la Bretagne, c'est-à-dire l'Armorique. Dans sa nef le roi ne prend qu'Alexandre, tandis que Guenièvre s'y fait accompagner de Soredamor (1) :

Soredamors

Qui desdeigneuse estoit d'amors.
Onques n'avoit oï parler
D'ome qu'ele deignast amer,
Tant eüst biauté ne proëce
Ne seignorie ne hautece.
Et neporquant la dameisele
Estoit tant avenanz et bele,
Que bien deüst d'amors aprandre
Se li pleüst à ce antandre ;
Meis onques n'i vost metre antante.

Soredamor,

Qui était dédaigneuse de l'amour.
Jamais on n'avait entendu parler
d'homme qu'elle daignât aimer,
quelles que fussent sa beauté, sa bravoure,
sa noblesse et son rang,
et cependant la demoiselle
était si avenante et belle
qu'elle aurait bien pu l'amour apprendre
s'il lui avait plu de s'y mettre,
mais elle ne voulait pas s'en soucier.

On peut bien présumer que force restera à l'amour (2) :

(1) Vv. 445-455.
(2) Vv. 456-463.

Or la fera Amors dolante,
Et mout se cuide bien vangier
Del grant orguel et del dangier
Qu'ele li a toz jorz mené.
Bien a Amors droit assené,
Qu'el cuer l'a de son dart ferue ;
Sovant palist, sovant tressue
Et mal gre suen amer l'estuet.

Mais Amour la fera souffrir
et saura bien se venger
de ce grand orgueil et de cette résistance
qu'elle lui a toujours opposé.
Amour a si bien visé
qu'au cœur l'a de son dard frappée ;
souvent elle pâlit, baignée de sueur
et malgré elle il lui faut aimer.

Pâleur, sueur, nous connaissons déjà par l'*Eneas* ces symptômes externes de la passion. La jeune fille s'en prend d'abord à l'Amour, qui lui « a chauffé un bain, qui bien l'échauffe et bien la cuit, qui lui plaît, puis qui lui déplaît », et ensuite à ses yeux, dont elle n'arrive plus à maîtriser les regards (1) :

« Don n'ai je mes iauz an baillie ?
Bien me seroit force faillie
Et po me devroie prisier,
Se mes iauz ne puis justisier
Et feire autre part esgarder...
Et que m'ont donc forfeit mi oel
S'il esgardent ce que je vuel ?
Quel coupe et quel tort i ont il ?
Doi les an je blasmer ? Nenil.
Cui donc ? Moi, qui les ai an garde.
Mes iauz a nule rien n'esgarde,
S'au cuer ne pleist et atalante.
Chose, qui me feïst dolante,
Ne deüst pas mes cuers voloir.
Sa volantez me feit doloir.
Doloir ? Par foi, donc sui je fole,
Quant par lui vuel ce qui m'afole.
Volanté don me vaingne enuis,
Doi je bien oster, se je puis.
Se je puis ? Fole qu'ai je dit !
Donc porroie je mout petit,
Se de moi poissance n'avoie.
Cuide m'Amors metre a la voie,
Qui les autres siaut desvoiier ?
Autrui li covient anvoiier,
Car je ne sui de rien a lui »...
Einsi a li meïsme tance.
Une ore aimme et une autre het,
Tant se dote, qu'ele ne set
Li queus li vaille miauz a prandre.
Vers Amor se cuide defandre,
Meis ne li a mestier defanse.

« N'ai-je pas tout pouvoir sur mes yeux ?
J'aurais donc perdu toute force
et je m'estimerais bien peu,
si je ne puis dominer mes yeux
et les faire regarder ailleurs...
Et en quoi ont donc forfait mes yeux
s'ils regardent ce que je veux ?
Quelle faute et quel tort ont-ils ?
Dois-je les en blâmer ? Non pas.
Et qui alors ? Moi, qui les ai en garde.
Mon œil ne contemple rien
s'il ne plaît et convient à mon cœur.
Chose qui fît ma peine
n'eût pas dû mon cœur la vouloir.
C'est sa volonté qui me tourmente.
Tourmente ? Ma foi, je suis donc folle,
si par lui je veux ce qui me fait du mal.
Un vouloir d'où me vienne de la souffrance
je dois l'arracher, si je puis.
Si je puis ? Folle, qu'ai-je dit ?
J'aurais donc bien peu de pouvoir,
si je n'avais la maîtrise de moi.
Amour, pense-t-il me guider,
lui qui a l'habitude d'égarer les autres ?
Eh bien ! que les autres il mène,
car moi je ne suis en rien à lui ? »...
Ainsi elle se querelle elle-même.
Tantôt elle aime, tantôt hait,
elle hésite tant qu'elle ne sait
lequel des deux lui vaut mieux.
Contre Amour elle croit se défendre,
mais la résistance est vaine.

(1) Vv. 481-529.

Ainsi, dans ce long monologue, Chrétien, profitant une fois de plus de la leçon de l'*Eneas* qu'il a relu, s'exerce à la dissection mentale, à la psychologie de l'amour qui naît. Il y a dans la description des mouvements des yeux, du cœur et de la volonté, bien du pédantisme et de la préciosité. Pédantisme et préciosité ne sont pas toujours caractéristiques d'une littérature finissante, mais parfois d'une littérature commençante. Du haut de notre science séculairement et durement acquise, nous pouvons aussi dédaigner cette physiologie rudimentaire, héritière de l'Antiquité, mais savons-nous vraiment beaucoup plus sur le mystère des yeux, sur l'échange des regards qui révèle deux âmes l'une à l'autre, dans une illumination soudaine, leur ouvre des profondeurs de ciel et a la valeur d'un don et la ferveur d'un serment ? Ne parlons-nous pas aussi du cœur en matière d'amour, tout en sachant le faible rôle que joue cet organe dans l'élaboration des sentiments et, quant à la volonté, si nous en avons localisé plus haut le siège, nous ne sommes guère plus avancés sur la façon dont elle s'exerce ou dont elle est exercée ?

Il n'en demeure pas moins qu'il y a là une étude de genèse sentimentale, un souci de la nuance dont il faut savoir gré à Chrétien. Il a bien profité de la leçon de son modèle et bien fait de la dépasser en s'attachant plus aux manifestations intérieures de l'amour qu'à ses prodromes extérieurs : pâleur et rougeur, chaleur et sueur, qu'il n'omet pas cependant.

On se doute bien que, par un parallélisme qui n'est que trop prévu, Amour exerce aussi ses tyranniques caprices sur le jeune Alexandre (1) :

Deus, que ne set que vers li panse	Dieu ! que ne sait-elle ce qu'Alexandre
Alixandres de l'autre part !	de son côté peut penser d'elle !
Amors igaumant lor depart	Amour également leur départit
Tel livreison com il lor duit.	les dons qu'il leur doit.
Mout lor feit bien reison et droit,	Il leur accorde ce privilège
Que li uns l'autre aimme et covoite.	de s'aimer et désirer l'un l'autre.
Ceste amors fust leaus et droite,	Cet amour eût été droit et sans obstacle
Se li uns de l'autre seüst	si l'un de l'autre avait su
Quel volanté chascuns eüst ;	quel désir animait chacun.
Meis cil ne set que cele viaut	Mais lui ne sait ce qu'elle désire
Ne cele de quoi cil se diaut.	ni elle de quoi celui-là se tourmente.
La reïne garde s'an prant	La reine s'aperçoit de ce manège
Et voit l'un et l'autre sovant	et voit l'un et l'autre souvent
Descolorer et anpalir	perdre ses couleurs et pâlir
Et sospirer et tressalir...	et soupirer et tressaillir....

(1) Vv. 530-544.

Voilà encore de l'*Eneas*, mais voici qui n'en est plus (1) :

Meis ne set por quoi il le font
Fors que por la mer ou il sont.

Mais elle ne sait pourquoi ils le font,
peut-être à cause de la mer où ils sont.

Décidément on peut gager que Chrétien traversa la Manche, car voilà la seconde fois qu'il nous parle du mal de mer et, ici, non sans un heureux effet comique. Pourquoi le gâte-t-il par de fades jeux de mots sur *l'amer* qui dans la prononciation d'alors peut désigner l'océan, l'amour et l'amertume, dont les effets identiques donnent le change à la reine ? Nous sommes ici dans le galimatias précieux le plus caractérisé (2).

La nef aborde au port et les Bretons mènent grande joie, mais Chrétien ne veut pas s'y attarder ; il est tout à sa description d'un amour naissant, dont il note finement les pudeurs et les craintes (3) :

Alixandres aimme et desire
Celi qui por s'amor sospire ;
Mais il nel set ne ne savra
De si a tant qu'il an avra
Maint mal et maint enui sofert.

Alexandre aime et désire
celle qui pour lui soupire d'amour,
mais ne le sait ni ne saura
jusqu'au moment où il aura
maint mal et maint tourment souffert.

La notion du malheur, qui est comme le corridor d'épreuve du bonheur futur, encore absente d'*Érec et Énide*, a pénétré dans *Cligès* : influence sans doute de la poésie lyrique courtoise provençale ou de la lecture d'Ovide (4) :

Por s'amor la reïne sert
Et les puceles de la chanbre,
Meis celi don plus li remanbre
N'ose aparler ne aresnier.
S'ele osast vers lui desresnier
Le droit que ele i cuide avoir,
Volantiers li feïst savoir,
Mais ele n'ose ne ne doit.

Pour cet amour, il sert la reine
et les filles d'honneur,
mais celle à qui il songe le plus,
il n'ose lui adresser la parole.
Si elle osait revendiquer
le droit qu'elle croit avoir sur lui,
volontiers le lui ferait savoir,
mais elle n'ose ni ne doit.

Il est bon de souligner la phrase que semble avoir imitée Gautier d'Arras dans *Ille* (5). C'est en tout cas le même senti-

(1) Vv. 545-546.
(2) Vv. 549-557. Voir le commentaire de G. Paris, article cité, dans les *Mélanges*, pp. 280-283.
(3) Vv. 575-579.
(4) Vv. 580-587.
(5) Voir plus haut p. 32.

ment de réserve qu'un poète contemporain (1) a appelé « le meilleur moment des amours » (2) :

Et ce que li uns l'autre voit,
Ne plus n'osent dire ne feire,
Lor torne mout a grant contreire,
Et l'amors an croist et alume.
Meis de toz amanz est costume
Que volantiers peissent lor iauz
D'esgarder, s'il ne pueent miauz,
Et cuident por ce qu'il lor pleist
Ce don lor amors croist et neist,
Qu'aidier lor doie, si lor nuist.
Tot ausi con cil plus se cuist,
Qui au feu s'aproche et acoste,
Que cil qui arrieres s'an oste,
Adés croist lor amors et monte ;
Meis li uns a de l'autre honte,
Si se çoile et cuevre chascuns,
Que il n'an pert flame ne funs
Del charbon qui est soz la çandre.
Por ce n'est pas la chalors mandre,
Einçois dure la chalors plus
Desoz la çandre que desus.
Mout sont andui an grant angoisse ;
Meis por ce que l'an ne conoisse
Lor conplainte ne aparçoive,
Estuet chascun que il deçoive
Par faus sanblant totes les janz ;
Meis la nuit est la plainte granz,
Que chascuns feit a lui meïsmes.

Le fait de se voir l'un l'autre
et de ne rien oser dire ni faire,
leur devient de plus en plus pénible,
et l'amour en croît et brûle plus fort.
Mais c'est la coutume de tous amants
de volontiers leurs yeux repaître
de regards, si ne peuvent mieux.
Ils croient, parce que ce jeu leur plaît,
qui a fait naître et croître leur amour,
qu'il les soulage, et il leur nuit.
De même que plus en cuit
à celui qui s'approche du feu,
qu'à celui qui s'en écarte,
de même croît et s'élève leur amour.
Mais l'un devant l'autre a honte,
chacun se cèle et se couvre si bien
que ne paraissent flamme ni fumée
du charbon qui brûle sous la cendre.
La chaleur n'en est pas moindre,
bien au contraire, elle dure plus
sous la cendre que dessus.
Ils sont tous deux en grande angoisse,
mais pour qu'on ne connaisse
ni n'aperçoive leurs plaintes,
il faut que chacun trompe
par hypocrisie toutes les gens.
Mais, la nuit, la plainte est grande
que chacun fait en lui-même.

Cette plainte ressemble trop à celle de Lavine et d'Énéas ou à celle que nous avons entendue, plus haut, de la bouche de Soredamor, et trop identique de procédé avec son petit jeu de reprises, de repentirs, d'interrogations à soi-même suivies d'une réplique, pour nous y attarder. Il faut croire que ce jeu plaisait à l'auditoire et aux lecteurs de Chrétien, car celui-ci ne s'y fût pas amusé si longuement. Sans doute il leur apprenait à traduire en paroles élégantes l'hésitation de leurs secrets désirs. Celles de notre auteur dégénèrent souvent dans la plus fade préciosité, qui n'a pas attendu le gongorisme espagnol ou le mari-

(1) Sully-Prudhomme.
(2) Vv. 588-615.

nisme italien pour se faire jour chez nous et dont on aperçoit vite les origines latines (1) et provençales (2) :

« Comant le t'a donc treit el cors,
Quant la plaie ne pert de fors ?
Ce me diras, savoir le vuel !
Par ou le t'a il treit ? » — Par l'uel.—
« Par l'uel ? Si ne le t'a crevé ? »
— An l'uel ne m'a il rien grevé,
Meis el cuer me grieve formant. —
« Or me di donc reison comant
Li darz est parmi l'uel passez,
Qu'il n'an est bleciez ne quassez.
Se li darz parmi l'uel i antre,
Li cuers por quoi se diaut el vantre,
Que li iauz ausi ne s'an diaut,
Que le premier cop an requiaut ? »

« Comment Amour t'a-t-il percé le corps
puisqu'au dehors n'apparaît nulle plaie ?
Dis-le-moi, je veux le savoir !
Par où t'a-t-il atteint ? » — Par l'œil. —
« Par l'œil ? Et il ne te l'a crevé ? »
— L'œil il ne m'a point meurtri,
c'est au cœur que je suis blessé. —
« Mais dis-moi donc pourquoi et comment
la flèche est passée par l'œil
sans le blesser ni le briser.
Si la flèche passa par l'œil,
pourquoi souffre le cœur dans la poitrine,
et l'œil ne souffre-t-il pas,
lui qui a reçu le premier choc ? »

Et voici maintenant l'explication de ces étranges phénomènes, qui est un petit cours de physique amoureuse à l'usage des dames et des damoiseaux (3) :

Meis c'est li mireors au cuer
Et par cest mireor trespasse,
Si qu'il ne le blece ne quasse,
Li feus don li cuers est espris.
Don n'est li cuers el vantre mis,
Ausi con la chandoile esprise,
Qui dedanz la lanterne est mise ?
Se la chandoile an departez,
Ja n'an istra nule clartez ;
Meis tant con la chandoile dure,
N'est mie la lanterne oscure,
Et la flame qui par mi luist
Ne l'anpire ne ne li nuist.
Autresi est de la verriere :
Ja n'iert tant forz ne tant antiere
Que li rais del soloil n'i past,
Sanz ce que de rien ne la quast.

L'œil est le miroir du cœur
et c'est par ce miroir que passe,
sans le blesser ni le briser,
le brandon dont le cœur s'enflamme.
Le cœur n'est-il placé dans la poitrine
comme la chandelle allumée
que l'on met dans une lanterne ?
Si vous enlevez la chandelle,
il n'en sortira nulle clarté,
mais tant que la chandelle dure,
la lanterne n'est pas obscure,
et la flamme qui brille en elle
ne l'abîme ni ne lui nuit.
Ainsi de même du vitrail :
il n'est si fort ni si épais
que le rais de soleil n'y passe,
mais sans en rien l'endommager.

La comparaison du rayon de soleil qui passe à travers la

(1) Elle n'est pas absente des pièces du Théâtre comique latin du xiie siècle dont j'ai parlé plus haut, p. 26, n. 1, voir aussi la thèse de G. Billar, *Etude sur le style des premiers romans français en vers* (1150-1175), Göteborgs Högskolas Arsskrift, 1916, in-8°, et celle de A. Hilka, *Die direkte Rede... bei Chrestien de Troyes*, thèse de Breslau, 1902.

(2) Vv. 695-708.

(3) Vv. 712-725.

verrière sans la briser était familière à l'École et servait à traduire, par un beau symbole, la conception de Jésus en la Vierge
par l'action du Saint-Esprit. Vous croyez qu'à cette image s'arrête
la lamentation ? Erreur. Il faut maintenant décrire le dard qui
est ainsi entré dans le cœur par les yeux, et ici apparaît à nu la
puérilité, fréquente dans l'intelligence médiévale, et tout son
symbolisme radoteur.

Comme dans toute flèche on y distingue la coche et les
pennes dorées (1) :

Li penon sunt les treces sores
Que je vi l'autre jor an mer...

Les pennes sont les tresses blondes
que je vis l'autre jour en mer.

Quant au carquois (2),

C'est li blïauz et la chemise
Don la pucele estoit vestue.

c'est la tunique et la chemise
dont la pucelle était vêtue.

Heureusement Chrétien n'insite pas autant qu'on l'eût fait
au siècle suivant, le XIIIe, qui est le siècle de l'allégorie et du *Roman
de la Rose* (3), où l'auteur n'eût pas manqué d'attacher une
signification symbolique à toutes les barbes des plumes du
pennon, mais le nôtre s'applique, avec plus de bonheur, à
décrire le visage d'où est partie la flèche et (4) :

« .....la clarté des iauz...
Car a toz ces qui les esgardent
Sanblent deus chandoiles qui ardent.
Et qui a langue si delivre,
Qui poïst la façon descrivre
Del nes bien feit et del cler vis,
Ou la rose cuevre le lis,
Einsi qu'un po le lis efface,
Por miauz anluminer la face,
Et de la bochete riant,
Que Deus fist tel a esciant
Por ce que nus ne la veïst,
Qui ne cuidast qu'ele reïst ?...
Tant a a dire et a retreire
An chascune chose portreire
Et el manton et es oroilles,

« ... la clarté des yeux...
qui, à tous ceux qui les regardent,
semblent deux chandelles brillantes.
Et qui aura la langue assez déliée
pour pouvoir l'aspect décrire
du nez bien fait, du clair visage
où la rose couvre le lis,
de sorte qu'un peu elle l'efface
pour mieux illuminer la face,
et de la bouchette riante
que Dieu fit de telle manière
que nul ne la voie
sans croire qu'elle rit ?...
Il y a tant de choses à dire et à énumérer
pour décrire chaque détail
du menton et des oreilles,

(1) Vv. 790-791.
(2) Vv. 856-857.
(3) Cf. Thuasne (L.), *Le Roman de la Rose*, Paris, Malfère, 1929, in-12.
(4) Vv. 812-845.

Que ne seroit pas granz mervoilles,
Se aucune chose i trespas.
De la gorge ne di je pas
Que vers li ne soit cristaus trobles.
Et li cos est a quatre dobles
Plus blans qu'ivoires soz la trece.
Tant com il a des la chevece
Jusqu'au fermail d'antroverture,
Vi del piz nu sanz coverture
Plus blanc que n'est la nois negiee. »

que ce ne serait pas étonnant
si j'en omets quelque chose.
Je n'ai pas dit qu'à côté de sa gorge
le cristal paraîtra trouble
et que le cou est bien huit fois
plus blanc que l'ivoire, sous la tresse.
Ce que depuis la naissance du cou
jusqu'à l'entrebâillement du fermail,
j'ai vu de la poitrine découverte
est plus blanc que neige frais tombée. »

La complainte du héros se termine sur un acte de soumission à l'amour, dont il attend le remède comme il en a reçu le mal. On comprend que Soredamor, de son côté, ne soit pas moins troublée en son cœur (1) :

...tote nuit plore et se plaint
Et se degete et si tressaut,
A po que li cuers ne li faut.
Et quant ele a tant travaillié
Et sangloti et baaillié
Et tressailli et sospiré,

Toute la nuit elle pleure et se plaint
et se débat et tressaille,
à en perdre presque connaissance.
Et quand elle a tant peiné
et sangloté et bâillé
et tressailli et soupiré,

(encore et toujours, selon la formule de l'*Eneas*), elle se met à penser à celui qu'elle aime et dit (2) :

« Par foi ! donc ne le hé je mie,
Et sui je donc por ce s'amie ?
Nenil, ne qu'a un autre sui.
Por quoi pans je donc plus a lui,
Se plus d'un autre ne m'agree ?
Ne sai, tote an sui esgaree,
Car onques meis ne pansai tant
A nul home el siecle vivant,
Et mon vuel toz jorz le verroie,
Ja mes iauz partir n'an querroie,
Tant m'abelist, quant je le voi.
Est-ce amors ? Oïl, ce croi...
Ja me sui je si sagement
Vers lui gardee longuemant...
Meis or li sui trop deboneire...
Par force a mon orguel donté,
Si m'estuet a son pleisir estre...
Amors voudroit et je le vuel,
Que sage fusse et sanz orguel
Et deboneire et acointable,
Vers toz por un seul amiable. »

« En vérité je ne le hais point,
mais suis-je pour cela son amie ?
Non, pas plus que d'un autre.
Pourquoi donc pensé-je plus à lui,
si, plus qu'un autre, il ne m'agrée ?
Je ne sais, j'en deviens folle,
car jamais je ne pensai tant
à aucun homme au monde vivant.
Je voudrais tout le temps le voir,
ne pas le quitter des yeux,
tant il me plaît de le regarder.
Est-ce Amour ? Oui, je le crois...
Pourtant je me suis si sagement
gardée de lui et si longtemps...
Mais maintenant je lui suis bienveillante.
Sa force mon orgueil a dompté
et à sa merci je me rends...
Amour voudrait et je le veux
que je sois douce et sans orgueil
et bienveillante et accueillante,
aimable envers un seul, au lieu de tous. »

(1) Vv. 882-887.
(2) Vv. 915-956.

Son nom l'y prédestine. Ne s'appelle-t-elle pas Soredamor, ce qui veut dire Blonde d'amour ou, car c'est aussi la couleur de l'or, « Sororée d'amor », Surdorée d'amour (1) :

« Doreüre d'or n'est si fine
Come cele qui m'anlumine...
Or aim et toz jorz amerai.
Cui ? Voir, ci a bele demande !
Celui que Amors me comande,
Car ja autres m'amor n'avra. »

« La dorure de l'or n'est pas plus fine
que celle dont je suis enluminée.
J'aime et toujours j'aimerai.
Mais qui ? La belle demande !
celui qu'Amour d'aimer me commande,
jamais autre mon amour n'aura. »

Reste toujours la difficulté de l'aveu (2) :

« Cui chaut, quant il ne le savra
Se je meïsmes ne li di ?
Que ferai je, se ne le pri ?
Qui de la chose a desirrier,
Bien la doit requerre et proiier.
Comant ? Proierai le je donques ?
Nenil. Por quoi ? Ce n'avint onques
Que fame tel forfeit feïst
Que d'amer home requeïst,
Se plus d'autre ne fu desvee.
Bien seroie fole provee,
Se je disoie de ma boche
Chose qui tornast a reproche...
Je cuit que plus vil m'an avroit,
Si me reprocheroit sovant
Que proiié l'an avroie avant (3). »

« Que lui importe ? puisqu'il ne le saura,
si je ne le lui dis moi-même ?
Que ferai-je, si je ne le prie ?
Qui d'une chose il a désir,
la doit quérir et demander.
Comment ? Le prierai-je donc ?
Non. Pourquoi ? Il n'advint jamais
qu'une femme tel forfait commît
de requérir d'amour un homme,
à moins d'être la plus folle des folles.
Je serais une folle avérée,
s'il sortait de ma bouche
chose dont je pusse être blâmée...
Je crois qu'il me tiendrait pour vile
et me reprocherait souvent
de l'avoir prié la première (3). »

Voilà la théorie complète de la réserve imposée désormais à l'amante dans le roman et sans doute dans la vie courtoise. Écoutez, jeunes filles de la chambre des Dames : soyez des Blondes d'amour, ne soyez pas des Belyssant (4) :

« Ha, Deus ! comant le savra il
Des que je ne l'an ferai cert ?
Ancor n'ai je gueires sofert,
Por quoi tant demanter me doive.
J'atandrai tant qu'il s'aparçoive,
Se ja s'an doit aparcevoir. »

« Mais, Dieu ! comment le saura-t-il
puisque je ne le lui apprendrai pas ?...
Je n'ai pas encore assez souffert
pour me désoler à ce point.
J'attendrai jusqu'à ce qu'il s'aperçoive
si toutefois il doit s'en apercevoir. »

(1) Vv. 983-991.
(2) Vv. 992-1008.
(3) Il y a là de nouveau imitation, presque littérale, de l'*Eneas* et, suivant Wilmotte, *Évolution*, etc., p. 351 s., de l'*Éracle* de Gautier d'Arras, ce qui est moins sûr.
(4) Vv. 1012-1017.

Mais l'adresse et la ruse féminines feront ce que la pudeur n'ose entreprendre (1) :

« Se jel porrai metre an la voie
Par sanblant et par moz coverz.
Tant ferai que il sera cerz
De m'amor, se reçoivre l'ose.
Or n'i a donc plus de la chose,
Meis que je l'aim et soie sui,
S'il ne m'aimme, j'amerai lui. »

« Je tâcherai de le mettre sur la voie
par allusions et mots couverts.
Je ferai tant qu'il connaîtra
mon amour, s'il l'ose accueillir.
Maintenant il n'y a plus qu'à s'occuper
à l'aimer et à être sienne.
S'il ne m'aime, du moins l'aimerai-je. »

Tandis que les amants se plaignent ainsi chacun de leur côté dans l'éternelle incertitude de ceux qui aiment, Arthur apprend que le régent à qui il a confié son royaume s'est révolté contre lui et a fait de Londres son centre de résistance. Le roi lève une armée en Armorique, et les seigneurs, à son appel, se présentent si nombreux qu'il semble; quand ils se sont embarqués sur les nefs, que toute la Bretagne s'en aille. Avant le départ, Alexandre et ses douze compagnons se sont fait armer chevaliers, après avoir pris dans la mer le bain rituel. Comme Arthur leur a donné à chacun armes, robe et cheval, Guenièvre, qui estime beaucoup Alexandre, lui veut faire présent d'une belle chemise de fête (2) :

Trestoz ses escrins cerche et vuide
Tant qu'une chemise an a treite
De soie blanche mout bien faite,
Mout deliee et mout sotil.
Es costures n'avoit nul fil,
Ne fust d'or ou d'arjant au mains.
Au queudre avoit mises ses mains
Soredamors, de leus an leus,
S'avoit antrecosu par leus
Lez l'or de son chief un chevol,
Et as deus manches et au col,
Por savoir et por esprover,
Se ja porroit home trover,
Qui l'un de l'autre devisast,
Tant cleremant i avisast ;
Car autant ou plus que li ors
Estoit li chevos clers et sors.

Elle fouille dans ses coffres et les vide
jusqu'à ce qu'elle en tire une chemise
de soie blanche très bien faite,
très fine et très légère.
Aux coutures, n'y avait nul fil
qui ne fût d'or ou au moins d'argent.
A la coudre avait mis la main
Soredamor à plusieurs reprises
et y avait par place faufilé,
à côté de l'or un cheveu de sa tête,
aux deux manches et au col,
pour savoir et pour essayer
s'il se pourrait trouver un homme
qui l'un de l'autre distinguât,
en y mettant toute son attention,
car autant et plus que l'or,
était brillant et blond le cheveu.

Si Alexandre l'avait vu et si Soredamor avait appris ce don, quelle joie ils en eussent éprouvée (3) :

(1) Vv. 1040-1046. Le « *Se* » (si) continue la phrase précédente.
(2) Vv. 1152-1168.
(3) Vv. 1195-1196. Cf. aussi v. 1563.

Saintüeire, si con je cuit,   Il en eût fait, je crois, une relique
Si l'aorast et jor et nuit.   et l'eût adorée jour et nuit.

L'amour devient adoration et prend le caractère d'un culte
ce pieux moyen âge nous réserve encore quelques surprises, et
le mot de Chrétien est vraiment assez inattendu.

L'amour naissant, étant tout effort et volonté, excite à la
prouesse, qui parera d'un nouveau lustre le soupirant et lui donnera des titres à d'autres conquêtes ; c'est l'amour comblé qui
seul rend *récréant* ; Alexandre suit donc Arthur et son armée à
Londres, que le traître comte Angré a déjà quitté, et met le siège
devant Guinesores ou Windsor, où le fugitif s'est enfermé (1) :

Car li traîtres le ferma,   Le traître l'avait fortifié,
Des que la traïson soscha,   sitôt sa trahison conçue,
De trebles murs et de fossez,   d'une triple enceinte de murs et de fossés
Et s'avoit les murs adossez   et il avait renforcé ses murs
De forz gloes par de derriere (2),   en arrière par de gros pieux
Qu'il ne cheïssent par perriere.   pour résister au choc des pierres.
Au fermer avoit mis grant cost,   A le fortifier il avait dépensé gros,
Tot juing et juignet et aost,   pendant juin, juillet et août,
A feire murs et roilleïz   à faire murailles et palissades,
Et fossez et ponz torneïz,   fossés et ponts-levis,
Tranchiees et barres et lices,   tranchées, barres et barrières,
Et portes de fer coleïces   et portes de fer à coulisses
Et grant tor de pierre quarree...   et grand donjon de pierre carré...
Li chastiaus fist an un pui haut   Il fit le château sur une hauteur,
Et par desoz li cort Tamise.   à ses pieds coulant la Tamise.

On croirait voir Windsor, son grand donjon et sa terrasse dominant le fleuve. A ce lever de plan d'après nature, semble se révéler la chose vue. Mais l'auteur, en vrai styliste, s'est plu à cette
description et joue la difficulté d'une accumulation de termes
techniques assemblés avec une rare maîtrise. Ce fut toujours
jeu d'écrivain, mais il est plus plaisant et plus utile à une époque
où la langue écrite n'a pas deux cents ans d'âge et où elle a besoin
encore d'exercer et de fixer son vocabulaire emprunté au parler
courant, ici à celui des maçons et *maîtres d'œuvres* (3).

L'armée d'Arthur dresse ses tentes vertes et rouges sur les
bords de la Tamise. Le soleil se reflète dans les eaux de la

------

(1) Vv. 1241-1257.
(2) Texte douteux. Cf. G. Paris, *Mélanges de littérature française du
Moyen Age, publiés* p. M. Roques, 1910, pp. 238-239.
(3) Pour être juste, il faut dire que l'auteur anonyme de l'*Eneas* l'a
tenté avant lui dans la description de Carthage.

rivière, qui en flamboie sur plus d'une lieue. Alexandre, le premier, la passe, suivi de ses douze compagnons et ensemble ils vont désarçonner les chevaliers qui joutaient sur la terrasse par bravade. Dans cette escarmouche, Alexandre fait quatre prisonniers et, consacrant à la reine *sa première chevalerie*, son premier exploit, il les lui remet entre les mains. Arthur s'en irrite et mande auprès de lui Guenièvre. Cependant que les Grecs, restés sous la tente de la reine, entretiennent les filles d'honneur (1) :

Meis Alixandres mot ne dist,	Mais Alexandre ne dit mot.
Soredamors garde s'an prist,	Soredamor l'observe,
Qui pres de lui se fu assise.	qui près de lui était assise,
A sa meissele a sa main mise	Elle appuie la joue sur sa main
Et sanble que mout soit pansis.	et elle paraît fort pensive.
Einsi ont mout longuemant sis	Ainsi longtemps sont-ils restés assis,
Tant qu'a son braz et a son col	jusqu'à ce que au bras et au col
Vit Soredamors le chevol,	Soredamor voie le cheveu
Don ele ot la costure feite.	avec lequel elle avait cousu.
Un po plus pres de lui s'est treite,	Un peu plus près de lui elle s'approche,
Car ore a aucune acheison	car elle a trouvé un prétexte
Don metre li puet a reison ;	pour lui adresser la parole.
Meis ainz se panse an quel maniere	Mais d'abord elle se demande comment
Ele l'areisnera premiere	elle l'interpellera la première
Et queus li premiers moz sera,	et quel sera son premier mot,
Se par son non l'apelera ;	si elle va l'appeler par son nom...
S'an prant consoil a li meïsmes :	Elle en discute avec elle-même :
« Que dirai-je », feit ele, « primes ?	« Que dirai-je d'abord » fait-elle ?
Apelerai le par son non	« L'appellerai-je par son nom
Ou par ami ? Ami ? Je non.	ou lui dirai-je Ami ? Ami ? Non.
Comant donc ? Par son non l'apele !	Comment alors ? Appelle-le par son nom !
Deus ! ja'st la parole si bele	Dieu ! c'est pourtant un si beau mot
Et tant douce d'ami nomer. »	et si doux à dire : Ami ! »

Elle s'attarde tant à cette discussion que revient la reine, à qui son époux a ordonné de rendre les prisonniers. Arthur les fait écarteler devant les murailles du château. C'est le signal de l'assaut (2) :

Granz escrois font de totes parz	Grand bruit font de toutes parts
Les arbalestes et les fondes,	les arbalètes et les frondes ;
Saietes et pierres reondes	flèches et pierres rondes
Volent autresi mesle mesle	volent ainsi pêle-mêle
Con feit la pluie avuec la gresle.	que fait la pluie avec la grêle.

Avec les passes d'armes alternent sans cesse les tableaux de

(1) Vv. 1375-1397.
(2) Vv. 1524-1528.

l'amour croissant, et, après la journée de combat, Alexandre, le soir, fait sa cour à la reine. La scène est d'une grâce infinie et il faut la citer en entier, d'autant qu'il n'existe pas encore d'adaptation moderne intégrale de ce délicieux roman (1) :

Assis se furent lez a lez	Assis étaient l'un à côté de l'autre,
Antre Alixandre et la reïne.	Alexandre et la reine.
Devant aus prochiene veisine	Devant eux, toute proche,
Soredamors seule seoit,	Soredamor était assise, seule,
Qui si volantiers l'esgardoit,	le regardant avec tant de plaisir
Qu'an Paradis ne vosist estre.	qu'elle en eût cédé sa place au Paradis.
La reïne par la main destre	Comme la reine par la main droite
Tint Alixandre et remira	tenait Alexandre, elle aperçut
Le fil d'or qui mout anpira	le fil d'or qui semblait pâle à côté
Et li chevos anbelissoit...	du cheveu qui brillait d'autant...
Si li sovint par avanture	Il lui souvint par hasard
Que feite avoit cele costure	que Soredamor avait fait cet ouvrage
Soredamors et si s'an rist.	et elle se mit à rire.
Alixandres garde s'an prist	Alexandre s'en aperçoit
Et li prie, s'il feit a dire,	et lui demande s'il se pouvait
Que li die qui la feit rire,	qu'elle lui dise ce qui la fait rire.
La reïne au dire se tarde,	La reine tarde à parler,
Et vers Soredamors regarde,	et, regardant du côté de Soredamor,
Si l'a devant li apelee.	l'appelle auprès d'elle.
Cele i est volantiers alee,	Celle-là s'empresse volontiers
Si s'agenoille devant li.	et s'agenouille devant elle.
Alixandre mout abeli,	Il plaît beaucoup à Alexandre
Quant si pres la vit aprochier,	de la voir approcher si près
Que il la poïst atochier.	qu'il la pourrait toucher.
Meis il n'a tant de hardemant,	Mais il n'a pas même l'audace
Qu'il l'ost regarder seulemant.	d'oser la regarder seulement.
Ainz li est toz li sans failliz	Il se trouve si interloqué
Si que pres an est amuïz.	qu'il en perd presque la parole ;
Et cele rest si esbaïe	et elle de son côté est si surprise
Que de ses iauz n'a nule aïe,	que, ne sachant que faire de ses yeux,
Ainz met an terre son esgart...	elle baisse vers la terre son regard...
La reïne mout s'an mervoille,	La reine s'en étonne beaucoup.
Or la voit pale et or vermoille	Elle la voit pâlir puis rougir
Et note bien an son corage	et observe bien en elle-même
La contenance et le visage	la contenance et le visage
De chascun et d'aus deus (2) ansanble.	de chacun et de tous deux ensemble.
Bien aparçoit et voir li sanble	Elle aperçoit et il lui semble bien
Par les muances des colors,	à ces changements de couleur
Que ce sont accidant d'amors,	reconnaître les effets de l'amour,
Meis ne lors an viaut feire angoisse,	mais elle ne veut les mettre dans l'em- [barras,

(1) Vv. 1558-1619. Il y a cependant une adaptation partielle par André Mary, dans *La Loge de Feuillage*, Paris, Boivin, 1928, in-12°.
(2) Corrigé par G. Paris, *loco laud.*, p. 239, en *ansdeus*.

Ne feit sanblant qu'ele conoisse
Rien nule de quan qu'ele voit...
Fors tant qu'a la pucele dist :
« Dameisele, regardez ça
Et dites, nel vos celez ja,
Ou la chemise fut cosue,
Que cist chevaliers a vestue,
Et se vos an antremeïstes
Ne del vostre rien i meïstes ? »
La pucele a del dire honte,
Neporquant volantiers li conte,
Car bien viaut que le voir an oie
Cil qui de l'oïr a tel joie,
Quant cele li conte et devise
La feiture de la chemise,
Que a grant painne se retarde
La ou il le chevol regarde,
Que il ne l'aore et ancline.

et ne fait pas semblant de remarquer
rien de tout ce qu'elle voit...
Elle se borne à dire à la jeune fille :
« Demoiselle, regardez donc ici,
et dites-moi, sans rien cacher,
où fut cousue la chemise
que porte ce chevalier,
si vous vous y employâtes
et si vous n'y mîtes rien de vous ? »
La pucelle a honte de parler,
et cependant volontiers elle le fait,
car elle désire qu'il apprenne la vérité
celui qui a tant de joie à l'écouter,
quand elle se met à raconter et décrire
la confection de la chemise.
Il a grand'peine à s'empêcher,
en considérant le cheveu,
de l'adorer à genoux.

Elle se complète, l'idolâtrie amoureuse qu'un Roland, qui, quelque soixante ans auparavant mourait sans parler de son Aude, eût dédaignée et méprisée (1) :

Liez est, quant de s'amie a tant,
Meis il ne cuide ne n'atant
Que ja meis autre bien an eit...
Tote nuit la chemise anbrace,
Et quant il le chevol remire,
De tot le mont cuide estre sire.
Bien feit amors de sage fol,
Quant cil feit joie d'un chevol
Et si se delite et deduit
Meis il changera cest deduit
Ainz l'aube clere et le soloil.

Il est joyeux de posséder tant de son amie,
mais il n'espère ni n'attend
avoir jamais autre chose d'elle...
Toute la nuit la chemise il embrasse
et, quand il contemple le cheveu,
il se croit le maître du monde.
Amour fait vraiment du sage un fou,
puisque celui-ci se réjouit d'un cheveu
et y prend tant de plaisir,
mais ce plaisir finira
avant l'aube claire et le soleil.

En effet, les traîtres assiégés ont résolu de tenter une sortie nocturne pour tâcher de surprendre leurs adversaires en plein sommeil (2) :

Cele nuit estoile ne lune
N'orent el ciel lor rais mostrez,
Meis ainz qu'ils venissent as trez,
Comança la lune a lever,
Et je cuit que por aus grever
Leva ainz qu'elle ne soloit
Et Deus qui nuire lor voloit,

Cette nuit, ni étoiles ni lune
ne montraient au ciel leurs rayons.
Mais avant qu'ils parvinssent aux tentes,
la lune commença à se lever
et je crois que pour leur nuire,
elle se leva avant son heure
et que Dieu, qui voulait les confondre,

(1) Vv. 1627-1647.
(2) Vv. 1698-1710.

nlumina la nuit oscure... · illumina la nuit obscure...
Ainz les haoit por lor pechié, · les haïssant pour le péché
Don il estoient antechié, · dont ils étaient entachés,
Car traïtor et traïson · car traîtres et trahison,
Het Deus plus qu'autre mesprison. · Dieu les hait plus qu'autre méfait.

Et voici alors un de ces effets de lune qui, nous l'avons marqué déjà, plaisent tant à Chrétien paysagiste (1) :

Mout lor est la lune nuisanz, · La lune leur nuit beaucoup,
Qui luist sor les escuz luisanz, · se reflétant sur les écus qui brillent,
Et li hiaume mout lor renuisent, · et les heaumes aussi leur nuisent
Qui contre la lune reluisent ; · en reluisant au clair de lune,
Car les eschargueites les voient, · car les aperçoivent les veilleurs,
Qui l'ost eschargueitier devoient, · chargés de veiller sur le camp,
Si s'escrient par tote l'ost : · et ils s'écrient par toute l'armée :
« Sus, chevaliers ! sus, levez tost ! · « Debout, chevaliers ! levez-vous vite
Prenez vos armes, armez vos ! · Prenez vos armes, armez-vous
Vez ci les traïtors sor nos. » · déjà les traîtres sont sur nous ! »
Par tote l'ost as armes saillent... · Et tout le monde court aux armes...

La bataille s'engage, formée d'une série de combats isolés où Alexandre naturellement fait merveille et contribue largement à la déroute des ennemis. Est-ce leur qualité de traîtres qui justifie la ruse qu'il conçoit ? Toujours est-il qu'il fait prendre, à un groupe de ses compagnons, les armes, les écus des morts et, grâce à ce stratagème, ils se font ouvrir les portes derrière lesquelles s'étaient réfugiés le comte Angré et quelques-uns des siens. Alexandre et ses Macédoniens se jettent sur eux, massacrent ceux qui sont sans armes et engagent la lutte par combats singuliers dans le réduit de la citadelle avec Angré et huit des siens. Ceux-ci finissent par se réfugier dans leur donjon, tandis que les Grecs ferment la porte de l'enceinte et les gardent. Alexandre, avec les treize hommes qui lui restent, donne l'assaut à la tour, y pénètre, abat le comte d'un coup de chevron et le fait prisonnier ; les autres se rendent.

Sur ces entrefaites, les assiégeants ont retrouvé les écus abandonnés par Alexandre et ses hardis compagnons, les ont crus morts et dans le camp mènent un grand deuil, dont Soredamor prend sa part, sans oser faire montre de ses sentiments.

Mais voici qu'Alexandre sort du château avec son prisonnier, qu'il va remettre entre les mains du Roi. A la douleur suc-

(1) Vv. 1713-1723.

cède alors la plus vive allégresse. Arthur lui remet la coupe
d'or promise au vainqueur. Le jeune héros se rend vers Guenièvre qu'il trouve avec Soredamor et, assise entre eux deux, la
reine leur fait sa leçon d'amour sous la tente (1) :

— Alixandre, — feit la reïne, —
Amors est pire que haïne,
Qui son ami grieve et confont.
Amant ne sevent que il font,
Quant li uns vers l'autre se cuevre...
D'amor andotriner vos vuel,
Car bien sai qu'amors vos afole...
Et gardez ne m'en celez rien,
Qu'aparceüe m'an sui bien
As contenances de chascun,
Que de deus cuers avez feit un...
De ce trop folemant ovrez
Que chascuns son panser ne dit,
Qu'au celer li uns l'autre ocit,
D'amors omecide seroiz.
Or vos lo que ja ne queroiz
Force ne volanté d'amor (2).
Par mariage et par enor
Vos antraconpaigniez ansanble.
Einsi porra, si con moi sanble,
Vostre amors longuemant durer.
Je vos os bien asseürer,
Se vos an avez buen corage,
J'assanblerai le mariage. —

— Alexandre, — fait-elle... —
l'Amour est pire que la haine,
quand il blesse et détruit son ami.
Les amants ne savent ce qu'ils font,
lorsque l'un de l'autre se cache...
Je veux vous enseigner l'amour,
car je sais qu'Amour vous tue...
Ne croyez pas me le cacher,
car je me suis bien aperçue,
à votre contenance à tous deux,
que de deux cœurs avez fait un...
Vous agissez trop sottement
de ne pas dire chacun votre pensée :
la cachant vous vous tuez l'un l'autre
et serez homicides d'amour.
Je vous conseille de ne pas chercher
à contraindre l'amour.
Par le mariage et en tout honneur
unissez-vous ensemble.
Ainsi pourra, à ce qu'il me semble,
votre amour longuement durer.
Je puis bien vous assurer
que si vous en avez le désir,
je réaliserai ce mariage. —

Quand la reine a terminé, Alexandre, voyant découvertes ses
pensées les plus chères et les plus cachées, ne cherche plus à
dissimuler (3) :

« Quant vos ma volanté savez,
Ne sai que plus le vos celasse.
Mout a grant piece, se j'osasse,
L'eüsse je reconeü,
Car mout m'a li celers neü;
Meis puet cel estre an nul androit
Ceste pucele ne voudroit
Que fusse suens et ele moie.
S'ele de li rien ne m'otroie,
Tote voies m'otroi a li. »

« Puisque vous connaissez mon sentiment,
à quoi bon vous le cacher encore ?
Il y a longtemps, si je l'avais osé,
que je l'eusse reconnu,
car le cacher m'a été pénible.
Mais il est possible en quelque façon
que cette jeune fille ne veuille pas
que je sois sien et elle mienne.
Mais, ne m'accordât-elle rien de soi,
je ne m'en donne pas moins à elle. »

(1) Vv. 2279-2310.
(2) Vers difficile discuté par van Hamel, *Romania*, t. XXXIII, 1904,
p. 472, n. 2, et par G. Paris, *loco laud.*, p. 239, qui lit *forsen* = folie.
(3) Vv. 2320-2349.

A cest mot cele tressailli,
Qui cest presant pas ne refuse.
Le voloir de son cuer ancuse
Et par parole et par sanblant,
Car a lui s'otroie an tranblant...
La reïne andeus les ambrace
Et fet a l'un de l'autre don.
An riant dit : — Ge t'abandon,
Alixandre, le cors t'amie.
Bien sai qu'au cuer ne fauz tu mie.
Qui qu'an face chiere ne groing,
L'un de vos deus a l'autre doing.
Tien tu le tuen et tu la toe. —
Cele a le suen et cil la soe,
Cil li tote et cele lui tot.

A ce mot elle tressaillit,
celle qui ne refuse pas ce présent.
Elle trahit le désir de son cœur
et par la voix et par la contenance ;
à lui donc elle s'accorde en tremblant.
La reine les embrasse tous deux
et fait de l'un à l'autre don,
et dit en riant : — Je t'abandonne,
Alexandre, le corps de ton amie,
puisque le cœur tu l'as déjà.
Qui qu'en sourie ou en grimace,
je vous donne l'un à l'autre.
Toi prends le tien et toi la tienne. —
Celle-ci a le sien, celui-là la sienne,
celui-ci l'a toute, celle-là tout.

A Windsor sont célébrées les noces, qui s'accompagnent du couronnement d'Alexandre comme souverain du pays de Galles par Arthur, mais la plus grande joie du jeune Grec est que (1) :

s'amie fu fierce
De l'eschaquier don il fu rois.

son ami est reine
de l'échiquier dont il est roi.

Chose remarquable et qui trahit chez notre écrivain le souci de ne pas se répéter, aucune description des solennités des noces, malgré le déplaisir, dit-il, qu'en éprouveront beaucoup, aucun détail non plus sur les délices de la nuit, ce qui causera chez les lecteurs de l'*Érec* une déception plus grande encore. Il se borne à noter, en termes d'ailleurs dépourvus de délicatesse, qu'au bout de cinq mois, Soredamor se trouva grosse et que, neuf mois après, naquit un bel enfant qu'on appela Cligès (2) :

Nez est Cligés an cui memoire
Fu mise an romans ceste estoire.

Né est Cligès en souvenir duquel
cette histoire fut mise en roman...

Les amours d'Alexandre et de Soredamor, si ingénieusement, si minutieusement et si précieusement décrites, n'ont donc été qu'une introduction, à la vérité un peu longue, 2382 vers sur 6784, près du tiers, au roman proprement dit qui reste celui de *Cligès*.

Pendant que se déroulent les événements contés dans ce long préambule, l'empereur de Constantinople, se sentant près de sa

(1) Vv. 2372-2373.
(2) Vv. 2383-2384.

fin, envoie une ambassade en Angleterre pour en ramener son fils et légitime héritier. Malheureusement tous les barons qui en faisaient partie périssent, à l'exception toutefois d'un traître, qui, préférant Alis, le fils cadet de l'empereur, à Alexandre l'aîné, revient en annonçant que celui-ci a été noyé aussi dans le naufrage, qu'il place au retour de Bretagne. On le croit sur parole, et Alis reçoit la couronne impériale de Grèce. Alexandre l'apprend cependant et, sans tarder, à la tête de 40 Gallois, Écossais et Cornouaillais, emmenant Soredamor et son fils, il s'embarque à Sorham, Shoreham, port du Sussex (décidément les connaissances géographiques de Chrétien sont assez précises, quand il s'agit de l'Angleterre) et, au bout d'un mois, ils abordent à Athènes. Par l'intermédiaire d'un messager, éloquent et courtois, nommé Acorionde, l'aîné fait réclamer au cadet sa couronne. Celui-ci consulte ses barons, qui le mettent en garde, lui rappelant (souvenir évident du *Roman de Thèbes*, première étoile de la triade classique) la lutte d'Étéocle et de Polynice, et préconisent un accommodement : Alis gardera nominalement la couronne mais ne se mariera pas, de telle sorte qu'après lui, Cligès en héritera. Jusque-là Alexandre exercera le pouvoir effectif. Se sentant aller à son tour vers sa fin, ce dernier fait promettre à son fils de suivre son propre exemple (1) :

« Biaus fiz Cligés, ja ne savra	« Cher fils Cligès, tu ne pourras
Conoistre con bien tu avras	connaître combien tu auras
De proëce ne de vertu,	de vaillance ni de courage,
Se a la cort le roi Artu	si à la cour du roi Arthur
Ne te vas esprover einçois	tu ne vas l'éprouver d'abord
Et as Bretons et as François.	sur les Bretons et les Français.
Se avanture la te mainne,	Si l'aventure te mène là,
Einsi te contien et demainne	conduis-toi et comporte-toi de telle sorte
Que tu n'i soies coneüz	que tu n'y sois pas reconnu
Jusqu'a tant qu'as plus esleüz	jusqu'à ce que avec les plus braves
De la Cort esprovez te soies...	de la cour tu te sois éprouvé...
Et s'an leu viens, ja peor n'aies	et, le cas échéant, ne crains pas
Que a ton oncle ne t'essaies,	de te mesurer même à ton oncle
Mon seignor Gauvain... »	monseigneur Gauvain... »

Peu après, le héros rendit l'âme et Soredamor, de douleur, ne put lui survivre longtemps.

Alis et Cligès en montrèrent un grand chagrin, puis, remarque ironiquement le conteur, s'en lassèrent. Même l'empereur, ou-

(1) Vv. 2603-2617.

blieux de son serment et écoutant les perfides conseils de ses
barons, songe à prendre pour femme la fille de l'empereur d'Allemagne, dont une ambassade va demander pour lui la main à
Reneborc ou Rastisbonne. Très flatté de la proposition, l'empereur
hésite à l'accepter, car il a promis Fénice au duc de Saxe, mais si
Alis vient la prendre avec une forte armée, il ne pourra guère la lui
refuser. Accompagné de son neveu et de ses meilleurs chevaliers, Alis s'achemine donc vers Cologne où a lieu la joyeuse et solennelle rencontre des deux empereurs des Grecs et des Thiois (1) :

Et l'anperere maintenant	Et l'empereur aussitôt
Manda sa fille l'avenant.	mande sa fille, la gracieuse.
La pucele ne tarda pas,	La pucelle ne tarda pas,
El paleis vint eneslepas	au palais, elle vint aussitôt ;
Et fu si belle et si bien feite,	elle était si belle et si bien faite,
Con Deus meïsmes l'avoit feite,	qu'on l'eût dite modelée par Dieu même,
Cui mout i plot a travaillier	qui se plut à y travailler
Por feire jant esmerveillier...	pour étonner tout le monde...
Fenice ot la pucele a non	Fénice s'appelait la pucelle,
Et ne fu mie sanz reison,	et ce n'était pas sans raison,
Car si con fenix li oisiaus	car ainsi que l'oiseau Phénix
Est sor toz autres li plus biaus	est de tous le plus beau
N'estre n'an puet que uns ansanble :	et qu'il n'en peut y avoir qu'un à la fois,
Ausi, Fenice, ce me sanble,	ainsi Fénice, ce me semble,
N'ot de biauté nule paroille...	n'avait sa pareille en beauté...
Ne braz, ne cors, ne chief, ne mains,	Les bras, le corps, la tête, les mains,
Ne vuel par parole descrivre,	je ne veux pas les décrire en paroles,
Car se mil anz avoie a vivre,	car si j'avais mille ans à vivre
Et chascun jor doblast mes sans,	et que chaque jour augmentât mon talent,
Si perdroie je tot mon tans,	j'aurais consumé ma vie
Einçois que le voir an deïsse.	avant d'y avoir réussi.

Ou je me trompe, ou il y a là une fine ironie à l'égard des des-
cripteurs à outrance, dont il a été lui-même, une ironie aussi à
l'égard des perfections obligées de toute héroïne romanesque (2) :

Tant s'est la pucele hastee	La jeune fille s'est tant hâtée,
Que el paleis an est venue,	qu'au palais est parvenue
Chief descovert et face nue,	tête et visage découverts,
Et la luors de sa biauté	et la lueur de sa beauté
Rant el paleis plus grant clarté,	répand dans le palais plus grande clarté
Ne feïssent quatre escharboncle.	que ne feraient quatre escarboucles.
Devant l'anpereor son oncle	Devant l'empereur son oncle,
Estoit Cligés desafublez.	Cligés se tenait debout sans armes.

(1) Vv. 2713-2741.
(2) Vv. 2746-2760.

Un po fu li jorz enublez ;
Meis tant estoient bel andui
Antre la pucele et celui,
Qu'uns rais de lor biauté issoit,
Don li paleis resplandissoit
Tot autresi con li solauz
Reluist au main clers et vermauz.

Le ciel était assez couvert,
mais ils étaient si beaux tous deux,
la jeune fille et lui,
que de leur beauté émanait un rayon,
dont le palais resplendissait
autant que le soleil
reluit, vermeil et clair, au matin.

Chrétien a fait trop de portraits de femmes pour ne pas s'en être lassé ; mais il va essayer de nous dresser en pied un bel adolescent (1) :

Por la biauté Cligés retreire,
Vuel une descripcion feire,
Don mout briés sera li passages.
An la flor estoit ses aages,
Car pres avoit ja de quinze anz.
Plus estoit biaus et avenanz
Que Narcisus qui desoz l'orme,
Vit an la fontainne sa forme,
Si l'ama tant, quant il la vit,
Qu'il an fu morz, si com an dit,
Por tant qu'il ne la pot avoir.

Pour retracer la beauté de Cligès,
je veux tenter une description
qui ne sera pas trop longue.
Il était dans la fleur de son âge,
puisqu'il avait près de quinze ans.
Il était plus beau et plus charmant
que Narcisse qui sous l'orme
voyait en la fontaine sa forme
et l'aima tant, quand il la vit,
qu'il mourut, à ce que l'on conte,
pour ne l'avoir pu atteindre.

Toujours le souvenir de la lecture d'Ovide qui avait inspiré ses premiers essais (2) :

Mout ot biauté et po savoir ;
Meis Cligés an ot plus grant masse,
Tant con fins ors le coivre passe
Et plus que je ne di ancor.
Si chevol sanbloient fin or
Et sa face rose novele.
Nes ot bien feit et boche bele
Et fu de si grant estature
Con miauz le sot feire Nature,
Que an lui mist trestot a un
Ce que par parz done a chascun...
Cist sot plus d'escremie et d'arc
Que Tristanz li niés le roi Marc,
Et plus d'oisiaus et plus de chiens.

C'est qu'il avait plus de beauté que de sens.
Mais Cligés en avait plus,
d'autant que l'or fin passe le cuivre
et plus encore que je ne dis.
Ses cheveux semblaient or fin
et son visage rose fraîche éclose.
Il avait nez bien fait et bouche belle
et était de si grande taille
que Nature n'eût pu mieux faire,
car elle avait mis en un seul
ce dont elle donne une part à chacun...
Il connaissait mieux l'escrime et l'arc
que Tristan, le neveu du roi Marc,
mieux la chasse à l'oiseau et aux chiens.

Cette fois, c'est son autre œuvre de jeunesse, le *Tristan*, qui lui revient en mémoire, et on verra l'importance de ce détail.

---

(1) Vv. 2761-2771. On sait comment Guillaume de Lorris dans son *Roman de la Rose* a joliment conté aussi la Mort de Narcisse (vv. 1439-1510, pp. 75-78 au t. I de l'éd. E. Langlois et mon *Roman de la Rose*, Paris Guillon).
(2) Vv. 2772-2791.

Mais voici d'abord de nouveau la préciosité de la poésie lyrique courtoise, dans l'échange des regards des deux êtres qui, sans avoir bu le philtre magique, sont voués à la fatalité de l'amour (1) :

Meis Cligés par amor conduit	Mais Cligès par amour dirige
Vers li ses iauz covertemant,	vers elle secrètement ses regards,
Et ramainne si sagemant	et les ramène si sagement
Que a l'aler ne au venir,	que à l'aller ni au retour,
Ne l'an puet an por fol tenir.	on ne le peut tenir pour fol.
Mout deboneiremant l'esgarde,	Il la regarde avec douceur,
Meis de ce ne se prant il garde	mais à ceci il ne prend garde,
Que la pucele a droit li change,	que la pucelle à bon droit les lui ravit ;
Par buene amor, non par losange,	par loyal amour, non par félonie,
Ses iauz li baille et prant les suens...	elle lui donne ses yeux et prend les siens...
Mout li sanble cist changes buens	L'échange lui paraît délicieux
Et miaudre assez li sanblast estre,	et lui semblerait meilleur encore,
S'ele seüst auques son estre...	eût-elle su quelque chose de sa pensée.
Ses iauz et son cuer i a mis	Elle a mis ses yeux et son cœur en lui
Et cil li ra le suen promis.	et celui-ci a promis le sien.
Promis ? meis doné quitemant.	Promis ? non, mais donné entièrement.
Doné ? non a, par foi, je mant,	Donné ? non pas, je mens ma foi,
Car nus son cuer doner ne puet.	car nul ne peut donner son cœur.

Et ici Chrétien va s'efforcer de distinguer entre le cœur et le désir ; la distinction peut nous sembler enfantine et subtile, mais elle était peut-être nécessaire pour un auditoire dont les connaissances physiologiques étaient plus rudimentaires encore que celles du peuple aujourd'hui, et dont l'esprit était si peu subtil et si peu rompu à l'analyse qu'il pouvait facilement confondre l'organe et un sentiment. Quoi qu'il en soit, il y a ici un développement psychologique, un peu puéril, scolastique, pédant, si l'on veut, mais qui n'en est pas moins remarquable en ce qu'il tente d'expliquer au lieu de simplement raconter. L'humanisme de la seconde moitié du XIIᵉ siècle se manifeste aussi chez Chrétien par un effort vers la connaissance de l'homme et vers le roman psychologique (2) :

Autremant dire le m'estuet.	Il me faut m'exprimer autrement.
Ne dirai pas si con cil dïent,	Je ne dirai pas comme ceux-là
Qui a un cors deus cuers alïent,	qui en un corps deux cœurs allient,
Qu'il n'est voirs n'estre ne le sanble	car il ne me semble pas vrai...
Qu'an un cors ait deus cuers ansanble...	qu'en un cœur puissent loger deux cœurs...

Chrétien est trop adroit conteur et a trop le sens de l'action

(1) Vv. 2800-2821.
(2) Vv. 2822-2826.

et de la progression nécessaire du récit pour s'attarder plus longtemps à cette analyse. Il l'abandonne pour parler du duc de Saxe, qui a envoyé un sien neveu à Cologne, réclamer sans tarder la pucelle qui lui est promise. Celui-ci n'obtient pas de réponse, mais seulement un défi de Cligès à un tournoi, auquel les dames assisteront et dans lequel se mesureront trois cents chevaliers des deux parts. Le Grec s'y distingue pour l'amour de la belle qui le regarde et naturellement a raison de son adversaire, qui s'enfuit couvert de honte, avec les siens. La fille de l'empereur est de plus en plus éprise de celui auquel elle ne peut aspirer. Elle en perd ses fraîches couleurs, au point que sa gouvernante Thessala, vraie confidente de tragédie et ainsi nommée parce qu'elle était de Thessalie, patrie de la nécromancie et de la magie (1), ne tarde plus à s'en apercevoir (2) :

Thessala voit tainte et palie	Thessala voit se décolorer et pâlir
Celi qu'amors a an baillie,	celle qu'amour tient en sa puissance
Si l'a a consoil aresniee :	et en ces termes l'interroge :
« Deus », fait ele, « estes vos fesniee,	« Dieu, fait-elle, vous a-t-on jeté un sort,
Ma douce dameisele chiere,	ma chère douce demoiselle,
Qui si avez tainte la chiere ?	pour avoir le visage si blafard ?
Mout me mervoil que vos avez.	Je me demande ce que vous avez.
Dites le moi, se vos savez,	Dites-moi, si vous le savez,
An quel leu cist maus vos tient plus,	en quel endroit le mal vous tient le plus,
Car se garir vos an doit nus,	car si quelqu'un vous doit guérir,
A moi vos an poez atandre,	vous pouvez compter sur moi ;
Car bien vos savrai santé randre.	je saurai bien vous rendre à la santé.
Je sai bien garir d'idropique,	Je sais guérir l'hydropisie,
Si sai garir de l'artetique,	je sais guérir la goutte,
De quinancie et de cuerpous ;	l'esquinancie (3) et l'asthme.
Tant sai d'orine et tant de pous,	Je connais si bien l'urine et le pouls
Que ja mar avroiz autre mire ;	que vous auriez tort de prendre autre [médecin,
Si sai, se je l'osoie dire,	et je sais, si j'ose dire,
D'anchantemanz et de charaies	d'enchantements et de sortilèges
Bien esprovees et veraies	bien éprouvés et sûrs
Plus qu'onques Medea ne sot,	plus que jamais Médée n'en sut ;
N'onques meis ne vos an dis mot,	je ne vous en ai jamais dit mot
Si vos ai ju que ci norrie ;	et pourtant je vous ai élevée jusqu'ici.
Meis, ne m'an ancusez vos mie,	Ne me le reprochez pas
Car ja rien ne vos en deïsse,	et je ne vous en aurais rien dit,

---

(1) Le nom vient de Lucain ou de Juvénal (*Sat.* VI, 620 s.). Cf. van Hamel, art. cité, p. 474, n. 1.

(2) Vv. 3011-3041.

(3) Ou cynancie (littéralement : collier de chien), amygdalite phlegmoneuse.

Se certainnemant ne veïsse
Que teus maus vos a anvaïe,
Que mestier avez de m'aïe.
Dameisele, vostre malage
Me dites, si feroiz que sage,
Einçois que il plus vos sorpraingne. »

si je n'avais vu de toute évidence,
qu'un tel mal vous a envahie
où vous aurez besoin de mon aide.
Demoiselle, votre mal
dites-le-moi, vous ferez bien,
avant qu'il ne vous gagne davantage. »

La jeune fille se décide à l'aveu, non sans avoir fait promettre à sa *mestre* le secret : occasion pour Chrétien de refaire des discours entiers de l'*Eneas* (1). Il a peur de se répéter, mais non d'imiter son prédécesseur (2) :

— Mestre — feit ele, — sanz mantir...
De toz maus est divers li miens,
Car se voir dire vos an vuel,
Mout m'abelist et si m'an duel,
Si me delit an ma meseise...
Thessala mestre, car me dites,
Cist maus don n'est il ipocrites,
Qui douz me sanble et si m'angoisse ?
Ne ne sai comant je conoisse,
Se c'est anfermetez ou non,
Mestre, car m'an dites le non
Et la maniere et la nature.
Mais sachiez bien que je n'ai cure
De garir an nule maniere,
Car mout an ai l'angoisse chiere. —

— Nourrice, fait-elle, sans mentir...
Mon mal diffère de tous les autres,
car si je voulais en dire le vrai,
il me plaît, pourtant je m'en plains,
et je me complais en ma peine...
Thessala, nourrice, dites-moi donc,
N'est-il pas hypocrite ce mal,
qui me semble doux et m'oppresse,
et je ne sais comment reconnaître
si c'est un mal ou non ?
Dites-m'en donc, chère nourrice,
le caractère et la nature,
mais sachez que je n'ai nul souci
de guérir en aucune façon,
car cette angoisse m'est bien chère. —

Thessala, savante en amour, comme en autres enchantements, a vite fait son diagnostic et lui répond (3) :

« Ja ne dotez rien,
De vostre mal vos dirai bien
La nature et le non ansanble.
Vos m'avez dit, si con moi sanble,
Que la dolors que vos santez
Vos sanble estre joie et santez :
De tel nature est maus d'amor,
Que il i a joie et dolor.
Donc amez vos, je le vos pruis.
Car douçor an nul mal ne truis,
S'an amor non tant seulemant. »

« Ne craignez rien,
je vous dirai de votre mal
à la fois la nature et le nom.
Vous m'avez dit, si j'ai bien compris,
que la douleur que vous sentez
vous semble la santé et la joie.
De telle nature est le mal d'amour
qu'il renferme joie et douleur ;
vous aimez donc, je vous le prouve,
car je ne trouve douceur en nul mal,
si ce n'est seulement en l'amour...»

Après lui avoir fait promettre l'absolu secret, Fénice avoue que son père l'a octroyée à Alis, mais que c'est du neveu, Cligès,

(1) Voir, plus haut, le chapitre II sur les Origines du Roman courtois.
(2) Vv. 3063-3094.
(3) Vv. 3107-3117.

qu'elle est éprise. Or, — et nous touchons ici au passage qui nous révèle la pensée maîtresse de Chrétien, laquelle est de faire de son nouveau roman un *anti-Tristan*, — entre l'oncle et le neveu, elle ne veut pas être une nouvelle Iseut (1) :

— Miauz voudroie estre desmanbree
Que de nos deus fust remanbree
L'amors d'Iseut et de Tristan,
Don tantes folies dit l'an,
Que honte m'est a raconter.
Je ne me porroie acorder
A la vie qu'Iseuz mena.
Amors an li trop vilena,
Car ses cors fu a deus rantiers
Et ses cuers fu a l'un antiers.
Einsi tote sa vie usa
Qu'onques les deus ne refusa. —

— J'aimerais mieux être écartelée
que d'ouïr évoquer à notre propos
l'amour d'Iseut et de Tristan,
dont tant de folies on raconte
que de les répéter j'ai honte.
Je ne pourrais m'accommoder
de la vie qu'Iseut mena.
Amour s'avilit trop en elle,
car son corps fut à deux possesseurs,
tandis que son cœur n'était qu'à un seul.
Ainsi elle passa toute sa vie
sans se refuser ni à l'un ni à l'autre. —

Cette ingénue fort savante, et qui, à défaut de la pratique, connaît fort bien sa théorie, articule (2) :

— Ceste amors ne fu pas resnable,
Meis la moie est toz jorz estable,
Ne de mon cors ne de mon cuer
N'iert feite partie a nul fuer.
Ja voir mes cors n'iert garçoniers,
Ja n'i avra deus parçoniers.
Qui a le cuer, si eit le cors... —

— Cet amour n'était pas légitime.
Mais le mien est à toujours durable.
Ni de mon corps ni de mon cœur
ne sera fait partage à nul prix.
Jamais mon corps ne sera prostitué,
jamais il n'aura deux possesseurs :
Qui a le cœur, ait le corps... —

Thèse profondément morale, dira-t-on. Peut-être, mais ne nous hâtons pas trop de conclure.

Pour Fénice, comment réaliser cet idéal (3) ?

— Meis ce ne puis je pas savoir,
Comant puisse le cors avoir
Cil a cui mes cuers s'abandone,
Quant mes peres autrui me done
Ne je ne li os contredire...
Meis se vos tant saviiez d'art
Que ja cil an moi n'eüst part,
Cui je sui donee et plevie,
Mout m'avriiez an gre servie.
Mestre, car i metez antante,
Que cil sa fiance ne mante,

— Mais je n'arrive pas à savoir
comment il pourrait posséder mon corps,
celui auquel s'abandonne mon cœur,
alors que mon père m'octroie à un autre,
et que je n'ose m'y opposer...
Mais si vous saviez un artifice
pour qu'il n'ait rien de moi,
celui à qui je suis promise et donnée,
vous me rendriez un grand service.
Maîtresse, mettez donc tout votre effort
à ce qu'il ne mente pas à sa promesse

(1) Vv. 3145-3156.
(2) Vv. 3157-3163.
(3) Vv. 3165-3193.

Qui au pere Cligés plevi,   celui qui a juré au père de Cligès,
Si com il li ot eschevi,   sous la foi du serment,
Que ja n'avroit fame esposee.   de ne jamais prendre femme...
Sa fiance sera faussee,   Sa promesse sera violée,
Car adés m'esposera il.   puisque bientôt il va m'épouser,
Meis je n'ai pas Cligés si vil,   mais j'estime trop Cligès,
Qu'ainz ne vosisse estre anterree,   pour ne pas préférer être enterrée vive
Que ja par moi perdist danree   plutôt que de lui voir perdre par moi
De l'enor qui soe doit estre.   une parcelle de son héritage légitime.
Ja de moi ne puisse anfes nestre,   Que de moi ne puisse naître enfant,
Par quoi il soit deseritez. —   par qui il soit déshérité... —

Qu'à cela ne tienne, Thessala promet que, par l'effet d'un philtre qu'elle fera boire à Alis, elle pourra s'étendre à ses côtés (le texte est moins discret) avec la même sécurité que si entre eux il y avait un mur. Le pauvre homme ne jouira de sa femme qu'en songe et croira vraiment au réveil qu'elle a été à lui. La pucelle, qui semble avoir fort bien compris, se confond en remerciements. Mais comment faire savoir à Cligés qu'elle l'aime et que, tout en épousant son oncle, elle lui a gardé son héritage en même temps que son...? (Chrétien n'a pas reculé devant la rime.)

Le mariage a donc lieu et, pendant la veille des noces, Thessala brasse sa potion (1),

Bien la feit batre et destanprer,   la fait bien battre et mélanger
Et coler tant que tot est cler   et distiller jusqu'à ce qu'elle soit claire
Ne rien n'i a aigre n'amer,   et qu'il n'y reste rien d'amer ni d'aigre,

et, sur les conseils de Thessala, Cligés, au souper de noces, en verse à son oncle une pleine coupe après quoi les époux vont se coucher (2) :

La pucele de primes tranble,   La pucelle d'abord en tremble,
Quar mout se dote et mout s'esmaie,   car elle a bien peur et appréhende
Que la poisons ne soit veraie.   que le philtre ne soit inefficace.
Meis ele l'a si anchanté   Mais le charme s'est si bien exercé,
Que ja meis n'avra volanté   que lui n'éprouve nul désir
De li ne d'autre, s'il ne dort.   ni d'elle ni d'une autre, qu'en dormant.
Meis lors an avra tel deport,   Mais alors il en aura tel plaisir
Con l'an puet an sonjant avoir,   que l'on peut avoir en songe,
Et si tanra le songe a voir.   et ce songe il le croira réalité.
Neporquant cele le resoingne,   Cependant elle le craint,
Premierement de lui s'esloingne,   et d'abord s'éloigne,
Ne cil aprochier ne la puet,   mais celui-ci ne peut l'approcher,
Car maintenant dormir l'estuet,   car sitôt le sommeil s'empare de lui.

(1) Vv. 3254-3256.
(2) Vv. 3338-3372.

Et dort et songe et veillier cuide, / Il dort et songe, et croit veiller,
S'est an grant painne et an estuide / et se donne grand'peine et mal,
De la pucelle losangier. / croyant caresser la jeune fille.
Et cele mainne grant dangier, / Elle se défend avec grande pudeur,
Et se defant come pucele : / et se garde comme une pucelle.
Et il la prie et si l'apele / Il la prie et il l'appelle
Mout soavet sa douce amie, / bien doucement sa douce amie.
Tenir la cuide, n'an tient mie ; / Il croit la tenir et ne la tient pas.
Meis de neant est an grant eise : / Pour néant il se réjouit,
Neant anbrace et neant beise, / néant il embrasse et néant baise,
Neant tient et neant acole, / néant tient et néant accole,
Neant voit, a neant parole, / néant voit, à néant parle,
A neant tance, a neant luite. / à néant se querelle, avec néant lutte.
Mout fu bien la poisons confite, / Le philtre a été bien composé,
Qui si le travaille et demainne. / qui le travaille et l'agite ainsi.
De neant est an si grant painne, / Pour néant il se peine tant
Carpor voir cuide et si s'an prise / qu'il croit en vérité, et il s'en vante,
Qu'il ait la forterece prise. / avoir pris la forteresse d'assaut ;
Einsi le cuide, einsi le croit, / ainsi le croit-il, ainsi le pense-t-il,
Et de neant lasse et recroit. / et pour néant il est las et affaibli...
A une fois, vos ai tot dit, / Je vous le dis une fois pour toutes,
Qu'onques n'an ot autre delit. / jamais autre jouissance n'en eut.

Passée cette nuit illusoire, il emmène sa pseudo-épouse, son neveu et ses Grecs, mais le duc de Saxe ne le laisse pas quitter l'Allemagne, sans tenter de prendre vengeance de lui, en l'attirant dans une terrible embuscade, sur le Danube, au sortir de la Forêt Noire, où Cligès naturellement se couvre de gloire. Malgré son jeune âge, il abat plus d'adversaires encore qu'Érec lui-même, jusqu'à douze successivement, comme les rois et valets d'un château de cartes, et cet exploit, accompli devant sa mie Fénice, lui vaut de la délivrer des mains de ses ravisseurs (1) :

Et neporquant des iauz ancuse, / Et cependant des yeux révélerait
Li uns a l'autre son panser, / l'un à l'autre sa pensée,
S'il s'an seüssent apanser. / s'ils savaient s'en aviser.
Des iauz parolent par esgart, / Des yeux ils parlent avec précaution,
Meis des langues sont si coart, / mais de la langue ils sont si craintifs
Que de l'amor qui les justise / que de l'amour qui les domine,
N'osent parler an nule guise. / ils n'osent en nulle façon parler.
Se cele comancier ne l'ose, / Si elle ne l'ose commencer,
N'est mervoille, car sinple chose / ce n'est merveille, car simple personne
Doit estre pucele et coarde. / doit être pucelle, et craintive.
Meis cil qu'atant et por quoi tarde, / Mais celui-là pourquoi tarde et attend
Qui por li est par tot hardiz / qui pour elle est partout hardi
Et vers li sole acoardiz ? / et envers elle seule acouardi ?

(1) Vv. 3832-3858.

Deus ! ceste crieme don li vient,	Dieu ! telle crainte d'où lui vient
Qu'une pucele sole crient,	qu'il appréhende une pucelle seule,
Foible et coarde, sinple et coie ?	faible, craintive, simple et tranquille ?
A ce me sanble que je voie,	Il me semble que je vois
Les chiens foïr devant le lievre	les chiens fuir devant le lièvre
Et la tortre chacier le bievre,	et la tourterelle chasser le castor,
L'aignel le lou, le colon l'aigle...	l'agneau le loup, le pigeon l'aigle...
Si vont les choses a anvers...	c'est le monde à l'envers.

Chrétien traite là et développe longuement un thème d'exercices scolaires latins, qui passera aussi à nos poètes pétrarquistes du XVIe siècle, mais bientôt il revient sur son terrain favori, la psychologie des amoureux (1) :

Meis volantez a moi s'aüne	Mais l'envie naît en moi
Que je die reison aucune,	de donner quelques-unes des raisons
Por quoi avient a fins amanz,	par lesquelles il arrive aux fins amants
Que sans lor faut et hardemanz	que le sens et la hardiesse leur manquent,
A dire ce qu'il ont an pans,	pour dire ce qu'ils ont dans leur pensée
Quant il ont eise et leu et tans.	quand ils en ont occasion, lieu et temps.
Vos qui d'amors vos feites sage,	Vous qui d'amour avez l'expérience,
Qui les costumes et l'usage,	qui aux coutumes et à l'usage
De sa cort maintenez a foi,	de sa cour gardez votre foi,
N'onques ne faussastes sa loi,	qui jamais ne violâtes sa loi,
Que qu'il vos an deüst cheoir,	quoi qu'il vous en dût arriver,
Dites moi, se l'an puet veoir	dites-moi, si l'on peut voir
Rien qui por amor abelisse,	l'objet dont on est épris,
Que l'an n'an tressaille et palisse ?...	sans en tressaillir et pâlir ?...
De peor doit serjanz tranbler,	De peur doit vassal trembler,
Quant ses sire l'apele ou mande,	quand son seigneur l'appelle ou mande,
Et qui a amor se comande,	et qui se rend à l'amour
Son mestre et son seignor an feit,	en fait son maître et son seigneur.
S'est droiz qu'an reverance l'eit,	Il est juste qu'en révérence l'ait,
Et mout le crieme et mout l'enort,	beaucoup le craigne, beaucoup l'honore
S'il viaut bien estre de sa cort.	s'il veut être bien vu de lui.

Ainsi que dans la *Chanson de Roland* les rapports entre Dieu et ses fidèles sont assimilés à ceux des suzerains et des vassaux, nous voyons ici s'esquisser une féodalité de l'amour ; cependant voici qui n'est plus juridique mais simplement lyrique (2) :

Amors sanz crieme et sanz peor	Amour sans crainte et sans peur
Est feus sanz flame et sanz chalor,	est feu sans chaleur et sans flamme,
Jorz sanz soloil, bresche sanz miel,	jour sans soleil, brèche sans miel,
Estez sans flor, iverz sanz giel,	été sans fleur, hiver sans gel,

(1) Vv. 3859-3892.
(2) Vv. 3893-3911.

Ciaüs sanz lune, livres sanz letre...
Donc ne faut ne ne mesprant mie
Cligés, s'il redote s'amie.
Meis por ce ne leissast il pas (1)...
D'amors aresniee et requise,
Comant que la chose fust prise,
S'ele ne fust fame son oncle.

ciel sans lune, livre sans lettre...
Donc il n'est point en faute
Cligès, s'il redoute son amie.
Pourtant il n'eût pas laissé
de lui parler et de la prier d'amour,
quoi qu'il en dût advenir,
si elle n'avait été la femme de son oncle.

Encore un détail sur lequel il faut insister et qui marque la résistance des écrivains du Nord aux conceptions de la poésie lyrique courtoise, sans lesquelles cette circonstance eût paru plutôt favorable pour le choix de la *Domna* (2).

La tâche du pauvre Cligès n'est pas encore terminée ; après avoir ramené au camp l'impératrice pucelle, il doit encore répondre à un défi du duc de Saxe lui-même, qui veut se mesurer avec lui en combat singulier. Avec une virtuosité surprenante, Chrétien refait son centième combat singulier. Au cou de son héros, il pend un écu d'ivoire sans blason ni peinture ; armure, destrier et harnais sont blancs, plus blancs que neige (3) :

As espees notent un lai
Sor les hiaumes qui retantissent,
Si que lor janz s'an esbaïssent,
Et sanble a ces qui les esgardent,
Que li hiaume espraingnent et ardent.
Et quant les espees resaillent,
Estanceles ardanz an saillent,
Ausi come de fer qui fume,
Que li fevres bat sor l'anclume,
Quant il le treit de la favarge.

Des épées martèlent un lai
sur les heaumes qui retentissent,
et leurs gens s'en ébahissent.
Il semble à ceux qui les regardent
que les heaumes s'allument et ardent,
et quand les épées rebondissent,
étincelles ardentes jaillissent
ainsi que du fer qui fume,
que le fèvre bat sur l'enclume,
quand il l'a tiré de la forge.

Le duc frappe un tel coup, que Cligès en tombe à genoux. Fénice qui l'aperçoit veut crier : *Dieu ! à l'aide !* mais seul le premier mot sort de sa gorge et elle tombe évanouie. Cligès l'entend et cette voix lui rend courage, il se redresse et se précipite sur son adversaire qu'il force à demander grâce et à se déclarer vaincu, pour avoir la vie sauve. Désormais, suivant la convention faite, le cortège impérial pourra, sans avoir à craindre de nouvelle alerte, regagner Constantinople. On croit que là vont continuer à se dérouler et à se développer les amours des deux jeunes gens. Pas si vite. Cligès, se souvenant de la promesse faite à son père mou-

(1) « Qu'il ne l'eüst eneslepas » [aussitôt].
(2) Cependant G. Paris, *op. cit.*, p. 294, n. 3, institue certains rapprochements entre ce passage et les *Regulae Amoris* d'André le Chapelain.
(3) Vv. 4070-4079.

rant, demande à son oncle la permission d'aller à la cour d'Arthur,
ce roi légendaire dont la longévité, comme celle de Charlemagne,
s'étend sur plusieurs générations de héros ou même de romanciers. C'est en Bretagne que notre Cligès veut essayer sa valeur,
comme à la pierre on touche l'or fin. L'empereur, avec peine, le
laisse partir, mais, avec plus de peur encore, Fénice. La scène des
adieux ne laisse pas d'être touchante. De ses yeux baissés les
larmes coulent sur la blanche hermine de son *bliaut*, et c'est
parmi les soupirs et les sanglots étouffés que ce jeune héros, qui,
s'il se bat en homme, est sensible comme une femme, lui explique
son engagement et la nécessité où il est de prendre congé d'elle.
Depuis ce départ, on la voit pâlir et changer. Sans cesse lui
reviennent à la mémoire les chères larmes de Cligès et elle
nferme ce souvenir en son cœur comme le plus précieux des
trésors.

Dans un de ces monologues ou, si l'on préfère, dans ces stances,
dont Chrétien n'a pas perdu le secret et où l'intéressé fait lui-
même les réponses aux questions qu'il pose, elle commente longuement les dernières paroles qu'il a prononcées (1) :

— Cligés par quel antancion
« Je sui toz vostre » me deïst,
S'Amors dire ne li feïst ?
De quoi le puis je justisier ?
Por quoi tant me doie prisier,
Que dame me face de lui ?
N'est il plus biaus que je ne sui
E mout plus jantis hon de moi ?
Nule rien fors amor n'i voi,
Qui cest don me poïst franchir. —

— Cligès dans quelle intention
m'eût-il dit : « Je suis tout vôtre »,
si amour ne le lui eût fait dire ?
Quel droit ai-je donc sur lui ?
En quoi me dois-je estimer tant
que je me fasse sa suzeraine ?
N'est-il pas plus beau que je ne suis
et de plus haut rang que moi ?
Je ne vois rien que l'amour,
qui me puisse octroyer ce don... —

Elle n'ignore pas qu'il faut, en amour, se méfier de la traîtrise
des hommes (2) :

— Car teus i a qui par losange,
Dïent nes a la jant estrange :
« Je sui toz vostre et quanque j'ai »,
Si sont plus jangleor que jai...
Meis je li vi color changier
Et plorer mout piteusemant.
Les lermes au mien jugemant
Et la chiere honteuse et mate
Ne vindrent mie de barate...
Li oel ne m'an mantirent mie,
Don je vi les lermes cheoir... —

— Tels y en a qui par flatterie,
disent même à des étrangers :
« Je suis tout vôtre et tout ce que j'ai ».
et ils sont plus menteurs que geais...
Mais je l'ai vu changer de couleur,
et pleurer bien piteusement.
Les larmes, à ce que je crois,
et le visage confus et triste
ne vinrent pas de tromperie...
Ils n'ont pas menti, les yeux
d'où j'ai vu les larmes couler... —

(1) Vv. 4410-4419.
(2) Vv. 4435-4449.

Ce bavardage continue longtemps encore et devient un radotage amoureux, où il est question (malgré les intelligents raisonnements psychologiques de tout à l'heure) d'un cœur vassal se préparant à courir après le cœur suzerain, mais qui se décide à attendre son retour. Il est vrai qu'il faut laisser le temps à Cligès d'arriver à Oxford, où Arthur a ordonné un beau tournoi. Le damoiseau fait acheter à Londres des armes, les unes noires, les autres vermeilles, les troisièmes vertes. A Oxford, près Walingford, sur la Tamise, la plus brillante chevalerie est déjà rassemblée. Chrétien, qui répudie les habitudes de la Chanson de geste, auxquelles il avait encore sacrifié dans *Érec*, annonce à ses auditeurs qu'il ne fera pas la nomenclature familière à l'épopée (1) :

Ne cuidiez pas que je vos die,	Ne croyez pas que je vous dise
Por feire demorer mon conte :	pour allonger mon roman :
Cil roi i furent et cil conte	tel roi y fut et tel comte
Et cist et cil et cist i furent.	et celui-ci, et celui-là.

Le premier qui entre en lice est Sagremor l'impétueux, auquel personne n'ose se mesurer. Cligès, sur son cheval maure, l'armure plus noire que mûre, sort du rang pour relever son défi. Rumeurs dans la foule que Chrétien excelle toujours à noter (2) :

« Meis qui est il ? Don est naïs ?	« Mais qui est-il ? d'où est-il né ?
Qui le conoist ? — Ne gié, Ne gié.	Qui le connaît ? » — Moi pas. —
	« Moi non plus.
Meis n'a mie sor lui negié,	Mais il n'a guère neigé sur lui,
Ainz est plus s'armeüre noire,	Car son armure est plus noire
Que chape a moine n'a provoire. »	que chape de moine ou de prêtre. »

On voudrait, pour la rareté du fait, qu'il eût perdu sa cause, mais les dames s'en plaindraient et leur attente ne sera pas déçue. Sagremor touche des épaules et bien d'autres jouteurs après lui, sous cette jeune lance infaillible. Puis Cligès disparaît ; en vain ceux qui se sont rendus à sa merci vont-ils par la ville quérir le noir chevalier.

Le lendemain c'est Lancelot du Lac qui le premier, se présente (3) :

(1) Vv. 4636-4639.
(2) Vv. 4678-4682.
(3) Vv. 4768-4770. G. Paris, *loco laud.*, pp. 241-24, lit : *desire comé*, portant crinière à droite.

A tant ez vos Cligés batant,   Et voilà que Cligès arrive,
Plus vert que n'est erbe de pré   plus vert que n'est herbe de pré,
Sor un fauve destrier comé.   sur un fauve destrier à crinière.

Lancelot n'a pas plus de succès avec le chevalier vert, que Sagremor n'en a eu avec le noir. Un coup de lance sur son écu au lion, l'abat à terre. A la tombée de la nuit, même jeu de disparition mystérieuse et, le lendemain, d'apparition d'un chevalier aux armes vermeilles. Cette fois, c'est avec Perceval le Gallois, auquel Chrétien consacrera, comme à Lancelot, un roman (1), que Cligès se mesure. Ais-je besoin de dire qu'il désarçonne aussi ce nouvel adversaire et maint autre après lui (2) :

De son escu a feit anclume,   De son écu a fait enclume,
Car tuit i forgent et martelent,   car tous y forgent et le martèlent
Si li fandent et esquartelent ;   et le fendent et l'écartèlent.
Meis nus n'i fiert qu'il ne li soille Mais nul n'y frappe qui ne le paye
Si qu'estrier et sele li toille,   et qui n'en vide les arçons,
Ne mes qui n'an vosist mantir   et nul qui n'eût voulu mentir
Ne poïst dire au departir,   n'eût pu dire en s'en allant,
Que tot n'eüst le jor veincu   que tout le jour n'eût vaincu
Li chevaliers au roge escu.   le chevalier au rouge écu.

Le chevalier vermeil disparaît, mais à sa porte fait exposer ses trois armures, la noire, la verte, la rouge, si bien que ses adversaires s'aperçoivent qu'un seul les a défaits. Le lendemain Cligès apparaît en ses armes blanches, plus blanches que fleur de lis, sur son cheval blanc (3). Or voici que cette fois c'est Gauvain qui s'avance dans l'arène, Gauvain que nul ne vainc et à qui nul ne se mesure. Cligès l'entend nommer et louer, mais, se souvenant de la promesse faite à son père, il se prépare à lutter avec son invincible oncle, dont la présence complète ici la galerie des héros du roman courtois (4) :

Si s'antrevienent d'un esleis   Ils sont l'un sur l'autre d'un bond,
Plus tost que cers qui ot les gleis   plus vite que le cerf qui entend les voix
Des chiens qui aprés lui glatissent... des chiens qui après lui aboient...

(1) Ils ne sont présentés ni l'un ni l'autre comme des personnages célèbres. Le public ne connaît donc pas leur légende et assurément Chrétien ne leur a pas encore consacré de romans.
(2) Vv. 4862-4870.
(3) Sur ces changements de couleur, cf. G. Paris, *loco laud.*, p. 297 et n. 1.
(4) Vv. 4931-4933.

Les lances brisées, les rênes coupées, ils descendent de cheval et alors se mesurent à l'épée avec tant d'adresse et de bravoure, que les assistants, empressés autour d'eux, ne savent lequel des deux est supérieur à l'autre ; aussi Arthur intervient-il pour faire cesser ce duel trop égal et inviter le bel inconnu à le visiter à sa cour. Ainsi dit, ainsi fait. Accueilli avec joie, même par les prisonniers qu'il a faits et qui le reconnaissent pour suzerain, il les délie de leur parole, à condition qu'ils l'avouent pour leur vainqueur. Mais plus grande joie encore mènent Arthur et Gauvain, quand ils entendent, de sa bouche même, les origines de l'adolescent triomphant. Ainsi le roman de Cligès évoque ici utilement celui de son père Alexandre, qui a formé le premier volet de ce diptyque.

Après avoir fait mainte *chevalerie* en Bretagne, France et Normandie et s'être ainsi bien *essayé*, il lui souvient de Fénice et il souhaite avant tout la revoir. Le vent le favorise et bientôt il débarque à Constantinople, au milieu de l'allégresse générale dont Fénice prend la meilleure part (1) :

Et quant Fenice le salue	Et quand Fénice le salue,
Li uns por l'autre color mue	l'un devant l'autre de couleur mue
Et mervoille est com il se tienent	et c'est miracle qu'ils se tiennent
La ou pres aprés s'antrevienent,	en s'approchant l'un de l'autre,
Qu'il ne s'antracolent et beisent	de ne s'accoler ni s'embrasser
De teus baisiers com amor pleisent,	de tels baisers qui plaisent à l'amour
Meis folie fust et forsans.	mais c'eût été folie et déraison.

Pourtant, elle n'est plus éloignée l'heure de l'aveu si longtemps retardée. Un jour qu'ils étaient seuls dans une chambre, assis à côté l'un de l'autre, et que Fénice l'interrogeait sur son voyage en Bretagne, lui demandant s'il y avait aimé quelque dame ou jeune fille du pays, Cligès lui répond (2) :

— Dame, — feit il, — j'amai de la,	— Madame, — dit-il, — j'ai aimé là-bas,
Meis n'amai rien qui de la fust.	mais rien n'aimai qui de là-bas fût.
Aussi com escorce sanz fust,	Comme l'écorce sans aubier,
Fu mes cors sanz cuer an Bretaingne.	mon corps sans cœur fut en Bretagne.
Puis que je parti d'Alemaingne,	Depuis que je quittai l'Allemagne,
Ne sai que mes cuers se devint,	ne sais ce que mon cœur devint,
Meis que ça aprés vos s'an vint.	si ce n'est qu'il vous a suivi ici...
Ça fu mes cuers et la mes cors...	Ici fut mon cœur, là-bas mon corps...
Et vos, comant a esté puis	Et comment en a-t-il été de vous,
Qu'an cest païs fustes venue ?	depuis qu'êtes venue en ce pays;

(1) Vv. 5125-5131.
(2) Vv. 5178-5208.

Quel joie i avez puis eüe ?
Pleist vos la janz, pleist vos la terre ?... —
« Ainz ne me plot, meis or me neist,
Une joie et une pleisance...
An moi n'a rien fors que l'escorce,
Que sanz cuer vif et sanz cuer sui.
Onques an Bretaingne ne fui,
Et si a mes cuers sanz moi feit,
An Bretaingne ne sai quel pleit. »

quelle joie y avez-vous eue ?
Vous plaisent-ils peuple et région ?... —
« Jamais ne me plut, mais à présent naît
une joie ou une satisfaction...
Sur moi il n'y a plus que l'écorce,
car sans cœur vis, et sans cœur suis.
Je n'ai jamais été en Bretagne
et pourtant mon cœur y a fait
sans moi ne sais quelle entreprise. »

Ainsi en dépit de ce cours de physiologie amoureuse que Chrétien nous a fait au début de cette histoire, un cœur peut donc bien partir en voyage et se séparer du corps qu'il habite, pour aller rejoindre le cœur bien-aimé. Et le plus beau est qu'il y a eu échange et que, tandis que le viscère de Cligès retournait auprès de Fénice, le sien rejoignait l'amant en Bretagne. Galimatias double, dont la résolution est une déclaration en règle (1) :

— Dame, donc sont ci avuec nos
Andui li cuer, si con vos dites,
Que li miens est vostre toz quites. —
« Amis, et vos ravez le mien,
Si nos antravenomes bien.
Et sachiez bien, se deus me gart,
Qu'ainz vostre oncles n'ot a moi part,
Que moi ne plot ne lui ne lut.
Onques encor ne me conut
Si com Adanz conut sa fame.
A tort sui apelee dame,
Meis bien sai, qui dame m'apele,
Ne set que je soie pucele,
Neis vostre oncles ne le set mie,
Qui beü a de l'andormie
Et veillier cuide, quant il dort,
Si li sauble que son deport...
Aussi com antre ses braz gise ;
Meis je l'an ai mis au defors.
Vostre est mes cuers, vostre est mes cors...»

— Madame, ils sont donc ici avec nous,
nos deux cœurs, à ce que vous dites,
car le mien est vôtre entièrement. —
« Ami, pour votre part avez le mien,
tant nous convenons l'un à l'autre.
Or sachez-le, Dieu me garde,
que jamais votre oncle n'eut rien de moi,
car il ne me plut et il ne put.
Jamais encore ne m'a connue
ainsi qu'Adam connut sa femme.
C'est à tort qu'on m'appelle dame,
mais je sais que qui me nomme ainsi
ignore que je suis pucelle,
et votre oncle même l'ignore,
ayant bu un philtre
qui lui fait croire qu'il veille quand il dort,
et qu'il fait de moi à son plaisir...
comme si j'étais entre ses bras...
mais je l'en ai exclu.
Vôtre est mon cœur, vôtre est mon corps...»

toujours le *leitmotiv* du roman (2) :

« Ne ja nus par mon essanpleire,
N'aprandra vilenie a feire ;
Car quant mes cuers an vos se mist,

« Et nul par mon exemple,
n'apprendra à faire vilenie,
car quand mon cœur se mit en vous

(1) Vv. 5230-5250.
(2) Vv. 5251-5253.

Le cors vos dona et promist,
Si que autre part n'i avra.
Amors par vos si me navra,
Que ja meis ne cuidai garir
Ne plus que la mers puet tarir. »

il vous donna et promit le corps,
de sorte que autre n'y aura part.
Amour par vous me blessa
au point que jamais je ne pense guérir
non plus que la mer ne peut tarir. »

Plusieurs manuscrits interpolent ici quatre vers qui montrent combien les copistes ont compris le sens et la portée de cette déclaration (1) :

« Se je vos aim et vos m'amez,
Ja n'en seroiz Tristanz clamez
Ne je n'en serai ja Yseuz,
Car puis ne seroit l'amors preuz. »

« Si je vous aime et vous m'aimez,
vous ne serez appelé Tristan
et moi je ne serai votre Iseut,
car notre amour ne serait pas loyal. »

Elle renouvelle son vœu d'être à un seul (2) :

« Meis une promesse vos faz,
Que ja de moi n'avroiz solaz
Autre que vos or an avez,
Se apanser ne vos savez
Comant je poïsse estre anblee
De vostre oncle et de s'assanblee (3),
Si que ja meis ne me retruisse,
Ne vos ne moi blasmer ne puisse
Ne ja ne s'an sache a quoi prandre.
Anuit vos i covient antandre,
Et demain dire me savroiz,
Le miauz que pansé an avroiz,
Et je aussi i panserai.
Demain quant levee serai,
Venez matin a moi parler,
S idira chascuns son panser,
Et ferons a oevre venir
Celui que miauz voudrons tenir. »

« Mais cette promesse, je vous fais
que de moi n'aurez autre plaisir
que celui que vous avez à présent,
si vous n'arrivez à trouver
comment je pourrais être enlevée
à votre oncle et à sa compagnie,
de sorte que jamais il ne me retrouve
qu'il ne puisse blâmer ni vous ni moi,
et qu'il ne sache à quoi s'en prendre.
Il faut que vous y songiez aujourd'hui,
et que vous me disiez demain
ce que vous aurez inventé de mieux,
et de mon côté j'y penserai.
Demain, quand je serai levée,
venez le matin m'en parler,
chacun dira son idée,
et nous tâcherons de mettre en œuvre
celle qui nous semblera le meilleure. »

Cligès se retire très satisfait et toute la nuit il la passe, comme elle aussi, à inventer un stratagème. L'homme, dont la ruse n'est pas le fait, n'a rien trouvé de plus fort qu'un enlèvement que, le lendemain, il va lui proposer (4) :

(1) Vv. 5259-5262.
(2) Vv. 5263-5280.
(3) G. Paris, *loco laud.*, lit. *desassemblee*, séparée.
(4) Vv. 5294-5313.

Dame, — feit il, — — je pans et cuit,　　　　— Madame, fait-il, je pense et crois
Que miauz feire ne poriiens　　　　　　　　que mieux faire nous ne pourrions,
Que s'an Bretaingne an aliiens,　　　　　　que de partir pour la Bretagne.
La ai pansé que vos an maingne...　　　　　C'est là que je veux vous emmener...
Or gardez qu'an vos ne remaingne !　　　　Je vous en prie, ne l'empêchez pas,
Qu'onques ne fu a si grant joie　　　　　　car jamais en si grande joie,
Elainne receūe à Troie,　　　　　　　　　　Hélène ne fut reçue à Troie,
Quant Paris l'i ot amenee,　　　　　　　　quand Pâris l'y eut amenée,
Qu'ancor ne soit graindre menee　　　　　qu'il n'en éclate une plus grande,
Par tote la terre le roi,　　　　　　　　　par toute la terre du roi
Mon oncle, de vos et de moi.　　　　　　　mon oncle, pour vous et pour moi.
Et se ce bien ne vos agree,　　　　　　　Si ceci ne vous plaît pas,
Dites moi la vostre pansee,　　　　　　　dites-moi votre pensée,
Car je sui prez, que qu'an avaingne,　　　car je suis prêt, quoi qu'il advienne,
Que a vostre pansé me taingne. —　　　　à me rallier à votre idée. —
Cele respont : « Et je dirai :　　　　　　Elle de répondre : « Je vous dirai
Ja avuec vos einsi n'irai,　　　　　　　　que je n'irai pas ainsi avec vous,
Que lors seroit par tot le monde　　　　　car, alors, il serait par le monde entier
Aussi come d'Yseut la blonde　　　　　　ainsi que d'Iseut la blonde
Et de Tristan de nos parlé... »　　　　　et de Tristan, de nous parlé... »

Une fois de plus, ce roman de Chrétien s'affirmant nettement par la voix de Fénice, comme un anti-Tristan, la portée et la thèse de l'œuvre se précisent, mais, je le répète, il faut se garder de croire qu'elle en devienne plus morale. Ce que la jeune femme a trouvé est ceci, inspiré sans doute par un ancien conte : elle simulera d'abord la maladie, et ensuite la mort. Lui, pourvoira à sa sépulture, qui sera faite de telle sorte qu'elle n'y étouffe point et qu'il l'en puisse tirer de nuit. Alors, mais alors seulement, la pseudo-morte, ressuscitant, sera à lui, à qui seule elle s'octroie et donne (1) :

« Ne quier d'autre home estre servie.　　　« D'autre homme ne veux être servie.
Mes sire et mes serjanz seroiz,　　　　　Mon seigneur et serviteur serez,
Buen m'iert quanque vos me feroiz.　　　tout me sera bien que vous me ferez,
Ne ja meis ne serai d'anpire　　　　　　et jamais ne serai de royaume
Dame, se vos n'an estes sire.　　　　　　reine, si vous n'en êtes le roi.
Uns povres leus, oscurs et sales,　　　　Un pauvre gîte, obscur et sale,
M'iert plus clers que totes cez sales,　　me sera plus clair que toutes ces salles,
Quant vos seroiz ansanble o moi.　　　　quand vous serez avec moi.
Se je vos ai et je vos voi,　　　　　　　Si je vous ai et je vous vois,
Dame serai de toz les biens,　　　　　　maîtresse serai de tous biens,
Et toz li mondes sera miens. »　　　　　et le monde entier sera mien. »

Par bonheur, Cligès connaît dans la ville un ouvrier, habile

(1) Vv. 5350-5360.

en tout métier, un serf, nommé Jehan. Il le fait venir et lui promet
de l'affranchir, s'il lui bâtit un tombeau conforme à ses désirs.
Or ce Jehan a précisément construit hors des murs une tour
merveilleuse aux étages peints à fresque avec des chambres
souterraines, auxquelles ne manquent même pas la salle de bain
avec conduites d'eau chaude convenant aux dames. La porte
est si bien dissimulée dans le mur que personne ne saurait l'y
découvrir. Sur ces entrefaites, Fénice s'est mise au lit, se pri-
vant de nourriture et se plaignant de mille douleurs. Déjà les
médecins, mandés auprès d'elle, l'ont condamnée, lorsque Thessala, faisant jouer, une fois de plus, ses artifices, aggrave la situation en lui donnant une potion qui soudain rend le visage pâle
et blanc, le corps raide et immobile, en tout pareil à ceux d'une
morte. Interviennent trois *physiciens* (1) de Salerne (dont l'École
de Médecine était la plus célèbre au xiie siècle) (2) qui, entendant
les plaintes faites autour de cette fin inattendue, se dirigent vers
le Palais. L'un d'eux s'approche de la bière et, mettant la main
sur la poitrine de la reine, sent le cœur qui bat encore. Il rassure
l'empereur et lui promet de lui rendre son épouse, à condition
qu'on la laisse seule en tête-à-tête avec les trois *mires*. Cela
fait, ceux-ci la catéchisent, mais n'obtenant aucune réponse,
ils la tirent du cercueil, la battent à coups de longues lanières,
jusqu'au sang, sans en pouvoir d'ailleurs tirer ni une plainte ni un
soupir. Avec une science de tortionnaires, pour démasquer l'im-
posture, ils lui versent alors dans les paumes du plomb fondu,
qui les traverse. Ils s'apprêtaient à la jeter tout entière dans les
flammes pour la faire parler, lorsque des dames de la ville, avec
la curiosité qui appartient à leur sexe, ayant regardé par le trou
de la serrure, aperçoivent le martyre de leur maîtresse, vont quérir des haches et enfoncent la porte. Thessala les suit, retire sa
maîtresse nue du feu et la remet en son suaire de soie et dans
sa bière, tandis que ses compagnes se précipitent sur les médecins, et les jettent par la fenêtre (3) :

Ainz miauz ne firent nules dames.　　　Jamais mieux ne firent nulles dames.

---

(1) Le mot signifie encore « médecin » en anglais moderne.
(2) Cf. *Das medizinische Lehrgedicht der Hohen Schule zu Salerno aus dem
Lateinischen ins Deutsche* übertragen von Dr P. und Thérèse Tesdorp, Berlin,
Kohlhammer, 1915, in-16. Rappelons aussi le vers d'un contemporain de
Chrétien, Geoffroy de Vinsauf :
　　　In morbis sanat medici virtute Salernum.
(3) V. 6050.

L'empereur, ayant perdu tout espoir de recouvrer son épouse, la
fait ensevelir au cimetière, en un riche tombeau. Parmi les cris
de douleur de ce mari et des femmes, auxquels Cligès fait chorus,
Fénice y est ensevelie, mais, la nuit, trompant la surveillance de
trente chevaliers endormis, il l'enlève et, aidé de Jehan, qui referme
la sépulture, il la porte dans les chambres souterraines de la tour.
Ne la voyant pas remuer, l'amant commence à craindre que le
charme n'ait été trop efficace, et se lamente. Mais le moment va
bientôt sonner où le philtre aura cessé d'agir et, à la lamentation de Cligès, Fénice répond en un soupir (1) :

« Amis, Amis ! je ne sui pas   « Ami, ami ! je ne suis pas
Del tot morte, meis po an faut. »   tout à fait morte, mais peu s'en faut ! »

Jehan va chercher Thessala qui, par ses onguents, achève de la
guérir au bout d'une quinzaine de jours, pendant lesquels Cligès ne cesse de la visiter, sous prétexte que dans ce lieu il élève
un autour en mue. Un an et deux mois se passent ainsi dans les
plus vives délices d'un amour enfin satisfait, comme si *tous
deux ne faisaient qu'un*, lorsque (2) :

Au renovelemant d'esté,   au renouveau de l'été,
Quant flors et fuelles d'arbres issent, quand feuilles et fleurs sortent des arbres;
Et cil oiselet s'esjoïssent,   que les oiselets s'éjouissent,
Qui font lor joie an lor latin,   marquant leur joie en leur latin,
Avint que Fenice un matin   il arriva que Fénice un matin,
Oï chanter le rossignol.   entendit chanter le rossignol.
L'un braz au flanc et l'autre au col Un bras à la taille, l'autre au col,
La tenoit Cligès doucemant,   la tenait Cligès doucement,
Et ele lui tot ansemant,   et elle lui tout pareillement.
Si li a dit : « Biaus amis chiers,   Elle lui dit : « Doux ami cher,
Grant bien me feïst uns vergiers,   grand bien me ferait un verger,
Ou je me poïsse deduire.   où je pusse prendre mes ébats.
Ne vi lune ne soloil luire,   Je ne vis lune ni soleil luire,
Plus a de quinze mois antiers.   voilà plus de quinze mois entiers.
S'estre poïst, mout volantiers   Si cela pouvait être, bien volontiers
M'an istroie la fors au jor,   j'irais dehors à la lumière,
Qu'anclose sui an ceste tor.   car je suis enfermée en cette tour.
Se ci pres avoit un vergier,   S'il y avait près d'ici un verger,
Ou je m'alasse esbanoiier,   où je m'allasse promener,
Mout me feroit grant bien sovant. » cela me ferait grand bien sûrement. »

(1) Vv. 6268-6269.
(2) Vv. 6350-6369. Les oiseaux de chasse pendant la mue exigent des soins
assidus (G. Paris, *loco laud.*, p. 305, n. 1).

Le brave Jehan y a bien pourvu et, ouvrant une porte secrète, fait, à plein bord, pénétrer le soleil (1) :

Par l'uis est antree el vergier	Par la porte elle est entrée au verger
Qui mout li pleist et atalante.	qui lui plaît et beaucoup lui agrée.
Anmi le vergier ot une ante	Au milieu du verger est un arbre,
De flors chargiee et anfoillue...	de fleurs chargé et feuillu...
Einsi estoient li raim duit,	dont les branches étaient ainsi conduites
Que vers terre pandoient tuit...	qu'elles pendaient toutes jusqu'à terre...
Et desoz l'ante est li praiaus,	Et dessous l'arbre était le pré,
Mout delitables et mout biaus,	si délicieux et si beau
Ne ja n'iert li solauz tant hauz	que jamais le soleil n'était assez haut,
A midi, quant il est plus chauz,	à midi, quand il est le plus chaud,
Que ja rais i puisse passer...	pour qu'un rayon y pût passer...
Et li vergiers est clos antor	Le verger est clos tout autour
De haut mur qui tient a la tor...	d'un haut mur tenant à la tour...

Dans l'ombre, parmi les fleurs et les feuilles, Fénice peut
embrasser son amant et rien ne manquait à leur bonheur, quand
un chevalier, nommé Bertrand, chassant aux environs de la tour
et ayant lâché son épervier, le voit descendre dans le verger. Il
franchit le mur et quelle n'est pas sa stupeur de voir, sous le
grand arbre, Fénice et Cligès, endormis côte à côte, *nu à nu* !
Au moment où il peut à peine en croire ses yeux, une poire se
détache, tombe sur l'oreille de Fénice. Elle s'éveille, et voyant
Bertrand s'écrie : « *Ami, ami, nous sommes perdus.* » Cligès saute sur
son épée. Bertrand fuit, escalade à nouveau le mur, mais pas assez
vite pour que le jeune amant ne lui coupe la jambe au-dessus du
genou, ce qui ne l'empêche pas cependant de rejoindre ses gens, et
d'aller conter à l'empereur la mésaventure. Menacé d'être pendu
s'il ne révèle son secret, Jehan finit par avouer, mais, en même
temps, s'enhardit à rappeler à l'empereur les engagements qu'il a
pris envers Cligès, lui révélant devant tous le secret du philtre qui
ne lui a donné à l'égard de son épouse que l'illusion de la possession. Le souverain se répand en terribles menaces contre l'audacieux et contre les amants, enfuis jusqu'à la cour du roi Arthur,
auquel Cligès réclame, un peu tard vraiment, l'héritage ravi par
son oncle. Le roi de Bretagne va organiser une véritable croisade
contre Constantinople, lorsque des messagers venus de cette ville,
parmi lesquels Jehan, viennent annoncer la mort dudit oncle,
crevé de dépit comme forcené. Cligès et Fénice, désormais unis
à la face du monde, se hâtent de regagner leur royaume où les

(1) Vv. 6400-6422.

barons les reçoivent à grande joie et les couronnent ensemble (1) :

De s'amie a feite sa fame,	De sa maîtresse il a fait sa femme,
Mais il l'apele amie et dame,	mais il l'appelle maîtresse et dame,
Que por ce ne pert ele mie,	car à ceci elle ne perd rien,
Que il ne l'aint come s'amie,	en ce qu'il l'aime comme son amie
Et ele lui tot autresi,	et elle l'aime de son côté
Con l'an doit feire son ami.	comme on doit faire son amant.
Et chascun jor lor amors crut...	Et chaque jour crut leur amour...

Mais cette aventure rendit prudents les successeurs de Cligès, qui, craignant qu'il ne leur arrivât même aventure qu'à Alis, firent garder leur femme comme en une prison (2)

Plus por peor que por le hasle	plus par peur que pour le hâle,
Ne ja avuec li n'avra masle	et avec elle il n'y aura mâle
Qui ne soit chastrez an anfance.	qui ne soit châtré dès l'enfance.
De çaus n'est crieme ne dotance,	Pour ceux-ci il n'est pas à craindre
Qu'amors les lit an son liien.	qu'amour les tienne dans ses liens.
Ci fenist l'uevre de Crestiien.	Ci finit l'œuvre de Chrétien.

Ainsi le livre se termine par un dénouement heureux, peut-être même sur l'éclat de rire provoqué dans la Chambre des Dames par cette explication comique du harem et des eunuques, dont l'existence avait tant étonné les chevaliers à la Croisade. Ce long roman de 6784 vers nous a été conservé dans huit manuscrits et deux fragments, ce qui en atteste le succès.

On serait tenté de dire qu'il se compose de deux parties entièrement indépendantes, la première consacrée aux amours d'Alexandre et de Soredamor, allant jusqu'au vers 2382, la seconde réservée aux amours de Cligès et de Fénice, et le critique d'accuser aussitôt un manque de composition évident, mais c'est là partir d'une conception un peu trop moderne, je dirais volontiers xixe siècle, du roman, qui n'a participé que fort tard de la belle ordonnance imposée au théâtre par l'art classique du xviie siècle (3). Au roman a toujours été réservé l'épisode, et la double, triple ou quadruple intrigue lui est plus familière que l'unité d'action. Mais, sans même invoquer ces considérations générales, la volonté de faire un diptyque, dont les deux parties s'équilibrent et se complètent dans une certaine mesure, m'apparaît évidente. La première semble destinée à peindre un amour

(1) Vv. 6753-6759.
(2) Vv. 6779-6784.
(3) Lire, sur ce point, les observations pertinentes de D. Mornet, *Histoire de la Clarté française*, Paris, Payot, 1929, in-8°, p. 135.

juvénile, à peine contrarié par la timidité de ceux que la destinée précipite l'un vers l'autre, et aboutissant au mariage. De cette union, accomplie sous le signe de l'amour, ne peut être engendrée qu'une créature vouée elle aussi à la passion, passion juvénile également, mais contrariée par des circonstances qui empêchent le mariage.

Chrétien semble donc avoir opposé ici et étudié dans deux générations successives, deux cas, que la vie offrait également à son observation avisée et prêtant aux analyses psychologiques qui lui sont chères. Les avait-il vraiment trouvés (1)

An un des livres de l'aumeire	En un des livres de la bibliothèque
Mon seignor Saint Pere a Biauveiz.	de Monseigneur Saint Pierre à Beauvais.
De la fu li conte estreiz,	De là fut extrait le conte
Don cest romanz fist Crestiiens.	dont Chrétien fit ce roman.

Nous l'ignorons, et les conteurs ayant conservé, jusqu'à notre temps, l'habitude de nous garantir l'authenticité de leur récit en invoquant des manuscrits qui n'ont jamais existé que dans leur imagination, il ne faut pas trop faire fond sur cette affirmation. Mais les auteurs ayant toujours des sources et l'histoire littéraire n'étant, quant au fond, que celle d'un vaste plagiat, on aperçoit ici des modèles, encore qu'ils ne soient pas évidents au premier abord. Foerster cite la XIe histoire de *Marques de Rome* (2), mais, cette œuvre étant postérieure, il est un peu dangereux de l'invoquer. Au reste, les amants s'y abandonnent à l'adultère avant la feinte mort et c'est là une différence radicale. L'identité, par contre, de certains traits relatifs notamment à ce subterfuge, permet de supposer, à l'origine du *Cligès*, quelque *exemplum* latin ou quelque conte oral tel celui de la Femme de Salomon à laquelle notre auteur fait lui-même allusion (3).

Ce qui est plus sûr, c'est que notre roman se rattache d'une part au cycle antique et à la matière orientale byzantine, d'autre part au cycle arthurien et à la matière celtique. A ce point de vue, on peut l'envisager comme de transition entre les deux. Du premier, il participe par la localisation de l'action, surtout dans la deuxième partie, à Constantinople, ainsi que par l'onomastique. La fille de l'empereur d'Allemagne porte le nom

(1) Vv. 20-23.
(2) P. 135 de l'éd. Alton.
(3) Vv. 5876-5878. Voir la discussion des sources dans G. Paris, *op. cit.*, pp. 308-324.

de Fénice, non parce qu'elle a les cheveux roux d'une Germaine (*phœniceus* signifie d'un rouge éclatant), comme le suppose un instant Foerster, mais parce qu'elle est un oiseau rare, un Phœnix de beauté. Nous avons là-dessus le propre aveu du poète (1) :

Fenice ot la pucele a non	Fénice s'appelait la pucelle,
Et ne fu mie sanz reison,	et ce n'était pas sans raison,
Car si con fenix li oisiaus	car ainsi que l'oiseau Phénix
Est sor toz autres li plus biaus	est de tous le plus beau,
N'estre n'an puet que uns ansanble :	et qu'il n'en peut y avoir qu'un à la fois :
Ausi Fenice, ce me sanble,	ainsi Fénice, ce me semble,
N'ot de biauté nule paroille.	n'avait sa pareille en beauté.

Non seulement elle est unique, mais encore elle ressuscite, tel l'oiseau merveilleux, selon la tradition.

Quant à Thessala, son nom, grec aussi, l'apparente à l'enchanteresse Médée du *Roman de Troie*, à laquelle elle-même tient à se comparer (2).

Pour Alexandre, il n'est pas besoin de dire quel est son gentilice et pour Alis (dont le cas régime devrait être Ali) (3), je lui attribuerai plutôt une origine arabe que germanique.

A la différence de ce qui se constate pour l'Angleterre où, nous l'avons vu, la description de Windsor, la mention de ports peu connus comme Sorham (Shoreham) semble impliquer une expérience personnelle, il ne se trahit, dans les descriptions de costumes, de lieux et de choses d'Allemagne ou d'Orient, aucun trait de choses vues. L'allusion finale aux harems s'explique assez par des récits entendus de croisés que cet usage avait peut-être séduits. Quant aux médecins de Salerne, il ne fallait pas avoir voyagé en Italie pour avoir recueilli des échos de leur réputation.

De même, quand on parle d'influence antique, il s'agit surtout du *Roman de Thèbes*, de l'*Eneas* et du *Roman de Troie*. Pour celle du premier, il suffit de rappeler les vers, où les conseillers, parlant à l'empereur (4) :

...li dïent qu'il li sovaingne	... lui disent qu'il se souvienne
De la guerre Polinicés,	de la guerre que Polynice
Qu'il prist ancontre Ethioclés,	mena contre Étéocle,
Qui estoit ses frere germains...	qui était son frère germain.

(1) Vv. 2725-2731.
(2) Vv. 3028-3031.
(3) Mais l'analogie de Looïs s'est ici imposée.
(4) Vv. 2536-2539.

« Il y aurait toute une étude à faire », a écrit quelque part M. Wilmotte (1), « sur les rapports d'*Eneas* et de *Cligès*. » Rien de plus exact, et il suffira pour s'en assurer de le marquer par la comparaison des vv. 885 et suivants de *Cligès* avec les vv. 1229 et s. (les amours de Didon) ou 7921 et s. (celles de Lavine). On sent que Chrétien (nous l'avons noté au passage) en est encore tout imprégné, qu'il s'inspire constamment de l'œuvre de son prédécesseur dans l'analyse de l'amour naissant, qu'il s'efforce seulement de la surpasser en raffinement et en nuances, quand il parle de l'échange dés cœurs et des regards. Ceci est vrai surtout de la deuxième partie où les aveux de Fénice à sa *mestre* Thessala semblent une réplique de ceux de Lavine à sa mère, que nous avons cités au début de ce livre.

Reste à examiner l'élément arthurien. On ne peut pas dire à proprement parler, que les héros et les héroïnes du *Cligès* appartiennent à la matière celtique. Aucun d'eux ne s'assied régulièrement à la Table Ronde. Quant à la Cour d'Arthur, elle n'y apparaît d'abord que comme le cadre des amours du fils de l'empereur byzantin Alexandre avec Soredamor ou Blonde d'Amour, fille d'honneur de la Reine Guenièvre et sœur de Gauvain neveu d'Arthur, et, dans la seconde partie, comme un arrière-plan ou un fond de décor où, par deux fois, se rend leur fils Cligès, d'abord pour se faire armer chevalier par Arthur, puis pour y chercher refuge contre la fureur de l'oncle Alis et réclamer sur lui son héritage. A l'occasion, on le voit se mesurer avec Lancelot du Lac, Perceval le Gallois et Gauvain ; mais ceux-ci ne surgissent, alors, qu'en comparses, juste pour montrer que ces noms sont déjà populaires, mais non pas présentés de telle sorte qu'on puisse croire que leurs aventures soient connues et célèbres et que des romans particuliers leur aient déjà été consacrés.

Autre chose est de Tristan et Iseut, dont l'image ardente occupe sans cesse l'esprit des personnages, comme en font foi des allusions plus nombreuses encore que dans *Érec* : d'abord, pour la première partie, le cheveu d'or de Soredamor, tissé dans la chemise donnée par Guenièvre à Alexandre et rappel de celui d'Iseut, qu'apporte l'hirondelle dans la chambre du roi Mark ; ensuite, dans la deuxième partie, l'éloge adressé à Cligès aux v. 2789-2791, sur ses connaissances en vénerie, qui passent

_____

(1) *L'évolution du roman français aux environs de 1150*, p. 44, n.

celles de Tristan, le neveu du roi Marc ; et surtout la fameuse déclaration de Fénice à sa *mestre* Thessala. A ce propos, se fait jour la thèse qui est celle du roman et elle se pose en s'opposant, aussi vigoureusement que possible, à la conduite d'Iseut, qui accepte le partage de son corps entre son mari et son amant (1).

Qui a le cœur, ait le corps, la formule est saisissante et bien faite pour frapper l'imagination des femmes surtout ; elle répond à leur besoin d'un amour unique et exclusif, dont elles rêvent sans cesse, même si elles ne le pratiquent pas toujours.

Thèse (2) d'une grande hardiesse, où le bon sens réaliste du bourgeois champenois et sa doctrine toute française, s'élèvent contre la mode envahissante de l'amour courtois et de la poésie provençale, auxquels fait fête la triple cour littéraire d'Éléonore à Londres, et de ses filles, Alix à Blois, Marie à Troyes. C'est presque une preuve que Chrétien n'a pas encore réussi à s'y faire admettre.

Le partage ? mais il est de règle dans la *Ley d'amor* où la *domna* était nécessairement à un autre que celui dont elle accueille l'hommage et la louange. Il n'en est pas de plus illustre exemple que Pétrarque et Laure. Du seul fait qu'un poète célèbre une femme, dans la poésie du Midi, on en peut déduire déjà qu'elle n'est pas la sienne, du moins légalement parlant. Sans doute cet amour cérébral est plus souvent conventionnel que réel et n'aboutit pas au don suprême, dont il n'ose même pas, en général, formuler l'exigence, mais c'est là encore une fiction contraire à la Nature, dont la passion simple, fruste et avide du Français du Nord ne saurait se contenter. « Si vous vous donnez », crie-t-il à la femme, « donnez-vous toute, corps et cœur, sans partage. Mais si la nécessité vous force cependant à épouser un autre que celui vers qui votre être vous précipite, n'acceptez pas d'installer tranquillement l'adultère à votre foyer. » Cependant cette observance du premier commandement de la loi matrimoniale, cette abstinence qui écarte

----

(1) Vv. 3145-3164. Elle y revient aux vv. 5259-5261, dans un passage peut-être interpolé, et aux vv. 5311-5313 :

« Que lors seroit par tot le monde   « Car lors serait de par le monde
Aussi come d'Iseut la blonde   ainsi que d'Iseut la blonde
Et de Tristan de nos parlé... »   et de Tristan de nous parlé... »

(2) Voyez-en la discussion menée dans un sens assez différent *ap.* G. Paris, *op. cit.*, pp. 285-292. Pour lui, *Cligès* n'est pas un « anti-Tristan », mais un pendant de *Tristan* ou un nouveau *Tristan*.

l'amant du lit nuptial ne suffit point. Il s'agit encore de réaliser
cet idéal suprême « Qui a le cœur, ait le corps » ou le « Vôtre
est mon cœur, vôtre est mon corps » du v. 5250, ou le « De sa maîtresse a fait sa femme » du v. 6753.

Pour y faire parvenir son héroïne Fénice, Chrétien est obligé
de recourir au suprême artifice des romanciers embarrassés :
le philtre, brassé par Thessala et qui ne donnera au mari qu'une
possession chimérique, par le jeu provoqué du songe (1). Ce n'est
point assez encore et cette chasteté de l'épouse vierge n'est qu'une
condition préalable, toute négative, un acheminement vers une
solution. A celle-ci, un nouveau philtre (déplorables subterfuges
d'un art romanesque qui n'est pas encore arrivé, non plus que
le théâtre, à se contenter des ressorts psychologiques) va
conduire, en provoquant la fin apparente de l'impératrice.
Une fois ensevelie dans la tour de Jehan, étant morte au monde
des vivants, Fénice peut, dans sa chambre souterraine, pareille
à un tombeau, se donner enfin à son amant, qu'elle avait refusé
de suivre en Bretagne (2) :

Einsi est lors voloirs comuns	Ainsi est leur volonté commune,
Con s'il dui ne fussent que uns.	comme si tous deux ne faisaient qu'un.

Abominable hypocrisie, dira-t-on, et l'on aura raison. La casuistique médiévale a des morales que la Morale ne connaît pas.
Pour cet âge qui, dans la société, en droit, en religion et en éthique
est extrêmement formaliste, le mot fait fonction de la chose.
Je n'en sais pas de plus bel exemple que celui d'Iseut qui accepte
l'*escondit*, c'est-à-dire la justification devant Dieu et devant le
roi Arthur, gardien de la foi jurée, sur la Blanche Lande. Avant
d'y parvenir, elle a dû traverser un gué, au delà duquel la
transporte Tristan déguisé en mendiant. Et ce subterfuge,
longuement machiné entre les amants, lui permet d'affirmer sous
serment, sur les saintes reliques, qu'elle n'a jamais été que
dans les bras de son mari et dans ceux du vilain truand de la
rivière. Et Dieu, qui se trouve assez singulièrement mêlé à cette
royale hypocrisie, la sanctionne, dans certaine version, en permettant à Iseut de porter, sur quelque distance, une barre de fer
rouge, sans que les paumes de ses mains en soient brûlées.

---

(1) Pour les parallèles dans l'épopée, notamment les *Enfances Guillaume*,
cf. G. Paris, *op. cit.*, p. 293 et n. 2.
(2) Vv. 6345-6346.

Ainsi, Chrétien croit sans doute avoir préconisé une morale supérieure, non seulement à celle du *Roman de Tristan,* mais à celle de la poésie lyrique courtoise, contre laquelle il dresse un véritable réquisitoire, qui n'est pas seulement implicite. C'est ce qui a fait dire à W. Foerster que *Cligès* était un *anti-Tristan,* et la formule ne laisse pas d'être frappante, mais le fait n'est-il pas pour étonner ?

Comment ! voilà un auteur qui, au début de son récit, a rappelé qu'il en avait précédemment consacré un autre au Roi Marc et à Iseut la Blonde et qui maintenant brûle ce qu'il a adoré, car on peut difficilement croire, à en juger par Béroul, qu'il ait pu, sous peine de déplaire à ses lecteurs, y blâmer la fatalité qui entraîne l'un vers l'autre les immortels amants. On pourrait être tenté de dire que l'auteur n'avait consacré à la belle légende qu'un simple *lai* pareil à celui du *Chèvrefeuille* de Marie de France (1), mais je doute qu'il en eût alors fait mention en tête d'une œuvre aussi importante, et je préfère constater que, par deux fois, Chrétien a chanté la palinodie. En effet, si *Cligès* est un *anti-Tristan,* *Yvain* n'est pas moins, dans une certaine mesure, un *anti-Lancelot,* et un *anti-Érec* ainsi que nous le verrons par la suite ; ce qui me fait induire que le romancier s'est trouvé sans cesse ballotté entre la vogue à laquelle il fallait sacrifier pour plaire et pour vivre, et ses convictions intimes. La mode l'entraînait vers l'exaltation de l'adultère physique de la légende celte ou l'adultère moral de la poésie provençale, tandis que, par tempérament et par goût, il préférait une doctrine que j'appellerais française (entendant désigner par ce mot la France centrale et septentrionale) et bourgeoise, où l'amour intégral sans partage trouve son plus complet épanouissement dans le mariage. Peut-être la première tendance satisfaisait-elle davantage les femmes mariées, surtout celles que le départ de leurs maris pour la Croisade avait laissées veuves de cœur et de corps, la seconde les jeunes filles qui, très surveillées, ne pouvaient guère attendre que d'une alliance matrimoniale la réalisation de leur rêve et l'apaisement de leurs sens et de leurs tendresses. Au nouveau récit de leur romancier préféré, les unes comme les autres pouvaient trouver leur compte, celles-ci dans la première partie qui concerne Alexandre et Soredamor, celles-là dans la

---

(1) Cf. *Les Lais* de Marie de France, éd. Hœpffner, dans la BIBLIOTHECA ROMANICA, Strasbourg, Heitz, 1924, in-24, t. I, pp. 103-107, ou même titre, adaptation de Tuffrau, Paris, Piazza, 1924.

seconde où Cligès finit par conquérir sa Fénice sans violer, du moins selon l'opinion, la loi nuptiale. Triomphe d'une morale formaliste qu'on a beau jeu de qualifier d'hypocrisie, mais dont la conscience médiévale semble se satisfaire pleinement.

Voilà donc en ce qui concerne la *thèse*, et il convient de souligner une deuxième fois que, comme dans *Érec*, il y en a une ; que, par conséquent, une fois de plus aussi, notre romancier se présente à nous comme un Bourget du XIIe siècle, comme un psychologue, dont les femmes de l'aristocratie et de la bourgeoisie riche, qui n'ont que trop de loisirs pour nourrir leurs passions adultères ou légitimes, font volontiers le confident et le conseiller de leur rêverie. Elles rencontrent chez lui leur propre image qu'elles peuvent contempler soit dans Soredamor, délicieuse figure de jeune fille rebelle à l'amour jusqu'à la rencontre de l'élu et qui résiste, par l'effet de la pudeur, même quand elle l'a reconnu et qu'elle a consenti en elle-même au don inévitable et souhaité ; soit dans Fénice, autre jeune fille plus astucieuse, moins pure, sinon d'action du moins d'intention, et que sa ruse apparente un peu, dans le dénouement, à une *genle galloise* de fabliau. Quant à Thessala, c'est une confidente, une nourrice de comédie ou de tragédie. Si par ses talents de magicienne et son art de préparer les philtres, elle rappelle la Médée du *Roman de Troie*, par son attachement à sa maîtresse, elle fait songer naturellement à Brangien qui a pu lui servir de modèle.

Les hommes sont moins bien dessinés. Alexandre, comme son fils Cligès, sont des chevaliers sans peur et sans reproche, tout honneur, toute loyauté, toute bravoure. Ce serait une satisfaction véritable que de leur voir une tache, une toute petite tache, comme la mouche sur le visage d'une jolie femme, mais non, ne l'attendez point, ils sont parfaits, désespérément parfaits, parfaits jusqu'à nous écœurer, et ils sauront même mieux qu'Érec, concilier le service de prouesse avec le service d'amour (1) :

Proece et amors qui l'anlace	Vaillance et Amour qui le pénètre
Le feit hardi et conbatant.	le font hardi et valeureux.

La bien-aimée, rebelle au partage, consent au moins à celui-là (2) :

De deus parz li est buene amie,	En deux sens lui est sûre amie :
Car sa mort crient et s'enor viaut.	elle craint sa mort, mais veut sa gloire.

(1) Vv. 3804-3805.
(2) Vv. 3792-3793.

Quant à Alis, séduit par un rêve, il n'est pas intéressant ni même comique ; il n'est pas non plus assez méchant pour faire un traître de tragédie et Chrétien ne s'est pas amusé à en faire un roi Marc tel que Béroul le réussira si bien, berné et non ridicule.

Mais plus que peintre de caractères vivants, Chrétien reste ici le maître de la psychologie amoureuse. Qu'on relise les pages que nous avons citées sur l'amour naissant de Soredamor et d'Alexandre ou sur les sentiments de Cligès en apercevant pour la première fois la fiancée de son oncle, et l'on verra quel goût de l'analyse s'y manifeste, desservi d'ailleurs par des connaissances insuffisantes. Soucieux de plus d'exactitude, il dissèque cet échange des yeux et des cœurs dont ses prédécesseurs provençaux ou français ont fait le mécanisme essentiel de l'amour naissant(1) :

Ne dirai pas si con cil dïent,	Je ne dirai pas comme ceux-là,
Qui a un cors deus cuers alïent,	qui en un corps deux cœurs allient,
Qu'il n'est voirs n'estre ne le sanble	car il ne me semble pas vrai
Qu'an un cors ait deus cuers ansanble...	qu'en un corps puissent loger deux cœurs.

Et alors, plus savamment, il va s'efforcer d'expliquer comment deux cœurs peuvent ne faire qu'un sans être réunis. C'est par l'union des volontés, tendues vers un même désir (2) :

Meis uns cuers n'est pas an deus leus,	Si un cœur ne peut être en deux lieux,
Bien puet estre li voloirs uns...	la volonté, elle, peut être une.

Ces excellents raisonnements n'empêcheront pas, d'ailleurs, la reine Guenièvre d'affirmer aux deux fiancés (v. 2296) : « De deux cœurs avez fait un », ou Fénice dans son monologue, après le départ de Cligès, de dire (v. 4465) qu'il lui a dérobé son cœur. Il est vrai que le poète ne disserte pas et ne parle point alors en son nom.

Souvent, — et il y a de la finesse dans cette observation encore — jeune homme et jeune fille apparaissent d'abord rebelles à l'amour : fuite de la cavale devant l'étalon qui la poursuit... C'est le cas de Soredamor qui est dédaigneuse de l'amour (v. 446) mais le petit dieu est plus puissant et rien n'est plus curieux, plus délicat et, malgré la préciosité, mieux exprimé, que les hési-

---

(1) Vv. 2823-2826. Van Hamel dans son article *Cligès et Tristan*, voit ici une attaque contre *Thomas* en son Tristan (*Romania*, t. XXXIII, 1904, pp. 471-472).

(2) Vv. 2840-2841.

tations, les retours, les appels et les repentirs que traduit son
monologue. N'est-elle pas maîtresse de ses regards ? Et pourquoi
lever les yeux vers l'objet qui l'a fait souffrir. Ainsi la pauvrette (1) :

Une ore aimme et une autre het.	Tantôt elle aime, tantôt elle hait.

Vive est la souffrance, mais cher le mal. C'est la doctrine que
l'*Eneas* a prise au chant IV de l'*Énéide* et que répètent docilement Soredamor et Fénice (v. 3070 et s.). A son prédécesseur
anonyme Chrétien emprunte aussi la description assez monotone
des effets physiques de l'amour, visibles tellement que la
reine Guenièvre, les apercevant, croit à une atteinte de mal de
mer : alternance de chaud et de froid, pâleur et rougeur, tres-
saillements et abattements, mais il y insiste heureusement
moins, plus soucieux, lui, de l'intérieur que de l'extérieur.

Le progrès est plus marqué encore dans la délicatesse des sentiments. A la brutalité des temps barbares s'oppose l'ombra-
geuse réserve de Soredamor qui aboutit même à une énergique
affirmation de principes (2) :

« Ce n'avint onques Que fame tel forfeit feïst Que d'amer home requeïst, Se plus d'autre ne fu desvee. »	« Il n'advint jamais que femme tel forfait commît de requérir d'amour un homme à moins d'être la plus folle des folles. »

Elle hésite même à adresser la parole à celui qu'elle aime (3).
Lui n'est pas moins embarrassé et alors ils se contentent de se
regarder (4) :

Meis de toz amanz est costume Que volantiers peissent lor iauz D'esgarder, s'il ne pueent miauz.	Mais c'est la coutume de tous amants de volontiers leurs yeux repaître de regards, si mieux ne peuvent.

Ce n'est pas cependant que, de cet amour, chaste et retenu
des débuts, toute sensualité soit absente. La confidence de Fénice
à Thessala, qu'elle supplie de la préserver des atteintes de son mari,
l'étrange aveu de l'épouse vierge à son futur amant (v. 5238-9) :
« Jamais il ne me connut, ainsi qu'Adam connut sa femme »,
nous éloigne singulièrement des exigences de la poésie courtoise.

(1) V. 525.
(2) Vv. 998-1001.
(3) Vv. 1392-1397.
(4) Vv. 592-594.

Pour être réservée dans l'expression, la scène de la tour n'en est
pas moins claire (1) :

Car a l'un et a l'autre sanble,	Car il leur semble l'un à l'autre.
Quant li uns l'autre acole et beise,	quand ils s'embrassent et s'accolent;
Que de lor joie et de lor eise	que de leur joie et de leur plaisir
Soit toz li mondes amandez, ...	le monde entier soit embelli...
Ne ja plus ne m'an demandez :	Ne m'en demandez pas davantage
Meis n'est chose que li uns vuelle,	il n'est chose que l'un veuille,
Que li autre ne s'i acuelle.	que l'autre aussitôt ne consente.

Il y a là, même relativement à *Érec*, un incontestable progrès
dans la délicatesse et le raffinement des sentiments (2). Délicatesse
et raffinement, qui sont peut-être plus dans l'expression que dans
la nature et dans les faits. Moins hardies de gestes et de paroles,
ces jeunes filles, telles que les décrit et les présente, sans doute
d'après le modèle vivant, leur peintre, ont des connaissances
ou des presciences singulières. Elles hésitent à aller où les appellent leur vœu et leurs sens, mais elles semblent, Fénice surtout,
savoir parfaitement où ceux-ci les mènent. Plus réservées dans
l'action, mais non moins hardies dans le rêve, elles restent des
passionnées et des primitives, plus soucieuses de respecter l'opinion que d'obéir à la raison ; elles ne sont point attirées par la
supériorité de l'esprit dont elles pourraient tenter de devenir
les confidentes, mais vers la beauté physique et la force ardente
des adolescents en cottes de mailles.

Quoi qu'il en soit, outre qu'il reste le maître de la psychologie
amoureuse, ce romancier de la femme reste surtout le maître du
bien décrire et du bien parler.

Sans doute, avant lui déjà, l'auteur anonyme de l'*Eneas* avait
su faire alterner récit continu, dialogues et monologues, accen-
tuant l'allure dramatique de ce récit et contribuant à l'indivi-
dualisation des personnages par le langage qui leur est prêté.
Mais c'est Chrétien qui porte le procédé à son plus haut degré
de variété et de fantaisie. Jamais arrêté par la rime, dont il paraît se jouer, il en franchit sans effort par l'enjambement le redoutable cap, la faisant seulement sonner au passage comme une
clochette. Indifférent à la coupe un peu monotone de l'octosyllabe à césure médiane, il multiplie celle-ci parfois jusqu'à la

(1) Vv. 6338-6344.
(2) En dépit de quelques grossièretés qui font tache encore aux vv. 2375-
2376, 3227, 3354 et s., par exemple.

gageure, en particulier dans ses monologues à hésitations et résolutions contradictoires (1) :

« Ou par ami ? Ami ? Je non. »   « Ou lui dirai-je : Ami ? Ami ? Non. »

Dans *La Chanson de Roland,* on ne peut guère signaler que deux comparaisons (2), ce qui est peu ; à moins d'un siècle de distance, Chrétien a appris de Virgile et d'Ovide, à user de cet ornement du style et à s'en servir pour forcer l'évocation, comme dans cette description de la bataille sous Windsor (3) :

Granz escrois font de totes parz	Grand bruit font de toutes parts
Les arbalestes et les fondes,	les arbalètes et les frondes ;
Saietes et pierres reondes	flèches et pierres rondes
Volent autresi mesle mesle	volent ainsi, pêle-mêle,
Con feit la pluie avuec la gresle.	que fait la pluie avec la grêle.

En voici une autre, que nous avons déjà signalée au passage, plus neuve et qui suffirait à elle seule à attester un tempérament d'écrivain. La première était empruntée à une bataille rangée, celle-ci l'est à un combat singulier (4) :

As espees notent un lai	Des épées martèlent un lai
Sor les hiaumes qui retantissent...	Sur les heaumes qui retentissent...

et plus loin (5) :

Et quant les espees resaillent,	Et quand les épées rebondissent,
Estanceles ardanz an saillent	étincelles ardentes en jaillissent,
Ausi come de fer qui fume,	ainsi que du fer qui fume,
Que li fevres bat sor l'anclume,	que le fèvre bat sur l'enclume
Quant il le treit de la favarge.	quand il l'a tiré de la forge.

Image qui plaît au poète, car elle évoque pour lui des tableaux de la vie quotidienne, et qu'il reproduira, vers la fin de son roman, à propos des tournois livrés par Cligès à la cour d'Arthur (6) :

(1) V. 1394.
(2) V. 1874 de l'éd. Bédier (Paris. Piazza, s. d. [1922], in-12) :
    Si cum li cerfs s'en vait devant les chiens
et v. 3319, à propos des barbes :
    Altresi blanches cume nef sur gelee.

(3) Vv. 1524-1528. On retrouve encore vv. 4931-3, la comparaison du cerf harcelé par les chiens, déjà employée dans *Guillaume d'Angleterre* et dans *Érec.*
(4) Vv. 4070-4071.
(5) Vv. 4075-4079.
(6) Vv. 4862-4863.

| De son escu a feit anclume | De son écu a fait enclume, |
| Car tuit i forgent et martelent... | car tous y forgent et le martèlent... |

Voici maintenant une métaphore (et cette figure est plus rare alors et plus difficile que la comparaison) empruntée, non plus aux métiers, mais à la Nature, celle de l'écorce et de l'aubier (1) :

| An moi n'a rien fors que l'escorce | Sur moi il n'y a plus que l'écorce |
| Que sanz cuer vif et sanz cuer sui. | car sans cœur vis et sans cœur suis. |

Ces qualités de fond et de forme assurèrent à la nouvelle œuvre de notre romancier une immense réputation. A l'envi, ses successeurs l'ont citée comme le modèle de l'œuvre courtoise par excellence et s'excusent d'avance de ne pouvoir l'égaler ni dans la psychologie amoureuse ni par le style. Huon de Méri, dans son *Tournoiement Antechrist*, dira encore, quelque soixante-dix ans plus tard, aux alentours de 1235, en parlant du dard de l'Amour (2) :

Crestïens de Troies dist miex	Chrétien de Troies a mieux parlé
Du cuer navré, du dart, des ex	du cœur blessé, du dard, des yeux
Que je ne vos porroie dire.	que je ne pourrais vous le faire.

L'étranger fait chorus, et l'Allemagne, toujours à l'affût des dernières créations de notre littérature d'alors, ne fournit pas moins de deux traductions du *Cligès*, malheureusement perdues l'une et l'autre. Ainsi l'art de notre romancier continue à faire son tour du monde alors connu. L'œuvre est restée en faveur aujourd'hui au delà du Rhin, où Foerster la qualifiait de mise en œuvre géniale du conte de la « fausse morte », tandis que notre grand Gaston Paris la considérait comme « un arrangement assez malhabile, où il est aisé de relever des fautes de composition choquantes » (3). Quant à moi, j'espère avoir fait partager à mes lecteurs ce sentiment, que, dans le jugement de cette œuvre si française, c'est l'Allemand qui a raison contre le Français.

(1) Vv. 5204-5205.
(2) Cf. W. Foerster, *Kristian von Troyes Wörterbuch zu seinen sämtlichen Werken*, Halle, Niemeyer, 1914, in-12, p. 67*.
(3) G. Paris, *Cligès*, dans *Mélanges* etc. déjà cité, pp. 306-307. L'action dans *Cligès* a été étudiée par Arthur Franz : *Die reflektierte Handlung im Cligès* dans la *Festschrift Appel*, 1927, in-8°.

CHAPITRE VII

LE TRIOMPHE DE L'AMOUR COURTOIS :
LANCELOT
OU LE CHEVALIER A LA CHARRETTE

« Bien est qui aime obéissant. »

Nous avons vu que *Cligès* était, dans sa première partie, ainsi que l'*Érec*, un roman conjugal, c'est-à-dire une idylle gracieuse et passionnée aboutissant à un mariage, dans sa seconde partie un *anti-Tristan*, en ce sens que le roman nous présentait une amante, mariée mais vierge, se refusant à la séparation de son corps et de son cœur, rebelle au partage et ne se donnant à son amant que lorsqu'un subterfuge hypocrite l'a débarrassée censément de son époux.

Déjà le jeune homme, Cligès, apparaît sujet plus docile de la femme aimée que n'était Érec, mais cependant il n'a aucune hésitation à la quitter, se bornant à lui demander congé d'aller mesurer sa valeur à celle des chevaliers de la cour d'Arthur. Ses exploits n'ont pas pour but unique de conquérir un cœur déjà tout à lui. Cependant, pendant le retour d'Allemagne à Constantinople, la présence de la belle assure à son champion un regain de vigueur.

Dans cette préoccupation fondamentale de notre conteur, bien qu'appuyée sur une hypocrisie notoire, compatible avec la casuistique médiévale, de bannir l'adultère qui est à la base du roman de *Tristan et Iseut*, dans ce souci qu'il affiche de prêcher l'union complète et sans partage des amants, qui n'est possible que par le mariage, il y a une doctrine, qu'on peut si l'on veut qualifier de morale, et qui est le contrepied de la théorie et de la pratique provençales de l'amour courtois.

Il semble que la poésie lyrique du Nord de la France ait surtout célébré la conquête de la Rose, je veux dire la conquête de la jeune fille par l'homme à qui elle appartiendra, et celle du Midi la poursuite de la maîtresse inaccessible par l'homme à qui elle n'appartiendra jamais, du moins sous la sanction de la société et de Dieu. Laquelle des deux a mieux interprété la réalité ? Il est difficile d'en décider, et d'ailleurs cela n'importe guère. Pucelle ou mariée, la femme est l'éternel gibier de l'homme qu'elle fuit, en rêvant de se faire prendre, mais c'est un phénomène très français et qui est de l'essence de l'esprit courtois alors naissant que, dans les deux cas, il y a effort de conquête de l'homme vers la femme et non inversement de la femme vers l'homme, comme il en sera le plus souvent dans la coutume et la littérature germaniques (1). La tendance du Nord nous est donc apparue jusqu'à présent chez Chrétien avec une certaine coloration courtoise, mais en même temps avec un caractère réaliste et pratique, qui y est en somme assez attendu. Qu'on s'efforce, fort bien, qu'on s'impose mille épreuves, mais tout de même pour qu'un jour sonne l'heure du berger et de la bergère, avec, de préférence, la sanction du prêtre et la présence des témoins qui consacrent la conquête et la rendent publique et durable! La poésie, car il y en a là aussi, est donc concentrée entièrement dans l'idylle et elle cesse, semble-t-il, dans l'embourgeoisement du mariage, dont Chrétien ne nous a vanté les délices que pour en blâmer l'assoupissement, endormeur de prouesse.

Avec un sens très fin, très profond, moins réaliste et plus quintessencié, notre Midi a compris qu'il y avait une poésie plus subtile et plus durable dans un effort prolongé vers l'inaccessible, dans la chasteté qui souffre d'être, dans un désir insatisfait, et c'est pourquoi l'amante que se choisit le troubadour est la plus intangible, étant parfois la femme même de son protecteur. Toujours mariée, toujours insaisissable, elle sera celle dont le plus souverain don est un regard de ses yeux distants, un sourire de ses lèvres dédaigneuses. Sublime conception, dont la France peut s'enorgueillir à bon droit, car elle repose sur cette conviction que l'homme ne produit l'art qu'à l'état d'effort et de tension spirituelle et sensuelle, non à l'état de satisfaction et de détente, et qui a ce privilège, à raison même du relâchement des attaches sensorielles, de pouvoir porter l'amour dans le plan divin, de faire d'une Béatrice le guide d'un Dante au souverain Paradis. C'est elle qui permettra la transposition de l'amour humain à l'amour divin, dont la transcription et la notation au XIII⁰ siècle seront celles de la poésie lyrique du XII⁰, et que le culte de la

_____

(1) Sur ce point, cf. F. Baldensperger, *L'Émigration française*, t. I, p. 253.

Vierge bénéficie de l'exaltation envers la Dame. La formule provençale est peut-être celle qui répond le mieux à la tendance la plus profonde de l'esprit français : intellectualisation de l'instinct et rationalisation de l'art.

Au début de sa carrière, dans l'*Érec* tout à fait, dans *Cligès*, pour la plus grande part, Chrétien ne s'inspire encore que de la pratique et de l'esprit de la poésie lyrique du Nord : la conquête de l'épousée, l'amour conduisant au mariage. Ce n'est pas qu'il ignore la doctrine du Midi, qui a sans doute marqué de son sceau la rude légende primitive de Drystan et d'Eyssilt, *de Tristan et d'Iseut*, mais il la dédaigne, voire il la combat dans *Cligès* et je crois bien, en vérité, qu'elle répugne fondamentalement à son tempérament de Champenois raisonnable et *galois* et à son éducation.

Cependant il va intervenir une circonstance, qui lui fera sacrifier à la mode nouvelle qu'Éléonore a importée de son pays d'Aquitaine et qu'elle doit aussi à ses origines ancestrales, je songe à Guillaume IX, son aïeul et celui des troubadours, je songe à Bertrand de Born et à Bernard de Ventadour. Peut-être (ce n'est qu'une simple mais légitime hypothèse de ma part), le peu de faveur avec laquelle la puissante reine des royaumes de l'Ouest a accueilli ses premières œuvres pendant le séjour qu'on peut supposer à Nantes ou en Angleterre, a-t-il montré au romancier qu'il fallait bien, pour vivre, sacrifier aux nouveaux dieux.

Ce qui est vrai d'Éléonore est aussi vrai de sa fille Marie, issue du premier mariage avec Louis VII et qui par son union avec Henri Ier devient, en 1164, comtesse de Champagne (1). Bien que fort jeune (elle a dix-neuf ans), elle est nourrie et enivrée de formes lyriques méridionales. Devenue, de princesse royale, simple comtesse, elle aspire au moins à la royauté de la poésie ; elle sera souveraine des poètes qui feront l'ornement de sa cour de Troyes et elle leur imposera la doctrine qui fait de la femme l'inspiratrice de toute valeur, la dominatrice à laquelle le héros le plus brave obéit avec une docilité de chien.

Et c'est pourquoi elle essaiera son propre pouvoir sur le conteur déjà célèbre qu'elle accueille, le forçant à chanter la pali-

---

(1) Le Professeur H. Emile Winkler a tenté de l'identifier avec la poétesse Marie de France (*Sitzungsberichte der Wiener Akademie. Philologisch-Historisch Klasse*, t. CLXXXVIII, 3 Abhandl. 1918). Son opinion a été combattue par Bertoni, *Nuova Antologia*, 1 sept. 1920, p. 28 et s., par Ezio Levi dans l'*Archivum romanicum*, t. VII (1923) et dans son édition d'*Eliduc*, Florence, Sansoni, 1925, et par Hoepffner dans la préface de son édition des *Lais*, 1925.

nodie, en exaltant cet adultère et ce partage qu'il vient de honnir par la voix de Fénice.

Qu'elle l'ait inspiré et presque commandé, c'est ce qu'affirme Chrétien en tête de son livre (1) :

Des que ma dame de Chanpaingne	Puisque ma Dame de Champagne
Viaut que romanz a feire anpraingne,	veut que j'entreprenne ce roman,
Je l'anprandrai mout volantiers,	je le ferai bien volontiers,
Come cil qui est suens antiers...	en homme qui est tout à elle...

Un autre sur cela, affirme-t-il, entonnerait la louange, et dirait que cette princesse passe toutes celles qui sont en vie, comme la gemme passe la sardoine, lui, se bornera à affirmer qu'elle est l'inspiratrice (2) :

Mes tant dirai je que miauz oevre	Je dirai seulement que plus agit
Ses comandemanz an ceste oevre	son commandement en cette œuvre
Que sans ne painne que j'i mete.	que l'esprit et le travail que j'y mettrai.
Del *Chevalier de la Charrete*	Du *Chevalier de la Charrette*
Comance Crestiiens son livre ;	commence Chrétien son livre ;
Matiere et san l'an done et livre	sujet et sens donne et livre
La contesse, et il s'antremet	la comtesse, et lui s'occupe
De panser si que rien n'i met	d'exécuter, de sorte qu'il n'y met
Fors sa painne et s'antancion...	que son travail et sa peine...

On ne saurait être plus modeste et on ne saurait non plus décliner mieux toute responsabilité sur le choix du sujet et la nature de la thèse si comme, je le pense, je ne force pas les termes *matière et san* (3).

Le jour de l'Ascension (dans *Yvain*, ce sera la Pentecôte), le roi Arthur tient assemblée en son château de Camaalot, près Carlion ou Caerleon, dans le sud du Pays de Galles. Nous sommes transportés donc dès le début sur la vieille terre de légende celtique où ont erré aussi Tristan et Érec. Beaucoup de seigneurs garnissent la salle, présidés par le roi et la reine, elle-même entourée de (4)

Mainte bele dame cortoise,	mainte belle dame courtoise,
Bien parlant an langue françoise,	parlant bien en langue française,

---

(1) *Der Karrenritter (Lancelot)*, éd. p. W. Foerster au t. IV de Christian von Troyes, *Sämtliche erhaltene Werke*, Halle, Niemeyer, in-8°, 1899. Les premiers vers, 1-4, figurent à la p. 1.

(2) Vv. 21-29.

(3) Sur ces mots, voir l'article de Nitze, *Sen et Matière*, *Romania*, XLIV (1916-17) 14 s. et Cross et Nitze, *Lancelot and Guinever*, Chicago, 1930.

(4) Vv. 41-42.

quand surgit un chevalier, armé de pied en cap, qui s'avance
jusqu'auprès d'Arthur (ce roi semble bien mal gardé), s'abstient
de le saluer et dit (1) :

« Rois Artus, j'ai an ma prison,
De ta terre et de ta meison
Chevaliers, dames et puceles,
Mes ne t'an di pas les noveles
Por ce que jes te vuelle randre.
Einçois te vuel dire et aprandre
Que tu n'as force ne avoir,
Par quoi tu les puisses avoir,
Et saches bien qu'einsi morras
Que ja eidier ne lor porras. »

« Roi Arthur, j'ai dans ma prison,
appartenant à ton pays et à ta maison
chevaliers, dames et pucelles,
mais je ne t'en donne nouvelles
dans l'intention de te les rendre.
Je veux au contraire te dire et t'appren- [dre
que tu n'as force ni bien
par quoi tu les puisses ravoir,
et sache bien que tu mourras
sans avoir pu les secourir. »

Le roi, dont la passivité est aussi surprenante que ridicule,
répond qu'il lui faudra bien le souffrir, s'il ne peut l'empêcher,
mais qu'il en a grand'peine. L'inconnu fait mine de s'en aller,
va jusqu'à la porte de la salle, puis se ravisant, avant de descendre
les degrés qui y mènent, se retourne et ajoute (2) :

« Rois, s'a t'a cort chevalier a
Nes un, an cui tant te fiasses
Que la reïne li osasses
Baillier por mener an cel bois
Aprés moi, la ou je m'an vois,
Par un covant l'i atandrai,
Que les prisons toz te randrai,
Qui sont an essil an ma terre,
Se il vers moi la puet conquerre
Et s'il fet tant qu'il l'an ramaint. »

« Roi, s'il y a à ta cour
un seul chevalier à qui tu te fies assez
pour oser lui confier la reine
afin de la mener en ce bois
où je vais, derrière moi,
je m'engage à l'y attendre,
et à te rendre les prisonniers,
qui sont retenus dans mon pays,
s'il peut la conquérir sur moi
et si bien combattre qu'il la ramène. »

Toute la cour en est bouleversée et Ké, qui mangeait avec les
écuyers et hommes d'armes, se lève et dit au Roi (3) :

« Roi, servi t'ai mout longuemant
A buene foi et leaumant ;
Or praing congié, si m'an irai,
Que ja mes ne te servirai. ».

« Roi, je t'ai servi très longtemps
en bonne foi et loyalement ;
je prends congé et je m'en vais,
car jamais plus ne te servirai. »

Arthur croit à une plaisanterie, mais quand, interrogeant son
sénéchal, il voit que sa menace est sérieuse, il s'en désole, le

(1) Vv. 53-62.
(2) Vv. 72-81.
(3) Vv. 89-92.

supplie, et adjure même la reine de joindre ses prières aux siennes ;
ce qu'elle fait en se jetant à ses pieds. Il consentirait à rester à
condition que l'un et l'autre lui accordent ce qu'il leur demandera.
Elle y accède et le roi ratifie la promesse, mais quelle n'est pas
leur stupeur, quand il leur révèle le don que leur imprudence lui
a promis (1) :

« Sire », fet Kes, « or sachiez dons
Que je vuel et queus est li dons
Don vos m'avez asseüré...
Sire, ma dame que voi ci
M'avez otroiiee à baillier,
S'irons aprés le chevalier
Qui nos atant an la forest. »

« Sire », fait Ké, « sachez donc
ce que je veux et quel est le don
que vous m'avez promis...
Sire, ma dame que voici
m'avez donnée à prendre,
pour aller après le chevalier
qui nous attend dans la forêt. »

Lié par sa parole, le roi cède, mais bien à contre-cœur, prend
la reine par la main et lui dit (2) :

« Dame », fet il, « sanz contredit
Estuet qu'avuec Keu an ailliez. »
Et cil dit : « Or la me bailliez ;
Et si n'an dotez ja de rien,
Que je la ramanrai mout bien
Tote heitiee et tote sainne. »

« Dame », fait-il, « sans contredit,
il faut que avec Ké vous alliez ! »
Et celui-ci dit : « Donnez-la-moi donc
et soyez sans crainte à son sujet,
car je la ramènerai fort bien,
entièrement saine et sauve. »

Ké l'emmène donc, au grand désespoir des barons, qui le
blâment de son orgueil et de son audace, et pleurent la reine
(dont n'a pas encore dit le nom), comme si elle était morte
déjà. Gauvain, qui reproche à son oncle d'avoir ainsi cédé sans
protester, l'exhorte au moins à les suivre à cheval avec sa cour,
ce qui fut fait. Comme ils approchent de la forêt, ils voient venir
le cheval de Ké, sans cavalier, brides rompues, arçons brisés,
l'étrivière teinte de sang. Gauvain, qui chevauchait devant, voit
encore venir au pas un chevalier monté, mais las, pantois et en
sueur, qui, le reconnaissant, lui demande de lui prêter un des
deux chevaux que mène l'écuyer, saute sur la bête et, piquant
des deux, pénètre dans la forêt, où Gauvain s'engage après lui. Il
retrouve bientôt au bas d'une colline un destrier mort, des traces de sabots, des débris de lances et de boucliers (3) :

(1) Vv. 173-181.
(2) Vv. 192-197.
(3) Vv. 317-346.

Ainz passe outre grant aleüre,	Il passe outre à grande allure,
Tant qu'il revit par avanture	jusqu'à ce que par hasard il revit
Le chevalier tot seul a pié,	le chevalier tout seul, à pied,
Tot armé, le hiaume lacié,	tout armé, le heaume lacé,
L'escu au col, l'espee çainte,	bouclier au col, épée ceinte,
Si ot une charrete atainte.	près d'une charrette qu'il avait rejointe.
De ce servoit charrete lores,	A ce servait lors la charrette,
Don li pilori servent ores,	à quoi les piloris servent à présent,
Et an chascune buene vile,	et dans chaque bonne ville,
Ou an a or plus de trois mile,	où il en est maintenant plus de trois mille,
N'an avoit a cel tans que une,	il n'y en avait en ce temps qu'une
Et cele estoit a ceus comune,	et elle était à tous commune ,
Aussi con li pilori sont,	comme aujourd'hui les piloris,
Qui traïson ou meurtre font,	à ceux qui trahison ou meurtre font
Et as ceus qui sont chanp cheü	et à ceux qui ont failli au duel (1)
Et as larrons qui ont eü	et aux larrons qui ont eu
Autrui avoir par larrecin	le bien d'autrui par larcin
Ou tolu par force an chemin.	ou aux bandits de grand chemin.
Qui a forfet estoit repris,	Qui était pris sur le fait,
S'estoit an la charrete mis	sur la charrette était mis
Et menez par totes les rues,	et mené par toutes les rues,
S'avoit puis totes lois perdues,	et ensuite était hors la loi,
Ne puis n'estoit a cort oïz	ne pouvait être ouï en cour
Ne enorez ne conjoïz.	ni honoré, ni fêté.
Por ce qu'a cel tans furent teus	Parce qu'en ce temps étaient telles
Les charretes et si crüeus,	les charrettes et si cruelles,
Fu dit premiers : « Quand tu verras	il fut dit d'abord : « Quand tu verras
Charrete et tu l'anconterras,	charrette et la rencontreras,
Si te saingne et si te sovaingne	signe-toi, et souviens-toi
De Deu, que maus ne t'an avaingne. »	de Dieu, que mal ne t'advienne ! »

C'est donc la charrette patibulaire, et ce n'est pas sans dessein que le romancier insiste sur l'indignité qui s'attache à celui qui y monte, se mettant par là en quelque sorte hors la loi (2) :

Li chevaliers, a pié, sanz lance,	Le chevalier, à pied, sans lance,
Après la charrete s'avance,	marche après la charrette,
Et voit un nain sor les banons,	et voit un nain sur la limonière,
Qui tenoit come charretons	tenant, ainsi qu'un charretier,
Une longue verge an sa main.	une longue verge dans sa main.
Li chevaliers a dit au nain :	Le chevalier dit au nain :
« Nain », fet il, « por Deu ! car me di	« Nain », fait-il, « pour Dieu, dis-moi donc
Se tu as veü par ici	si tu n'as pas vu par ici
Passer ma dame la reïne. »	passer ma dame la Reine. »
Li nains cuiverz (3) de pute orine	Le vil nain, de basse naissance,

(1) Dans l'épreuve du duel judiciaire.
(2) Vv. 347-368.
(3) De *collibertus* , serf affranchi, terme de mépris ; cf. l'étude de Marc Bloch sur ce terme. *Les Colliberti* dans *Revue historique*, t. XLVII 1928.

Ne l'an vost noveles conter,
Ainz li dist : « Se tu viaus monter
Sor la charrete que je main,
Savoir porras jusqu'a demain,
Que la reïne est devenue. »
Tantost a sa voie tenue,
Qu'il ne l'atant ne pas ne ore.
Tant solemant deus pas demore
Li chevaliers que il n'i monte ;
Mar le fist, mar i douta honte,
Que maintenant sus ne sailli,
Qu'il s'an tandra por mal bailli.

ne voulut pas l'en informer,
mais lui dit : « Si tu veux monter
sur la charrette que je mène,
tu pourras savoir avant demain
ce que la reine est devenue. »
Et il continue sa route,
ne l'attendant un moment ni une heure.
Deux instants seulement hésite
le chevalier à y monter ;
craignant la honte, il eut bien tort
de ne pas aussitôt y monter,
car il aura à s'en repentir.

Pourquoi cette hésitation à accomplir une action, honteuse pour n'importe quel honnête homme, plus honteuse pour le gentilhomme ? C'est que si l'amour l'y pousse, la raison l'en retient et ici s'insère un petit raisonnement psychologique, à la Chrétien (1) :

Meis reisons qui d'amor se part
Li dit que de monter se gart,
Si le chastie et si l'ansaingne
Que rien ne face ne n'anpraingne,
Don il et honte ne reproche.
N'est pas el cuer, mes an la boche
Reisons qui ce dire li ose ;
Mes amors est el cuer ancloso,
Qui li comandë et semont
Que tost sor la charrete mont.
Amors le viaut, et il i saut,
Que de la honte ne li chaut
Puis qu'amors le comande et viaut.

Mais Raison qui se sépare d'Amour
lui dit que de monter se garde
et l'exhorte et lui enseigne
à ne rien faire ni entreprendre
dont il ait honte ou bien reproche.
Elle n'est pas au cœur mais sur les lèvres
Raison qui ose dire cela,
mais Amour est au cœur enclos
et lui commande et ordonne
de monter vite sur la charrette.
Amour le veut et il y monte,
car il n'a souci de la honte
dès qu'Amour le commande et veut.

Voilà, après le fait, ainsi que dans les *Specula* ou *Exercitia* des siècles suivants, la leçon. « Qu'importe la honte, quand l'amour commande. » Nous nous trouvons un peu loin de l'enseignement d'*Érec* ou même de celui de *Cligès*, qui n'acceptent l'amour que dans la dignité. Messire Gauvain se précipite vers la charrette et s'émerveille quand il y voit assis le chevalier. A son tour il interroge le nain sur la reine et il reçoit la même invitation préalable à monter à ses côtés, à quoi naturellement il se refuse. N'étant pas amoureux de sa tante, il n'éprouve aucune envie de s'abaisser à ce point, mais il suivra la charrette partout où elle ira... Ils arrivent à un château ou plutôt à une ville forte. A peine en ont-ils passé le pont-levis que, dans les rues, petits et grands, enfants

(1) Vv. 369-381.

et vieillards, se mettent à huer le chevalier. Il faut que l'amour ait son chemin de croix (1) :

Tuit demandent : « A quel martire
Sera cil chevaliers randuz ?
Iert il escorchiez ou panduz,
Noiiez ou ars an feu d'espines ?
Di, nains, di tu qui le traïnes,
A quel forfet fu il trovez ?
Est il de larrecin provez ?
Est il murtriers ou chanp cheüz ? »

Tous demandent : « A quel supplice
sera ce chevalier livré ?
Sera-t-il écorché ou pendu,
noyé ou brûlé en bûcher d'épines ?
Dis, nain, toi qui le mènes,
dans quel délit fut-il surpris ?
Est-il convaincu de larcin ?
Est-il meurtrier ou vaincu (2) ? »

La belle demoiselle qu'ils rencontrent dans le donjon, avec ses suivantes, et qui, reconnaissant Gauvain, le salue, pose au nain la même question, mais il se contente de débarquer son voyageur et de s'en aller avec sa charrette pour ne plus revenir, ni dans ce château, ni dans le récit. Leur hôtesse leur fait préparer deux lits dans la salle, où il en est un troisième vraiment royal, plus long et plus haut d'une demi-aune, revêtu d'un jaune samit et d'une couverture d'or, et dont elle leur interdit l'accès. Bravant la défense, le Chevalier à la Charrette s'y installe. Il n'était pas plus tôt couché que, à l'heure sinistre de minuit (3) :

Vint une lance come foudre,
Le fer dessoz, et cuida coudre
Le chevalier parmi les flans
Au covertoir et as dras blans
Et au lit, ou il se jisoit.
An la lance un penon avoit,
Qui toz estoit de feu espris.
El covertoir est li feus pris,
Et es dras et el lit a masse,
Et li fers de la lance passe
Au chevalier lez le costé,
Si qu'il lui a del cuir osté
Un po, mes ne fu pas bleciez.
Et li chevaliers s'est dreciez,
S'estaint le feu et prant la lance,
Anmi la sale la balance,
Ne por ce son lit ne guerpi,

Vint une lance comme foudre,
le fer dessous, qui faillit coudre
le chevalier par ses flancs
à la couverture et aux draps blancs
et au lit où il était couché.
A la lance pendait un pennon
qui était tout enflammé.
Lo feu prend à la couverture,
au drap et au lit en même temps,
et le fer de la lance passe
sur les côtés du chevalier,
lui ôtant de la peau
un peu, sans le blesser toutefois.
Et le chevalier se redresse,
éteint le feu et prend la lance,
la jette au milieu de la salle,
sans pour cela quitter son lit,

(1) Vv. 414-421.
(2) Dans le duel judiciaire.
(3) Vv. 519-538. Ce type d'aventure est intéressant en ce qu'il se retrouvera dans la « vulgate » du *Graal*, qui comprend un *Lancelot en prose* dont a traité F. Lot dans l'important livre qu'il a consacré à celui-ci, Paris, Champion, 1918, in-8°.

Ainz se recoucha et dormi	mais se recouche et s'endormit
tot autressi seüremant	avec autant de sécurité
Com il ot fet premieremant.	qu'il l'avait fait premièrement.

Le matin, après la messe, il contemplait, d'une croisée, la prairie, tandis que, d'une fenêtre voisine, Gauvain et la demoiselle faisaient de même, lorsque apparaît un cortège funèbre, une bière renfermant un chevalier et que suivent trois jeunes filles en pleurs, puis une troupe précédée d'un grand chevalier, ayant à sa gauche une belle dame. En elle, celui qui observe la scène reconnaît la reine et la contemple avec attention, aussi longtemps qu'il peut la suivre du regard ; ne l'apercevant plus, il se penche, voulant se jeter par la fenêtre, quand Gauvain s'en avise et le tire en arrière, lui criant (1) :

« Merci, sire, soiiez an pes !	« Grâce, seigneur, tenez-vous en paix !
Por Deu, nel vos pansez ja mes	Pour Dieu ne songez plus jamais
Que vos façoiz tel desverie.	à accomplir telle folie.
A grant tort haez vostre vie. »	A tort vous haïssez la vie. »
— Mes a droit, — fet la dameisele ;	— Non, à bon droit, — fait la demoiselle;
— Don n'iert seüe la novele	— La nouvelle n'est-elle sue
Par tot de sa maleürté ?	partout de son malheur ?
Des qu'il a en charrete esté,	Puisqu'il est en charrette monté,
Bien doit voloir qu'il soit ocis,	il doit souhaiter être occis,
Que miauz vaudroit il morz que vis.	car il vaudrait plus, mort, que vif.
Sa vie est des or mes honteuse	Sa vie est désormais honteuse,
Et despite et maleüreuse. —	méprisable et malheureuse. —

Après avoir ainsi abondamment honni et moqué le mystérieux Chevalier à la Charrette, la demoiselle, bonne âme cependant, lui donne un cheval et une lance, ce qui permet aux deux compagnons de fortune de se mettre à la poursuite de la reine, sans d'ailleurs parvenir à l'atteindre. Ils ne rencontrent qu'une deuxième demoiselle qui se déclare prête à leur révéler par où a passé la prisonnière et quel est celui qui l'emmène, s'ils consentent à se mettre à sa discrétion, ce qu'ils font, souscrivant d'avance à toutes ses exigences. Alors elle parle (2) :

« Par foi, seignor, Meleaganz,	« Par ma foi, seigneurs, Méléaguant,
Uns chevaliers corsuz et granz,	un chevalier fort et grand,
Fiz le roi de Gorre, l'a prise,	fils du roi de Gorre, l'a prise,
Et si l'a el reaume mise,	et l'a mise dans le royaume

(1) Vv. 575-586.
(2) Vv. 641-650.

Don nus estranges ne retorne ;   d'où nul étranger ne revient ;
Mes par force el païs sejorne   par la force elle y séjourne
An servitume et an essil. »   en servitude et en exil. »
Et lors le redemandent cil :   Et alors ceux-là lui demandent :
— Dameisele, ou est cele terre ?   — Demoiselle, où est cette terre ?
Ou porrons nos la voie querre ? —   Où en trouverons-nous le chemin ? —

Et elle de les avertir qu'avant d'y parvenir, ils auront de redoutables épreuves à subir, car on n'accède au royaume de Bademagu, roi de Gorre, que par deux très périlleuses voies (1)

Et par deus mout felons passages :   et par deux bien cruels passages :
Li uns a nom li ponz evages,   l'un a nom le pont aquatique,
Por ce que soz eve est li ponz...   parce que ce pont-là est sous l'eau...
Et si n'a que pié et demi   et n'a qu'un pied et demi
De le et autretant d'espés...   de large et autant d'épaisseur...
Li autre ponz est plus mauvés   L'autre pont est plus mauvais
Et est plus perilleus assez   et de beaucoup le plus dangereux
Qu'ains par home ne fu passez,   que jamais homme n'ait passé,
Qu'il est come espee tranchanz,   car il est tranchant comme une épée,
Et por ce trestotes les janz   et c'est pourquoi toutes les gens
L'apelent le Pont de l'Espee.   l'appellent le pont de l'Épée.

Après un assaut de courtoisie, Gauvain abandonne ce dernier au Chevalier à la Charrette, qui le quitte, abîmé de nouveau dans ses pensées (2) :

Et cil de la charrete panse   Le Chevalier de la Charrette songe
Con cil qui force ne deffanse   en homme qui défense ni force
N'a vers amor qui le justise ;   n'a envers amour qui le gouverne ;
Et ses pansers est de tel guise   et son penser est de telle sorte
Que lui meïsmes an oblie,   qu'il s'en oublie lui-même,
Ne set s'il est ou s'il n'est mie ;   ne sait s'il est ou s'il n'est point ;
Ne ne li manbre de son non,   il ne lui souvient de son nom,
Ne set s'il est armez ou non,   ne sait s'il est armé ou non,
Ne set ou va, ne set don vient ;   ne sait où il va, d'où il vient ;
De rien nule ne li sovient   de rien ne lui souvient
Fors d'une sole, et por celi   si ce n'est d'une seule chose et pour elle
A mis les autres an obli.   il a oublié toutes les autres.
A cele sole panse tant   A celle-là il pense tant
Que il ne voit ne il n'antant.   qu'il ne voit et qu'il n'entend.

Aussi parvient-il à un gué, sans ouïr ni apercevoir la menace du chevalier qui veut lui en interdire l'accès et qui le renverse

(1) Vv. 659-677.
(2) Vv. 715-728.

d'un coup de lance, ce dont ensuite, après une rapide passe d'armes, le nôtre se venge en le réduisant à merci; mais il lui laisse sa liberté, à la requête d'une demoiselle que mène son adversaire et qui l'en prie gentiment. Ensuite rencontre d'une quatrième demoiselle (nous renoncerons bientôt à les compter) qui lui offre l'hospitalité à condition qu'il accepte le gîte et le reste (Chrétien est ici moins réservé). Il l'en remercie, lui déclarant sans courtoisie qu'il se passerait bien du reste, mais elle n'en démord point, il lui faut consentir, à son cœur et son corps défendant. Elle l'emmène donc dans son château, lui apprête un beau repas qu'elle lui sert seule, puis se réfugie dans sa chambre où elle l'attendra. Au bout de quelques moments, qu'il juge suffisants pour qu'elle ait achevé sa toilette de nuit, il s'approche et quelle n'est pas sa surprise, de voir la demoiselle, les vêtements relevés, renversée sous l'étreinte d'un chevalier qui cherche à la violer et appelant au secours, tandis que deux hommes, armés de l'épée, interdisent le seuil, défendu encore, plus en arrière, par quatre sergents armés de haches. Le brave Chevalier à la Charrette s'arrête, hésite et dit (1) :

◦ Deus que porrai je feire ?	« Dieu, que pourrai-je faire ? [affaire
Meüz sui por si grant afeire	Je me suis mis en route pour si grande
Con por la reïne Guenievre (2).	que la poursuite de la reine Guenièvre (2).
Ne doi mie avoir cuer de lievre	Je ne dois avoir cœur de lièvre,
Quant por li sui an ceste queste.	puisque pour elle j'entrepris cette quête.
Se mauvestiez son cuer me preste	Si la lâcheté son cœur me prête
Et je son comandemant faz,	et si je suis aux ordres de celle-ci,
N'ateindrai pas la ou je chaz.	je n'atteindrai pas là où je tends...
Honiz sui se je ci remaing...	Je serai honni, si je reste ici...
Et ja Deus n'et de moi merci,	Que Dieu me refuse sa grâce,
Si nel die mie par orguel,	et je ne le dis par orgueil,
Se assez miauz morir ne vuel	*si je ne préfère mourir*
A enor, que a honte vivre.	*avec honneur que de vivre avec honte.*

Ainsi se traduit fièrement ici la notion de l'amour-dignité, qu'exalteront Corneille et après lui Descartes dans son *Traité des Passions,* et qui semble bien de l'essence du tempérament français. Hardiment donc, sans se demander si ceci ne sera pas la dernière aventure, avec cet optimisme qui est celui des jeunes combattants, il s'avance au secours de l'infortunée. Les deux

(1) Vv. 1109-1127.
(2) La femme du roi Arthur se trouve ici désignée pour la première fois, dans ce roman par son nom, déjà familier d'ailleurs aux lecteurs d'*Érec* et de *Cligès.*

épées, levées sur sa tête qu'il a poussée dans l'embrasure, il les évite en rompant, et elles se brisent sur le sol. Il passe, bouscule les quatre sergents, arrache du lit le violateur, qui, dans la mêlée, est blessé par l'un de ses sujets, saute entre la couche et la paroi, et, adossé à celle-ci, se prépare à faire front à tous, quand la délivrée renvoie tous ces gens dont l'attaque n'a été mise en scène que pour éprouver la bravoure du nouveau venu. Reste pour lui à subir la plus dure épreuve, celle où d'autres pourraient souhaiter être victorieux, mais où lui ne demande qu'à être *récréant*, encore qu'il soit soucieux de tenir parole. Il se couche donc près d'elle sur un beau lit d'apparat, mais, tel un saint Alexis, il lui tourne le dos (1) :

Ne ne dit mot ne qu'uns convers	Ne soufflant mot, tel un convert
Cui li parlers est deffanduz,	auquel il est défendu de parler,
Quant an son lit gist estanduz...	quand il est étendu sur son lit...
Bel sanblant feire ne li puet :	il ne peut lui faire bon visage : [pousse ;
Por quoi ? — Car del cuer ne li muet ;	Pourquoi ? C'est que son cœur ne l'y
S'estoit ele mout bele et jante,	pourtant elle était belle et gracieuse,
Mes ne li plest ne atalante,	mais ne lui plaît ni ne le tente,
Quanqu'est bel et jant a chascun.	ce qui est bel et gracieux à chacun.
Li chevaliers n'a cuer que un,	Le chevalier n'a qu'un cœur,
Et cil n'est mie ancor a lui,	encore n'est-il pas même à lui,
Ainz est comandez a autrui,	mais est confié à autrui,
Si qu'il nel puet aillors prester.	de sorte qu'il ne peut le donner ailleurs.

Et Chrétien de continuer à ce propos, sans jamais perdre de vue son but, le portrait de l'amour souverain (2) :

Tot le fet an un leu ester	Il le fait se fixer en un seul lieu
Amors qui toz les cuers justise.	Amour qui règne sur tous les cœurs.
Toz ? — Non fet, fors ceus qu'ele prise.	Sur tous ? Non pas, seuls ceux qu'il prise.
Et cil se redoit plus prisier	Et il se doit en revanche plus priser
Que Amors daingne justisier.	celui qu'Amour daigne gouverner.

La pucelle, qui a tant envie de perdre ce titre, comprend enfin qu'il ne faut plus compter pour cela sur ce parfait amant, elle le quitte pour rejoindre sa couche solitaire, estimant davantage le brave qui lui échappe. Est-ce une dernière tentative qu'elle va faire pour le séduire ? Toujours est-il que le lendemain elle se

(1) Vv. 1230-1243.
(2) Vv. 1244-1248.

confie à lui selon les *us et costumes* du royaume de Logres,
« coutumes » souvent mauvaises auxquelles plus tard la venue
du parfait chevalier Galaad dans *La Queste del Saint Graal* (1)
mettra fin. Celle-ci veut que le chevalier respecte la jeune fille
qu'il trouve seule et la protège, mais, s'il se la laisse enlever par
un autre à la suite d'un combat où il a le dessous, le vainqueur
peut faire d'elle sa volonté et son plaisir. Il consent à ce nouveau
covent, les Anglais diraient *covenant*, et ils se mettent en
route, elle lui parlant, lui restant silencieux, car (2) :

Pansers li plest, parlers li grieve.	Penser lui plaît, parler lui pèse.
Amors mout sovant li escrieve	Amours bien souvent lui crève
La plaie que feite li a.	la plaie qu'il lui a faite.
Onques anplastre n'i lia	Jamais emplâtre il n'y mit
Por garison ne por santé,	pour l'en guérir ou la soulager,
Qu'il n'a talant ne volanté	car il n'a désir ni volonté
D'anplastre querre ne de mire	de quérir emplâtre ou médecin,
Se sa plaie ne li anpire...	si sa plaie n'empire...

Auprès d'une fontaine et d'un *perron*, une pierre servant
de margelle, ils trouvent un peigne d'ivoire doré, et, dans le
peigne, des cheveux emmêlés, que le Chevalier à la Charrette
contemple longuement. Sa compagne se met à rire, et après
s'être fait prier, lui révèle que le peigne, ainsi que les cheveux
« si beaux, si clairs et si brillants », ont appartenu à la reine (3)

Et li chevaliers dist : « Par foi,	et le chevalier lui dit : « Ma foi,
Assez sont reïnes et roi,	il est assez de reines et de rois :
Mes de la quel volez vos dire ? »	de laquelle voulez-vous parler ? »
Et cele dist : — Par foi, biaus sire,	Et elle dit : — Ma foi, cher seigneur,
De la fame le roi Artu.	de la femme du roi Arthur. —
Quand cil l'ot, n'ot tant de vertu	Quand il l'entend, il n'eut la force
Que tot nel covenist ploiier :	de s'empêcher de s'effondrer :
Par force l'estut apoiier	il est contraint de s'appuyer
Devant a l'arçon de la sele.	à l'arçon de devant de la selle.

Sa compagne vole à son secours, sous couleur de prendre le
peigne ; revenu de son émotion, il le lui laisse, mais garde les
cheveux, qu'il en détache doucement sans les rompre et alors,
comme Alexandre ceux de Soredamor dans *Cligès* (4) :

(1) Voir l'édition qu'en a donnée A. Pauphilet dans les *Classiques français
du Moyen Age* et l'adaptation qu'il a publiée à la Sirène, 1923.
(2) Vv. 1347-1354.
(3) Vv. 1431-1439.
(4) Vv. 1474-1483. (Le souvenir est visible. Il y a ici auto-imitation.)

il les comance a aorer,	il se met à les adorer,
Et bien çant mile foiz les toche	et bien cent mille fois les porte
Et a ses iauz et a sa boche	et à ses yeux et à sa bouche,
Et a son front et a sa face :	et à son front et à son visage ;
N'est nule joie qu'il n'an face,	il n'est de fête qu'il n'en fasse,
Mout s'an fet lié, mout s'an fet riche.	il en est joyeux, il s'en tient riche.
An son sain pres del cuer les fiche	Sur son sein, près du cœur les fiche,
Antre sa chemise et sa char.	entre la chemise et la chair.
N'an preïst pas chargié un char	Il ne les donnerait pas pour un plein char
D'esmeraudes et d'escharboncles...	d'émeraudes ni d'escarboucles...

Que lui importent désormais les remèdes les plus précieux, voire saint Martin et saint Jacques, ces grands faiseurs de miracles ? Les cheveux lui seront le plus rare des talismans, ces cheveux qui sont à l'or ce que le jour est à la nuit.

Ils continuent à aller l'amble sur un chemin étroit, quand les aborde un jeune paladin, depuis longtemps amoureux de la pucelle et qui prétend l'emmener. Il ne pourra le faire qu'après l'avoir conquise en combat singulier sur celui qui la mène et il y est prêt, dès qu'ils auront atteint la prairie où gentilshommes et dames de la cour de son père prennent en ce moment leurs ébats. Ce dernier le détourne d'une lutte inégale contre le chevalier que tous reconnaissent (on se demande comment ?) pour le redoutable Chevalier à la Charrette, dont la force et la vertu peu communes vont bientôt se trahir, une fois de plus, à un signe mystérieux où il semble que Dieu même ait part. Suivi de près par la pucelle et de très loin par le roi et son fils, il approche d'un *moslier*, ce qui peut désigner une église ou un couvent, situé au milieu d'un cimetière clos de murs, où le conduit un vieux moine (1).

Antre et voit les plus beles tonbes	Il entre et voit les plus belles tombes
Qu'an poïst trover jusqu'à Donbes (2)	qu'on pût trouver jusqu'à Dombes (2)
Ne de la jusqu'à Panpelune,	ou de là jusqu'à Pampelune,
Et s'avoit letres sor chascune,	et sur chacune était une inscription,
Qui les nons de ceus devisoient	révélant les noms de ceux
Qui dedanz les tonbes girroient.	qui reposeraient dans les tombes.
Et il meïsmes tire a tire	Et lui-même, l'une après l'autre,
Comança les letres a lire	il se mit à déchiffrer les épitaphes
Et trova : « Ci girra Gauvains,	et lut : « Ici reposera Gauvain,
Ci Looys (3) et ci Yvains. »	ici Louis (3), ici Yvain... »

(1) Vv. 1869-1878.

(2) La principauté de Dombes, aujourd'hui département de l'Ain, arr. de Trévoux.

(3) Chevalier de la Table Ronde, dit Foerster, à moins qu'il n'y ait ici un ouvenir du roi Louis, héros de la Chanson de geste *Gormond et Isembart*.

Mais il est une tombe plus grande et plus belle, sur laquelle le visiteur inconnu interroge le moine (1) :

« Et de cele grant la me dites
De quoi sert elle ? » Et li hermites
Respont : — Jel vos dirai assez.
C'est uns veissiaus qui a passez
Toz ces qui onques furent fet ;
Si riche ne si bien portret
Ne vit onques ne je ne nus.
Biaus est defors et dedanz plus,
Mes ce metez an nonchaloir,
Que rien ne vos porroit valoir ;
Que ja ne le verroiz dedanz...
Qu'ele est d'une lame coverte.
Et sachiez que c'est chose certe,
Qu'au lever covandroit set homes
Plus forz que moi et vos ne somes.
Et letres escrites i a,
Qui diënt, cil qui levera
Ceste lame seus par son cors,
Getera ceus et celes fors,
Qui sont an la terre an prison,
Don n'ist ne sers ne jantis hon
Qui ne soit de la antor nez ;
N'ancor n'an est nus retornez.
Les estranges prisons i tienent,
Et cil del païs vont et vienent
Et anz et fors a lor pleisir. —
Tantost vet la lame seisir
Li chevaliers, et si la lieve,
Si que de neant ne li grieve,
Miauz que dis home ne feïssent,
Se tot lor pooir i meïssent.

« Et cette grande-là, dites-moi,
A quoi sert-elle ? » Et l'ermite
répond : — Je vous le dirai bien.
C'est un cercueil qui passe
tous ceux qui jamais furent faits ;
de si riche ni de si bien peint
jamais je n'en vis ni personne.
Il est beau dehors, plus beau dedans,
mais ne vous en occupez pas,
car cela ne vous servirait de rien ;
vous n'en verrez jamais l'intérieur...
car elle est couverte d'une pierre
et sachez, c'est chose certaine,
pour la lever il faudrait sept hommes
plus forts que vous et moi ne sommes.
Une inscription y a dessus
qui dit : celui qui lèvera
cette pierre seul, par lui-même,
ceux et celles délivrera,
qui sont prisonniers dans ce pays,
dont ne sort serf ni gentilhomme
qui ne soit né dans ces parages ;
nul n'en est encore retourné.
On y tient prisonniers les étrangers,
tandis que ceux du pays vont et viennent
dedans et dehors à leur gré. —
Aussitôt va saisir la pierre
le chevalier et puis la lève,
sans qu'il lui en coûte rien,
mieux que dix hommes ne l'eussent fait,
y eussent-ils mis toute leur force.

Cette aventure de la tombe ouverte par un chevalier prédestiné jouira d'une singulière fortune et on la retrouvera dans la *Queste del Graal*. Il est possible qu'elle ait un caractère symbolique et qu'elle soit une transposition dans l'ordre chevaleresque de l'histoire même de Jésus ressuscitant Lazare ou délivrant les âmes des Limbes. On remarquera qu'avant cet exploit, l'inconnu est entré dans l'église, pour prier. C'est bien aussi aux enfers que l'on songe quand il est question d'un royaume où les étrangers peuvent pénétrer, mais dont ils ne peuvent sortir, alors que ses habitants au contraire vont et

(1) Vv. 1893-1926.

viennent librement. En tout cas le bon religieux s'ébahit de
l'exploit et dit (1) :

— Sire, or ai grant anvie	— Seigneur, j'ai grande envie
Que je seüsse votre non ;	de savoir à présent votre nom.
Diriiez le me vos ? — « Je non »,	Me le diriez-vous ? — « Moi, non »,
Fet li chevaliers, « par ma foi. »	fait le chevalier, « par ma foi. »
— Certes, — fet-il, — ce poise moi ;	— Certes, — fait-il, — je le regrette
Mes se vos le me disiiez,	mais si vous me le disiez,
Grant corteisie feriiez,	vous feriez grande courtoisie,
S'i porriiez avoir grant preu.	et pourriez y trouver bon profit.
Qui estes vos et de quel leu ? —	Qui êtes-vous et de quel lieu ? —
« Uns chevaliers sui, ce veez,	« Je suis un chevalier, vous le voyez,
Del reaume de Logres nez :	né au royaume de Logres :
A tant an voldroie estre quites.	je voudrais que cela vous suffît.
Et vos, s'il vos plest, me redites	Et vous, s'il vous plaît, dites-moi,
An cele tombe qui girra ! »	en cette tombe qui reposera ? »
— Sire, cil qui delivrera	— Seigneur, celui qui délivrera
Toz ces qui sont pris a la trape	tous ceux qui sont pris à la trappe
El reaume don nus n'eschape. —	du royaume d'où nul n'échappe. —

Satisfait de l'explication, le Chevalier à la Charrette s'éloigne,
toujours suivi sur les talons par la pucelle et, à quelque distance,
par le vieux chevalier et son fils, auxquels le moine raconte l'exploit qui vient d'être accompli. Le père en profite pour détourner
son fils d'un combat où il aura sûrement le dessous et auquel,
une fois de plus, il renonce. Ayant perdu aussi tout espoir de
vaincre, la fausse pucelle, elle aussi, abandonne la partie. Poursuivant seul sa route, le preux accepte l'hospitalité d'un *vavasseur* et de ses enfants, qui sont également des prisonniers
venus du royaume de Logres, terre d'Arthur, donc compatriotes
de celui qui, selon le moine, les délivrera. A ceux-là qui lui demandent d'où il est, sans toutefois solliciter son nom, il répond (2) :

« Del reaume de Logres sui,	« Je suis du royaume de Logres
Ainz mes an cest païs ne fui. »	et ne suis jamais venu dans ce pays. »
Et quant li vavasors l'antant,	Et quand le vavasseur l'entend,
Si s'an merveille duremant	il en a beaucoup de peine
Et sa fame et si anfant tuit ;	et sa femme et ses enfants aussi ;
N'i a un seul cui mout n'enuit,	il n'en est un seul qui ne s'en chagrine,
Si li comancierent a dire :	et ils se mettent à lui dire :
— Tant mar i fustes, biaus douz sire ;	« Pour votre malheur y vîntes, seigneur ;
Tant est granz domages de vos !	et c'est grand dommage pour vous !
Qu'or seroiz aussi come nos	Car maintenant serez comme nous

(1) Vv. 1932-1948.
(2) Vv. 2093-2127.

An servitume et an essil. —
« Et don estes vos dons ? » fet il.
— Sire, de vostre terre somes.
An cest païs a mainz des homes
De vostre terre an servitume.
Maleoite soit la costume
Et cil avuec, qui la maintienent !
Car nul estrange ça ne vienent,
Que remenoir ne lor covaingne
Et que la terre nes detaingne.
Car qui se viaut, antrer i puet,
Mes a remenoir li estuet.
De vos meïsmes est or pes :
Vos n'an istroiz, ce cuit, ja mes. —
« Si ferai, » fet il, « se je puis. »
Li vavasors li redit puis :
— Comant ? Cuidiez an vos issir ? —
« Oïl, se Deu vient a pleisir ;
Et j'an ferai mon pooir tot. »
— Donc, an istroient sanz redot
Trestuit li autre quitemant,
Car puis que li uns leaumant
Istra fors de ceste prison,
Tuit li autre sanz mesprison
An porront issir sanz deffanse. —

en servitude et en exil. »
« Et d'où êtes-vous donc ? » fait-il.
— Seigneur, nous sommes de votre terre.
En ce pays il est beaucoup d'hommes
de votre terre en servitude.
Maudite soit la coutume
et avec elle ceux qui la maintiennent !
Car nul étranger ici ne vient,
qu'il ne lui faille rester
et que ce pays ne retienne.
Qui veut, y peut entrer,
mais il lui faut demeurer.
Sur vous-même le sort est jeté :
vous n'en sortirez, je crois, jamais. —
« Si fait », dit-il, « si je puis. »
Le vavasseur lui dit ensuite :
— Comment ? Croyez-vous en sortir ? —
« Oui, s'il plaît à Dieu,
et j'y mettrai tout mon pouvoir. »
— Donc en sortiraient sans nul doute
tous les autres quittes et libres,
car si un seul loyalement
peut sortir de cette prison,
tous les autres assurément
en pourront sortir sans défense. —

Alors le *vavasseur* songe qu'il a entendu dire qu'un chevalier de grande valeur était entré de force dans le pays pour délivrer la reine, que Méléaguant tenait prisonnière, et, pressentant qu'il se trouve en présence du libérateur, il lui dit toute sa pensée et celui-là avoue que tel est bien son dessein. Pour aller au Pont de l'Épée, il lui conseille une route plus sûre, mais l'autre lui demande (1) :

« Est ele aussi droite
Come ceste voie de ça ? »
— Nenil ! — fet il, — einçois i a
Plus longue voie et plus seüre. —
Et cil dit : « De ce n'ai je cure. »

« Est-elle aussi droite
que la voie qui passe par ici ? »
— Non ! — fait-il, — mais il y a
une voie plus longue et plus sûre. —
Et celui-ci dit : « Je n'en ai cure. »

Il faudra donc traverser d'abord le défilé des Pierres, qu'un seul cheval peut franchir, où ne passeraient pas deux hommes de front et qui sera bien défendu. Accompagné d'un des fils du *vavasseur*, déjà chevalier, et du cadet, encore *varlet*, le paladin s'achemine vers le dur obstacle. Ils se heurtent d'abord à une

(1) Vv. 2164-2168.

bretèche, ouvrage avancé, d'où sort un chevalier armé, qui reproche vilainement à l'agresseur la honte de la charrette. Il en cuit à l'insulteur, qui bientôt mord la poussière, tandis que les hommes d'armes laissent passer le vainqueur sans résistance. Déjà l'alarme est donnée, et ceux de Logres, excités par la nouvelle de l'arrivée du libérateur, se sont soulevés, engageant la lutte contre l'agent de Méléaguant. En vain un homme qui offre aux trois compagnons de les héberger tente-t-il de les prendre dans une forteresse ainsi que dans une souricière. Le chevalier se demande s'il n'y a pas là un enchantement supérieur aux forces humaines, mais il a à son doigt un anneau qui lui permet d'y parer dès qu'il en regarde la pierre, don de la Dame du Lac qui l'éleva (1) :

L'anel met devant sa veüe,	Il met l'anneau devant les yeux,
S'esgarde la pierre et si dit :	regarde la pierre et dit :
« Dame, dame, se Deus m'aït,	« Dame, dame, Dieu garde,
Or avroie je grant mestier	j'aurais à présent grand besoin
Que vos me venissiez eidier ! »	que vous me veniez en aide ! »
Cele dame une fee estoit,	Cette dame était une *fée*,
Qui l'anel doné li avoit,	qui l'anneau lui avait donné
Et si le norri an s'anfance ;	et l'avait élevé en son enfance ;
S'avoit an li mout grant fiance	il avait grande confiance
Que ele, an quel leu que il fust,	qu'elle, en quel lieu où il fût,
Secorre et eidier li deüst ;	le dût secourir et aider,
Mes il voit bien a son apel	mais il voit bien par son appel
Et a la pierre de l'anel,	et à la pierre de l'anneau,
Qu'il n'i a point d'anchantemant,	qu'il n'y a point d'enchantement
Et set trestot certainnemant	et il sait avec certitude
Qu'il sont anclos et anserré.	qu'ils sont bien cernés et enfermés.

Dès lors, il n'est plus que de recourir aux seules forces humaines et les trois épées ont vite fait de couper la barre d'une poterne, ouvrant justement sur la plaine, où se livre la grande bataille qui leur a été annoncée. Inutile de dire qu'ils y font merveille, le Chevalier à la Charrette surtout, dont ils disent à l'envi (2) :

— Seignor, ce est cil	— Seigneurs, c'est celui
Qui nos gitera toz d'essil	qui nous tirera tous de l'exil
Et de la grant maleürté	et de la grande infortune
Ou nos avons lonc tans esté.	où nous avons longtemps été.
Si li devons grant enor feire	Nous lui devons faire grand honneur,
Quant por nos fors de prison treire	puisque, pour nous tirer de prison,

(1) Vv. 2352-2367.
(2) Vv. 2425-2433.

A tant perilleus leus passez,	tant de lieux périlleux a passé
Et passera ancore assez.	et en passera encore beaucoup.
Mout a a feire et mout a fet. —	Il a fort à faire et a beaucoup fait. —

La nuit sépare les combattants, et alors c'est à qui, parmi ceux de Logres, s'évertuera à obtenir de leur nouveau chef qu'il logera chez eux. Assaut de politesses, en un dialogue, qui ne laisse pas d'être plaisant et nous fait retomber, comme il arrive toujours chez notre auteur, du fantastique à la réalité quotidienne. Le lendemain, sans se préoccuper de reprendre la lutte, le héros toujours suivi des deux fils du *vavasseur*, s'engage dans une forêt, où ils errent, mais à l'issue de laquelle ils trouvent à point nommé, en une époque et en des lieux qui manquaient singulièrement d'hôtelleries, l'hospitalité d'un chevalier, de sa femme et de ses enfants. Tous ne sont pas plutôt à table que surgit le chevalier, chargé de la garde du Pont de l'Épée, menaçant (1) :

— Li queus est ce, savoir le vuel,	— Quel est celui, je le veux savoir,
qui tant a folie et orguel	qui a tant de folie et d'orgueil
Et de cervel la teste vuide,	et la tête si vide de cervelle,
Qu'an cest païs vient et si cuide	qu'il vient en ce pays et croit
Au pont de l'espee passer ?	passer au Pont de l'Épée ?
Por neant s'est venuz lasser,	Pour néant s'est venu lasser,
Por neant a ses pas perduz. —	pour néant a ses pas perdus. —
Et cil qui ne fu esperduz	Et celui-là qui ne s'émut point
Mout seüremant li respont :	lui répond avec assurance :
« Je suis qui vuel passer au pont. »	« Je suis celui qui veut passer le pont. »
— Tu ? Tu ? Comant l'osas panser ?	— Toi ? toi ? Comment oses-tu le penser ?
Ainz te deüsses apanser...	Tu eusses dû plutôt te souvenir...
De la charrete ou tu montas. —	de la charrette où tu montas. —

Et les hôtes de s'étonner (2) :

— Ha ! Deus ! con grant mesaventure ! —	— Ah ! Dieu ! quelle mésaventure ! —
Fet chascuns d'eus a lui meïsmes.	Fait chacun d'eux à soi-même.
— L'ore que charrete fu primes	— L'heure que la charrette fut d'abord
Pansee et feite soit maudite !	conçue et faite soit maudite,
Car mout est vis chose et despite.	car c'est chose basse et honteuse !
Ha ! Deus, de quoi fu il retez ?	Ah ! Dieu, de quoi fut-il accusé ?
Et por quoi fu il charretez ?	et pour quoi fut-il charroyé ?
Por quel pechié, por quel forfet ?	pour quel péché, pour quel forfait ?
Ce li iert mes toz jorz retret.	Cela lui sera toujours reproché.
S'il fust de cest reproche mondes,	S'il était pur de ce reproche,
An tant con dure toz li mondes,	aussi loin que s'étend le monde,
Ne fust uns chevaliers trovez,	il ne se serait chevalier trouvé,

(1) Vv. 2593-2609.
(2) Vv. 2620-2633. Cette malédiction se trouve dans la chanson populaire.

Tant fust de proesce esprovez,   si éprouvé qu'il fût en bravoure,
Qui cestui valoir ressanblast. —   qui approchât de sa valeur. —

Au dehors, le combat ne tarde pas à s'engager, avec ses monotones péripéties et l'inévitable issue qui jette aux pieds du Chevalier à la Charrette son adversaire criant merci. Il est sur le point de lui faire grâce de la vie, lorsque survient une demoiselle, montée sur une mule, la *Demoiselle à la mule*, qui joue un grand rôle dans le roman arthurien et qui demande la tête du déloyal vaincu. Grande hésitation du vainqueur (1) :

Et a cesti et a celui   Pour celle-ci et pour celui-là
Viaut feire ce qu'il li demandent,   il veut faire ce qu'ils lui demandent,
Largesce et pitiez li comandent   générosité et pitié commandent
Que lor buens face a anbedeus,   qu'il accorde à tous deux leur désir,
Qu'il estoit larges et piteus.   car il était généreux et bon.
Mes se cele la teste an porte,   Mais si celle-ci emporte la tête,
Donc est pitiez vaincue et morte,   la pitié est vaincue et tuée,
Et s'ele ne l'an porte quite,   et si elle ne l'emporte point,
Donc est largesce desconfite.   c'est générosité qui est déconfite.

Pourtant jamais il n'a refusé sa grâce à celui qui l'implore. Il lui accordera donc une nouvelle reprise et, cette fois, si l'ennemi succombe encore, c'en sera fait de lui; il en advient ainsi, et la demoiselle à la mule, nouvelle Salomé, emporte cette tête, en promettant au donateur de cet étrange cadeau qu'elle le lui revaudra.

Se remettant à la voie, les trois compagnons arrivent enfin à ce fameux Pont de l'Épée, si souvent annoncé avec les pires menaces (2) :

Et voient l'eve felenesse,   Ils voient l'onde traîtresse,
Roide et bruiant, noire et espesse,   rapide et bruyante, noire et épaisse,
Si leide et si espoantable   aussi laide et épouvantable
Con se fust li fluns au deable,   que si ce fût le fleuve du diable,
Et tant perilleuse et parfonde   et si périlleuse et profonde
Qu'il n'est riens nule an tot le monde, qu'il n'est aucune créature au monde,
S'ele i cheoit, ne fust alee   si elle y tombait, qui ne fût perdue,
Aussi com an la mer salee.   ainsi que dans la mer salée.

Et quant au pont qui est en travers du torrent, on n'a amais vu si mauvaise planche (3) :

(1) Vv. 2850-2858.
(2) Vv. 3023-3030.
(3) Vv. 3036-3041.

D'une espee forbie et blanche
Estoit li ponz sor l'eve froide,
Mes l'espee estoit forz et roide
Et avoit deus lances de lonc.
De chascune part ot un tronc,
Ou l'espee estoit clofichiee.

D'une épée fourbie et blanche
était fait le pont sur l'eau froide,
mais l'épée était forte et roide
et avait deux lances de long.
Sur chaque rive était un tronc,
où l'épée était fichée.

Il n'y a pas à craindre qu'elle plie ou se brise, laissant tomber dans le torrent celui qu'elle porte, mais ce qui effraie surtout les deux acolytes du Chevalier à la Charrette, c'est qu'il leur semble apercevoir sur l'autre rive deux lions ou deux léopards attachés à une pierre. Ils en tremblent de peur et supplient l'intrépide d'abandonner l'entreprise, mais il leur répond avec douceur (1) :

« Mes j'ai tel foi et tel creance
An Deu qu'il me garra par tot.
Cest pont ne ceste eve ne dot
Ne plus que ceste terre dure,
Ainz me vuel metre an avanture
De passer outre et atorner. »
Miauz vuel morir que retorner. »

« J'ai telle foi et telle confiance
en Dieu qu'il me protégera partout.
Le pont ni cette eau je ne crains,
non plus que cette terre dure,
mais me veux mettre à l'aventure
et me préparer à traverser.
Plutôt mourir que reculer. »

Le beau mot, et si français d'allure, qu'on aime recueillir de la bouche d'un chevalier du xiie siècle pour l'avoir entendu dans nos proclamations du xxe et en avoir vérifié sur place l'exécution (2) :

Au miauz que il set s'aparoille,
Et' il mout estrange mervoille,
Que ses piez desarme et ses mains...
Bien s'iert sor l'espee tenuz,
Qui plus estoit tranchanz que fauz,
As mains nues et toz deschauz,
Que il n'avoit leissié an pié
Soller ne chauce n'avanpié,
De ce gueires ne s'esmaioit
S'es mains et es piez se plaioit ;
Miauz se voloit il maheignier
Que cheoir del pont et beignier
An l'eve don ja mes n'issist.
A grant dolor si con li sist,
S'an passe outre et a grant destresce.
Mains et genouz et piez se blesce,

Le mieux qu'il peut il se prépare
et faisant chose bien étrange,
il désarme ses pieds et ses mains...
Il se tenait bien sur l'épée,
qui était plus tranchante qu'une faux,
les mains nues et les pieds déchaux,
car il n'avait laissé aux pieds
souliers, ni chausses, ni solerets (3),
mais il ne s'effrayait guère
de se blesser aux mains et aux pieds.
Mieux aimait-il se meurtrir
que tomber du pont et se noyer
dans l'eau dont jamais il ne se tirerait.
A grand douleur, comme il convient,
il traverse et en grand détresse.
Il se blesse mains, genoux et pieds,

(1) Vv. 3098-3104.
(2) Vv. 3109-3129.
(3) La partie d'armure qui couvre l'avant-pied

Mes tot le rassoage et sainne   mais l'apaise et le guérit
Amors qui le conduit et mainne,   Amour qui le conduit et mène,
Si li est tot a sofrir douz.   de sorte que tout lui est à souffrir doux.

Ayant enfin traversé, il se souvient des lions, mais n'apercevant pas même un lézard, il regarde son anneau et constate qu'il avait été le jouet d'une illusion et d'un enchantement. Ses épreuves ne sont pas encore terminées. La plus redoutable lui reste à subir. Blessé, le sang coulant de ses plaies, il aperçoit un donjon tel qu'il n'en avait point vu encore et, appuyé à une fenêtre, le bon roi Bademagu (1),

Qui mout iert soutis et aguz   qui étoit subtil et avisé
An tote enor et an tot bien,   en tout honneur et en tout bien,
Et leauté sor tote rien   et loyauté sur toute chose
Voloit par tot garder et feire.   voulait partout faire et garder.

Son fils Méléaguant, tout au contraire, se plaisait à la trahison, à la félonie et la vilenie. Quand il a vu l'intrus passer le pont, de colère il change de couleur, parce qu'il sait que la reine va lui être disputée. Pourtant il ne craint personne, car, n'était sa déloyauté, nul ne serait meilleur chevalier (2),

Mes il avoit un cuer de fust   mais il avait un cœur de bois
Tot sanz douçor et sanz pitié.   tout sans douceur et sans pitié.

Plus il éprouvait de dépit, plus son père au contraire,ressentait de joie. Celui-ci tente de le persuader d'être assez sage et assez prudent pour abandonner la reine Guenièvre, qu'il a enlevée, à ce vaillant champion qui la lui vient disputer. Son discours ne manque pas d'habileté et de persuasion... En vain. Le forcené ne la rendra qu'après un combat judiciaire (3) :

« Tant con vos plest, soiiez pius hon,   « Autant qu'il vous plaît, soyez doux,
Et moi leissiez estre cruël. »   mais laissez-moi être cruel. »

Cela n'empêchera pas Bademagu de faire grand accueil à ce visiteur inattendu, qu'il félicite de son endurance à tant d'épreuves (4) :

(1) Vv. 3158-3161.
(2) Vv. .3180-3181.
(3) Vv. 3310-3311.
4) Vv. 3351-3363.

— Et sachiez, mout vos an aim plus	— Et sachez je vous en aime plus
Quant vos avez ce fet que nus	pour avoir fait ce que nul
N'osast panser anteimes feire.	n'osa penser et moins encore faire.
Mout me trovereiz deboneire	Vous me trouverez très bienveillant
Vers vos et leal et cortois.	envers vous, et loyal et courtois.
Je sui de ceste terre rois,	Je suis de cette terre roi
Si vos ofre tot a devise	et je vous offre à volonté
Tot mon consoil et mon servise ;	tous mes conseils et mes services,
Et je vois mout bien esperant	et je n'ai pas de peine à deviner
Quel chose vos alez querant :	la chose que vous cherchez.
La reïne, ce croi, querez. —	C'est la reine, je crois, que vous voulez. —
« Sire », fet-il, « bien esperez	« Sire », dit-il, « vous supposez bien,
Autre besoing ça ne m'amainne ».	autre désir ici ne m'amène. »

Bademagu le prévient que Méléaguant ne lui abandonnera pas sans combat l'objet de ses vœux, mais il lui faudra d'abord attendre pour guérir de ses blessures. Le seul délai toutefois auquel consente l'impatient, c'est le lendemain. Un chirurgien (1),

Et de plaies garir savoit	qui savait guérir les plaies
Plus que tuit cil de Monpeslier,	plus que tous ceux de Montpellier,

dont l'école de médecine faisait déjà concurrence à celle de Salerne, le panse au mieux qu'il peut, pendant la nuit, et, dès le matin, la cour du château, laquelle sert de lice, est noire de monde, gens de Logres surtout, dont le sort se joue en cette lutte (2) :

Qu'aussi con por oïr les ogres	De même que pour ouïr les orgues
Vont au mostier a feste anvel,	vont à l'église aux fêtes annuelles
A Pantecoste ou a Noël,	de Pentecôte ou de Noël,
Les janz acostumeemant,	les gens selon la coutume,
Tot autressi comunemant	ainsi tous en commun
Estoient la tuit aüné.	étaient-ils là rassemblés.

Déjà s'avancent l'un vers l'autre les deux adversaires armés, sur leurs chevaux bardés de fer, lorsque le roi les arrête pour aller installer à une fenêtre du château la reine Guenièvre, qui l'a prié d'assister à la lutte dont elle est l'enjeu. Sans se lasser, non plus que les combattants, non plus sans doute que ses lecteurs et lec-

(1) Vv. 3500-3501.
(2) Vv. 3534-3539. Le passage est intéressant en ce qu'il est, d'après ce que veut bien m'écrire le musicologue Gérold, à qui je l'avais signalé, le plus ancien témoignage de l'existence des orgues, à l'histoire desquelles Mme Rokseth a consacré une thèse en Sorbonne. Paris, E. Droz, 1930.

trices, Chrétien recommence à brosser le tableau du tournoi où se brisent les bois des lances comme des brandons (1) :

Et li cheval de tel randon	Et les chevaux d'un tel élan
S'antrevienent tot front a front	s'élancent et s'affrontent
Et piz a piz hurté se sont	que leurs poitrines s'entrechoquent
Et li escu hurtent ansanble,	et les écus en même temps se heurtent,
Et li hiaume, si qu'il ressanble	et les heaumes, de sorte qu'il semble
De l'escrois que il ont doné	par le craquement qu'ils font
Que il eüst moult fort toné,	qu'il eût tonné très fort.
Qu'il n'i remest peitraus ne çangle,	Il ne reste martingale ni sangle,
Estriers ne resne ne sorçangle,	étriers, rênes, ni dossière, [pa'ent
A ronpre et des seles peçoient	qui ne se brisent, et sous les selles se rom-
Li arçon, qui mout fort estoient;	les arçons qui très forts étaient,
Ne n'i ont pas grant honte eü	et ce n'est pas grand honte pour eux
Se il sont a terre cheü.	s'ils sont tombés à terre.

Mais les voici de nouveau sur pieds, continuant à l'épée le corps à corps. Leurs coups sont terribles, si terribles que le Chevalier à la Charrette, déjà épuisé par le sang qu'il a perdu la veille au passage du pont, commence à faiblir. Ses partisans le voient vaincu, lorsqu'une jeune fille s'avise que ce n'est pas pour eux qu'il a entrepris si dure bataille, mais pour la reine (2),

Et panse se il la savoit	et pense que s'il savait
A la fenestre ou ele estoit,	de la fenêtre où elle était,
Qu'ele l'esgardast ne veïst,	qu'elle le regarde ou le voit,
Force et hardemant an preïst.	il en pourrait prendre courage.

Que ne sait-elle le nom de ce champion ? Elle court le demander à la reine et c'est d'elle que nous aussi, lecteurs, pour la première fois l'apprenons (3) :

« Dameisele, » fet la reïne, ...	« Demoiselle », fait la reine, ...
« Lanceloz del Lac a a non	« Lancelot du Lac s'appelle,
Li chevaliers mien esciant. »	Le chevalier, à ce que je sais.»
— Deus, com or ai le cuer riant	— Dieu, que j'ai le cœur riant,
Et lié et sain ! — fet la pucele.	Joyeux, et content ! — fait la pucelle.
Lors saut avant et si l'apele,	Alors elle s'avance et l'appelle
Si haut que toz li pueples l'ot,	si haut que toute la foule l'entend,
A mout haute voiz : « Lancelot !	à très haute voix : « Lancelot,
Trestorne toi et si esgarde	retourne-toi et regarde
Qui est qui de toi se prant garde ! »	qui de toi se donne garde. »

(1) Vv. 3608-3620.
(2) Vv. 3659-3662.
(3 Vv. 3673-3684.

Le moment est vraiment dramatique et le romancier en sait tirer parti (1) :

Quant Lanceloz s'oï nomer,
Ne mist gueires a soi torner.
Trestorne soi et voit a mont
La chose de trestot le mont,
Que plus desirroit a veoir,
As loges de la tor seoir.
Ne puis l'ore qu'il l'aparçut
Ne se torna ne ne se mut
Devers li ses iauz ne sa chiere,
Ainz se deffandoit par derriere.
Et Meleaganz l'anchauçoit
Totes voies plus qu'il pooit,
Si est si liez con cil qui panse
Qu'or n'et il mes vers lui deffanse.

Quand Lancelot s'entendit nommer,
il ne tarda guère à se retourner.
Il se retourne et il voit en haut
l'être du monde entier,
qu'il désirait le plus de voir,
assis aux loges du château.
Et du moment où il l'aperçut,
il ne remua ni ne détourna plus
d'elle ni ses yeux ni le visage,
mais se défendait par derrière,
et Méléaguant le pressait
toutefois le plus qu'il pouvait,
et est joyeux parce qu'il pense
qu'il est contre lui sans défense.

Retour d'angoisse chez les gens de Logres, dont plusieurs tombent à genoux, mais de nouveau l'astucieuse pucelle s'écrie de la fenêtre (2) :

« Ha ! Lanceloz, ce que puet estre
Que si folemant te contiens...
Qu'arriere main gietes tes cos,
Si te conbaz derrier ton dos ?
Torne toi si que de ça soies
Et que adés ceste tor voies,
Que buen veoir et bel la fet. »

« Ah ! Lancelot, qu'y a-t-il donc
que si follement tu te comportes...
que tu jettes en arrière tes coups,
et combats derrière ton dos ?
Tourne-toi, que tu sois par ici
et que tu voies constamment cette tour,
car il la fait bon et beau voir. »

Lancelot est alors saisi de honte d'avoir eu si longtemps le dessous, il saute en arrière, tourne autour de Méléaguant, le mettant entre lui et le donjon et le presse de son bouclier (3) :

Et force et hardemanz li croist,
Qu'Amors li fet mout grant aïe.

et force et courage lui croissent
car Amour lui est de grande aide.

Il le mène en arrière, puis le laisse venir en avant, pour ne pas quitter des yeux ces yeux d'où lui viennent force et vertu. Le roi voit bien que désormais son fils est perdu et il se préoccupe de lui sauver la vie. Il supplie la reine, qui peut tout sur son champion, d'arrêter son bras au coup de grâce. En faveur des bons offices de Bademagu, elle y consentira (4) :

(1) Vv. 3685-3698.
(2) Vv. 3708-3721.
(3) Vv. 3738-3739.
(4) Vv. 3806-381..

« Biaus sire, par vostre proiiere,
Le vuel je bien », fet la reïne ;
« Se j'avoie mortel haïne
Vers vostre fil cui je n'aim mie,
Si m'avez vos si bien servie,
Que por ce que a gré vos vaingne
Vuel je mout bien que il se taingne. »

« Cher sire, à votre prière,
je le veux bien », fait la reine ;
« Si même j'avais une mortelle haine
envers votre fils que je n'aime point,
vous m'avez pourtant si bien servie,
que pour qu'il vous agrée,
je veux bien qu'il s'arrête. »

Cette parole a été dite assez haut pour que Méléaguant et Lancelot l'entendent et comme (1)

Mout est qui aimme obeïssanz
Et mout fet tost et volantiers,
La ou il est amis antiers,
Ce que s'amie doie plaire,

bien est qui aime obéissant
et fait aussitôt de bon cœur,
lorsqu'il est ami entier,
ce qu'il sait plaire à son amie

Lancelot, qui aime plus qu'homme jamais ne put aimer, ayant entendu les derniers mots de la reine, et les tenant pour un ordre, reste immobile, au risque de mourir sur place, tandis que son adversaire continue à le frapper en forcené. Mais Bademagu, son père, modèle d'honneur et de loyauté, ne saurait tolérer telle félonie. Il le fait arracher de la lice par ses barons et le force à faire sa paix avec son terrible adversaire : paix provisoire qui rendra à ce dernier la reine, à condition que, au bout d'un an, jour pour jour, à la cour d'Arthur, qui *tient Bretagne et Cornouaille*, ils se la disputeront de nouveau en champ clos.

Seuls les autres prisonniers seront définitivement délivrés et en font grande joie, s'approchant en foule de Lancelot pour toucher la main de leur libérateur. Celui-ci mérite bien aussi sa récompense. Il n'en demande pas d'autre à Bademagu que d'être conduit auprès de la reine (2) :

Quant la reïne voit le roi
Qui tient Lancelot par le doi,
Si s'est contre le roi dreciée.
Et fet sanblant de correciee,
Si s'anbruncha et ne dist mot.
— Dame, veez ci Lancelot, —
Fet li rois, — qui vos vient veoir :
Ce vos doit mout pleire et seoir. —
« Moi, Sire ? Moi ne puet il pleire :
De son veoir n'ai je que feire ! »
— Avoi ! dame, — ce dit li rois,

Quand la Reine voit le Roi,
tenant Lancelot par la main,
elle s'est levée au-devant de lui
et prenant un air courroucé,
baisse la tête et ne dit mot.
— Dame, voici Lancelot, —
fait le Roi, — qui vous vient voir :
ce vous doit bien plaire et agréer. —
« A moi, Sire ? cela ne peut plaire,
je n'ai que faire de le voir ! »
— Oh ! madame, — dit le Roi,

(1) Vv. 3816-3819.
(2) Vv. 3955-3998.

Qui mout estoit frans et cortois,
— Ou avez vos or cest cuer pris ?
Certes vos avez trop mespris
D'ome qui tant vos a servie,
Qu'an cest oirre a sovant sa vie
Por vos mise an mortel peril,
Et de Meleagant mon fil
Vos a rescosse et deffandue... —
« Sire, voir, mal l'a anploiié.
Ja par moi ne sera noiié
Que je ne l'an sai point de gré. »
Ez vos Lancelot trespansé,
Si li respont mout humblemant
A maniere de fin amant :
« Dame, certes, ce poise moi,
Ne je n'os demander por quoi... »
Lanceloz mout se demantast
Se la reïne l'escoutast ;
Mes por lui grever et confondre
Ne li viaut an seul mot respondre,
Ainz est an une chanbre antree
Et Lanceloz jusqu'a l'antree
Des iauz et del cuer la convoie.
Mes as iauz fu corte la voie,
Que trop estoit la chanbre pres ;
Et il fussent antré aprés
Mout volantiers s'il poïst estre.
Li cuers qui plus est sire et mestre
Et de plus grant pooir assez
S'an est outre aprés li passez
Et li oel sont remés defors,
Plain de lermes avuec le cors.

qui était très noble et courtois,
— où avez-vous pris ce sentiment ?
Certes vous péchez par trop
envers un homme qui tant vous a servie,
car en cette quête souvent sa vie
a mise pour vous en mortel péril
et de Méléaguant mon fils
il vous a délivrée et défendue... —
« Sire, vraiment, il a perdu son temps,
car pour moi je ne nierai pas
que je ne lui en sais aucun gré. »
Voilà Lancelot tout interdit,
qui lui répond bien humblement
à la guise d'un fin amant :
« Dame, certes, il m'en pèse,
et je n'ose demander pourquoi ...»
Lancelot se fût longuement plaint,
si la Reine l'avait écouté ;
mais pour le peiner et le confondre,
elle ne lui veut un seul mot répondre,
mais en une chambre est entrée
et Lancelot jusqu'à l'entrée,
des yeux et du cœur l'accompagne.
Aux yeux le chemin fut court,
car la chambre était trop proche ;
et ils y fussent entrés après
bien volontiers, s'il eût pu être.
Le cœur, qui plus en est maître
et possède plus de pouvoir,
a passé outre après elle
et les yeux sont restés dehors,
pleins de larmes avec le corps.

Le roi ne sait comment interpréter cette attitude et s'enquiert auprès de Lancelot du méfait qu'il aurait commis et qui la pourrait justifier, mais celui-ci n'en paraît pas savoir davantage et s'incline, désolé, toutefois sans révolte. Le héros s'informe auprès de Ké le sénéchal, dont il n'a plus été question depuis le début du roman, mais dont on a deviné qu'il a bien mal défendu la Reine contre Méléaguant, qui en a fait son prisonnier. Ké se borne à se plaindre de ce dernier lequel fait empirer les plaies que Bademagu fait soigner, et à reprocher vivement à Lancelot d'avoir réussi là où il a échoué ; il lui raconte, ce qui ne peut manquer d'agréer au parfait amant, comment Bademagu a fait garder Guenièvre, même contre son fils, comme une vierge, et ne peut lui fournir, à part cela, aucune explication de ce courroux...

Que faire contre cette déception ? Chercher refuge dans de nouvelles aventures, mais, avant cela, se mettre en quête de Gauvain. La *quête*, c'est-à-dire la recherche, contrecarrée par mille péripéties, d'un personnage disparu (et la conquête de Guenièvre n'est pas autre chose), va devenir, à partir du *Lancelot*, un des principaux ressorts et artifices du genre.

A Lancelot qui prend congé de Bademagu pour se rendre au *Pont dessous-eau*, les prisonniers libérés font conduite, sauf quelques pucelles, dames et chevaliers restés auprès de la reine pour attendre Gauvain (1) :

Mes uns toz seus n'an i remaint,	mais il n'en reste pas un seul
Qui miauz n'amast a retorner	qui n'eût préféré retourner
An son païs que sejorner.	en son pays que séjourner.

Aussi grande est la joie des libérés, aussi profonde la rancœur de ceux de Gorre qui les voient s'éloigner. Aussi se jettent-ils par surprise et traîtrise sur Lancelot désarmé et bientôt, par toute la région, se répand le bruit de sa mort, qui parvient même aux oreilles de la Reine (2) :

Ceste novele par tot va	Cette nouvelle partout va,
Tant que la reïne trova,	si bien qu'elle la Reine trouva,
Qui au mangier estoit assise.	qui au dîner était assise.
A po qu'ele ne s'est ocise	Peu s'en faut qu'elle ne se soit tuée
Maintenant que de Lancelot	aussitôt que sur Lancelot
La mançonge et la novele ot ;	elle entend la fausse nouvelle ;
Mes ele la cuide veraie	mais elle la croit vraie
Et tant duremant s'an esmaie	et si cruellement s'en effraie
Qu'a po la parole ne pert.	qu'elle en perd presque la parole.
Mes por les janz dit an apert :	Pour les gens elle dit à voix haute :
« Voir, mout me poise de sa mort ;	« Vraiment, bien me peine sa mort ;
Et s'il m'an poise, n'ai pas tort ;	et s'il m'en peine, je n'ai pas tort,
Qu'il vint an ceste païs por moi,	car il vint en ce pays pour moi,
Por ce pesance avoir an doi. »	je dois donc en avoir chagrin. »
Puis dit a li meïsme an bas,	Puis dit à elle-même tout bas,
Por ce que l'an ne l'oïst pas,	afin qu'on ne l'entende pas,
Que de boivre ne de mangier	que de boire ni de manger
Ne la covient ja mes proiier,	il ne faudra plus la prier,
Se ce est voirs que cil morz soit	s'il est vrai qu'il est mort celui
Por la cui vie ele vivoit.	pour la vie duquel elle vivait.
Tantost se lieve mout dolante	Elle se lève aussitôt dolente
De la table, si se demante,	de la table et se lamente,
Si que nus ne l'ot ne escoute.	quand nul ne l'entend ni l'écoute.
De li ocirre est si estoute	De se tuer elle est si avide
Que sovant se prant a la gole ;	que souvent elle se prend à la gorge,

(1) Vv. 4118-4120.
(2) Vv. 4175-4208.

Mes ainz se confesse a li sole,
Si se repant et bat sa coupe,
Et mout se blasme et mout s'ancoupe
Del pechié qu'ele fet avoit
Vers celui don ele savoit
Qui suens avoit esté toz dis,
Et fust ancor se il fust vis.
Tel duel a de sa cruauté,
Que mout an pert de sa biauté.

mais d'abord elle se confesse à elle-même,
se repent, se bat la poitrine,
et se blâme et beaucoup s'accuse
du péché qu'elle avait fait
envers celui dont elle savait
qu'il avait toujours été sien
et le serait encore, s'il était vivant.
Elle a tel regret de sa cruauté
que beaucoup en perd de sa beauté.

Alors, toujours seule avec elle-même, elle éclate en amers reproches (1) :

« Ha ! lasse, de quoi me sovint,
Quant mes amis devant moi vint,
Et jel deüsse conjoïr,
Que je nel vos neïs oïr !
Quant mon esgart et ma parole
Li veai, ne fis je que fole ?
Que fole ? Ainz fis, si m'aït Deus
Que felenesse et que crueus.
Et sel cuidai je feire a gas,
Mes einsi nel cuida il pas,
Si nel m'a mie pardoné.
Nus fors moi ne li a doné
Le mortel cop, mien esciant. »

« Hélas ! de quoi me souvint-il,
quand mon ami devant moi vint,
et je lui eusse dû faire fête,
et ne voulus même pas l'entendre !
Quand mon regard et ma parole
lui défendis, ne fus-je folle ?
Folle ? Que Dieu m'aide plutôt
si je n'agis en félonne et en cruelle.
Je pensais le faire par plaisanterie,
mais lui ne le prit pas ainsi,
et ne me l'a pas pardonné.
Nul autre que moi ne lui donna
le coup mortel, que je sache... »

Maintenant, il est trop tard. Ah ! si elle l'avait une fois au moins *entre ses bras tenu* (2). La Reine menait tel chagrin (3),

Deus jorz que ne manja ne but,
Tant qu'an cuida qu'ele fust morte.

que deux jours ne mangea ni but,
si bien qu'on crut qu'elle était morte.

Et voici que, de cette autre pseudo-mort, la nouvelle à son tour se répand, parvenant à Lancelot, qui n'est pas moins désolé, qui ne veut pas moins se tuer et fait son invocation à la mort, bientôt suivie de l'action décisive. Il détache sa ceinture, la noue à l'arçon et se laisse tomber, dans l'idée que son cheval l'entraînant, l'étranglera, mais ceux qui le conduisent et prétendent l'amener vivant, s'en avisent et détachent le nœud coulant : alors le « rescapé » malgré lui de se répandre en insultes contre la camarde qui l'épargna par félonie (4) :

(1) Vv. 4215-4227.
(2) Vv. 4245-4246.
(3) Vv. 4264-4265.
(4) Vv. 4348-4350.

« Je ne sai li queus plus me het,	« Je ne sais laquelle plus me ait
Ou la vie qui me desirre	ou la vie qui me désire
Ou morz qui ne me viaut ocirre. »	ou la mort qui ne me veut tuer.»

Il se reproche de ne pas avoir plus tôt mis fin à ses jours (1) :

« Que je me deüsse estre ocis,	« Car j'aurais dû me tuer,
Des que ma dame la reïne	dès que la Reine ma dame
Me mostra sanblant de haïne,	me témoigna sa haine
Ne ne le fist pas sanz reison ;	et ne le fit pas sans raison
Ainz i ot mout droite acheison,	mais il y eut juste cause,
Mes je ne sai queus ele fu,	quoique je ne sache quelle elle fut,
Et se je l'eüsse seü,	et si je l'avais sue,
Ainz que s'ame alast devant De,	avant que son âme allât devant Dieu,
Ja l'eüsse je amandé	je l'eusse déjà expié,
Si richemant con li pleüst,	aussi amplement qu'il lui eût plu,
Mes que de moi merci eüst. »	pourvu qu'elle m'eût fait grâce. »

Pas un instant, ce fidèle amant ne songe à ne pas prendre sur lui tous les torts et cependant il continue à se demander quel peut être le forfait qu'il a commis à son endroit et lui a valu cette disgrâce (2) :

« Bien cuit que espoir ele sot	« Je crois que sans doute elle a su
Que je montai sor la charrete.	que je montai sur la charrette.
Ne sai quel blasme ele me mete	Je ne sais quel blâme j'ai encouru
Se cestui non. Cist m'a traï...	si ce n'est celui-là, qui m'a trahi...
Onques amor bien ne conut,	Jamais il ne connut l'amour,
Qui ce me torna a reproche...	celui qui me le reprocha...
Ainz est amors et corteisie	mais est amour et courtoisie
Quanqu'an puet feire por s'amie.	tout ce qu'on fait pour son amie.
Por m'*amie* nel fis je pas ?	Pour mon *amie*, ne le fis-je pas ?
Ne sai comant je die, las !	Je ne sais comment dire, hélas !
Ne sai se die *amie* ou non ;	Faut-il dire *amie* ou non ?
Je ne li os metre cest non.	Je n'ose lui donner ce nom.
Mes tant cuit je d'amor savoir,	Mais je crois savoir assez de l'amour,
Que ne me deüst mie avoir	qu'elle ne m'eût dû tenir
Por ce plus vil, s'ele m'amast,	plus vil pour cela, si elle m'aimait,
Mes ami verai me clamast,	mais dût me proclamer vrai ami,
Quant por li me sanbloit enors	quand pour elle me semblait honneur
A feire quanque viaut amors,	tout ce qu'amour demande,
Neïs sor charrete monter.	même monter sur la charrette.
Ce deüst ele amor conter ;	Elle eût dû le mettre au compte de l'amour,
Et c'est la provance veraie,	c'en est la preuve véritable,
Qu'amors einsi les suens essaie,	car Amour éprouve ainsi les siens,
Einsi conoist ele (3) les suens. »	car Amour ainsi les connaît. »

(1) Vv. 4354-4364.
(2) Vv. 4366-4393.
(3) *Ele* désigne l'amour, qui est alors du féminin.

Sans doute les *losengiers*, les calomniateurs qui, dans la poésie lyrique provençale (1), épient toujours les gestes de l'amant pour le perdre aux yeux de sa dame, ont-ils prêté ici leurs mauvais offices. Mais pour lui, Lancelot, perfection des amants, aucune hésitation n'est possible, car, conclut-il (2) :

« Car sanz faille mout an amande	« Sans nul doute il s'améliore
Qui fet ce qu'amors li comande,	qui fait ce qu'Amour lui commande
Et tot est pardonable chose ;	et tout est pardonnable chose ;
S'est failliz qui feire ne l'ose. »	et lâche est celui qui ne l'ose. »

Morale un peu douteuse, un peu élastique, mais qui fait partie des dix commandements du récent code d'amour courtois (3).

Comme il raisonne et divague ainsi, des nouvelles plus rassurantes lui parviennent : elle n'est point morte la bien-aimée, et celle-ci de son côté apprend que son profond désespoir est devenu sans objet. Chez l'un et l'autre la joie est d'autant plus grande que le deuil avait été plus profond. Si envers Bademagu qui l'informe, elle montre encore quelque retenue, en elle-même règne joie entière et elle ne songe plus à lui faire grise mine, surtout quand, par surcroît, elle entend conter que Lancelot voulut se tuer en apprenant la mort de sa Reine.

Bien accueilli par le roi, qui est fort irrité contre ceux qui lui ont amené le prisonnier, il l'est mieux encore par Guenièvre (4) :

Lors ne leissa mie cheoir	Alors elle ne laissa point tomber
La reïne ses iauz en terre,	ses yeux vers la terre, la Reine
Ainz l'ala lieemant requerre,	mais l'alla prendre avec joie,
Si l'enora de son pooir	et l'honora de tout son pouvoir
Et sel fist delez li seoir.	et le fit près d'elle asseoir.
Puis parlerent a grant leisir	Puis ils parlèrent à grand loisir
De quanque lor vint a pleisir,	de tout ce qui leur plut,
Ne matiere ne lor failloit,	et la matière ne leur manquait,
Qu'amors assez lor an bailloit.	car Amour assez leur en baillait.

(1) Voir la précieuse *Anthologie des Troubadours*, publiée par A. Jeanroy, Paris, Renaissance du Livre, 1927, in-16.

(2) Vv. 4411-4414.

(3) Il fut en quelque sorte rédigé un peu plus tard vers 1185-1187 en latin par un autre zélé serviteur de Marie de Champagne, André le Chapelain, Andreas Capellanus, dans son traité *De Amore*, éd. Trojel, Copenhague, 1892. Cf. G. Paris, *Les Cours d'Amour du Moyen Age*, dans *Mélanges de littérature française du Moyen Age*, pp. 473-497 et les thèses de R. Bossuat, *Li* Livres d'Amours *de Drouart La Vache* et *Drouart La Vache, traducteur d'André le Chapelain*, Paris, Champion, 1922, 2 vol. in-8° et mon article des *Nouvelles Littéraires*, 11 février 1928 : *L'Art d'Aimer au Moyen Age*.

(4) Vv. 4478-4507.

Et quant Lanceloz voit son eise,
Qu'il ne dit rien qui mout ne pleise
La reïne, lors a consoil,
Li dit : « Dame, mout me mervoil,
Par quoi tel sanblant me feïstes
Avant hier, quant vos me veïstes,
N'onques un mot ne me sonastes.
A po la mort ne me donastes
Ne je n'oi tant de hardemant,
Que tant com or vos an demant
Vos an osasse demander.
Dame, or sui prez de l'amander,
Mes que le forfet dit m'aiiez
Don j'ai esté mout esmaiiez. »
Et la reïne li reconte :
— Comant ? Don n'eüstes vos honte
De la charrete et si dotastes ?
Mout a grant anviz i montastes,
Quant vos demorastes deus pas.
Por ce, voir, ne vos vos je pas
Ne aresnier ne esgarder. —

Et quand Lancelot voit sa joie,
car il ne dit rien qui ne plaise
à la Reine, alors, à voix basse,
il lui dit : « Madame, je me demande,
pourquoi vous m'avez fait tel visage
avant-hier, quand vous me vîtes
et ne me sonâtes mot.
Vous m'avez presque donné la mort
et je n'eus pas la hardiesse,
comme je le fais maintenant,
de vous en demander la cause.
Madame, je suis prêt à l'expier,
pourvu que vous me disiez ma faute,
dont j'ai été très navré. »
Et la Reine de lui répondre :
— Comment ? N'eûtes-vous donc honte
de la charrette et n'avez-vous pas hésité ?
Vous y êtes monté bien à contre-cœur,
puisque vous demeurâtes deux instants.
C'est pourquoi, en vérité, je ne voulus
vous parler, ni vous regarder. —

Ainsi voilà donc le grand péché qu'a commis l'amant et que n'ont pu effacer tant d'épreuves et tant de mortelles souffrances subies pour la délivrance de la Dame. On aurait pu croire, nous avons tous cru, et il a cru lui-même que c'était d'être monté dans la charrette patibulaire et de s'être ainsi moralement diminué par une action aussi contraire à l'honneur chevaleresque; mais non, l'amour efface la honte; là où il y a amour il n'y a point d'avilissement. Le forfait qu'elle a connu, comment et par qui, on ne le sait (sans doute par le traître nain conducteur du véhicule), c'est qu'il a hésité « la durée de deux pas », deux instants avant de sacrifier l'honneur à l'amour. Nous atteignons ici le point culminant du raffinement et de l'absolutisme de l'amour courtois. Aussi Lancelot, qui en est le paladin, n'élève-t-il pas la moindre protestation (1) :

« Autre foiz me doint Deus garder »,
Fet Lanceloz, « de tel mesfet,
Et ja Deus de moi merci n'et
Se vos n'eüstes mout grant droit.
Dame, por Deu, tot or androit
De moi l'amande an recevez
Et se vos ja le me devez
Pardoner, por Deu, sel me dites. »

« Une autre fois Dieu me préserve, »
fait Lancelot, « de tel méfait,
et que Dieu ne me fasse point grâce,
si vous n'eûtes grandement raison.
Madame, pour Dieu, aussitôt
recevez-en de moi l'amende
et si vous me le devez bientôt
pardonner, pour Dieu, dites-le-moi.

(1) Vv. 4508-4518.

— Amis, vos an estes toz quites, —
Fet la reïne, — outreemant
Jel vos pardoing mout buenemant. —

— Ami, je vous en tiens quitte, —
fait la Reine, — complètement
et vous le pardonne bonnement. —

Poursuivant ses avantages, Lancelot en profite pour demander un rendez-vous (1) :

« Dame », fet-il, « vostre merci,
Mes je ne vos puis mie ci
Tot dire quanque je voldroie ;
Volantiers a vos parleroie
Plus a leisir s'il pooit estre. »
Et la reïne une fenestre
Li mostre a l'uel, non mie au doi,
Et dit : — Venez parler a moi
A cele fenestre anquenuit,
Quant par ceanz dormiront tuit,
Et si vandroiz par un vergier.
Ceanz antrer ne herbergier
Ne porroiz mie vostre cors.
Je serai anz et vos de fors,
Que ceanz ne porroiz venir.
Ne je ne porrai avenir
A vos fors de boche ou de main ;
Mes s'il vos plest jusqu'a demain
I serai por amor de vos.
Assanbler ne porriiens nos,
Qu'an ma chanbre devant moi gist
Keus li seneschaus qui languist
Des plaies don il est coverz. —

« Madame », fait-il, « je vous rends grâce,
mais je ne vous puis pas ici
dire tout ce que je voudrais ;
volontiers à vous parlerais
plus à loisir, s'il pouvait se faire. »
Et la Reine une fenêtre
lui montre de l'œil, non du doigt,
et dit : — Venez parler à moi
à cette fenêtre, cette nuit,
quand céans tous dormiront,
et vous viendrez par un verger.
Entrer ici ni y loger,
vous ne le pourriez point.
Je serai dedans et vous dehors,
car céans ne pourriez venir
et je ne pourrai vous approcher,
si ce n'est de bouche ou des mains ;
mais, s'il vous plaît, jusqu'à demain
j'y serai par amour pour vous.
Nous ne pourrions nous réunir,
car en ma chambre devant moi gît
Ké le sénéchal, qui languit
des plaies dont il est couvert. —

Singulières mœurs, qui se retrouvent dans *Tristan* et qui doivent bien être celles de la seconde moitié du XIIᵉ siècle dans les palais et les châteaux ; le sénéchal a son lit dressé dans la chambre de la reine, devant la couche royale, dont on ne dit même pas qu'elle soit isolée par un rideau, quoiqu'il soit vraisemblable qu'on ait pu à volonté l'*encourtiner*.

Lancelot prend congé, emportant la secrète promesse, comme un trésor qu'il garde au plus profond de lui-même. Il lui tarde que le jour finisse et, à la brune, se retire dans son appartement, se prétendant fatigué. Mais vous pouvez entendre et gloser, vous qui avez fait pareil, dit malicieusement le conteur, qu'il n'y resta point couché et que, par la nuit sans lune, éteintes

(1) Vv. 4519-4541.

chandelles, lanternes et lampes, profitant d'une brèche, il se
glisse dans le verger et parvient (1) :

A la fenestre et la se tient	à la fenêtre et là se tient
Si coiz qu'il ne tost n'esternue,	si coi qu'il ne tousse ni n'éternue,
Tant que la reïne est venue	et voici la Reine venue
An une mout blanche chemise ;	en une très blanche chemise ;
N'ot sus bliaut ne cote mise,	n'ayant dessus bliaut ni cote,
Mes un cort mantel ot dessus	mais un court manteau
D'escarlate et de cisemus.	d'écarlate et de souslic (2).
Quant Lanceloz voit la reïne	Quand Lancelot voit la Reine
Qui a la fenestre s'acline,	s'appuyant à la fenêtre,
Qui de gros fer estoit ferree,	qui est ferrée de gros barreaux,
D'un douz salu l'a enerree	d'un doux salut l'a honorée
Et ele un autre tost li rant,	et elle lui en rend autant,
Car mout estoient desirrant	car ils étaient pleins de désirs
Cil de li et cele de lui.	lui d'elle et elle de lui...

Il leur pèse de ne pouvoir se réunir, et ils maudissent les barreaux, mais qu'il plaise à la Reine et ils cesseront d'être un
obstacle (3) :

— Ne veez vos con cist fer sont	— Ne voyez-vous pas comme ces fers sont
Roit a ploiier et fort à fraindre ?	raides à plier, forts à briser ?
Ja tant nes porriiez destraindre	Vous ne pourriez tant les forcer,
Ne tirer a vos ne sachier	les tirer à vous, les ébranler
Qu'un an poïssiez esrachier. —	qu'un seul en puissiez arracher... —
« Dame », fet-il, « or ne vos chaille !	«Dame », fait-il, « qu'il ne vous soucie!
Ja ne cuit que fers rien i vaille.	Je ne crois pas que fer y résiste.
Rien fors vos ne me puet tenir	Rien que vous ne me peut retenir
Que bien ne puisse a vos venir.	de pouvoir à vous parvenir.
Se vostre congiez le m'otroie,	Si votre congé me l'octroie,
Tote m'est delivre la voie ;	la voie m'est tout ouverte ;
Mes se il bien ne vos agree,	mais, s'il ne vous agrée,
Donc m'est ele si anconbree	elle m'est alors si fermée
Que n'i passeroie por rien. »	que je n'y passerais pour rien. »
— Certes, — fet ele, — jel vuel bien :	— Certes, — fait-elle, — je le veux bien,
Mes voloirs pas ne vos detient ;	ma volonté ne vous retient ;
Mes tant atandre vos covient	mais il vous faut attendre
Qu'an mon lit soie recouchiee...	qu'en mon lit je sois recouchée...
Qu'il n'i avroit jeu ne deport,	car ce ne serait pas de jeu
Se li seneschaus, qui ci dort,	que le sénéchal qui dort ici
Se resveilloit por vostre noise. —	se réveillât au bruit que vous ferez. —

Il n'en fera point et, aussitôt, avec cette force qui est invin-

(1) Vv. 4594-4607.
(2) Sorte de rongeur.
(3 Vv. 4620-4641.

17

cible et presque sans limite, lorsque l'amour l'inspire, sans même sentir le sang qui coule entre ses doigts, la chair entamée jusqu'aux nerfs, et la phalange qu'il s'arrache, il tire sur les barreaux, les fait ployer et enfin les descelle, si bien qu'il se glisse par l'ouverture, passe près du lit de Ké endormi, puis, parvenu au lit de la reine (1) :

Si l'aore et si li ancline,	Il l'adore et il s'agenouille,
Car an nul cors saint ne croit tant,	car en nulle relique ne croit tant,
Et la reïne li estant	et la Reine vers lui étend
Ses braz ancontre, si l'anbrace,	les bras à sa rencontre et l'embrasse,
Estroit pres de son piz le lace,	étroit sur son sein elle l'enlace
Si l'a lez li an son lit tret,	et l'attire près d'elle en son lit
Et le plus bel sanblant li fet	et lui fait le plus bel accueil
Que ele onques feire li puet,	que jamais faire elle lui pût,
Que d'amor et del cuer li muet.	selon qu'amour et cœur l'inspirent.

Il l'adore et il se prosterne, car en nul corps saint ne croit tant. Écrits en cet âge de foi ardente, ces mots emportent leur plénitude d'adoration.

Si nous étions encore à l'époque d'*Érec*, dans la folle et brûlante jeunesse de Chrétien, nous aurions ici la description voluptueuse qu'aurait pu lui inspirer la lecture de Virgile ou d'Ovide; mais, si ce lit n'a point de voiles, l'art de l'auteur en sait tendre et, avec une passion concentrée qui n'a point oublié la délicatesse, il dit seulement (2) :

Tant li est ses jeus douz et buens	Tant lui est le jeu doux et bon
Et del beisier et del santir	du baiser et de la caresse,
Que il lor avint sanz mantir	qu'il leur arriva sans mentir
Une joie et une mervoille	une joie et une merveille,
Tel qu'onques ancor sa paroille	telle que jamais sa pareille
Ne fu oïe ne seüe,	ne fut entendue ni connue,
Mes toz jorz iert par moi teüe,	mais toujours par moi sera tue,
Qu'an conte ne doit estre dite.	parce qu'en roman ne doit être dite.
Des joies fut la plus eslite	Des joies fut la plus exquise
Et la plus delitable cele	et la plus délicieuse celle
Que li contes nos test et cele.	que le conte nous tait et cèle.

Mais le jour se lève et il faut bien que l'amant se lève avec lui (3) :

(1) Vv. 4670-4678.
(2) Vv. 4692-4702.
(3) Vv. 4715-4719.

Li cors s'an vet, li cuers sejorne.
Droit vers la fenestre s'an torne ;
Mes de son cors tant i remaint
Que li drap sont tachié et taint
Del sanc qui li cheï des doiz.

Le corps s'en va, le cœur séjourne,
droit vers la fenêtre retourne,
mais de son corps tant y reste
que les draps sont tachés et teints
du sang qui lui tomba des doigts.

Malgré ces blessures, il trouve encore la force de redresser et de replacer les barreaux (1) :

Au departir a soploiié
A la chanbre et fet tot autel
Con s'il fust devant un autel...

En partant il a ployé le genou
vers la chambre, faisant tout ainsi
que s'il fût devant un autel...

Après ce nouvel acte d'idolâtrie, il va se recoucher et seulement alors s'aperçoit de ses cruelles plaies. Cependant (2),

La reïne la matinee,
Dedanz sa chanbre ancortinee,
Se fut mout soef andormie,
De ses draps ne se gardoit mie
Que il fussent tachié de sanc...
Et Meleaganz maintenant
Qu'il fu vestuz et atornez
S'an est vers la chanbre tornez,
Ou la reïne se gisoit.
Veillant la trueve et les dras voit
De fres sanc tachiez et gotez ;
S'an a ses conpeignons botez
Et com aparcevanz de mal,
Vers le lit Ke le seneschal
Esgarde, et voit ses dras tachiez
De sanc, que la nuit, ce sachiez,
Furent ses plaies escrevees,
Et dist : — Dame, or ai je trovees
Teus ansaingnes con je voloie !
Bien est voirs que mout se foloie
Qui de fame garder se painne :
Son travail i pert et sa painne,
Que ainz la pert cil qui la garde
Que cil qui ne s'an done garde...
Mout a or bele garde feite
Mes pere qui por moi vos gueite !
De moi vos a il bien gardee ;
Mes anuit vos a regardee
Kes li seneschaus, mal gre suen,
S'a de vos eü tot son buen
Et si sera mout bien prové. —

la Reine au matin,
dans la chambre ornée de tapis,
s'était doucement endormie,
sans s'apercevoir que ses draps
étaient tachés de sang...
Or Méléaguant aussitôt
qu'il est vêtu et habillé
s'est dirigé vers la chambre
où la Reine était couchée.
Il la trouve éveillée et voit les draps
tachés et dégouttant de sang frais
il le montre à ses compagnons
et, clairvoyant dans le mal,
vers le lit du sénéchal Ké
il regarde et voit ses draps tachés
de sang, car la nuit, sachez-le,
ses plaies avaient crevé,
et dit : — Madame, j'ai bien trouvé
les indices que je voulais !
Il est très vrai qu'il est bien fou
celui qui s'efforce de garder femme,
il y perd travail et peine ;
car plutôt la perd qui la garde
que celui qui ne s'en occupe pas...
Il a bien belle garde faite
mon père, qui pour moi vous surveille !
Il vous a de moi bien protégée ;
mais cette nuit vous a regardée
Ké le sénéchal, malgré ses ordres,
qui a fait de vous son plaisir
et cela sera bien prouvé. —

(1) Vv. 4734-4736.
(2) Vv. 4755-4794.

« Comant ? » fet ele. — « J'ai trové	« Comment ? » fait-elle. — J'ai trouvé
Sanc an voz dras, qui le tesmoingne,	sang sur vos draps qui le témoigne,
Puis que dire le me besoingne.	puisqu'il faut vous le dire.
Par ce le sai, par ce le pruis,	Par ceci, je le sais, par ceci je le prouve
Que an voz dras et es suens truis	que sur vos draps et les siens je trouve
Le sanc qui cheï de ses plaies :	le sang qui coula de ses plaies :
Ce sont ansaingnes bien veraies. —	ce sont les signes les plus vrais. —

La Reine, alors seulement, voit, sur l'un et l'autre lit, le drap sanglant (on songe à l'identique preuve que, dans le *Tristan*, mais avec plus de véracité, le nain Frocin montre au roi Marc), en a grand'honte, rougit et dit (1) :

« Se Damedeus me gart,	« Que Dieu me garde,
Cest sanc que an mes dras esgart,	ce sang que je vois sur mes draps,
Onques ne l'i aporta Kes,	jamais Ké ne l'apporta,
Ainz m'a anuit seignié li nes. »	mais j'ai cette nuit saigné du nez. »

Méléaguant ne croit point à ce bienheureux saignement de nez et fait venir son père pour lui montrer l'indignité de sa captive. Il trouve la reine en train de se lever (on admirera en passant la délicatesse de mœurs que nous révèlent toutes ces irruptions masculines, sans avertissement, dans la chambre d'une si grande dame) et, voyant à son tour les draps sanglants, l'accuse lui aussi. Elle proteste à nouveau de l'innocence du sénéchal, qui s'offre à la prouver par l'*escondit*, c'est-à-dire par un combat judiciaire, qu'il n'est guère en état de livrer. Mais Lancelot, que la Reine a mandé, prendra sa place et, avec l'aide de Dieu, que nous avons vu déjà dans *Tristan* rendu complice d'une pareille hypocrisie, attestera, par la valeur de son bras, la non-culpabilité de Guenièvre... à l'égard du sénéchal. On fait donc venir les *saints*, c'est-à-dire les reliques, chacun devant, selon le droit (Chrétien est bon juriste), affirmer d'abord par serment ce pour quoi il va s'engager, mais Lancelot ajoute que cette fois il n'aura plus merci de son adversaire. Sachant la valeur de ce champion, et l'ayant entendu, Bademagu s'effraie et c'est, au milieu d'une reprise heureusement brève du duel précédent, une répétition assez fade de l'incident qui y avait mis fin. Le père supplie Guenièvre de les faire séparer. Elle y consent, le héros l'entend, puis aussitôt s'arrête sans même rendre les coups que lui porte le traître, qui ne cesse que quand le roi l'arrache de la lice.

(1) Vv. 4799-4802.

Lancelot, toujours anxieux de retrouver Gauvain, attardé au passage du *pont dessous-eau*, prend congé et s'y achemine. Il n'en est plus qu'à une lieue, quand un nain, le même, je suppose, qui conduisait la charrette, monté cette fois sur un grand cheval de chasse, le prie de l'accompagner pour le bien qui en résultera. Docile aux sollicitations de l'aventure, ce grand enfant de Lancelot, toujours confiant dans sa force et dans son étoile, le suit, sans nécessité aucune, mais il ne revient pas et c'est en vain que, désolée, sa suite l'attend. Ne sachant que faire, les barons qui la composent décident de retrouver d'abord Gauvain et de prendre conseil de lui. Ils ne tardent pas à le rencontrer, mais en piteuse posture (1) :

Vers le pont soz eve s'an vont	Vers le *pont dessous-eau* s'en vont
Et tantost qu'il vienent au pont	et aussitôt qu'ils y arrivent
Ont mon seigneur Gauvain veü	ont vu Monseigneur Gauvain
Del pont trabuchié et cheü	trébuché du pont et tombé
An l'eve qui mout est parfonde.	dans l'eau qui est bien profonde.
Une ore essort et autre afonde,	Tantôt il surnage, tantôt il coule,
Or le voient et or le perdent.	tantôt ils le voient, tantôt le perdent.
Tant tressaillent que il l'aerdent	Ils s'agitent si bien qu'ils le saisissent
A rains, a perches et a cros.	avec rames, perches et gaffes.
N'avoit que le hauberc el dos	Il n'avait que le haubert sur le dos
Et sor le chief le hiaume assis,	et sur la tête le heaume assis,
Qui des autres valoit bien dis,	qui en valait bien dix,
Et les chauces de fer chauciees	et les chausses de fer chaussées
De sa suor enroïlliees ;	rouillées par sa sueur ;
Car mout avoit soferz travauz,	car il avait souffert maintes peines,
Et mainz periz et mainz assauz	et avait maints périls et maintes batailles,
Avoit trespassez et vaincuz.	surmontés, toujours victorieux.

Quand il a rendu l'eau qu'il a malgré lui absorbée et que la gorge, devenue libre, se rouvre à la voix, il s'enquiert de la Reine et demande si personne n'est venu la chercher (2) :

Et il li respondent : — Oïl. —	Et ils lui répondent : — Oui. —
« Qui ? » — Lanceloz del Lac —, font il,	« Qui ? » — Lancelot du Lac —, font-ils,
Qui passa au *pont de l'espée*,	qui passa au *pont de l'épée*,
Si l'a rescosse et delivree	l'a secourue et délivrée
Et avuec li nos autres toz ;	et avec elle nous autres tous,
Mes traïz nos an a uns goz,	mais un nain nous a trahis,
Uns nains boçuz et rechigniez.	un nain bossu et renfrogné.
Leidemant nos a angigniez,	Il nous a vilainement bernés,
Qui Lancelot nos a fortret,	celui qui nous a ravi Lancelot,
Nos ne savons qu'il an a fet. —	nous ne savons ce qu'il en a fait. —

(1) Vv. 5125-5141.
(2) Vv. 5163-5172.

Par le menu, répondant à une nouvelle question, ils lui racontent son histoire. Gauvain conseille de se rendre d'abord auprès de la Reine, qui se désole de la disparition de son cher amant ; elle fait fête cependant à son neveu, ainsi que Ké le sénéchal et le loyal Bademagu, qui envoie partout des messagers pour s'enquérir de Lancelot. Un jour qu'ils sont à table, on apporte une lettre que le Roi fait lire à haute voix par un clerc. Elle est censée écrite par Lancelot, qui annonce qu'il est retourné sain et sauf à la cour d'Arthur... Il n'en faut pas plus, en un âge où la critique des textes n'existe point, ni dans l'histoire, ni dans la vie, pour que, après mille politesses et offres de services, Guenièvre, son neveu et Ké le sénéchal, prennent congé de Bademagu et s'acheminent vers la cour de Galles, où Gauvain, accompagné de ce qui était resté des prisonniers logriens, est accueilli et célébré en héros libérateur. Il proteste que tout mérite revient à Lancelot, qui est le plus grand chevalier, mais de ce dernier, point de trace. Le Roi qui ignore son infortune et fait ici figure de mari ridicule, se désole de cette absence, que la joie du retour de la Reine lui compense tant (1),

Que li diaus por la joie fine ;	que le deuil pour la joie s'arrête.
Quant la rien a, que il plus viaut,	Il a l'être qu'il désire le plus,
Del remenant petit se diaut.	et peu se soucie du reste.

Pendant la longue absence de la Reine, les demoiselles à marier, et les dames dont le cœur était sans emploi avaient résolu de convoquer un tournoi. Ainsi l'avait convenu la dame de Pomelegloi envers la dame de Noauz, c'est-à-dire la dame de rien du tout. A ceux qui y auront triomphé, elles offriront leur main, droite ou gauche, et leur amour. Le Roi consent et la Reine y assistera. La nouvelle s'en répand partout, voire jusqu'au royaume d'où nul ne revient, à ce pays de Gorre, où le seul Lancelot est encore par félonie retenu prisonnier, confié par Méléaguant à la garde de son sénéchal. La femme de celui-ci s'aperçoit de son chagrin de ne pouvoir concourir en cette grande épreuve et consent à le libérer, en l'absence de son mari, à une condition (2) :

« Dame, par quel ? »	« Madame, laquelle ? »
Ele respont : — Sire, par tel	Elle répond : — Seigneur, par celle-ci
Que le retor me jureroiz	que vous me jurerez de revenir

(1) Vv. 5376-5378.
(2) Vv. 5497-5510.

Et avuec m'asseüreroiz	et de plus m'assurerez
De vostre amor, que je l'avrai. —	que j'aurai votre amour. —
« Dame, tote celi que j'ai	« Madame, celui que j'ai,
Vos doing et jur le revenir. »	je vous le donne et jure de revenir. »
— Or, m'an puis a neant tenir, —	— Il faudra donc m'en tenir à rien, —
Fet la dame tot an riant ;	fait la dame tout en riant ;
— Autrui par le mien esciant,	— à une autre, à ce que je sais,
Avez bailliee et comandee	vous avez baillé et confié
L'amor que vos ai demandee,	l'amour que je vous ai demandé,
Et neporquant sanz nul desdaing	et cependant sans nul dédain
Tant con j'an puis avoir, j'an praing.—	j'en prends ce que j'en puis avoir. —

Lancelot jure donc de revenir et, en échange de ce serment, fait sur sainte Église, la dame lui donne les armes vermeilles de son mari et cette couleur achève de donner au chevalier un caractère merveilleux, car le rouge, en cette époque de symbolisme, est le signe du sang rédempteur et, partant, celui du Christ. Il arrive à Noauz, mais se loge plus que modestement en dehors de la ville, pour n'être pas reconnu de la foule des dames, demoiselles et seigneurs venus de cinq lieues à la ronde.

Le héros désarmé était couché dans un pauvre lit aux couvertures minces et aux draps de chanvre, quand un héraut d'armes en chemise, qui avait laissé en gage, à la taverne, sa tunique et ses chausses, venant à passer, voit l'écu suspendu à la porte-entre et reconnaît Lancelot. Celui-ci lui défend, sur sa vie, de révéler son identité, mais semblable au perruquier du roi Midas, plus secret toutefois, il ne peut s'empêcher de s'en aller partout criant (1) :

« *Or est venuz qui aunera* ! »	« *Il est venu qui aunera* ! »

Le mot est certainement de l'époque et a fait croire à G. Paris (2) que Chrétien avait rempli les fonctions de héraut d'armes (3) :

Et sachiez que dit fu lors primes :	Sachez que fut d'abord dit alors :
Or est venuz qui aunera !	*Il est venu qui aunera* !
Nostre mestre an fu li hira	Notre maître en fut le héraut,
Qui a dire le nos aprist ;	qui nous a appris à le dire,
Car il premieremant le dist.	car lui premièrement le dit.

(1) Vv. 5583. « Aunera », qui vient de « aune », veut dire « toisera », mesurera à sa valeur la valeur des autres.
(2) *Mélanges de Littérature française du Moyen Age*, pp. 251-252.
(3) Vv. 5590-5594.

Reine et dames, chevaliers et sergents sont déjà rassemblés, qui dans les loges, qui dans la lice, où les lances sont si nombreuses qu'elles ressemblent à une forêt (1) :

Mes n'i ot point de Lancelot	Il n'y eut point de Lancelot
A cele premiere ascanblee ;	à cette première assemblée,
Mes quant il vint parmi la pree,	mais quand il vint sur la prairie
Et li hirauz le vit venir,	et que le héraut le vit venir,
De crier ne se pot tenir :	il ne put se tenir de crier :
« Veez celui qui aunera !	« Voyez celui qui aunera !
Veez celui qui aunera ! »	Voyez celui qui aunera ! »
Et l'an demande : « Qui est il ? »	et l'on demande : « Qui est-il ? »,
Ne lor an viaut rien dire cil.	mais il ne leur en veut rien dire.

Quand Lancelot entre dans l'arène, il fait si bien que des meilleurs il en vaut vingt, et tous de se demander : « *Qui est celui qui si bien fait* ? » Il en est une qui n'en ignore et à qui une telle facile vaillance ne saurait donner le change, c'est Guenièvre (2) :

Et la reïne a consoil tret	Et la Reine prend à part
Une pucele cointe et sage,	une pucelle fine et sage
Si li dist : « Pucele, un message	et lui dit : « Jeune fille, un message
Vos estuet feire, et tost le feites,	vous faut faire, faites-le vite,
A paroles briemant retreites.	en paroles brièvement dites.
Jus de cez loges avalez,	De ces tribunes descendez
A cel chevalier m'an alez	et à ce chevalier m'en allez
Qui porte cel escu vermoil,	qui porte cet écu vermeil
Et si li dites a consoil :	et puis dites-lui tout bas :
Que « *au noauz* » que je li mant. »	« *Au pis*, car je le lui commande. »
Cele i vet tost et sagemant,	Elle y va vite, et sagement,
Fet ce que la reïne viaut.	fait ce que la Reine veut.
Aprés le chevalier s'aquiaut,	Elle s'approche du chevalier,
Tant que mout pres de lui s'est jointe,	au point qu'elle est tout près de lui,
Si li dist comme sage et cointe,	et lui dit, sage et prudente,
Que ne l'ot veisins ne veisine :	que les voisins ne l'entendent :
— Sire, ma dame, la reïne	— Seigneur, ma dame la Reine,
Par moi vos mande et jel vos di :	par moi vous mande et je vous dis :
Que « *au noauz* ». — Quand cil l'oï,	« *Au pis* ». — Quand il l'a entendu,
Si li respont : « Mout volantiers ! »	il lui répond : « Très volontiers ! »
Come cil qui est suens antiers.	en homme qui est sien, entier.

Au noauz, du comparatif *nugalius*, de *nugalis*, vain, c'est-à-dire le plus mal possible. La série des humiliations n'est pas

(1) Vv. 5632-5640.
(2) Vv. 5656-5676.

close ; à la honte du début, à l'ascension dans la charrette patibulaire, doit répondre, à la fin, cette honte, pire sans doute pour le parangon des bravoures chevaleresques, de se faire battre par les plus médiocres combattants, en un mot de paraître faible et lâche aux yeux de tous, simplement parce que la dame le commande. Décidément l'amour a vaincu la chevalerie, la femme a triomphé de l'exploit, la féminité l'emporte sur la virilité. Et c'est un homme qui écrit l'ordre du jour de cette victoire ; il est vrai que c'est sous la dictée et le commandement d'une femme. La fille d'Éléonore, Marie de Champagne, dans son orgueilleuse et éclatante jeunesse, peut se tenir pour satisfaite, elle aussi, de son serviteur.

Voici Lancelot, qui désormais cède du terrain, fuit, et ne revient que pour essuyer, sans les parer, de nouveaux coups (1) :

Et fet sanblant qu'il et peor
De toz ces qui vienent et vont.
Et li chevalier de lui font
Lor risees et lor gabois,
Qui mout le prisoient einçois.
Et li hirauz qui soloit dire :
« Cil les veintra trestoz a tire ! »
Est mout maz et mout desconfiz,
Qu'il ot les gas et les afiz
De ces qui diënt : « Or te tes,
Amis ! Cist n'aunera hui mes.
Tant a auné qu'or est brisiee
S'aune que tant nos as prisiee. »
Li plusor diënt : « Ce que doit ?
Il estoit si preuz or androit,
Or est si tres coarde chose
Que chevalier atandre n'ose... »
Et la reïne qui l'esgarde
An est mout liée et mout li plest,
Qu'ele set bien, et si s'an test,
Que ce est Lanceloz por voir.
Einsi tote jor jusqu'au soir
Se fist cil tenir por coart.

Il fait semblant d'avoir peur
de tous ceux qui viennent et vont.
Et les chevaliers de lui font
leurs risées et leurs plaisanteries,
eux qui à l'instant le louaient,
et le héraut qui se plaisait à dire :
« Il les battra l'un après l'autre ! »
est très abattu et très déconfit,
car il entend les *gabs*, les moqueries
de ceux qui disent : « Tais-toi donc.
Ami ! celui-ci n'aunera plus.
Il a tant auné qu'est brisée
l'aune que tu as tant vantée ! »
Plusieurs font : « Qu'est-ce à dire ?
il était à l'instant si preux,
et maintenant est si couard
qu'il n'ose attendre chevalier... »
Et la reine qui le regarde
en est fort joyeuse et il lui agrée,
car elle sait, quoiqu'elle s'en taise,
que c'est Lancelot lui-même.
Ainsi tout le jour jusqu'au soir
il se fit tenir pour couard.

La nuit tombante sépare les combattants, tandis que les dames disputent des mérites respectifs de ceux-ci, s'étonnant surtout du changement observé chez le chevalier aux armes vermeilles.

(1) Vv. 5692-5725.

Mais la rumeur de la foule rentrant au logis ne lui est pas favorable (1) :

« Ou est des chevaliers li pire
Et li noauz et li despiz ?
Ou est alez ? ou est tapiz ?
Ou iert trovez ? Ou le querrons ?
Espoir ja mes ne le verrons ;
Car mauvestiez l'an a chacié...
N'il n'a pas tort, car plus a eise
Est un mauvés çant mile tanz
Que n'est un preuz, uns conbatanz. »
Einsi tote nuit se dejanglent
Cil qui de mal dire s'estranglent.
Mes tes dit sovant mal d'autrui
Qui mout est pire de celui
Que il blasme et que il despist.

« Où est des chevaliers le pire,
le plus nul, le plus méprisable ?
Où est-il allé ? Où est-il caché ?
Où le trouver ? Où le chercher ?
Peut-être ne le verrons-nous plus ;
car la lâcheté l'a chassé...
Il n'a pas tort, car plus à l'aise
est un lâche cent mille fois
que n'est un preux, un combattant. »
Ainsi toute la nuit médisent
ceux qui s'étranglent de médire.
Mais tel souvent dit mal d'autrui
qui est pire que celui
qu'il blâme et qu'il méprise.

Le lendemain, les loges se garnissent derechef des dames et pucelles entourant la Reine, et de prisonniers et croisés ne prenant pas part au tournois et se bornant à leur décrire les blasons ornant les écus (2) :

« Veez vos or
Celui a cele bande d'or
Parmi cel escu de bellic ?
C'est Governauz de Roberdic.
Et veez vos celui aprés,
Qui an son escu pres a pres
A paint une egle et un dragon ?
C'est li fiz le roi d'Arragon...
Et cil qui porte les feisanz
An son escu painz bec à bec,
C'est Coguillanz de Mautirec. »

« Voyez-vous,
celui à la bande d'or
sur cet écu rouge ?
C'est Governal de Roberdic.
Et voyez-vous celui après,
qui en son écu côte à côte
a peints un aigle et un dragon ?
c'est le fils du roi d'Aragon.
Et celui qui porte les faisans
sur son écu, peints bec à bec,
c'est Coguillant de Mautirec. »

Ainsi Chrétien, tout en jonglant avec des syllabes cocasses, comme dans *Érec*, amuse son public mondain de femmes et de jeunes filles, de hauts et menus barons, en les instruisant du bel art naissant du blason, non moins nécessaire à leur oisive vanité que celui de fauconnerie. Il faut savoir aussi où se font les meilleures armes. Cet écu-là vient de Limoges, où l'apporta Pilade ; cet autre de Toulouse, de Poitiers ou de Lyon sur le Rhône ; cet autre encore fut fait à Londres et l'on y voit gravées deux hiron-

(1) Vv. 5756-5781.
(2) Vv. 5793-5812.

delles qui semblent s'envoler. Il n'y a que le chevalier aux armes vermeilles que l'on n'aperçoive pas encore, mais la reine Guenièvre n'est pas assez lasse d'éprouver sa toute-puissance sur son amant-lige. Elle appelle sa messagère et lui dit (1) :

« Alez, dameisele,	« Allez, demoiselle,
Monter sor vostre palefroi !	montez sur votre palefroi !
Au chevalier d'ier vos anvoi,	Au chevalier d'hier vous envoie,
Sel querez tant que vos l'aiiez !...	cherchez-le tant que le trouviez !...
Et si li redites ancor	Et redites-lui bien encore
Que *au noauz* le reface or	qu'*au pis* il refasse maintenant,
Et quant vos l'an avroiz semons,	et, quand vous l'y aurez invité,
S'antandez bien a son respons. »	écoutez bien sa réponse. »

L'ordre transmis trouve à nouveau l'amant docile (2) :

« Des qu'ele le comande, »	« Dès qu'elle le commande, »
Li respont, « la soe merci ! »	lui répond-il : « A sa volonté ! ».

et, accueilli par les huées et par les moqueries qui redoublent, il entre en lice. Cependant la reine recueille la réponse (3),

Don ele s'est mout esjoïe	dont elle s'est bien réjouie,
Por ce qu'er set ele sanz dote	parce qu'elle sait, sans nul doute,
Que ce est cil cui ele est tote	qu'il est celui à qui elle est toute
Et il toz suens sanz nule faille.	et qui est sien sans nulle faute.
A la pucele dit qu'ele aille	A la pucele elle dit d'aller
Mout tost arriere et si li die	vite, de retourner et de lui dire
Que ele li comande et prie	qu'elle lui commande et le prie
Que tot *le miauz* que il porra.	de faire *au mieux* qu'il pourra.

La messagère fait diligence et, parvenue au chevalier (4) :

« Or vos mande ma dame, sire,	« Ma dame vous mande, seigneur,
Que tot *le miauz* que vos porroiz ! »	de faire *au mieux* que vous pourrez ! »
Et il respont : — Or li diroiz	Et il répond : — Vous lui direz
Qu'il n'est riens nule qui me griet	qu'aucune chose ne me coûte
A feire des que il li siet ;	à faire dès qu'il lui convient ;
Car quanque li plest m'atalante. —	car tout ce qui lui plaît m'agrée. —

Aussitôt, remontant les degrés des loges au haut desquels Guenièvre l'attend, elle lui rend compte de sa mission (5),

(1) Vv. 5856-5864.
(2) Vv. 5876-5877.
(3) Vv. 5892-5899.
(4) Vv. 5908-5913.
(5) Vv. 5928-5934.

Si li dist : « Dame, onques ne vi
Nul chevalier tant deboneire,
Qu'il viaut si outreemant feire
Trestot quanque vos li mandez ;
Que se le voir m'an demandez,
Autel chiere tot par igal
Fet il del bien come del mal. »

et lui dit : « Madame, jamais ne vis
nul chevalier si débonnaire,
car il veut de point en point faire
tout ce que vous lui mandez ;
et si vous me demandez la vérité,
il accueille du même visage
ce qui est bien et ce qui est mal. »

Pendant ce temps, prenant par la courroie le bouclier allongé et triangulaire de la seconde moitié du xiie siècle, Lancelot se prépare à montrer toute sa prouesse. Ils déchanteront, les railleurs, car voici bientôt le fils du roi d'Irlande désarçonné, et, après lui, successivement, ceux qui se portent à son secours. Gauvain s'en réjouit tant, qu'il s'abstient d'entrer dans la mêlée ; tandis que le héraut, reprenant cœur, se remet à crier :

« *Or est venu qui aunera !* »   « *Il èst venu qui aunera !* »

car il fait beau voir voler à cent pieds de sa selle un cavalier et tomber, comme capucins de cartes, chevaux et chevaliers ensemble. Et les bavards médisants de se repentir (1) :

« Mout avomes eü grant tort
De lui despire et avillier !...
Que il a veincuz et passez
Trestoz les chevaliers del monde. »

« Nous avons eu grand tort
de le mépriser et honnir !...
car il a vaincu et surpassé
tous les chevaliers du monde. »

Quant aux demoiselles, elles n'hésitent pas un instant à se le choisir pour époux ; mais elles doutent, non sans raison, que leurs beautés ou leurs richesses puissent trouver grâce devant un tel preux. Et la Reine rit de leurs propos car, sûre de la fidélité de son illustre amant (2),

Bien set que por tot l'or d'Arrabe,
Qui trestot devant li metroit,
La meillor d'eles ne prandroit,
La plus bele ne la plus jante,
Cil qui a totes atalante.

elle sait que pour tout l'or d'Arabie,
si on le mettait devant lui,
il ne prendrait la meilleure d'elles,
la plus belle ni la plus gente,
celui qui leur plaît à toutes.

Les laissant à leurs rivalités imaginaires, car elles se jalousent déjà comme s'il était leur époux, le héros laisse tomber au plus épais de la foule son écu vermeil et sa lance, puis s'échappe,

(1) Vv. 6006-6011.
(2) Vv. 6030-6034.

et disparaît, pour retourner, tel Régulus, en sa prison. Sur ces entrefaites, le sénéchal a découvert que celui dont on lui avait confié la garde s'était évadé, grâce à la complicité de sa femme. Il le lui reproche d'abord, et ensuite va l'avouer à son maître Méléaguant qui, furieux, cette fois ordonne de l'enfermer dans une tour, qu'il fait bâtir sur une île, en un bras de mer du pays de Gorre, et dont toutes les issues sont murées, sauf une petite fenêtre, par laquelle on lui monte sa nourriture.

Et ici se termine le roman de Chrétien de Troyes, se termine en ce sens qu'il n'en composa pas davantage, mais, conscient de l'avoir laissé sans dénouement et de n'avoir pas satisfait le candide lecteur par le châtiment du coupable et le triomphe final du héros, il laissa ce soin à un confrère et à un compatriote, Geoffroy de Lagny. Celui-ci nous a donné sur ce point, *in fine*, un témoignage d'une honnêteté assez rare à l'époque, d'une précision qui ne laisse rien à désirer et fort précieux aussi en ce qu'il nous apporte, pour ce temps lointain, un des plus anciens cas de collaboration littéraire connue (1) :

GODEFROIZ DE LEIGNI, li clers,	GODEFROY DE LAGNY, le clerc,
A parfinee *la Charrele* ;	a terminé *la Charrette* ;
Mes nus hon blasme ne l'an mete	mais que nul ne l'en blâme,
Se sor CRESTIIEN a ovré,	s'il a travaillé à la suite de CHRÉTIEN,
Car ç'a il fet par le buen gré	car il l'a fait du plein gré
CRESTIIEN qui le comança :	de CHRÉTIEN qui commença le roman :
Tant an a fet des la an ça,	tant en a fait depuis l'instant
Ou Lanceloz fu anmurez,	où Lancelot fut emmuré
Tant con li contes est durez.	jusqu'à la fin du récit.

Lagny, en Seine-et-Marne, et Troyes sont avec Bar-sur-Aube deux des grandes foires de Champagne, dont le rôle est si considérable dans l'histoire de la prospérité commerciale et littéraire de la France du XIIe et du XIIIe siècle, mais pourquoi Chrétien laissa-t-il à ce confrère clerc, d'un talent bien inférieur au sien, le soin de continuer l'œuvre. On ne peut dire que c'est parce que, le thème de l'amour-roi lui répugnant, il n'a pas voulu achever l'œuvre. Elle était en effet presque complète déjà, au point où il l'avait abandonnée, et la thèse était présentée dans ses manifestations même les plus choquantes. Il faut donc supposer une disgrâce auprès de Marie, pareille à celle qu'essuya Lancelot auprès de Guenièvre, suivie d'un accès d'humeur qui lui fait

(1) Vv. 7124-7134.

confier la fin à un autre, ou un mécontentement d'auteur, qui n'a pas été assez payé et récompensé de sa docilité et de ses services, ou encore un cas de maladie empêchant la livraison du roman à date fixe, à l'occasion d'une fête, par exemple.

Quoi qu'il en soit, le canevas ayant été, plus que vraisemblablement, baillé par Chrétien à Godefroy, il ne paraît pas douteux que la conclusion n'est pas sensiblement différente de celle qu'impose d'ailleurs la logique du genre et, style à part, nous pouvons la tenir conforme.

Le félon Méléaguant se précipite aussitôt à la cour d'Arthur pour réclamer Lancelot, qui lui a promis le combat à un an de date, le terme n'étant plus très éloigné. Il ne sait que trop pourquoi il ne l'y trouve point, mais il affecte de s'en irriter, encore que Gauvain s'engage à remplacer son ami au besoin. Le traître se plaint aussi à Bademagu, au jour anniversaire où ce dernier tenait sa cour à Bade, sa cité, c'est-à-dire Bath-en-Somerset, toujours mélange de réalité et de fiction. Son loyal père ne le croit pas, non plus que ne le croit sa sœur, qui n'est autre que la Demoiselle à la Mule, celle à qui Lancelot donna la tête de son ennemi et qui, en récompense, se jure de retrouver l'infortuné. N'avait-elle pas promis de lui rendre un important service, et cette concordance confirme la part d'invention de Chrétien dans le fragment qu'il n'a pas lui-même rédigé. Elle cherche tant qu'au bout d'un mois (comme le hasard fait donc bien les choses, quand les romanciers le conduisent !) elle aperçoit, dans le bras de mer, la tour sans issue, percée d'une seule fenêtre. Elle entend une plainte de Lancelot qui, faiblement, d'une voix basse et enrouée, s'écrie (1) :

« Haï ! Fortune, con ta roe	« Ah ! Fortune, comme ta roue
M'est ore leidemant tornee !...	a pour moi laidement tourné !...
Qu'or iere a mont, or sui a val,	J'étais en haut, me voici en bas,
Or avoie bien, or ai mal,	j'avais le bien, j'ai le mal,
Or me plores, or me rioies. »	tu pleures et jadis me riais. »

Quand il a terminé son long monologue, elle l'appelle « Lancelot !», autant qu'elle peut, mais lui croit à un fantôme, puis, s'approchant de la fenêtre et s'y appuyant, aperçoit celle qui l'invoque, mais qui est obligée, pour se faire reconnaître, de lui rappeler leur rencontre et le don de la tête coupée. Avec la corde

(1) Vv. 6488-6493.

qui sert à monter la nourriture du prisonnier, elle lui fait passer une pioche, qu'il manie si bien qu'il réussit à faire une brèche dans la muraille et à s'évader. La pucelle l'emporte en croupe sur sa mule, qui paraît avoir les reins solides, l'héberge en son château, le baigne, le masse et le couche, comme elle eût fait pour son père (1) :

Tot le renovele et repere,	Elle le rafraîchit et refait,
Tot le remue et tot le change.	le soigne et le change.
Or n'est mie moins biaus d'un ange,	Le voilà pas moins beau qu'un ange,
Or est plus tornanz et plus vistes	plus agile et plus rapide
Qu'onques rien aussi ne veïstes.	qu'aucun être que vous vîtes.
N'est mes roigneus n'esgeünez,	Il n'est plus rogneux ni affamé,
Mes forz et biaus, si s'est levez.	mais fort et beau, et s'est levé.

Je donne ces vers non pour les faire admirer, mais au contraire comme exemple de la platitude du continuateur de Chrétien. Bref, après échange de courtoises paroles, voici Lancelot qui, monté sur un merveilleux cheval, que la Demoiselle à la Mule lui a donné, se dirige vers la cour d'Arthur. Il n'est que temps, car le traître l'y a précédé, l'accusant publiquement de forfaiture pour n'être pas exact à l'assignation. Gauvain est déjà armé pour le remplacer, lorsque le délivré paraît, qu'il serre étroitement dans ses bras. Ils ne se sont plus vus depuis la fameuse charrette et le début de la *Queste* de Guenièvre, soit depuis près d'un an. Le Roi, qui ne soupçonne pas en lui l'auteur de son infortune, ne lui fait pas moins fête et, pour l'épouse, je laisse à penser quelle est sa joie (2) :

Et la reïne n'i est ele	Et la Reine n'y est-elle
A cele joie qu'an demainne ?	à cette joie que l'on mène ?
Oïl, voir tote premerainne.	Oui, vraiment, toute première.
Comant ? Por Deu ou fust el donques ?	Comment ? Pour Dieu où serait-elle donc ?
Ele n'ot mes si grant joie onques	Elle n'eut jamais si grande joie
Com or a de sa revenue	qu'elle a de son retour
Et ele a lui ne fust venue ?	et elle ne serait pas venue ?
Si est voir, ele an est si pres	La vérité est qu'elle est si près
Que po s'an faut, mout an va pres	que peu s'en faut, il en est près,
Que li cors le cuer ne sivoit	que le corps ne suive le cœur.
Ou est donc li cuers ? Il beisoit	Où donc est le cœur ? Il baisait
Et conjoïssoit Lancelot.	et caressait Lancelot.
Et li cors por quoi se celot ?	Et le corps pourquoi se cachait-il ?

(1) Vv. 6688-6694.
(2) Vv. 6842-6867.

Por quoi n'est la joie anterine ?	Pourquoi la joie n'est-elle entière ?
A i donc corroz ne haïne ?	A-t-il donc courroux ni haine ?
Nenil certes ne tant ne quant,	Non, certes, en aucune façon,
Mes puet cel estre li auquant,	mais il pourrait se faire que quelques-uns,
Li rois, li autre qui la sont,	le Roi, les autres qui sont là
Qui lor iauz espanduz i ont,	et qui y ont jeté les yeux,
Aparceüssent tost l'afeire,	aperçussent toute l'affaire,
S'einsi veant toz vossist feire	si, devant tous, il voulût faire
Tot si con li cuers le vossist.	ainsi que le cœur le voulût ;
Et se reisons ne li tossist	et si raison ne lui enlevait
Cel fol panser et cele rage,	ce fol penser et cette rage,
Si veïssent tot son corage,	ils verraient tous son sentiment
Lors si fust trop granz la folie.	et la folie serait trop grande.

Ainsi Godefroy de Lagny s'essaie, non sans gaucherie, à la manière psychologique de son confrère ou plus probablement son maître Chrétien. Lancelot raconte au Roi la dernière félonie de leur ennemi et réclame d'urgence sa vengeance, qu'il refuse à Gauvain d'exercer à sa place. Méléaguant est bien surpris de voir surgir devant lui l'adversaire dont il avait pensé se débarrasser à jamais par traîtrise, mais auquel cette fois il n'échappera plus. Le duel a lieu sur la lande, devant Arthur et la Reine, assis sous un sycomore, auprès d'une *clere fontenele*. Plus acharné que jamais, d'équestre il devient pédestre, les deux rivaux s'étant désarçonnés, et se termine par la décollation du traître (1) :

Morz est cheüz, fet est de lui.	Il est tombé mort, c'en est fait de lui,
Mes or vos di, n'i a celui	mais je vous dis, n'y a celui
Qui iluec fust, qui ce veïst,	qui fût présent et qui le vît,
Cui nule pitiez an preïst.	qui en prît nulle pitié.
Li rois et tuit cil qui i sont	Le Roi et tous ceux qui y sont
Grant joie an demainnent et font.	en mènent et font grande joie.
Lancelot desarment adonques,	Ils désarment donc Lancelot,
Cil qui plus lié ne furent onques,	eux qui sont plus contents que jamais
Si l'an ont mené a grant joie.	et l'emmènent avec grande joie.

Et voilà, dans ses grandes lignes et dans ses principaux épisodes, ce long roman de *Lancelot* qui, lu, soit en original, soit dans l'adaptation en prose qui en fut faite au début du xiii⁰ siècle, soit encore dans les multiples traductions qui virent le jour chez presque tous les peuples de l'Occident, angoissa de curiosité et fit vibrer de passion excessive dames et chevaliers aux veillées des châteaux solitaires. Il fut coupable de bien des fautes qui

(1) Vv. 7111-7119.

ne demandaient peut-être qu'à naître d'un si élégant exemple,
et c'est lui que lisaient, tempe contre tempe, Paolo et Francesca,
quand ils tombèrent, et qu'il leur fut un autre Galehaut

> *Galeotto fu il libro e chi lo scrisse* (1).

Chi lo scrisse ; qui l'écrivit ? c'est Chrétien de Troyes ; Dante
peut-être ne le savait point et beaucoup de lecteurs de son époque
et des âges suivants, qu'enchantèrent ce roman d'aventure et
d'amour, l'avaient oublié. Il est juste de lui en rendre le mérite,
bien qu'il ait lui-même attribué le *sen*, c'est-à-dire l'esprit, à
Marie de Champagne.

Et ici, se pose comme toujours en histoire littéraire, le problème
des sources. Rien n'y naît de rien, les écrivains sont les plus redoutables et les plus astucieux des plagiaires et ils peuvent
l'être d'autant plus tranquillement que la matière n'a guère
plus d'importance que le marbre de la statue. L'œuvre appartient à qui l'élabore et à qui lui confère sa forme définitive.
Peu importe donc que Marie lui ait baillé un livre soit en latin,
soit en français, ce qu'il ne dit point, comme pour *Cligès*, ou
qu'elle lui ait raconté l'histoire qu'elle avait pu tirer d'un lai
de Bretagne entendu d'un jongleur. Au reste, nous ne savons
rien de précis là-dessus.

Mais ce que nous pouvons démêler facilement, c'est un cadre
et un thème. Le cadre, une fois de plus, sera la cour du roi
légendaire Arthur, qu'ont fait connaître l'*Historia regum Britanniae* de Geoffroi de Monmouth (vers 1137) et le *Brut* de Wace
en 1155. Toutefois ces auteurs ignorent Lancelot, dont
F. Lot a en vain essayé de montrer qu'il était d'origine celtique. La scène semble se passer en Bretagne et en Cornouaille,
dans ce vague pays de Logres dont Arthur est roi, ou dans ce
plus vague pays de Gorre dont Bademagu est souverain. Ici
il n'est pas difficile de démêler des traditions folkloriques, qui
sont si semblables partout, comme l'a démontré J. Bédier,

_____

(1) Dante, *Divine Comédie, Inferno*, ch. V, v. 137 : « Ce livre et celui qui
l'écrivit nous fut un autre Galehaut. » Ce personnage ne figure que dans la
version en prose, où il joue en effet le rôle d'intermédiaire entre les deux
amants, étant le confident de la Reine.
On trouvera une comparaison entre la version en prose et celle de Chrétien
qui lui a servi de modèle dans M. Lot-Borodine, *Trois Essais sur le Roman
de Lancelot du Lac*, etc., Paris, Champion, 1921, in-8°, pp. 5-39. C'est
G. Paris qui, dans un article fameux de la *Romania* (t. XII, 1883, pp. 459-
534) a définitivement établi l'antériorité du poème de Chrétien.

surtout quand elles se réfèrent à des préoccupations ou à des croyances relatives à la vie future; il est bien malaisé de les étiqueter celtiques, antiques ou chrétiennes.

Il semble impossible de nier en tout cas que ce royaume de Gorre, d'où nul étranger ne revient, ne soit le royaume des ombres, soit l'Ile de verre des Celtes de Grande-Bretagne, bien que le nom d'Avallon ne soit point prononcé (1), soit les Champs-Elysées des Anciens défendus par le triple Cerbère, soit encore les Limbes et l'Enfer des Chrétiens.

Ce qui me fait risquer cette dernière hypothèse, assez naturelle quand il s'agit d'hommes nourris du *pseudo-Évangile de Nicodème*, c'est le caractère prédestiné et presque sacré du libérateur Lancelot, malgré le péché de sensualité dont il est entaché.

Quoi qu'il en soit, dans les trois hypothèses, celtique, antique, chrétienne, nous assistons à une tentative violente d'arracher à la mort sa proie, de rompre son inviolabilité, de faire franchir le seuil de son éternité par un héros plus puissant qu'elle. La vie triomphe de la mort et ce thème est bien fait pour séduire les mortels.

Mais dans quelle mesure Chrétien a-t-il compris ainsi son propre roman ? Il est impossible de le dire et il n'est pas même sûr qu'il ait saisi qu'à l'origine, l'expédition de Lancelot au pays de Gorre ait été une Descente aux Enfers suivie d'une résurrection des morts et que sa Guenièvre ait été primitivement l'Eurydice de ce nouvel Orphée. Enfin l'a-t-il su, cela lui a été complètement indifférent et nous devons, imitant son exemple, ne nous attacher qu'à ce qui, pour lui et pour ses lecteurs, est l'essentiel.

Le fait est que le vieux thème lui donnait le motif de la Quête, commode et essentiel au genre, depuis le roman d'aventure jusqu'au roman policier contemporain en passant par *Les Misérables* : étant donné qu'un des personnages principaux a été perdu, le retrouver à travers mille péripéties et à travers mille obstacles, en déployant soit la plus grande ingéniosité, soit la plus grande bravoure. La complication favorite est que deux héros partant en même temps pour la même Quête par des voies différentes ont à se retrouver l'un l'autre et ce sera le cas de

---

(1) Le thème primitif est l'enlèvement d'une reine par le Dieu des Morts et sa délivrance par son époux, bientôt identifiés avec Guenièvre et Arthur auquel plus tard on substitua Lancelot (Cf. G. Paris, *Romania*, XII, p. 510 et 533). Le roi de l'*Ile de Verre* est nommé dans *Érec*, v. 1946, Mahéloas, le Maelwas des Celtes, le Méléaguant d'ici.

Gauvain et de Lancelot, qui, séparés avant le passage des deux ponts, ne se reverront plus qu'au tournoi final. Après avoir reconquis Guenièvre, Lancelot se met en quête de Gauvain et il l'aurait retrouvé se débattant dans le torrent au *Pont dessous-eau*, s'il n'avait, un peu avant, suivi le nain. D'autre part, son ami l'aurait recherché, s'il n'avait été trompé par une fausse lettre et on s'étonne qu'il ne l'ait point fait après s'en être aperçu ; ce rôle est dévolu à la Demoiselle à la Mule. Donc, à la différence des interminables récits de l'âge suivant, la Quête principale ne s'égare pas dans des Quêtes accessoires. L'unité de sujet et de composition est maintenue à travers la diversité des aventures.

Ces aventures en effet, depuis la première, qui est l'enlèvement de Guenièvre par le félon Méléaguant, fils de Bademagu, jusqu'à la dernière, qui est la délivrance de Lancelot par la Demoiselle à la Mule, fille du même Bademagu, restent exactement fonction du sujet, car toutes elles tendent à montrer ou la parfaite soumission de Lancelot à son amour, sa fidélité, lors de la tentative de séduction de la pucelle, ou l'invincible bravoure avec laquelle il surmonte les terribles obstacles placés sur la dangereuse route qui conduit à la prison de sa captive. Que ces aventures soient souvent moins conditionnées par le caractère du personnage que par le hasard aux mains du romancier, cela n'est pas douteux. Qu'elles soient le plus souvent dépourvues de toute vraisemblance, et presque sans attache avec la réalité, cela est moins douteux encore. Nous sommes dans le fantastique le plus déréglé, et le souci de la vérité est le moindre de ceux que conserve notre auteur.

Comment concevoir en effet que le roi Arthur, sur le simple cartel d'un inconnu, qui peut être un traître, et l'est en effet, confie dès le début sa chère épouse Guenièvre à son sénéchal Ké, dont la réputation guerrière est minime, afin qu'il la dispute par les armes à cet inconnu ? Par quel miracle, un chevalier dont, pendant la première moitié du roman jusqu'au vers 3676, nous ne connaîtrons pas le nom et que Gauvain même ne semble pas reconnaître, s'est-il trouvé là pour prendre la place de Ké défaillant ? Par quel hasard encore (ici cependant on entrevoit une ruse de Méléaguant pour honnir le poursuivant de la reine) un nain s'est-il présenté à point nommé sur le lieu du combat, conduisant la charrette patibulaire ? Comment Gauvain n'a-t-il pas reconnu Lancelot dans le Chevalier à la Charrette au moins après qu'il s'est désaffublé chez la demoiselle qui les héberge ? Pourquoi, au moment de rejoindre Gauvain, Lancelot suit-il ce

traître nain (mais, au fait, est-ce le même ?) ? Il est trop facile
de multiplier ces questions insidieuses auxquelles Chrétien
ressuscité aurait beau jeu de répliquer qu'il ne se soucie point de
la vraisemblance, pourvu qu'il tienne notre curiosité en suspens,
postulat essentiel du roman d'aventures auquel il satisfaitcomme
pas un. Cet élément de merveilleux et de mystère en est même
un des caractères distinctifs et Chrétien est probablement responsable de sa conservation à travers les temps. Quoi de plus
intéressant qu'un héros qui n'estnomméqu'au vers 3676, c'est-à-
dire à la moitié à peu près du roman, et que tout d'un coup les
lecteurs reconnaissent pour un des chevaliers d'Arthur, duquel la tradition avait porté le nom jusqu'à eux (1), mais dont
ils ne connaissaient pas encore bien l'histoire ? Quoi de plus attirant aussi que de savoir ce preux en relation avec les fées ?
Chrétien ne nous dit-il pas que Lancelot a été *nourri*, c'est-à-
dire élevé par une dame qui ne peut être que la dame du Lac des
versions ultérieures, bien que l'épithète ordinaire *du Lac* ne
soit accouplée qu'une fois (v. 3676) au nom du héros. Toujours
est-il que cette fée lui a donné un anneau qui, quand il le regarde,
fait s'évanouir les mirages des enchantements.

Toutefois, malgré cet élément fantastique et toutes les invraisemblances que nous avons déjà signalées et que nous signale-
rons encore, l'intérêt du récit n'est pas là et, s'il y était, celui-
ci rentrerait dans la banale catégorie des romans d'aventure,
dont le genre a d'ailleurs droit à la vie, certes, pour la joie qu'en
tirent des lecteurs avides d'émotions et de distractions, mais
qui trop souvent s'évade du domaine de l'art. Non, la véritable,
l'éminente valeur de cette œuvre est qu'elle offre un document
littéraire, psychologique et social sans prix, étant la mise en
action par personnages de la doctrine provençale alors régnante
de l'amour courtois. J'ai dit déjà comment, sous l'influence
d'Éléonore d'Aquitaine, et de sa cour de troubadours, elle
s'introduit dans la France du Nord et en Angleterre, son
royaume ; j'ai dit aussi comment pour le présent récit sa fille
Marie, comtesse de Champagne depuis 1164, l'impose pour
thème à son romancier favori.

La thèse qui consacre le pouvoir absolu, despotique, tyrannique de la dame sur l'amant, qui lui doit l'obéissance *perinde
ac cadaver*, n'a jamais été proclamée avec plus de rigueur et par

_____

(1) Il est nommé dans *Érec*, 1694, comme le troisième en bravoure et dans
Cligès, 4765, etc.

des exemples plus parlants dans une société chevaleresque que dans le *Lancelot*, mais il y faut noter dès l'abord une atténuation sensible, correctif apporté par le réalisme du Nord à l'idéalisme quintessencié du Midi. La *domna* devient la maîtresse et, après avoir à suffisance humilié l'amant et lui avoir fait sentir tout son pouvoir, elle reconnaît sa puissance en lui donnant le corps avec l'âme. N'eût-il pas obtenu cette faveur, il ne serait pas moins soumis, mais pourtant c'est une revanche de l'homme, que son sacrifice reçoive sa récompense.

Toutefois on peut légitimement affirmer que la scène du don suprême sur laquelle nous aurons à revenir n'est pas essentielle à la conduite du récit ni à l'attitude de Lancelot, et que celui-ci n'est pas moins docile lorsque cette satisfaction, qui ne lui a d'ailleurs pas été promise, recule dans l'inaccessible.

L'essentiel, on ne saurait trop le répéter, dans le code que pour la première fois la femme rédige à l'intention de l'homme, est la soumission absolue à celle qu'il aime, jusqu'à porter la besace, jusqu'à monter dans la charrette patibulaire, car, il ne faut pas l'oublier, *Lancelot* est, avant tout, le *conte de la Charrette* et cette charrette n'est point l'humble véhicule du paysan, où il serait déjà honteux sans doute pour un chevalier de se jucher, mais c'est la charrette patibulaire, la charrette d'infamie, unique, alors à l'époque où le conteur situe son histoire, dans chaque ville, et qui sert de pilori pour les malfaiteurs, les voleurs, les faussaires, les assassins. Aussi quand il est conduit dans cet appareil, à travers la foule des bourgs, est-il hué, honni, bafoué. Aussi le bruit s'en répand-il et semble-t-il l'avoir enveloppé d'une robe d'opprobre qui ne le quitte point, puisque, par deux fois, alors qu'il est à cheval, comme il convient à sa qualité, il s'entend reprocher ce déshonneur.

Et pourtant, ce n'est pas ce déshonneur-là que sa dame reprochera à Lancelot, car (1)

Amors le viaut et il i saut ;	Amour le veut et il y monte,
Que de la honte ne li chaut	car il n'a souci de la honte
Puis qu'amors le comande et viaut	dès qu'Amour le commande et veut

mais c'est l'hésitation d'un instant, la durée de deux pas, qu'il a eue avant de monter, qui lui fait encourir la disgrâce momentanée de la dame (2).

(1) Vv. 379-381.
(2) Vv. 4502-4507.

Il fallait donc, non seulement accepter l'humiliation pour aller délivrer la dame, mais s'y précipiter tête baissée.

C'est qu'il était resté à l'amoureux un atome de raison qui demeurait à extirper et qui était encore assez vivant pour faire entendre sa voix (1) :

Mes Reisons qui d'amors se part	Mais Raison qui se sépare d'Amour
Li dit que de monter se gart,	lui dit que de monter se garde
Si le chastie et si l'ansaingne	et l'exhorte et lui enseigne
Que rien ne face ne n'anpraingne	à ne rien faire ni entreprendre
Don il et honte ne reproche.	dont il ait honte ou bien reproche.

Mais la raison n'est pas dans le cœur, elle n'est qu'au bord des lèvres et, partant, vite exhalée.

N'est pas el cuer, mes an la boche,	Elle n'est au cœur, mais sur les lèvres
Reisons qui ce dire li ose ;	Raison qui ose dire cela,
Mes amors est el cuer anclose	mais Amour est au cœur enclos
Qui li comandë et semont	et lui commande et ordonne
Que tost sor la charrete mont.	de monter vite sur la charrette.

C'est là la première humiliation, qu'on serait tenté d'appeler l'humiliation fondamentale, mais qu'il vaudrait mieux qualifier d'initiale parce que celle qui termine le roman, dans la partie, remarquons-le, encore écrite par Chrétien, n'est pas moins grave.

Comment ! voici un homme qu'on n'a cessé de nous présenter comme le plus vaillant chevalier du monde et qui, en fait, l'a bien montré par les aventures extraordinaires et périlleuses qu'il a surmontées, pour retrouver et délivrer sa dame, et celle-ci va le manier, au point qu'à la fantaisie de cette capricieuse, il sera dans le tournoi ou le plus lâche ou le meilleur, selon qu'elle le lui a mandé, il fera *au noauz*, c'est-à-dire au pis, ou *le miauz*, c'est-à-dire au mieux, ou le plus vaillamment.

Qu'importe à la dame, qu'importe à lui-même qu'il en soit honni et conspué, si elle est satisfaite de cette absolue docilité et si, comme le dit la messagère, il accepte avec le même visage, de cette main, le mal et le bien.

Dans une société courtoise à idéal chevaleresque, celle du XIIe siècle, où l'honneur a eu jusqu'alors, tant dans la réalité

(1) V v. 369-378.

que dans l'épopée, tout crédit, ce n'est rien moins qu'une révolution, l'amour se proclamant, par l'exemple de Lancelot, supérieur à l'honneur.

« *Des qu'ele le comande, la soe merci* », « Du moment où elle ordonne, à sa disposition, grâce lui soit rendue ». Dès lors comment s'étonner si la seule vue de la dame contemplant de sa fenêtre le tournoi que Lancelot livre à Méléaguant pour la délivrance de la reine soit au blessé presque succombant une fontaine de reviviscence. D'abord abîmé dans cette contemplation, il ne lance plus ses coups que par derrière à l'aveuglette, mais quand la voix de la pucelle le lui reproche et le réveille, l'avisant de montrer sa valeur, les yeux fixés sur l'être au monde qu'il désire le plus, sa force et sa hardiesse croissent (1),

Qu'Amors li fet mout grant aïe,	car Amour lui est de grande aide,

et c'est pourquoi il mène son adversaire de telle sorte que lui-même ait toujours dans les yeux ce soleil qui le réchauffe et l'éclaire.

Mais la reine, à la prière de Bademagu, qui voit imminente la perte de son fils, n'a pas plutôt articulé les mots : « Je veux bien qu'il s'arrête », que le héros figé, moins agissant qu'une quintaine (2), laisse sur lui dégoutter les coups d'épée sans même daigner les essuyer (3) :

Mout est qui aimme obéissanz	Bien est qui aime obéissant
Et mout fet tost et volantiers,	et fait aussitôt et de bon cœur,
Là ou il est amis antiers,	lorsqu'il est ami entier,
Ce que s'amie doie pleire.	ce qu'il sait plaire à son amie.

Et, une deuxième fois, quand Lancelot combat à la place du sénéchal Ké, le même fait se reproduit. Il suffit d'un mot de sa maîtresse pour faire d'un preux un *récréant*. Que nous voilà loin de la thèse d'*Érec* ! Marie de Champagne a passé par là. Comment les grands et petits seigneurs du temps acceptaient-ils cette déclaration des droits de la femme, de la femme-Dieu sur l'homme-pantin, l'on ne sait ! Peut-être la tenaient-ils pour rêvasseries féminines et fantaisies romancières, étant assez

(1) V. 3739.
(2) Mannequin contre lequel on s'exerce.
(3) Vv. 3816-3819.

générale dans l'histoire des lettres, l'alliance de la femme et du poète ?

Celui-ci par sa fantaisie proclame le pouvoir discrétionnaire et arbitraire de celle-ci sur un amant qui devient son serf et qu'elle a par conséquent le droit d'humilier. Rien de plus caractéristique à cet égard que la première rencontre de Guenièvre, avec Lancelot qui vient de livrer pour elle le plus dur des combats, après des épreuves déjà surhumaines (1) :

« Moi, sire ? Moi ne puet il pleire :
De son veoir n'ai je que feire. »

« A moi, sire, cela ne peut plaire ;
je n'ai que faire de le voir. »

Et pas de justification de la part de celle qui exerce ainsi son bon plaisir, pas de demande d'explication de la part de celui qui est frappé (2) :

Si li respont mout humblemant
A maniere de fin amant :
« Dame, certes, ce poise moi,
Ne je n'os demander por quoi. »

Il lui répond bien humblement
à la guise d'un fin amant :
« Dame, certes, il m'en pèse,
et je n'ose demander pourquoi. »

Cette question par prétérition se heurte au plus glacial silence, et pourtant elle aime, la dédaigneuse. Quand elle a appris la fausse nouvelle de la mort de son ami, elle refuse pendant deux jours le boire et le manger, elle songe à se tuer, elle manifeste le plus cruel désespoir de la perte de celui (3)

Por la cui vie ele vivoit.

pour la vie duquel elle vivait.

Elle se reproche sa dureté envers celui qui a toujours été sien depuis des temps que l'on ne détermine pas, car nous ne savons rien de la naissance de cette passion. Mais, quoiqu'elle se saisisse souvent à la gorge dans le dessein de s'étrangler, le seul mal que lui fasse son désespoir est de faire un peu ternir et faner momentanément sa beauté.

Lui, plus ferme, plus hardi et plus possédé d'elle qu'elle ne l'est de lui, apprenant à son tour que son amie serait morte, fait une tentative de suicide plus effective, se nouant la ceinture au cou, l'attachant à l'encolure de son cheval, puis se laissant désarçonner pour que la bête s'emporte et l'étrangle dans son

(1) Vv. 3963-3964.
(2) Vv. 3979-3982.
(3) V. 4194.

galop. Ceci en dit plus que son désespoir, longuement exprimé cependant, quand ceux qui le mènent l'ont dégagé de ce mortel garrot. Il se reproche de ne pas avoir mis fin à ses jours au premier signe de dédain que lui montra la reine. Puisqu'il n'a pas eu l'heur de lui plaire, il n'a qu'à disparaître. Sans doute il ne sait pas la cause de ce mépris, mais il doit y en avoir une et il est prêt à expier son forfait. Assurément ce doit être la charrette, mais il ne peut y avoir honte quand amour commande (1) :

Ainz est amors et corteisie	Mais est amour et courtoisie
Quanqu'an puet feire por s'amie.	tout ce qu'on fait pour son amie.

C'est là en effet toute la morale du *Lancelot*, faire ce que l'Amour commande, puisqu'il est source de toute prouesse et de toute vertu (2) :

Car sanz faille mout an amande	Car sans nul doute il s'améliore
Qui fet ce qu'amors li comande,	qui fait ce qu'Amour lui commande
Et tot est pardonable chose ;	et tout est pardonnable chose,
S'est failliz qui feire ne l'ose.	et lâche est celui qui ne l'ose.

Parvenu à ce point d'exaltation et de possession, l'amour devient une religion et, ce qui est plus grave, il en épouse les manifestations jusqu'au blasphème nettement exprimé (3) :

Si l'aore et si li ancline	Il l'adore et il s'agenouille,
Car an nul cors saint ne croit tant.	car en nulle relique ne croit tant.

Le « libertin » Théophile lui-même n'a pas écrit de vers plus audacieux que ceux-ci (4) :

Au departir a soploiié	En partant a ployé le genou
A la chanbre et fet tot autel	vers la chambre, faisant tout ainsi
Con s'il fust devant un autel.	Que s'il fût devant un autel.

Comme talisman, il a plus confiance dans les cheveux détachés du peigne de sa dame que dans saint Martin et saint Jacques (v. 1488). Et Marie, qui n'en est pas encore à sa crise de piété finale et qui, jeune épousée, n'en est encore qu'à la religion de l'amour, laisse près d'elle et pour elle écrire cela ! Sans doute croit-elle, et les poètes jusqu'à Lamartine ont

(1) Vv. 4377-4378.
(2) Vv. 4411-4414.
(3) Vv. 4670-4671.
(4) Vv. 4734-4736.

toujours cru, que Dieu avait pour l'amour et les amoureux des
indulgences plénières, et Lancelot lui aussi ne doute point que
pour lui faire rejoindre sa reine et maîtresse, il ne l'aide à triompher des plus mortels dangers (1) :

Mes j'ai tel foi et tel creance	Mais j'ai telle foi et telle confiance
An Deu qu'il me garra par tot.	en Dieu qu'il me protégera partout.

La Charrette, car c'est là le vrai titre du roman, est donc le code
mis en action de l'amour absolu et avec beaucoup moins de pédantisme que dans *Cligès*, où Chrétien est peut-être encore trop
près de ses études ovidiennes. Nous sommes plus loin du petit
Éros armé des flèches et du carquois et plus près d'une psychologie un peu plus physiologique.

Le cœur continue à être l'organe essentiel (2) :

Li chevaliers n'a cuer que un,	Le chevalier n'a qu'un cœur,
Et cil n'est mie ancor a lui,	Encore n'est-il pas même à lui,
Ainz est comandez a autrui.	mais est confié à autrui.

Sans plus s'expliquer cette fois, comme dans *Cligès*, sur cette
migration du cœur hors du corps il admet que (3)

Li corps s'an vet, li cuers sejorne.	Le corps s'en va, le cœur séjourne.

Il peut suivre la reine dans sa chambre, après la scène de la
disgrâce, plus heureux en cela que les yeux qui ne peuvent
franchir la porte fermée (v. 3990 s.). Amour inflige des blessures,
mais dont la souffrance est si douce qu'on préfère ne pas les
soigner (1350 et s.), car il console et guérit aussi (4) :

Mes tot le rassoage et sainne	mais l'apaise et le guérit
Amors qui le conduit et mainne,	Amour qui le conduit et mène,
Si li est tot a sofrir douz.	de sorte que tout lui est doux à souffrir.

Amour rend silencieux et pensif. Chrétien ne saura pas comme
l'un de nos meilleurs poètes-philosophes d'aujourd'hui (5) dire la sublime valeur de ce silence, et cependant il sait décrire la rêverie profonde et extatique dans laquelle la pensée de la bien-aimée plonge

(1) Vv. 3098-3099.
(2) Vv. 1240-1242.
(3) V 4715.
(4) Vv. 3127-3129.
(5) Maurice Maeterlinck dans *Le Trésor des Humbles*.

celui qui s'y livre ; au point qu'il ne voit plus rien, qu'il n'entend plus rien, qu'il ne sait plus rien du monde qui l'entoure (1) :

Pansers li plest, parlers li grieve,	Penser lui plaît, parler lui pèse,

et il faut accueillir comme un don du ciel cette possession spirituelle qu'Amour n'accorde qu'au *fin amant* (cf. v. 3980) qu'il daigne accepter pour homme-lige (2) :

Et cil se redoit plus prisier	Et il se doit en revanche plus priser
Que Amors daingne justisier.	celui qu'Amour daigne gouverner.

Mettant en lui tout son pouvoir, Amour fait l'amant riche, puissant, hardi (vv. 634-635) et généreux, ou à son gré faible, comme une femme, puisqu'il s'évanouit devant le peigne et les cheveux de la bien-aimée.

Une seule fois, il semble que la parole donnée à la pucelle trop hardie va faire céder l'amour, et entraîner la chute dans l'infidélité, mais le héros se ressaisit et il sort victorieux de l'épreuve, grâce d'ailleurs à la bienveillante complicité de celle qui le désirait si ardemment. Nous avons assisté là à des scènes assez audacieuses, mais celle qui eût pu être la plus brûlante est traitée avec une réserve relative qu'*Érec* ni *Cligès* ne connaissent point, influence sans doute aussi de Marie de Champagne (3) :

Des joies fu la plus eslite	Des joies fut la plus exquise
Et la plus delitable cele	et la plus délicieuse celle
Que li contes nos test et cele.	que le conte nous tait et cèle.

Il n'en demeure pas moins que le but suprême assigné à l'amour, et qui, s'il n'en est pas la condition, en est au moins le couronnement, est dans la possession, récompense de la fidélité absolue et du sacrifice, accordée de son plein gré, par son seul bon plaisir, telle la grâce dans la théorie augustinienne, par la toute-puissance et la toute bienveillance de la femme-Dieu.

Comment se fait-il que les images religieuses se pressent sous la plume quand on parle de l'amour absolu d'un Lancelot ? Cela tient peut-être, non pas seulement aux formules religieuses, audacieuses et parfois impies dont se sert Chrétien de Troyes,

---

(1) Cf. 1347 ; cf. aussi v. 716 et s. un très beau passage.
(2) Vv. 1247-1248.
(3) Vv. 4700-4702.

mais aussi au caractère prédestiné et mythique du personnage. Il est le grand dompteur de l'aventure, celui qui réalise l'exploit, le travail comme on dirait en parlant d'Hercule, où tous les autres ont échoué. Témoin l'histoire de la tombe du cimetière, qui n'est pas dépourvue de signification symbolique. Parmi les dalles où sont inscrits les noms des chevaliers destinés à reposer dessous, il en est une, anonyme, mais si lourde qu'il faudrait sept hommes d'une force peu commune pour la soulever sans effort. Or cette *lame* est en terre bénie, gardée par un moine à l'ombre de l'abbaye, et réservée à celui qui, à lui seul, la soulèvera et par là, tirera les prisonniers du royaume d'où nul n'échappe.

Comment ne pas voir là la réplique d'un Hercule, d'un Orphée ou d'un Christ libérateur des âmes, et l'on sait comment, dans la tradition humaine, tous trois se sont confondus et comment les poètes ont aimé, à leur tour, utiliser cette confusion.

Son passage est irrésistible, et les obstacles cèdent comme à l'*Attollite portas, o principes* (1) :

N'an ne li puet contretenir	On ne lui peut disputer
Passage, ou il vuelle venir,	passage, où il veuille aller,
Que il n'i past, cui qu'il enuit.	qu'il n'y passe, à qui il déplaise.

Ne croit-on pas entendre les âmes des Limbes attendant leur rédemption, quand ceux de Logres se disent (2) :

« Seignor, ce est-il	« Seigneurs c'est celui
Qui nos getera toz d'essil	qui nous tirera tous de l'exil
Et de la grant maleürté	et de la grande infortune
Ou nos avons lonc tans esté,	où nous avons longtemps été ;
Si li devons grant enor feire	nous lui devons faire grand honneur
Quant por nos fors de prison treire	puisque, pour nous tirer de prison,
A tant perilleus leus passez	tant de lieux périlleux a passé
Et passera ancore assez. »	et en passera encore beaucoup. »

Ces épreuves, pour arriver à une fin qui n'est pas limitée à la délivrance de la Reine, ont tous les caractères d'une *passion*, cette fois au sens religieux du mot. Et c'est sans doute encore une marque du caractère sacré de Lancelot que les armes vermeilles, couleur de sang, couleur du Christ, qu'il revêt au tournoi.

Peut-être en lui attribuant un caractère d'élu nous lais-

(1) Vv. 2309-2311.
(2) Vv. 2425-2432.

sons-nous influencer par l'évolution ultérieure du personnage qui, dans le *Lancelot* en prose et dans la *Queste du Graal*, sera le père de Galaad, le saint-chevalier, et où, lui, apparaît comme le saint imparfait, le héros encore entaché de faiblesse charnelle et à qui la grâce a manqué. Il n'en est pas moins gratifié des plus célestes visions, mais dont il ne tire pas les conséquences voulues.

Quoi qu'il en soit, on voit ici quels germes ont pu donner naissance à ce développement ultérieur, où les éléments celtiques et païens fusionnent plus complètement en une apothéose chrétienne. Pour le moment, ce caractère chrétien n'est pas encore très apparent ni parfaitement dégagé ; la résistance à la tentation charnelle s'opère surtout au profit de la reine bien-aimée et Lancelot nous apparaît et est apparu à toutes les générations de lecteurs et de lectrices des nations européennes aspirant simplement à la rédemption par l'amour, comme l'ami entier (v. 1276), le *fin amant*, l'amant idéal et obéissant.

Cette obéissance, qui peut le conduire à une passivité, voire à une lâcheté, qui n'est qu'une attitude, ne l'empêche pas de rester le prototype de la bravoure. Il est vrai que, nominalement, ce titre appartient au seul Gauvain, mais il est remarquable qu'ici comme ailleurs, on le voie échouer là où réussit Lancelot et c'est une piteuse posture que la sienne quand il se débat péniblement dans le torrent qui coule sur le *pont dessous-eau*.

Quand Lancelot est placé devant l'alternative de continuer sa quête ou de voler au secours de la jeune fille qui va être violée, il hésite un instant ; puis, bien qu'elle lui soit indifférente, affronte pour elle les deux hommes à l'épée, et les quatre sergents à la hache, se disant (1) :

« Se assez miauz morir ne vuel A enor, que a honte vivre. »	« J'aime beaucoup mieux mourir avec honneur, que de vivre avec honte. »

Ainsi raisonne un chevalier, parce qu'il est Français et brave et connaît les Chansons de geste, et il dit encore cette phrase, si française aussi d'allure (2) :

Miauz vuel morir que retorner.	*Plutôt mourir que reculer.*

Quand le *vavasseur* lui conseille une voie plus sûre et plus

(1) Vv. 1126-1127.
(2) V. 3104

facile pour atteindre le Pont de l'Épée, on lui entend proférer ce mot vraiment cornélien avant la lettre (1) :

Est ele aussi droite ?   Est-elle aussi droite ?

et il affronte le terrible passage des pierres. C'est qu'il a confiance aussi, une jeune et insouciante confiance, dans la protection de Dieu et dans la valeur de son bras, quand l'amour ne le paralyse point.

Aussi quel mépris pour la lâcheté qu'il appelle *mauveslié* (2) :

Mauvestiez qui fet honte as suens   Lâcheté qui fait honte aux siens
Plus que proesce enor as buens.   plus que prouesse ne fait honneur aux
                                          [vaillants.

Brave, il est aussi loyal, et il tiendra parole à la hardie pucelle, même à son corps défendant. Il l'est envers son amie (3) :

Come cil qui ne cuide mie   Comme celui qui ne croit pas   [l'amie
Qu'amie ami, n'amis amie   Que l'amie envers l'ami, l'ami envers
Doient parjurer a nul fuer,   Se doive sous aucun prétexte parjurer,

mais il l'est même, ce qui paraît moins nécessaire, envers un félon fieffé comme Méléaguant, qui le retient prisonnier pour l'empêcher d'être à l'assignation que celui-ci lui a donnée. Il l'est même envers le hideux nain qu'il suit avec une incroyable naïveté et confiance.

Enfin, bien que ses exploits aient surtout pour but la délivrance de sa Maîtresse et Reine et que celle des autres prisonniers ne vienne que par surcroît, dans le fait et non dans l'intention, il obéit aussi à la pitié (4),

Qu'il estoit larges et piteus.   car il était généreux et bon.

Et voilà de quels traits est fait le caractère de cet être dont l'identité nous est cachée jusqu'à la moitié du roman et qui ne s'est trahi jusqu'alors que par ses gestes. Il n'a point pour nous de figure, car, si on le devine jeune, beau et fort, on ne le conjecture que de sa souplesse et de sa stature, toujours caché qu'il est sous les mailles de son haubert, sous les plaques d'acier

(1) Vv. 2164.
(2) Vv. 3189-3190; cf. aussi p. 41, vv. 1114 et s.
(3) Vv. 1413-1415.
(4) V. 2854.

bruni de son heaume et de sa ventaille. On pense à ces armures
du château de la reine dans *Éviradnus*, mais, dans cette armure,
habite une âme naïve, aimante, ardente, celle de toute la jeunesse française du xiiᵉ siècle, et qui n'est point morte encore,
éprise de l'impossible, soucieuse d'éprouver sa puissance en se
mesurant avec les forces aveugles et hostiles de l'aventure, et, qui
pour la vaincre, puise ses forces dans le tempérament de la nation, dans la puissance d'une juvénile individualité, dans la
souplesse de muscles de fer et dans la rigidité que donne à
l'âme la hantise de l'amour absolu. Sur un point, ce Lancelot
n'est point français, même du xiiᵉ siècle; il ne sourit point et
c'est peut-être pourquoi il plaira aux autres peuples du Nord et
du Midi qui sont plus graves que nous dans l'amour et dans le
combat, et ne se plaisent point à ajouter le sourire à l'exploit,
comme dans notre *geste* de jadis et de naguère. Il n'importe, tel
qu'il est, réel dans son irréalité, d'une réalité plus psychologique que physique, Lancelot demeurera pour trois siècles
le type du chevalier dont on dira (1) :

Qu'il n'a tel chevalier vivant	Qu'il n'y a tel chevalier vivant
Tant con vantent li quatre vant.	là où ventent les quatre vents.

Guenièvre, son amante, est presque aussi immatérielle que
Lancelot. Reine de Galles et de Cornouailles, nous dit-on ici,
reine du fantastique pays de Logres, nous dit-on ailleurs, épouse
du légendaire Arthur, elle nous apparaît au début du récit, aux
côtés de son époux, présidant à l'une des réunions de chevaliers
qu'ils se plaisent à réunir au jour des grandes fêtes chrétiennes,
cette fois à l'Ascension. Elle ne sera d'ailleurs désignée par son
prénom de Guenièvre qu'au vers 1111, mais il est certain que,
pour le public de lecteurs ou d'auditeurs, elle est déjà connue.
quand ce ne serait que par *Érec*, et il n'y a pas là un cas de sus-
pension mystérieuse comme pour le Chevalier à la Charrette.
De son caractère au début nous ne savons que sa docilité à se
jeter aux pieds du sénéchal pour, à la prière de son mari, sup-
plier Ké de ne pas quitter la cour, aussi sa résignation à suivre
ce champion qu'elle n'aime point et en qui elle n'a guère de confiance. De ses secrètes amours avec Lancelot qui semblent
bien avoir précédé l'action, on ne nous apprend rien, de son
physique non plus, si ce n'est, après la découverte du peigne à

(1) Vv. 1965-1966.

la fontaine, qu'elle a les cheveux blonds, blonds comme ceux de l'aristocratie conquérante des Francs (1) :

« Que li chevol que vos veez	« Car les cheveux que vous voyez
Si biaus, si clers et si luisanz,	si beaux, si clairs et si brillants,
Qui sont remés antre les danz,	qui sont restés entre les dents,
Que del chief la reïne furent ;	vinrent du chef de la reine
On ques an autre pre ne crurent. »	et en un autre pré ne crurent. »

On comprend que l'amant les préfère à tous les biens qui se vendent à la foire de Lendit, dans les plaines de Saint-Denis, surtout après avoir entendu la description du poète (2) :

Ors çant mile foiz esmerez	L'or cent mille fois purifié
Et puis autantes foiz recuiz,	et puis autant de fois recuit,
Fust plus oscurs que n'est la nuiz	semblerait plus obscur que n'est la nuit
Anvers le plus bel jor d'esté,	à côté du plus beau jour d'été
Qui et an tot cest an esté,	qu'on ait connu en cette année,
Qui l'or et les chevos veïst	si l'on voyait l'or et les cheveux
Si que l'un lez l'autre meïst.	pla és l'un près de l'autre.

Mais là se bornent les précisions physiques. Dans la scène du combat qui se livre pour elle, on ne nous dit rien de Guenièvre, si ce n'est qu'elle est appuyée à la fenêtre et non plus, lorsque Lancelot l'a aperçue, ne la quittant plus des yeux. C'était pourtant le moment de nous la décrire, traits et costume, telle qu'elle lui apparaissait. Dans la scène de la disgrâce, n'est peinte que son attitude (3) :

Si s'anbruncha et ne dist mot.	Elle baissa la tête et ne dit mot.

Pendant la scène du désespoir, à l'annonce de la pseudo-mort de son amant, Chrétien nous dit qu'elle en perd de sa beauté, qu'elle est blêmie, ce qui fait supposer qu'elle a d'ordinaire le teint coloré ; mais, à la seconde entrevue, ce n'est encore qu'un geste que nous voyons, elle va à sa rencontre, les yeux levés cette fois, et le fait asseoir près d'elle. Au rendez-vous nocturne à la fenêtre, par une nuit sans lune ce n'est pas son visage, mais son costume, ou plutôt son absence de costume, qui nous frappe (4) :

(1) Vv. 1426-1430.
(2) Vv. 1500-1506.
(3) V. 3959.
(4) Vv. 4596-4600.

Tant que la reïne est venue	et voici la reine venue
An une mout blanche chemise ;	en une très blanche chemise ;
N'ot sus blïaut ne cote mise,	n'ayant dessus blïaut ni cote,
Mes un cort mantel ot dessus	mais un court manteau
D'escarlate et de cisemus.	d'écarlate et de souslic.

Or, quoique Chrétien se soit abstenu de ces portraits minu-
tieux, précis de touches ainsi que des panneaux de Memling,
comme il s'est plu à en tracer dans *Érec* et dans *Cligès*, Guenièvre
n'en est pas moins vivante, psychologiquement parlant, en tant
que type de femme amoureuse et fière.

De la femme, elle a ce sentiment d'orgueil résultant de l'exercice d'un despotisme encore *nouveau* pour elle et dont elle n'a
pas l'habitude. Elle n'est ni le bon tyran ni le despote éclairé,
elle est la souveraine absolue essayant sur la docilité de ses sujets
les limites de son pouvoir et elle semble dépourvue à la fois de
reconnaissance et de pitié envers celui qui s'est sacrifié pour
elle. Mais ce qui la rachète à nos yeux, c'est qu'elle est femme
aussi par la sincérité et la plénitude de sa passion.

Quand elle a appris la fausse mort de celui qu'elle a ainsi humilié
et repoussé, elle se le reproche et veut s'en châtier comme une
coupable qui ne la peut expier que par le suicide. Et alors seule
avec elle-même, elle regrette sa cruauté et son orgueil et
confesse son immense amour pour celui (1)

Por la cui vie ele vivoit.	pour la vie duquel elle vivait.

Elle s'avoue, et sans nulle pudeur intérieure, qu'elle souhai-
terait l'avoir entre ses bras.

Aussi quelle joie quand elle a su que la nouvelle était con-
trouvée et quel orgueil, en apprenant qu'il a voulu se tuer à
l'annonce de sa fin !

Ce qui frappe encore lorsqu'elle le revoit, c'est l'absence, cette
fois, de tout jeu de coquetterie et de fausse défense. Elle lui pardonne la courte hésitation qu'il a eue à monter pour la rejoindre
dans la charrette d'infamie ; elle lui accorde un rendez-vous,
mais en précisant qu'elle regrette de ne pouvoir le recevoir dans
sa chambre et, quand elle est venue à la fenêtre, « désireuse de
lui comme lui d'elle », et qu'il lui propose d'en rompre les barreaux (2) :

(1) V. 4194.
(2) Vv. 4634-4635.

« Certes », fet ele, « jel vuel bien :   « Certes », fait-elle, « je le veux bien ;
Mes voloirs pas ne vos detient. »   Ma volonté ne vous retient. »

Lorsqu'il a accompli ce nouvel exploit, quels gestes francs de féminité offerte (1) :

Et la reïne li estant   Et la reine vers lui étend
Ses braz ancontre, si l'anbrace,   les bras à sa rencontre et l'embrasse
Estroit pres de son piz le lace,   étroit sur son sein elle l'enlace
Si l'a lez li an son lit tret...   et l'attire près d'elle en son lit...

Ici ce n'est plus l'orgueilleuse, la reine se fait serve de son serf (2) :

D'amor vient qu'ele le conjot ;   D'amour vient qu'elle lui fait fête ;
Et s'ele a lui grant amor ot,   et elle avait grand amour pour lui,
Et il çant mile tanz a li.   et lui cent mille fois plus pour elle.

Mais, une fois passée la joie *la plus eslite*, elle reprendra son pouvoir et, par deux fois, l'exercera : la première, à la reprise du combat contre Méléaguant, où elle accepte Lancelot pour champion du sénéchal faussement accusé d'adultère, puis surtout au grand tournoi où elle refait de lui son pantin qu'elle humilie ou exalte à son gré, lui commandant de combattre *au noauz*, ou *le miauz*, au pis ou au mieux. A cette docilité exemplaire, elle a bien reconnu, dans le chevalier aux armes vermeilles, son amant, et elle se réjouit de la facilité avec laquelle il accepte d'elle, sur un simple message, le mal comme le bien. Elle est donc plus orgueilleuse qu'amante et elle symbolise pour nous, en regard d'une Iseut toujours soumise au jeu des passions et ballottée de son amant à son mari, un élément de résistance et de domination qui est l'antithèse de la poursuite germanique de l'homme par la femme, et y substitue une conquête patiente et pénible de l'amante par l'amant, qui ne l'obtient que si tel est son bon plaisir. Quelle puissance une civilisation raffinée confère ainsi à la plus faible, que défend, mieux qu'une armure, la triple auréole de la beauté, de l'amour et de l'honneur !

Ceci se marque aussi dans la coutume du pays de Logres que nous décrit Chrétien et qui, sous peine de forfaiture, maintient intacte, aux mains du chevalier errant, la pucelle qui a réclamé sa protection, mais qui, hélas ! la livre au plaisir du vainqueur.

(1) Vv. 4672-4675.
(2) Vv. 4679-4681.

On aperçoit encore cependant bien des progrès moraux à réaliser. Elle n'est peut-être pas sans exemple dans la vie cette pucelle ardente qui s'offre à un inconnu, et, dans le tournoi que les pucelles et dames ont institué pour y choisir leurs fiancés ou leurs amants, c'est à la force physique et à la bravoure qu'elles accordent d'avance le don de leur âme et de leur corps. Il n'en demeure pas moins que nous avons fait du chemin depuis *Érec et Énide*, que les rôles sont désormais renversés, et que, dans un roman comme celui-ci, se manifeste, à un degré excessif et presque choquant, ce culte de la femme (1) qui servit si bien à adoucir les mœurs, à mettre un frein à la brutale rudesse de l'Europe féodale et guerrière.

A côté des deux protagonistes, mis en pleine lumière par le romancier, ses autres personnages paraissent bien pâles, le roi Arthur surtout, ce souverain si puissant qui abandonne sa femme au premier inconnu qui la réclame et en confie la défense au plus médiocre chevalier. Ké est ici un personnage plus malheureux que ridicule, mais on ne peut pas dire qu'il ait le beau rôle. Ce sénéchal est, comme son maître, plus agi qu'agissant. Il en est un peu de même du bon roi de Gorre, Bademagu, dont la loyauté parfaite ne parvient pas toujours à empêcher la félonie de son fils (2) tandis que Méléaguant est le traître accompli, le vrai traître de mélodrame, qui n'a du chevalier que la bravoure (3) :

Nus ne fust miaudre chevaliers,	Nul ne fût meilleur chevalier,
Se fel et desleaus ne fust,	s'il n'était traître et déloyal,
Mes il avoit un cuer de fust	mais il avait un cœur de bois
Tot sanz douçor et sanz pitié.	tout sans douceur et sans pitié.

Il est le promoteur de l'action, par l'enlèvement de la reine, il en retarde la progression en la disputant à son champion, en combat singulier, et en enfermant celui-ci dans une tour, par la plus noire des trahisons, pour l'empêcher de se mesurer une der-

---

(1) Marcel Proust a écrit dans *Les Plaisirs et les Jours,* Paris, *Nouv. Revue française,* in-12, p. 110 : « Tout Français est chevaleresque et fait passer les femmes avant tout. »

(2) Vv. 3156-3168. Cf. vv. 3272-3273 :

« Onques ne fis desleauté	« Jamais ne fis déloyauté
Ne traïson ne felenie. »	Ni trahison ni vilenie. »

(3) Vv. 3178-3181.

nière fois avec lui, au jour convenu. Il mérite pleinement l'épithète et la malédiction que lui inflige le conteur (1) :

Meleagant le desleal,	Méléaguant le déloyal,
Le traïtor que maus feus arde !	le traître que le feu d'enfer brûle !

et au fait, peut-être est-il à l'origine le Pluton d'un royaume, dont son père est le Minos ou le Rhadamante.

Il y a donc en somme dans le dessin des caractères, qui, sauf celui de Guenièvre, ne sont guère nuancés, peu de psychologie. On n'en trouve pas non plus beaucoup dans le corps du récit et Chrétien, tout à la vivacité de son action et à la manifestation des effets de l'amour absolu, nous a épargné les longues digressions scolastiques ; car elle est fort courte, celle qui nous montre la raison impuissante à dominér l'amour dans l'acte de monter sur la charrette, parce que la raison ne parle que du bord des lèvres et que l'amour parle du fond du cœur, et l'on ne peut tenir pour subtile cette remarque sur (2)

Morz qui onques ne desirra	la mort qui jamais ne désirera
Se ceus non qui de li n'ont cure.	sinon ceux qui d'elle n'ont cure.

On peut dire qu'il y a plus de ratiocination psychologique chez Geoffroy de Lagny, qui, dans ce domaine, renchérit assez lourdement sur son maître, quand, vers la fin, aux vers 6845-6867, il raisonne sur le cœur de la reine qui vole à la rencontre de Lancelot, tandis que le corps se modère et s'abstient.

Le mérite de l'œuvre est donc plutôt que dans ses qualités dramatiques, dans l'intérêt soutenu du récit dans une sorte de *ductus*, les Allemands diraient de *continuum*, de courant, qui nous conduit sans effort et sans ennui, au gré de la fantaisie du conteur à travers les épisodes les plus variés et souvent les plus abracadabrants. Je crois bien que c'est une vertu française que la continuité dans l'œuvre littéraire, écrite ou parlée, qui soutient l'attention de l'auditeur ou du lecteur et la renouvelle avec tout l'ininterrompu et le varié de la vie. Elle tient peut-être à l'intérêt que l'auteur prend à sa propre création, à sa propre créature, et qu'il veut faire partager ; elle tient aussi au désir de plaire et à la crainte d'ennuyer, lesquels lui font sans cesse modifier ses moyens.

(1) Vv. 5446-5447.
(2) Vv. 4294-4295.

Les scènes dramatiques comme celle du combat impitoyable et de l'exécution du chevalier gardien du Pont de l'Épée alternent avec des scènes gracieuses et familières, comme les ébats des seigneurs et des dames dans la prairie, ou comiques, telle celle des demoiselles au tournoi qui veulent toutes épouser le champion aux armes vermeilles (1) :

Et lor volantez est comune,	Et leur désir est unique
Si qu'avoir le voldroit chascune ;	et chacune le voudrait avoir ;
Et l'une est de l'autre jalose,	l'une de l'autre est jalouse,
Si con s'ele fust ja s'espose...	comme si déjà elle était son épouse.

D'autant plus plaisant est leur dépit quand l'inconnu s'est éclipsé sans en demander aucune et qu'elles jurent de rester pucelles (2) :

Et dïent que par Saint Johan	Elles disent que, par saint Jean,
Ne se marïeront oan.	elles ne se marieront de l'année.
Quant celui n'ont que eles aimment,	Puisqu'elles n'ont celui qu'elles aiment
Trestoz les autres quites claimment.	elles tiennent quittes les autres.
L'aatine einsi departi	Le tournoi ainsi finit
Qu'onques nule n'an prist mari.	Que nulle n'en prit mari.

Un des principaux effets de variété chez Chrétien est, ici comme ailleurs, l'alternance du style narratif, du dialogue et du monologue. C'est du monologue qu'il a usé avec le plus de générosité, témoin ceux de Guenièvre et de Lancelot se désolant séparément de la prétendue mort de l'autre. Il a usé aussi du dialogue avec beaucoup de grâce et d'adresse comme dans la scène de la première entrevue des deux amants où se succèdent interrogations, exclamations, affirmations, négations, mais en ne le coupant pas autant qu'il l'a fait dans *Érec* et avec moins de vivacité et de science qu'il ne déploiera dans *Yvain*.

Il faut encore faire ici comme dans *Érec* une place à part aux propos de la foule, qui n'est jamais absente des romans de Chrétien et contribue à donner un cadre réel à l'action la plus fantastique. Qu'on se reporte à la jolie scène de comédie où les gens du pays de Logres, prisonniers en celui de Gorre, se disputent à qui hébergera leur sauveur (3) :

(1) Vv. 6035-6038.
(2) Vv. 6071-6076.
(3) Vv. 2456-2465.

« Bien veignanz soiiez vos, biaus Sire ! »
Et dist chascuns : « Sire, par foi,
Vos vos herbergeroiz o moi ! »
— Sire, por Deu et por son non,
Ne herbergiez se o moi non ! ... —
Et dit chascuns : « Vos seroiz miauz
An mon ostel que an l'autrui. »

« Soyez le bien venu, cher sire ! »
et chacun dit : « Seigneur, ma foi,
vous vous hébergerez chez moi. »
— Seigneur, par Dieu et par son nom,
ne logez ailleurs que chez moi... —
Et chacun dit : « Vous serez mieux
En mon logis qu'en celui d'autrui ! »

Écoutez encore les propos des médisants après le tournoi où,
sur l'ordre de sa royale maîtresse, Lancelot a fait *au noauz* (1) :

« Ou est des chevaliers li pire,
Et li noauz et li despiz ?
Ou est alez ? Ou est tapiz ?
Ou iert trovez ? Ou le querrons ? »

« Où est des chevaliers le pire,
le plus nul, le plus méprisable.
Où est-il allé ? Où s'est-il caché ?
Où le trouver ? Où le chercher ?

Cette notation des propos n'est qu'une partie de l'art descriptif
de notre romancier. S'il s'est peu attardé, cette fois, nous l'avons
dit, à décrire l'aspect physique de ses personnages principaux, il
excelle à en noter cependant les attitudes, qui sont d'un naturel
parfait, tel le courroux de Guenièvre (2) :

Et fet sanblant de correciee
Si s'anbruncha et ne dist mot.

qui, prenant un air courroucé,
baisse la tête et ne dit mot.

Il semble s'être plus attaché cependant à des personnages
accessoires, estimant peut-être que les principaux vivaient surtout
par l'âme, et c'est un portrait bien pittoresque et réaliste que
celui de ce roi d'Yvetot ou de ce Grandgousier, qui, ayant mis
habit bas, préside en chemise, dans la prairie, aux divertissements
de ses dames et gentilshommes (3) :

Uns chevaliers auques d'aé
Estoit de l'autre part del pré
Sor un cheval d'Espaingne sor,
S'avoit lorain et sele a or.
Et s'estoit de chienes meslez.
Une main a un de ses lez
Avoit par contenance mise,
Por le bel tans iert an chemise,
S'esgardoit les jeus et les baules,
Un mantel cort par ses espaules
D'escarlate et de ver antier.

Un chevalier déjà sur l'âge
était à l'autre bout du pré,
sur un cheval genet d'Espagne,
avec licou et selle d'or.
Il était déjà grisonnant.
La main sur l'une de ses hanches
pour se donner contenance,
par ce beau temps, il était en chemise,
et regardait les jeux et danses,
un manteau court sur les épaules
d'écarlate et de petit gris plein.

(1) Vv. 5756-5759.
(2) Vv. 3958-3959.
(3) Vv. 1661-1671.

Mais il réussit mieux encore les ensembles, scène de combat entre Méléaguant et Lancelot avec plusieurs phases et reprises (1) :

Les estanceles vers les nues	Les étincelles vers les nues
Totes ardanz des hiaumes saillent,	toutes ardentes des heaumes jaillissent,

scène de tournoi, où triomphe le chevalier aux armes vermeilles, quand sa reine le permet (2) ; scènes mondaines des dames en leurs loges, à qui, les chevaliers prisonniers ou croisés, ne concourant pas pour le prix, donnent une leçon de blason ; scènes familières : ébats des jeunes gens et jeunes filles dans la prairie; sous les yeux paternels du bon roi en chemise (3) :

An cele pree avoit puceles,	En ce pré étaient des pucelles,
Et chevaliers et dameiseles,	des chevaliers, des demoiselles,
Qui jooient à plusors jeus,	qui jouaient à plusieurs jeux,
Por ce que biaus estoit li leus.	parce que le lieu était plaisant.
Ne jooient pas tuit a gas,	Ils ne jouaient pas tous aux gabs,
Mes as tables et as eschas...	mais au tric-trac et aux échecs...
Li autre qui iluec estoient	Les autres qui étaient là,
Redemenoient lor anfances,	jouaient aux jeux enfantins,
Baules et caroles et dances,	rondes, farandoles, danses,
Et chantent et tument et saillent	et chantent et tombent et sautent
Et au luitier se retravaillent.	et s'amusent à lutter ensemble.

Non moins habile à la miniature aux fins pinceaux qu'à la fresque à la détrempe, Chrétien s'applique à peindre un lit, le lit interdit (4) :

... coverz d'un samit jaune	... couvert d'un jaune samit,
D'un covertoir d'or estelé.	d'une couverture d'or étoilée.

Quand il parle de la tour du château, il la campe sur son panneau en deux vers vigoureux, semblables à deux touches sûres, et aussitôt se dresse devant nos yeux (5) :

La torz sor une roche bise,	la tour sur une roche bise,
Haute et tranchiee contre val.	haute et surplombant le val.

Aimant cette vie de château, dont il a goûté et sans doute

---

(1) Vv. 5022-5023.
(2) Vv. 5617 et s..
(3) Vv. 1647-1660.
(4) Vv. 510-511.
(5) Vv. 430-431.

envié la richesse, il se plaît à la décrire. Il montre les hôtes s'empressant (1) :

De feire ce qu'a feire estoit.	à faire ce qui à faire était.
Cil corent le mangier haster,	Ceux-ci courent pour hâter le repas,
Et cil les chandoiles gaster,	ceux-là répandent les chandelles
Si les alument et esprannent.	et les allument, les font flamber.
La toaille et les bacins prannent,	Ils prennent serviettes et bassins
Si donent l'eve as mains laver...	et donnent l'eau pour laver les mains...

Se laver les mains avant le repas, luxe presque nécessaire puisqu'on prend la viande avec les doigts pour la mettre sur le *tranchoir* de pain où, avec le couteau, on la découpera. Et voici ailleurs encore, une salle préparée pour le dîner, et qui fait penser à un tableau de genre de l'école flamande (2) :

Antrent anz et voient covert	ils entrent et voient couverte
Un dois d'un doblier blanc et lé,	une table d'une large nappe blanche
Et sus estoient aporté	et dessus avaient été apportés
Li mes, et les chandoiles mises	les mets, et les chandelles mises,
Es chandeliers totes esprises,	toutes allumées dans les chandeliers,
Et li henap d'arjant doré	et les hanaps d'argent doré [mûre
Et dui pot, l'uns plains de moré	et deux pots, l'un plein de vin noir de
Et li autre de fort vin blanc.	et l'autre de fort vin blanc.

A ces hanaps, à ces pots, le peintre accroche sa lumière (3) :

La sale ne fu mie anuble,	La salle n'était point sombre,
Si luisoient ja les estoiles.	car déjà les étoiles luisaient.
Mes tant avoit leanz chandoiles	Mais tant y avait de chandelles
Tortices, grosses et ardanz,	tortes, grosses et ardentes,
Que la clartez estoit mout granz.	que la clarté était très grande.

C'est sans doute dans mille scènes de cette espèce qu'il faut chercher le secret de l'atmosphère réaliste dont Chrétien, observateur et portraitiste, sait envelopper ses actions et ses personnages les plus fantastiques. Le détail est vrai, l'essentiel est faux et le détail (comme dans la perspective) donne le change sur l'essentiel. Ainsi de Gauvain. Il n'est que trop certain que c'est un personnage mythique et que jamais n'a existé un Pont dessous-eau, mais le personnage qui se débat contre le torrent qui l'emporte, tantôt surnageant, tantôt coulant à fond, qu'on

(1) Vv. 2570-2575.
(2) Vv. 994-1001.
(3) Vv. 1024-1028.

sauve péniblement en lui lançant des cordes et qui ne peut parler que quand il a rendu toute l'eau qu'il a dans le corps, celui-là est d'une réalité frappante et vivante par la vertu des choses éprouvées (1) :

Une ore essort et autre afonde,	Tantôt il surnage, tantôt il coule,
Or le voient et or le perdent.	tantôt ils le voient, tantôt le perdent.
Tant tressaillent que il l'aerdent	Ils s'agitent si bien qu'ils le saisissent
A rains, a perches et a cros...	avec rames, perches et gaffes...
Mes ne cuident pas que il vive	Ils ne croient pas qu'il soit en vie,
Cil qui l'ont tret de l'eve fors,	ceux qui l'ont tiré hors de l'eau,
Car il an avoit mout el cors,	car il en avait par trop dans le corps,
Ne jusque tant qu'il l'ot randue	et jusqu'à ce qu'il l'eût rendue,
N'ont de lui parole antandue.	n'ont de lui parole entendue.

Les descriptions de la nature ont été moins poussées que celles de la société et des mœurs. On peut noter au passage celle du torrent (2) :

Et voient l'eve felenesse,	Ils voient l'onde traîtresse,
Roide et bruiant, noire et espesse,	rapide et bruyante, noire et épaisse,
Si leide et si espoantable	aussi laide et épouvantable
Con se fust li fluns au deable,	que si ce fût le fleuve au Diable,

ou celle de l'aube qui crève (v. 1293), d'ailleurs usuelle, ou de la nuit vainquant le jour (3) :

Que la nuiz mout noire et oscure	La nuit très noire et très obscure
L'ot mis dessoz sa coverture	l'a mis dessous sa couverture
Et dessoz sa chape afublé.	et l'a coiffé de sa chape.

Ce sont là d'heureuses images, auxquelles il ne serait pas difficile d'en joindre beaucoup d'autres, telle celle-ci, qui se rapporte au lit périlleux où le chevalier à la Charrette est menacé par une lance (4) :

A mie nuit de vers les lates	A minuit, du haut du plafond,
Vint une lance come foudre,	vint une lance comme foudre,
Le fer dessoz, et cuida coudre	le fer dessous, qui faillit coudre
Le chevalier parmi les flans	le chevalier par ses flancs
Au covertoir et as dras blans	à la couverture et aux draps blancs
Et au lit ou il se jisoit.	et au lit où il était couché.

(1) Vv. 5130-5148.
(2) Vv. 3023-3026.
(3) Vv. 4561-4563.
(4) Vv. 518-523.

En voici une, plus juste encore, empruntée au langage technique et qui en a toute la précision (1) :

As espees les escuz dolent
Et les hiaumes et les haubers.

Des épées ils aplanent les écus
et les heaumes et les hauberts.

Doler est encore du vocabulaire du tonnelier qui aplane ses douves avec la doloire. On mesure ici l'heureuse exactitude du vocabulaire de Chrétien, manifestée ailleurs dans la description d'un harnachement (vv. 3615-3616). La chasse au faucon, qu'il a certainement vu pratiquer par les seigneurs et dames qu'il fréquentait, lui fournit aussi d'heureuses comparaisons (2) :

Tant le painne et tant le travaille
Que a merci venir l'estuet,
Come l'aloe qui ne puet
Devant l'esmerillon durer.

Il le pousse et le presse tant
qu'il lui faut demander grâce,
comme l'alouette qui ne peut
résister à l'émerillon.

Ailleurs, c'est encore la vie familière de la cité qui est évoquée à propos de la foule accourant de toutes parts pour assister au combat judiciaire (3) :

Qu'aussi con por oïr les ogres
Vont au mostier a feste anvel,
A Pantecoste ou a Noel.
Les janz acostumeemant...

De même que pour ouïr les orgues
vont à l'église aux fêtes annuelles,
à Pentecôte ou à Noël,
les gens selon la coutume...

Voici d'autres comparaisons encore, qui, empruntées aussi à la vie familière, rappellent, et ce n'est pas un mince éloge, celles d'Homère (4) :

Les lances un grant bois ressanblent   Les lances ressemblent à un grand boi

et celle-ci que j'aime, parce qu'elle est si simple (5) :

S'ont un escuiier ancontré,
Qui venoit trestot le chemin
Les granz galos sor un roncin
Gras et reont com une pome.

Ils ont rencontré un écuyer,
qui venait, occupant le chemin,
au grand galop sur un roussin
gras et rond comme une pomme.

Les termes les plus humbles, parfois les plus vulgaires, sont

(1) Vv. 2700-2701.
(2) Vv. 2756-2759.
(3) Vv. 3534-3537.
(4) V. 5618.
(5) Vv. 2296-2299.

donc aussi bons et parfois meilleurs à évoquer les choses. En voici un autre exemple (1) :

Aprés quatre serjant estoient,	Derrière, étaient quatre hommes d'armes,
Si tenoit chascuns une hache,	qui tenaient chacun une hache
Tel don l'an poïst une vache	dont on eût pu trancher une vache
Tranchier outre parmi l'eschine,	de part en part au milieu de l'échine,
Tot autressi con la racine	aussi facilement que la racine
D'un genoivre ou d'une geneste.	d'un genévrier ou d'un genêt.

Je veux bien que la rime ait été ici, comme d'ailleurs dans l'histoire de toute poétique qui a adopté cet artifice, génératrice de l'image et de la comparaison, l'homophonie de la finale servant de moteur à l'association des idées, mais si la rime a cet avantage, elle a aussi un inconvénient, c'est d'amener l'écrivain, et surtout le conteur, forcé d'aller au but, à se servir de deux termes là où un seul suffirait. Il serait facile d'en multiplier les exemples, on en trouvera assez dans mon analyse où je n'ai pas cherché à les dissimuler.

On ne voit pas dans le cas qui suit, par exemple, ce que *ansaingne* ajoute à *chastie*, puisqu'ils sont exactement synonymes dans la langue du temps, où les *Chastoiements du pere à son fils* ne sont pas nécessairement des corrections (2) :

Si le chastie et si l'ansaingne	Il l'exhorte et lui enseigne
Que rien ne face ne n'anpraingne...	à ne rien faire ni entreprendre...

Il faut dire qu'une double accumulation de synonymes comme celle-ci est, chez ce grand styliste, assez rare, et il faut ajouter quel est parfois le jeu délicat de celui qui possède toutes les ressources de sa langue et aime en faire étalage ou un souci d'imiter la prose cicéronienne dans laquelle ce genre de tautologie n'a pas l'excuse de la rime, mais seulement celle du nombre et de l'harmonie. D'ailleurs c'est une des élégances de l'École (3).

La même excuse, Chrétien peut l'avoir aussi, car il a, à un haut degré, le souci de la phrase pleine, élégante, aisée, qui enjambe la rime et pour qui elle est une aide sonore bien plus qu'un embarras. On en a lu plus haut assez d'exemples pour que je n'aie plus

---

(1) Vv. 1102-1107.
(2) Vv. 371-372.
(3) Geoffroi de Vinsauf, *Poetria nova : expolitio,* cité par Edm. Faral, *Les Arts poétiques du XII⁰ et du XIII⁰ siècle*, Paris, Champion, 1923, un vol in-8⁰, p. 235.

besoin d'en donner, mais je voudrais pourtant mettre en valeur ce
genre de continuité qui a rompu avec le couple d'octosyllabe
arrêtant la phrase et dont Paul Meyer a montré dans la plupart
des œuvres du xiie siècle le monotone emploi (1) :

Trois jorz avoient jeüné	Trois jours avaient jeûné,
Et alé nuz piez et an langes	allant nu-pieds et en chemise,
Totes les puceles estranges	toutes les pucelles étrangères,
Del reaume le roi Artu,	du royaume du roi Arthur,
Por ce que Deus force et vertu	afin que Dieu, force et vertu
Donast contre son averseire	donnât contre son adversaire,
Au chevalier qui devoit feire	au chevalier qui devait faire
La bataille por les cheitis.	la bataille pour les captifs.

Tantôt il faut louer la souple harmonie du vers si bien adaptée
à l'objet comme dans la description de la danse (2) :

« Ralons joer ! » Lors recomancent	« Allons jouer ! » Lors recommencent
Lor jeus, et carolent et dancent...	leurs jeux, leurs rondes et leurs danses..

tantôt au contraire sa fermeté (3) :

A tant s'andormi et si jut	Alors il s'endormit et se coucha
Tant que li clers jorz aparut.	jusqu'à ce que le clair jour parut.

C'est le cas, surtout dans les sentences (4) :

Mout est qui aimme obeïssanz.	Bien est qui aime obéissant.

C'est sur ce vers là qu'il convient de terminer, car il est comme
le *leitmotiv* de l'ensemble et résume avec une précision d'épigraphe
l'esprit du *Lancelot*, tentative héroïque, désespérée, toute contraire au tempérament de l'écrivain, qui, obéissant, lui aussi, à
sa Dame et faisant, ce qu'il considérait sans doute comme
écrire *au noauz*, au pis, voulut incliner le réalisme français
devant l'idéalisme provençal, l'honneur du chevalier devant le
capricieux orgueil de sa maîtresse, l'homme-pantin devant la
femme-Dieu, qui en tire les ficelles. Je dis qu'il y a quelque chose
de désespéré dans cette entreprise, qui met le plus fort au pied du
plus faible et exalte le triomphe de celle qui cependant un jour,

(1) Vv. 3540-3547.
(2) Vv. 1839-1840.
(3) Vv. 1291-1293.
(4) V. 3816.

ou une nuit, sera la vaincue de ce combat et la proie de sa propre conquête ; mais il y a là quelque chose de noble aussi, une des plus belles victoires de l'esprit chevaleresque et l'une des créations essentielles de l'esprit français. De même que nous aimons entre les nations proclamer la puissance de la faiblesse et la force du droit, de même il plut à la Provence du XIe siècle et à la France du XIIe de substituer à la conquête brutale de la femme par l'homme ou à celle plus choquante encore et très germanique (1) de l'homme par la femme, une longue quête d'elle par lui, semée de difficultés, de dédains et de rebuffades, qui confère plus de prix au moindre don et surtout au don suprême. Si l'expédition du Chevalier à la Charrette au royaume de Gorre est peut-être originairement une descente aux Enfers celtiques, païens ou chrétien , d'un héros élu libérateur des âmes captives, elle n'en est pas moins ici le symbole d'une conquête difficile de la femme par l'homme, la proclamation de son pouvoir absolu, de la libre disposition d'elle-même, de la souveraineté de l'amour sur la brutalité sensuelle, de la supériorité de la passion sur l'animalité instinctive, la négation d'une loi salique dans le royaume de l'amour, dont la femme est l'unique reine.

La seule concession que Chrétien fasse dans son récit au réalisme septentrional et champenois est que la chair conserve ses droits, qu'à tant de peines, tant de soumission, allant jusqu'à l'humiliation du déshonneur, il y a un allégement et une récompense finale, dont la femme maîtresse seule fixe l'heure, que l'amant patiemment attend, c'est le don suprême du corps « *des joies la plus eslite* ». Ainsi, par un juste équilibre, la vie profonde reprend ses droits.

(1) Qu'on songe à la *Vie d'une femme,* si merveilleusement harmonisée par Schumann.

CHAPITRE VIII

ENCORE LE CONFLIT DE L'AMOUR ET DE L'AVENTURE

YVAIN ou LE CHEVALIER AU LION.

> « ... *Seriez-vous donc de ceux*
> *Qui par leur femme valent moins ?* »

Chrétien, acculé par la nécessité et contraint de faire sa cour d'une part à Marie de Champagne, d'autre part à la mode, plus tyrannique encore peut-être, de l'amour courtois, s'est efforcé de satisfaire l'une et l'autre en transcrivant le rôle de Lancelot, le parfait amant, en tout fidèle à sa dame jusqu'à l'humiliation et à la bassesse, et en faisant de l'inaccessible Guenièvre une adultère. Mais la plume lui est tombée des mains au milieu de la tâche et, quand il s'agit d'une riche imagination comme la sienne et d'une pareille facilité et abondance verbale, on ne saurait croire que ce fut par impuissance.

La preuve, s'il en fallait une, qu'il n'est point épuisé dans sa faculté productrice, ni las d'écrire, c'est qu'il va bientôt, dans une œuvre nouvelle, tenter la conciliation de ses deux idéals d'amour et de chevalerie et rechercher dans quelle mesure il lui paraît légitime d'asservir celle-ci à celui-là et dans quelle limite doit s'exercer la domination de la Dame, et si ce n'est pas à l'épouse légitime qu'appartient l'exercice de ce pouvoir régulateur. Cette œuvre nouvelle sera *Yvain*, où est repris en d'autres termes, avec d'importantes concessions à la doctrine de l'amour courtois, la thèse d'*Érec*, celle de la *récréance* du chevalier. Foerster le tient pour le point culminant de l'épopée courtoise, ce que je ne crois pas.

Bien qu'Arthur et Guenièvre n'y jouent qu'un rôle accessoire et que la Cour de Carduel en Galles n'y soit, comme dans ce premier roman, que le point de départ et d'aboutissement des chevaliers en quête d'aventure, le roman ressortit essentiellement à la matière celtique, tant par son cadre que par ses protagonistes, sa toponymie, son onomastique, les thèmes folkloriques qu'il utilise, ce qui ne l'empêche pas d'être, avant tout, profondément et presque exclusivement français.

Un jour de Pentecôte qu'Arthur, le bon roi de Bretagne, tenait sa cour, chevaliers, dames et demoiselles se rassemblaient, parlant d'Amour, des angoisses, des douleurs et des biens que l'on récolte à son service, alors très délaissé. Il faut que le poète soit, à l'imitation de ses modèles antiques, un *laudator temporis acti* (1).

A l'entrée de la chambre, où le roi Arthur s'est attardé auprès de Guenièvre, devisent Dodinel, Sagremor, Yvain, Gauvain, Ké et Calogrenant, qui leur raconte une aventure dont il ne se tira point à sa gloire. Survient la reine qui, à l'instigation de l'astucieux Ké, le force à poursuivre son récit.

Dans la Forêt de Brocéliande, — la forêt où le cœur des chênes est celui des fées de la légende et de la Bretagne tout entière, — Calogrenant a reçu l'hospitalité d'un *vavasseur* ou hobereau et de sa fille dans un vieux château, où ils avaient souvent (2)

Herbergié chevalier errant	hébergé chevalier errant
Qui avanture alast querant.	qui aventure allât quérant.

Le lendemain, sur les essarts, Calogrenant a rencontré des taureaux sauvages qui s'entrecombattaient et que gardait un vilain, laid à démesure, armé d'une grande massue (3) :

Je m'aprochai vers le vilain,	Je m'approchai du vilain
Si vi qu'il ot grosse la teste	et vis qu'il avait grosse tête
Plus que roncins ne autre beste,	plus que roncin ou autre bête,
Chevos meslez et front pelé,	cheveux en broussailles, front pelé,
S'ot plus de deus espanz de lé,	de plus de deux empans de large,
Oroilles mossues et granz	oreilles velues et grandes,
Auteus com a uns olifanz,	telles qu'en a un éléphant,
Les sorciz granz et le vis plat,	sourcils touffus, visage plat,
Iauz de choete et nes de chat,	yeux de chouette et nez de chat,
Boche fandue come los,	bouche fendue comme un loup,
Dans de sangler aguz et ros,	dents de sanglier, aiguës et brunes,
Barbe noire, grenons tortiz,	barbe noire, moustache tordue,
Et le manton aers au piz,	le menton soudé à la poitrine,
Longue eschine, torte et boçue.	longue échine, torte et bossue.

(1) *Yvain*, éd. Foerster, in-8°, au t. II de *Christian von Troyes sämtliche erhaltene Werke*, 1887, pp. 1-2, vv. 21-32. Une adaptation due à A. Mary a paru chez Boivin en 1923, une autre, due à Mᵐᵉ Lot-Borodine, chez de Boccard, en 1924. M. Wistar Comfort en a donné une en anglais dans son *Arthurian Romances* by Chrétien de Troyes. Londres, Dent, 1913, in-12.
(2) Vv. 259-260.
(3) Vv. 294-307.

On rencontrera d'autres vilains et hommes sauvages, bâtis sur ce modèle, dans le roman, la « chantefable » d'*Aucassin et de Nicolete* (1) ou sur les échafauds des Mystères mimés. Ils font contraste avec des chevaliers beaux comme le jour et les pucelles qui éclipsent étoiles et roses.

Un dialogue s'engage entre le rustre et le chevalier, qui lui demande s'il ne connaît pas une aventure pour essayer sa prouesse et sa bravoure. Aventure ? il ne sait point ce que c'est, mais de *merveille* dans le pays on n'en manque point. Il n'est que de suivre le sentier qui mène à la Fontaine (2) :

« La fontainne verras qui bout,	Tu verras la fontaine qui bout,
S'est ele plus froide que marbres.	quoique plus froide que le marbre,
Onbre li fet li plus biaus arbres	ombragée par le plus bel arbre
Qu'onques poïst feire Nature.	que jamais sût Nature faire.
An toz tans la fuelle li dure,	La feuille y dure en tout temps,
Qu'il ne la pert soir ne matin,	il ne la perd soir ni matin,
Et s'i pant uns bacins d'or fin	et il y pend un bassin d'or pur
A une si longue chaainne	à une si longue chaîne
Qui dure jusqu'à la fontainne.	qu'elle va jusqu'à la fontaine.
Lez la fontainne troveras	Près de celle-ci tu trouveras
Un perron tel con tu verras	une pierre telle que tu verras
(Je ne te sai a dire quel	(je ne saurais te dire quelle
Car je n'an vi onques nul tel),	car je n'en vis jamais pareille),
Et d'autre part une chapele	et d'autre part une chapelle
Petite, mes ele est mout bele.	petite, mais pourtant fort belle.
S'au bacin viaus de l'iaue prendre	Si tu veux puiser de l'eau avec le bassin
Et dessor le perron espandre,	et la répandre sur la pierre,
La verras une tel tanpeste	tu verras une telle tempête
Qu'an cest bois ne remandra beste,	qu'en ce bois ne restera bête,
Chevriaus ne dains ne cers ne pors,	chevreuil, daim, cerf, ni sanglier,
Nes li oisel s'an istront fors ;	les oiseaux même en sortiront,
Car tu verras si foudroiier,	car tu verras foudre tomber,
Vanter et arbres peçoiier,	vent souffler, arbres éclater,
Plovoir, toner et espartir	pleuvoir, tonner et éclairer,
Que, se tu t'an puez departir	et si tu peux t'en échapper
Sanz grant enui et sanz pesance,	sans grande douleur et sans souffrance,
Tu seras de meillor cheance	tu auras eu meilleure chance
Que chevaliers qui i fust onques. »	que chevalier qui jamais y fut. »

Pareille description, qui n'est pas d'un vilain, mais d'un conteur

---

(1) Éditée d'abord par H. Suchier, puis plus récemment par M. Roques dans Les Classiques français du moyen age, Paris, Champion ; v. p. 25. Mlle Chartron dans sa thèse sur *Les Entrées solennelles et triomphales à la Renaissance* (1484-1551), Paris, les Presses universitaires, 1928, in-8°, a donc tort de rattacher ces *sauvages* uniquement à l'exotisme, pp. 111-117.

(2) Vv. 380-407.

rompu à tous les artifices littéraires, est faite non pour éloigner mais pour attirer le preux en quête d'aventure. Il va donc de l'avant et, vers l'heure de midi, arrive à l'arbre et à la chapelle annoncés (1) :

« Bien sai de l'arbre, c'est la fins,
Que ce estoit li plus biaus pins
Qui onques sor terre creüst.
Ne cuit qu'onques si fort pleüst
Que d'iaue i passast une gote,
Einçois coloit par dessus tote.
A l'arbre vi le bacin pandre
Del plus fin or qui fust a vandre
Onques ancor an nule foire.
De la fontaine poez croire
Qu'ele boloit com iaue chaude.
Li perrons iert d'une esmeraude
Perciez aussi com une boz,
Et ot quatre rubiz dessoz
Plus flanboianz et plus vermauz
Que n'est au matin li solauz
Quant il apert an oriant. »

« Je sais que l'arbre, c'est certain,
était le plus beau des pins
qui jamais crût sur la terre.
Je ne crois qu'il pût pleuvoir assez fort
pour qu'une goutte d'eau y passât,
mais elle coulait toute par-dessus.
Je vis à l'arbre le bassin pendre
de l'or le plus fin qui fût à vendre
jamais encore en nulle foire.
La fontaine, vous pouvez le croire,
bouillait comme de l'eau chaude.
La pierre était d'une seule émeraude,
et percée comme un tuyau
et ornée dessous de quatre rubis,
plus flamboyants et plus vermeils
que n'est au matin le soleil,
quand il apparaît à l'orient ».

Calogrenant voulait tenter la merveille et voir la tempête et l'orage. Mal lui en prit, car il n'a pas plutôt versé à l'aide du bassin d'or l'eau de la fontaine sur l'émeraude creusée que (2)

« le ciel si derot
Que de plus de quatorze parz
Me feroit es iauz li esparz,
Et les nues tot mesle mesle
Gitoient noif et pluie et gresle. »

« le ciel se déchire
et de plus de quatorze côtés
l'éclair *lui* frappait les yeux
et les nuages pêle-mêle
jetaient neige, et pluie, et grêle. »

Mais bientôt la tempête s'apaisa, à la peur succéda la joie, qui fait oublier tout chagrin, le pin se couvre d'oiseaux (3) :

« Vi sor le pin tant amassez
Oisiaus (s'est qui croire m'an vuelle)
Que n'i paroit branche ne fuelle,
Que toz ne fust coverz d'oisiaus,
S'an estoit li arbres plus biaus ;
Et trestuit li oisel chantoient

« Je vis sur le pin rassemblés
tant d'oiseaux (si m'en voulez croire)
que branche ni aiguille ne paraissait
qui n'en fût toute couverte,
et l'arbre en était plus beau
et tous les oiseaux chantaient,

(1) Vv. 413-429. Cf. B. Lewis, dans *Festschrift Appel*, 1927, p. 254.
(2) Vv. 440-444.
(3) Vv. 460-469.

Si que trestuit s'antracordoient.
Mes divers chanz chantoit chascuns ;
Qu'onques ce que chantoit li uns
A l'autre chanter n'i oï. »

pourtant en s'accordant fort bien.
Chacun chantait un chant divers,
car nul motif que chantait l'un
n'y entendis chanter par l'autre. »

Cette joie est de courte durée, parce que bientôt surgit un chevalier, menant autant de bruit que dix, vif comme un alérion, terrible comme un lion, et qui, à portée de voix, le menace, lui reprochant le dommage qu'à son bois et à son château causa la tempête qu'il a suscitée. Bref et rude combat, au bout duquel Calogrenant honteusement mord la poussière, après quoi il revient à pied, sans armes, narrer sa mésaventure à son hôte et enfin à ses compagnons de la Table ronde. Yvain, son cousin, jure de le venger, ce qui lui attire cette raillerie de Ké qui a permis de dater à peu près le roman des environs de 1173, quand le sarrasin Nour-ed-Dîn, auquel il est fait allusion, vivait encore (1) :

« Bien pert qu'or est aprés mangier, »
Fet Keus qui teire ne se pot.
« Plus a paroles an plain pot
De vin qu'an un mui de cervoise...
Aprés mangier sans remuër
Va chascuns Noradin tuër. »

« On voit bien qu'il vient de manger »
fait Ké, qui ne savait se taire...
« Il y a plus de paroles en plein pot
de vin que dans un muid de cervoise...
Après dîner sans remuer
va chacun Nour-ed-Dîn tuer. »

Sans s'émouvoir des railleries de Ké, qui, pour les Celtes, est un héros et, pour les Français, un grotesque, Yvain persiste en son projet et est fort déçu lorsque le roi Arthur, survenant, se fait à son tour conter l'aventure et jure d'aller, avant une quinzaine, à la veille de la Saint-Jean, contempler, avec sa cour, les merveilles de la fontaine. Aussitôt le jeune héros de former le dessein de le devancer secrètement, ce qu'il fait. Il retrouve, sans trop de peine, le *vavasseur* et sa fille, les taureaux et le grand vilain, et, par lui, le sentier de la Fontaine. A son tour, se saisissant du bassin, il en verse l'eau sur la pierre, fait éclater la tempête, dont les oiseaux par leurs chants fêtent la fin ; mais, avant qu'ils se soient tus, surgit le chevalier à qui Yvain, plus heureux ou plus brave que son prédécesseur, porte, à travers le heaume brisé, un coup mortel sur la tête. Le rude adversaire tourne bride, suivi de près par Yvain, même au delà du pont levis, jusqu'à la porte du château. Le blessé s'y engage, son vainqueur est sur ses talons,

(1) Vv. 590-596. Cf. plus haut p. 85.

mais son cheval pose le sabot sur un trébuchet, qui actionne une porte de fer semblable à celle d'une ratière (1) :

Aussi con deables d'anfer,	Tout ainsi qu'un diable d'enfer,
Desçant la porte contre val,	s'abat la porte et descend,
S'ataint la sele et le cheval	atteint la selle et le cheval
Derriere et tranche tot par mi ;	les tranchant par le milieu,
Mes ne tocha, la Deu merci,	mais ne toucha, grâce à Dieu,
Mon seignor Yvain mes que tant,	mon seigneur Yvain, si ce n'est
Qu'au res del dos li vint reant	qu'elle lui passa au ras du dos
Si qu'anbedeus les esperons	et lui coupant les deux éperons
Li trancha au res des talons...	au ras de ses talons...

Il tombe, fort effrayé, tandis que le mourant en profite pour s'échapper dans le donjon par une autre porte semblable à la première et dont la trappe se ferme derrière lui. Voilà Yvain pris dans la salle, close de toute part, et dont il ne se soucie pas d'admirer les parois ornées de sculptures et de fresques précieuses, lorsque, tout à coup, d'une issue étroite, surgit une demoiselle avenante et belle, qui lui dit (2) :

« Certes », fet ele, « chevaliers !	« Ma foi », fait-elle, « chevalier !
Je criem que mal soiiez venuz.	je crains que vous ne soyez mal venu.
Se vos este ceanz veüz,	Si l'on vous aperçoit céans,
Vos i seroiz toz despeciez.	vous y serez vite taillé en pièce,
Car mes sire est a mort bleciez,	car mon seigneur est blessé à mort
Et bien sai que vos l'avez mort.	et je sais que c'est vous qui l'avez tué.
Ma dame an fet un duel si fort	Ma dame en mène si grand douleur
Et ses janz anviron li criënt	et ses gens autour d'elle crient...
Qui par po de duel ne s'ociënt,	Peu s'en faut que de deuil se tuent
Si vos sevent il bien ceanz...	et bien ils vous savent ici.
S'il vos vuelent ocirre ou pandre,	S'ils veulent vous tuer ou vous pendre,
A ce ne pueent il faillir	ils n'y peuvent manquer,
Quant il vos vandront assaillir. »	quand ils vous viendront assaillir. »
Et mes sire Yvains li respont :	Et Monseigneur Yvain lui répond :
— Ja, se Deu plest, ne m'ocirront	— S'il plaît à Dieu, ils ne me tueront
Ne ja par aus pris ne serai. —	et par eux ne serai point pris. —
« Non », fet ele, « car j'an ferai	« Non », fait-elle ; « car j'y emploierai
Avuec vos ma puissance tote... »	avec vous tout mon pouvoir. »

C'est que, pour son bonheur et pour celui du romancier, qui use de ce facile artifice, il a rendu jadis à la demoiselle le meilleur service que jeune homme puisse prêter à une jeune fille, celui de s'occuper d'elle et de lui faire un doigt de cour, dans une assem-

(1) Vv. 944-952.
(2) Vv. 978-997. J'adopte, au v. 990, la leçon *pendre.*

blée où elle se sent isolée et délaissée. Voilà donc ce que fit jadis chez Arthur, le fils du roi Urien, duquel elle n'a eu garde d'oublier le nom et dont, en récompense, elle va maintenant assurer d'abord le salut et ensuite le bonheur. Mais comment faire échapper l'infortuné aux périls qui l'attendent dans la propre demeure de son ennemi, où il est pris comme au piège ? Qu'à cela ne tienne, la damoiselle, dont nous ne savons pas encore le nom, mais qui est adroite comme une suivante et un peu magicienne comme la Brangien de *Tristan* ou comme la Thessala de *Cligès*, possède l'anneau dont la pierre, tournée vers la paume, rend invisible celui qui le porte au doigt.

Après le recours à la mythologie celtique, Forêt de Brocéliande, Fontaine merveilleuse, c'est l'intervention de la légende antique, l'anneau de Gygès ; Chrétien prend son bien où il le trouve, pourvu qu'il serve à la conduite de l'action. A peine Yvain a-t-il pris sur un lit la collation que lui a apportée la jeune femme, que se précipite, assoiffée de sang *la gent felonesse*, qui le cherche en vain parmi les lits et sous les bancs, tâtant du bâton partout, tels des aveugles. Surgit alors une des plus belles dames que jamais la terre eût portée, si folle de douleur, qu'elle pensait se tuer (1) :

A la foiiee s'escrioit	Tout à coup elle criait
Si haut qu'ele ne pooit plus	si haut qu'elle n'en pouvait plus
Et recheoit pasmee jus.	et retombait, pâmée à terre,
Et quant ele estoit relevee,	et quand elle s'était relevée,
Aussi come fame desvee	ainsi qu'une femme insensée
Se comançoit a descirer	elle se mettait à déchirer ses vêtements
Et ses chevos a detirer...	et à s'arracher les cheveux...
Ne riens ne la puet conforter,	Rien ne la peut consoler,
Que son seignor an voit porter	car elle voit emporter son mari
Devant li an la biere mort...	devant elle, mort, en la bière...
L'iaue beneoite et la croiz	L'eau bénite et la croix
Et li cierge aloient devant	et les cierges allaient devant
Avuec les dames d'un covant	avec les nonnes d'un couvent
Et li texte et li ançansier	et les missels, les encensoirs
Et li clerc qui sont despansier	et le clergé, dispensateur
De feire la haute despanse	de cette suprême dispense
A quoi la cheitive ame panse.	à quoi la chétive âme pense.

Mais comme la procession passe par la salle où Yvain se trouve, invisible toujours, voici que, protestation miraculeuse, les plaies

(1) Vv. 1152-1172.

du mort se mettent à saigner, à l'effroi des assistants, qui redoublent leurs furieuses battues, mais lassés, concluent (1) :

« Antre nos est cil qui l'ocist	« Parmi nous est celui qui le tua
Ne nos ne le veomes mie,	et nous ne le voyons point,
Ce est mervoille et deablie. »	c'est enchantement et diablerie ! »

Quant à la dame, hors d'elle et comme forcenée, elle s'écriait (2) :

« Ha Deus ! don ne trovera l'an	« Ah ! Dieu ! ne trouvera-t-on donc point
L'omecide, le traïtor,	l'homicide, le traître,
Qui m'a ocis mon buen seignor ?	qui m'a tué mon bon seigneur ?
Buen ? Voire le meillor des buens !	Bon ? Non, le meilleur des bons !
Voirs Deus, li torz an sera tuens	Dieu véritable ! la faute sera tienne,
S'einsi le leisses eschaper.	si tu le laisses ainsi échapper ;
Autrui que toi n'an doi blasmer,	autre que toi je n'en dois blâmer,
Que tu le m'anbles a veüe. »	car tu le dérobes à ma vue. »

Elle ne recule donc pas devant le blasphème, puis elle insulte le meurtrier invisible, l'accuse de couardise pour n'oser pas se montrer et se répand en vaines menaces (3) :

« Ha ! fantosmes, coarde chose !	« Ah ! fantôme, couarde chose !
Por qu'ies vers moi acoardie	Pourquoi es-tu si craintif envers moi,
Quant vers mon seignor fus hardie !	alors que tu fus si hardi envers mon mari ?
Chose vainne, chose faillie,	être misérable et sans honneur,
Que ne t'ai or an ma baillie !	que ne t'ai-je à présent en mon pouvoir,
Que ne te puis ore tenir !	que ne te puis-je à présent tenir ?
Mes ce comant pot avenir	Mais comment a-t-il pu arriver
Que tu mon seignor oceïs	que tu tuas mon seigneur,
S'an traïson ne le feïs ?	si par trahison tu ne l'as fait ?
Ja voir par toi conquis ne fust	En vérité, il n'eût été vaincu par toi
Mes sire, se veü t'eüst ;	mon époux, s'il t'avait vu,
Qu'el monde son paroil n'avoit	car au monde il n'avait son pareil,
Ne Deus ne hon ne l'i savoit...	et Dieu ni homme ne lui en connaissaient...
Certes, se tu fusses morteus,	Assurément, si tu étais un mortel,
N'osasses mon seignor atandre,	tu n'eusses osé te rencontrer avec mon
	[seigneur,
Qu'a lui ne se pooit nus prandre. »	car nul ne pouvait se mesurer avec lui. »

Ainsi se désole la dame, et ses gens la soutenant ou accompagnant le corps, lui font écho, puis le prêtre et les nonnes cé-

---

(1) Vv. 1200-1202.
(2) Vv. 1206-1213.
(3) Vv. 1226-1242.

lèbrent l'office des morts et procèdent à la sépulture. Cependant la
fidèle suivante n'a pas oublié le prisonnier, qu'elle installe à une
petite fenêtre, d'où il peut suivre des yeux le cortège sans être
vu. Surtout il contemple la veuve qui, après avoir, une fois de
plus, poussé sa plainte, se frappe et se déchire. Messire Yvain
a bonne envie d'aller lui retenir les mains, mais sa gardienne
le détourne de pareille folie et elle le quitte, de peur que la
maîtresse ne remarque son absence. Demeuré seul, Yvain reste
fort perplexe, car, d'une part, il regrette de n'avoir gardé de sa
victoire sur le mort aucun témoignage apparent, si bien que Ké
le médisant pourra la taxer d'illusoire, et, d'autre part, il aperçoit qu'un sentiment nouveau l'a envahi (1) :

Mes de son çucre et de ses bresches	De son sucre et de son miel en brèche,
Li radoucist novele Amors	Amour nouveau l'a radouci,
Qui par sa terre a fet son cors,	qui par sa terre a pris sa course
S'a tote sa proie acoillie.	en faisant un ample butin.
Son cuer an mainne s'anemie,	Son ennemie le cœur lui emporte ,
S'aimme la rien qui plus le het.	il aime celle qui le hait le plus.
Bien a vangiee et si nel set	Elle l'a bien vengée, mais ne le sait,
La dame la mort son seignor.	la dame, la mort de son seigneur.
Vanjance an a prise greignor	Vengeance en a prise plus grande
Que ele prandre n'an seüst,	qu'elle même n'en eût su prendre,
S'Amors vangiee ne l'eüst,	si Amour ne l'avait vengée,
Qui si doucemant le requiert	qui l'attaque si secrètement
Que par les iauz el cuer le fiert.	que par les yeux au cœur le frappe.

Les obsèques terminées, la dame rentre et, comme il est naturel,
au sortir de la foule éplorée et des pompes qui distraient, une
douleur plus vive la ressaisit dans la maison vide (2) :

Mes cele i remaint tote sole	où elle reste toute seule,
Qui sovant se prant à la gole,	souvent se prenant à la gorge,
Et tort ses poinz et bat ses paumes	tordant ses mains, battant des paumes,
Et list en un sautier ses saumes	lisant en un psautier ses psaumes,
Anluminé a letres d'or.	enluminé de lettres d'or.

Et d'une lucarne, Yvain de l'observer toujours. Plus il regarde,
plus il se sent épris. Pourtant il se gourmande intérieurement
de concevoir des pensées aussi vaines et aussi folles (3) :

(1) Vv. 1356-1368.
(2) Vv. 1411-1415.
(3) Vv. 1428-1434.

« Por fol me puis tenir
Quant je vuel ce que ja n'avrai.
Son seignor a mort li navrai,
Et je cuit a li pes avoir ?
Par foi ! ne cuit mie savoir
Qu'ele me het plus orandroit
Que nule rien, et si a droit ? »

« Je dois bien me tenir pour fou,
puisque je désire ce que je n'aurai point.
Je lui ai blessé à mort son mari
et je crois faire ma paix avec elle ?
En vérité puis-je ignorer
qu'elle me hait plus en ce moment
que rien au monde et à bon droit ? »

Mais grande est l'inconstance des femmes et l'antiféminisme de notre romancier va se donner ici libre carrière, sa prudence et la crainte de ses lectrices lui faisant toutefois attribuer le propos à son héros (1) :

D'orandroit » ai je dit que sages,
Que fame a plus de mil corages.
Celui corage qu'ele a ore
Espoir changera ele ancore,
Ainz le changera sanz « espoir »,
Si sui fos quant je m'an despoir.
Et Deus li doint par tans changier !
Estre m'estuet an son dangier
Toz jors mes, des qu'Amors le viaut. »

« En ce moment », ai-je dit prudemment ;
car la femme a plus de mille humeurs.
Le sentiment qu'elle éprouve à présent
peut-être en changera-t-elle encore.
Bien plus, elle en changera sans «peut-être»,
et je suis fou de désespérer.
Que Dieu lui donne de varier bientôt,
car il me faut être en son pouvoir
pour toujours, puis qu'Amour le veut ! »

Le romancier, qui n'a pas oublié la leçon de Marie de Champagne et de la courtoisie provençale, va nous dépeindre, toujours par la bouche de son héros, la parfaite soumission du chevalier indomptable à la douce tyrannie de l'Amour (2) :

« Qui Amor an gré ne requiaut
Des que ele antor lui se tret,
Felenie et traïson fet.
Et je di (qui se viaut, si l'oie !)
Que n'an doit avoir bien ne joie...
Ce qu'Amors viaut doi je amer.
Et moi doit ele ami clamer ?
Oïl voir, por ce que je l'aim...
Sui je por ce ses anemis ?
Nenil certes, mes ses amis,
Qu'onques rien tant amer ne vos.
Trop me poise de ses chevos
Qui passent or, tant par reluisent...
Con de son vis que ele blesce...
Et ce me par a acoré

« Qui ne fait accueil à l'Amour,
dès que celui-ci va vers lui,
félonie et trahison commet
et je dis (à bon entendeur salut !)
qu'il n'en doit exiger bien ni joie...
Ce qu'Amour veut, je dois l'aimer.
Et moi, doit elle m'appeler ami ?
Mais sans doute, puisque je l'aime...
Et suis-je donc son ennemi ?
Non certes, mais son ami,
car jamais être n'ai voulu tant aimer.
J'ai pitié de ses beaux cheveux
qui passent l'or fin, tant ils luisent...
et de son visage qu'elle blesse...
et il me perce le cœur

---

(1) Vv. 1435-1443. Réminiscence d'Ovide (cf. Guyer, *Romanic Review*, II, 108) ou de Virgile (cf. Nitze dans *Mélanges Jeanroy*, 1928, p. 441).
(2) Vv. 1444-1490.

Que je li voi sa gorge estraindre.
Don ne fust ce mervoille fine
A esgarder, s'ele fust liee,
Quant ele est or si bele iriee ? »

de lui voir étreindre sa gorge.
Quelle merveille ne serait-elle
à regarder, si elle était joyeuse,
quand elle est si belle en sa fureur ? »

Elle n'est pas création de la Nature mais œuvre de Dieu lui-même, qui la fit *de sa main nue*, et ne pourrait lui-même la recommencer. Ainsi radote Messire Yvain, toujours enfermé, et qui préfère sa prison aux portes ouvertes, lorsque survient la fidèle suivante (1) :

« Mes sire Yvain,
Quel siegle avez vos hui eü ? »
— Tel, — fet-il, — qui mout m'a pleü. —
« Pleü ? Por Deu, dites vos voir ?
Comant ? puet donc buen siegle avoir
Qui voit qu'an le quiert por ocire,
'il ne viaut sa mort et desire ? »
— Certes —, fet-il, — ma douce amie,
Morir ne voudroie je mie,
Et si me plot mout tote voie,
Ce que je vi, se Deus me voie,
Et plest et pleira toz jorz mes. —

« Messire Yvain,
comment avez-vous passé le temps ? »
— De façon, dit-il, — qui m'a bien plu. —
« Plu ? Bon Dieu ? Dites-vous vrai ?
Comment ? Peut-il avoir bon temps,
qui voit qu'on le cherche pour le tuer,
s'il ne veut et désire sa mort ? »
— En vérité —, fait-il, — ma chère amie,
je ne tiens pas du tout à mourir,
mais toutefois m'a fort plu
ce que j'ai vu, Dieu m'aide,
et me plaît et me plaira toujours. —

A la rusée, il ne faut d'autre explication et déjà elle a formé en elle le dessein secret de favoriser ces folles amours (2) :

La dameisele estoit si bien
De sa dame que nule rien
A dire ne li redotast,
A quoi que la chose tornast,
Qu'ele estoit sa mestre et sa garde.
Mes por quoi fust ele coarde
De sa dame reconforter
Et de s'enor amonester ?
La premiere foiz a consoil
Li dist : « Dame, mout me mervoil,
Que folemant vos voi ovrer.
Cuidiez vos ore recovrer
Vostre seignor por feire duel ? »
— Nenil, — fet ele, — mes mon vuel
Seroie je morte d'anui. —
« Por quoi ? » — Por aler aprés lui. —
« Aprés lui ? Deus vos an defande
Et aussi buen seignor vos rande

La demoiselle était si intime
avec sa dame qu'il n'était rien
qu'elle craignît de lui dire,
à quoi que la chose tendît,
car elle était sa gouvernante et garde.
D'ailleurs pourquoi eût-elle craint
de réconforter sa dame
et de lui conseiller son intérêt ? »
La première fois, privément,
elle lui dit : « Madame, je suis bien surprise
de vous voir agir si follement.
Pensez-vous donc recouvrer
votre mari en vous lamentant ? »
— Non, — fait-elle, — mais je voudrais
être bientôt morte de douleur... —
« Pourquoi ? » — Afin de le suivre. —
« Le suivre ? Dieu vous en préserve
et vous rende un aussi bon mari,

(1) Vv. 1548-1559.
(2) Vv. 1589-1613.

Si com il an est posteïs. »
— Ainz tel mançonge ne deïs,
Qu'il ne me porroit si buen randre. —
« Meillor, se le voliiez prandre,
Vos randra il, sel proverai. »
— Fui ! tes ! Ja voir nel troverai. —
« Si feroiz, dame, s'il vos siet. »

comme il en a le pouvoir. »
— Jamais tu n'as dit tel mensonge,
il ne pourrait m'en rendre un aussi bon. —
« Meilleur, si vous voulez le prendre,
vous rendra-t-il, je vous le prouverai. »
— Fuis ! Paix ! Jamais ne le trouverai. —
« Si fait, ma dame, s'il vous convient. »

Sans plus insister sur ce meilleur chevalier, qui pourrait remplacer le disparu, elle appelle toute son attention sur la situation politique d'un fief tombé en quenouille, sur le danger que courra celui-ci quand le roi Arthur y viendra, ce dont l'a avisée la demoiselle Sauvage, à propos de laquelle Chrétien ne s'explique point, et sur la nécessité où elle se trouve de pourvoir à la défense de sa Fontaine merveilleuse. Qu'elle ne compte point sur ses chevaliers, ils sont bien trop couards pour rompre lance en sa faveur. La dame le sait et n'ignore pas que sa *mestre* la conseille bien, mais (ici nouvelle explosion de la misogynie de Chrétien) (1) :

Mes une folor a an soi
Que les autres dames i ont
Et a bien pres totes le font,
Que de lor folies s'ancusent
Et ce qu'eles vuelent refusent.
— Fui, — fet ele — leisse m'an pes !
Se je t'an oi parler ja mes,
Ja mar feras mes que t'an fuies !
Tant paroles que trop m'anuies. —
« A bon eür », fet ele, « Dame !
Bien i pert que vos estes fame
Qui se corroce, quant ele ot
Nelui qui bien feire li lot. »

Mais elle a une folie en elle
que les autres femmes ont aussi,
et presque toutes font
qu'elles se reprochent leurs folies
mais ce qu'elles veulent, elles le refusent.
— Arrière, fait-elle, laisse-moi en paix !
Si je t'en entends parler jamais,
mal t'en prendra, si tu ne t'en fuis !
Tu parles tant que tu m'ennuies trop. —
« A la bonne heure », fait-elle, « Dame !
On voit bien que vous êtes femme,
qui se fâche, quand elle entend
nul qui la conseille pour son bien. »

La suivante se retire et la dame se perd en ses pensées, se reprochant d'avoir ainsi repoussé son interlocutrice, car elle aurait bien voulu savoir pourtant comment elle aurait prouvé qu'on pourrait rencontrer meilleur chevalier que ne fut son mari. Mais quoi ? puisqu'elle lui a défendu d'en parler. Heureusement que la fidèle ne tient pas compte de l'interdiction et, de nouveau, après avoir répété son blâme au sujet d'une douleur vraiment exagérée et qui ne convient pas à si grande dame, elle engage le fer (2) :

(1) Vv. 1640-1652.
(2) Vv. 1674-1685.

« Cuidiez vos que tote proesce
Soit morte avuec vostre seignor ?
Çant ausi buen et çant meillor
An sont vif remés par le monde. »
— Se tu n'an manz, Deus me confonde !
Et neporquant un seul m'an nome,
Qui et tesmoing de si preudome
Con mes sire ot tot son aé. —
« Ja m'an savriiez vos mal gré,
Si vos an corroceriiez... »
— Non ferai, je t'an asseür. —

« Croyez-vous que toute prouesse
soit morte avec votre mari ?
Cent aussi vaillants et cent meilleurs
sont restés vivants de par le monde. »
— Si tu ne mens, Dieu me confonde !
et cependant nomme-m'en un seul,
qui ait telle réputation de vaillant
comme mon seigneur l'eut toute sa vie. —
« Vous m'en sauriez mauvais gré,
et vous vous en courrouceriez... »
— Je n'en ferai rien, je t'assure. —

Rassurée par cette promesse, la gouvernante ou nourrice,
qui joue le rôle d'entremetteuse dévolu à ce genre de personnages depuis la comédie antique de Térence ou de Ménandre,
lui pose insidieusement ce petit problème (1) :

« Quant dui chevalier sont ansanble
Venu as armes an bataille,
Li queus cuidiez vos qui miauz vaille,
Quant li uns a l'autre conquis ?
Androit de moi doing je le pris
Au veinqueor. Et vos que feites ? »
— Il m'est avis que tu m'agueites,
Si me viaus a parole prandre. —
« Par foi ! vos poez bien antandre
Que je m'an vois parmi le voir,
Et si vos pruis par estovoir
Que miauz vaut icil qui conquist
Vostre seignor, que il ne fist.
Il le conquist et sel chaça
Par hardemant an jusque ça
Si qu'il l'anclost an sa meison. »
— Or oi, — fet ele, — desreison
La plus grant qui onques fust dite.
Fui ! plainne de mal esperite,
Fui ! garce fole et anuieuse
Ne dire ja mes tel oiseuse,
Ne ja mes devant moi ne vaingnes,
Por quoi de lui parole taingnes ! —
« Certes, dame, bien le savoie
Que ja de vos gré n'an avroie...
Si ai perdu un buen teisir. »

« Quand deux chevaliers en sont
venus aux mains dans la bataille,
lequel croyez-vous qui vaille le plus,
quand l'un a vaincu l'autre ?
Pour moi j'accorderai le prix
au vainqueur ? Et vous que faites-vous ? »
— Je crois que tu me tends un piège
et que tu veux me prendre au mot. —
« Ma foi ! vous pouvez bien comprendre
que je suis dans la vérité
et je vous prouve de nécessité
que plus vaut celui qui vainquit
votre seigneur que lui ne fit.
Il le vainquit et le poursuivit
par hardiesse jusqu'ici
au point qu'il s'enferma dans ce château. »
— A présent, fait-elle, j'entends folie
la plus grande qui jamais fut dite.
Arrière, possédée de l'esprit malin,
arrière ! fille folle et insupportable,
ne dis jamais plus telle sottise
et ne parais plus devant moi,
si tu dois me parler de lui ! —
« Ma foi, Madame, je savais bien
que vous ne m'en auriez pas de gré...
et j'ai perdu belle occasion de me taire. »

Laissant la dame et sa colère, elle retourne en la chambre
d'Yvain, cependant que celle-là continue toute la nuit à batailler

(1) Vv. 1694-1726.

avec elle-même, préoccupée de la défense de sa Fontaine et se repentant d'avoir à nouveau repoussé avec violence celle qui ne lui veut que du bien et n'a en vue que son intérêt. Et voilà la dame ébranlée par la réflexion, si bien qu'elle engage, devant le tribunal de sa propre conscience, dans son « *for* intérieur », le procès du criminel, avec l'intention bien arrêtée de l'acquitter. Un Chrétien juriste se révèle ici (1) :

— Va ! — fet ele, — puez tu noiier	— Allons, — fait elle, — peux-tu nier
Que par toi ne soit morz mes sire ? —	que par toi fut tué mon mari ? —
« Ce », fet-il, « ne puis-je pas dire,	« Cela » fait-il, « je ne le puis,
Ainz l'otroi bien ». — Di donc, por quoi	mais je l'accorde. » — Dis donc pourquo
Feïs le tu ? Por mal de moi,	l'as-tu fait ? par mauvais gré,
Por haïne ne por despit ? —	par haine ou par mépris ? —
« Ja n'aie je de mort respit	« Que je meure sur-le-champ,
S'onques por mal de vos le fis. »	si jamais le fis par mauvais gré. »
— Donc n'as-tu rien vers moi mespris	— Donc tu n'as pas forfait à mon égard
Ne vers lui n'eüs tu nul tort ;	et envers lui tu n'as eu nul tort,
Car s'il poïst, il t'eüst mort.	car, s'il l'eût pu, il t'eût tué.
Por ce mien esciant cuit gié,	Ainsi, à ma connaissance, croirai-je
Que je ai bien a droit jugié. —	que j'ai bien jugé selon le droit. —

Elle a donc prononcé en elle-même l'acquittement du meurtrier. Si la gouvernante survenait à ce moment, elle l'emporterait facilement, mais ce n'est que le matin qu'elle *recommence son latin*, c'est-à-dire son discours, au point où elle l'avait laissé, et comme la maîtresse voudrait bien savoir le nom du chevalier, celle-ci n'hésite pas à s'humilier un peu et à demander pardon de ses mouvements de colère (2) :

— Mes dites moi, se vos savez,	— Mais dites-moi, si vous le savez,
Li chevaliers don vos m'avez	le chevalier dont vous m'avez
Tenue an plet si longuemant	entretenue si longuement,
Queus hon est il et de quel jant ?	quel homme est-il et de quelle race ?
Se il est teus qu'a moi ataingne	S'il est tel qu'il soit digne de moi
(Mes que de par lui ne remaingne),	(et s'il ne se dérobe pas),
Je le ferai, ce vos otroi,	je le ferai, je vous l'accorde,
Seignor de ma terre et de moi.	maître de ma terre et de moi.
Mes il le covandra si feire,	Mais il faudra faire de telle sorte
Qu'an ne puisse de moi retreire	qu'on n'en puisse jaser
Ne dire : « C'est cele qui prist	ni dire : « C'est celle qui épousa
Celui qui son seignor ocist. » —	celui qui son mari tua. » —

(1) Vv. 1760-1772.
(2) Vv. 1799-1825.

« E non Deu, dame, einsi iert il.
Seignor avroiz le plus jantil
Et le plus franc et le plus bel
Qui onques fust del ling Abel. »
— Comant a non ? — « Mes sire Yvains. »
— Par foi, cist n'est mie vilains,
Ainz est mout frans, je le sai bien,
Si est fiz au roi Uriien. —
« Par foi, dame, vos dites voir. »
— Et quant le porrons nos avoir ? —
« Jusqu'à cinc jorz. » — Trop tarderoit,
Que, mien vuel, ja venuz seroit.
Vaingne anuit ou demain seviaus ! —
« Dame, ne cuit que nus oisiaus
Poïst an un jor tant voler. »

« Par Dieu, ma Dame, ainsi sera-t-il :
vous aurez l'époux le plus courtois,
le plus noble et le plus beau
qui fût de la race d'Abel ».   [Yvain. »
— Comment s'appelle-t-il ? — « Messire
— Par ma foi ce n'est un vilain,
il est très noble, je le sais,
c'est le fils du roi Urien. —
« Ma foi, ma Dame, vous dites vrai. »
— Et quand le pourrons-nous avoir ? —
« Dans cinq jours ». — C'est bien long,
car je voudrais qu'il fût déjà ici !
Qu'il vienne cette nuit ou demain au moins.
« Madame, je crois qu'un oiseau même
ne pourrait en un jour tant voler. »

Mais la zélée suivante enverra un sien garçon à la Cour du roi Arthur, qui sera là-bas demain soir. C'est trop tard encore au gré de l'impatiente. Que demain soir il soit ici, ramenant l'amant meurtrier. Pendant ce temps, la dame rassemblera ses vassaux, leur parlera de sa Fontaine, du danger qui menace et, comme personne d'entre eux ne se proposera pour défendre celle-ci, elle leur remontrera la nécessité où elle se trouve de se remarier, ce que, par lâcheté, ils seront les premiers à lui conseiller. Comme la demoiselle n'a aucun besoin d'un messager, elle s'occupe d'Yvain, le fait chaque jour baigner, laver et peigner, le vêt d'une robe d'écarlate vermeille (l'écarlate est une étoffe de laine) fourrée de petit gris, où l'on voyait encore la craie, tant elle était neuve, fermée au cou d'un fermail d'or ouvré de pierres précieuses, et ornée d'une ceinture et d'une aumônière de brocard d'or. Elle lui a fait croire que la dame sait sa présence, elle la lui remontre toujours très irritée contre lui et, jouant sur les mots, en usant du vocabulaire de la préciosité courtoise, elle la dit prête à faire de lui son prisonnier « car sans prison n'est nul ami » (v. 1940) (1) :

« Avoir vos viaut an sa prison
Et si viaut si avoir le cors
Que nes li cuers n'an soit defors. »

« Elle vous veut avoir en sa prison
et veut avoir votre corps si à elle
que même le cœur n'en soit exclu. »

Serait-ce une allusion à *Cligès* : *Qui a le cœur ait le corps* ? Il

(1) Vv. 1922-1924.

ne demande pas autre chose et, continuant la métaphore, répond (1) :

— An sa prison vuel je bien estre. —   — En sa prison je veux bien être. —

La demoiselle emmène Yvain par la main et (2)

Desor une coute vermoille   sur une couverture vermeille
Troverent la dame seant.   trouvèrent la dame séant.

C'est une scène charmante et plaisante que celle de la timidité du brave qui, mis en présence de celle qu'il aime, ne trouve plus à sonner mot. Et la Demoiselle de s'irriter (3) :

« Cinc çanz dahez et s'ame,   « Que le diable emporte l'âme
Qui mainne an chambre a bele dame   de qui mène en chambre d'une dame
Chevalier, quant ne s'an aproche   chevalier qui ne s'approche d'elle
Et qui n'a ne langue ne boche   et qui n'a ni langue, ni bouche,
Ne san don acointier se sache. »   ni parole, dont il sache la saluer. »
A cest mot par le braz le sache   A ce mot par le bras elle le tire
Et si li dit : « Ça vos traiiez,   et lui dit : « Venez par ici,
Chevaliers, et peor n'aiiez   chevalier, et n'ayez pas peur
De ma dame qu'ele vos morde,   de ma Dame, qu'elle vous morde,
Mes querez li pes et acorde.   mais demandez lui votre paix,
Et j'an proierai avuec vos   et je la prierai avec vous
Que la mort Esclados le ros   que la mort d'Esclados le roux,
Qui fut ses sire vos pardoint. »   qui fut son époux, elle vous pardonne. »

Yvain joint les mains, se jette à genoux et lui crie, donnant le modèle de la parfaite soumission exigée de l'amant (4) :

« Dame, ja voir ne criërai   « Madame, en vérité, je ne crierai pas
Merci, ainz vos merciërai   merci, mais je vous remercierai
De quanque de moi voudroiz feire ; de tout ce que vous voudrez me faire,
Que riens ne me porroit despleire. » car rien ne me pourrait déplaire. »
— Non, sire ? Et se je vos oci ? — — Non, sire ? Et si je vous tue ? —
« Dame, la vostre grant merci,   « Madame, je vous rends grâce ;
Que ja ne m'an orroiz dire el. »   ne m'entendrez dire autre chose. »
— Ainz mes, — fet ele, — n'oï tel, — Jamais — fait-elle, — n'ouïs telle chose,
Que si vos metez a devise   car vous vous rendez à discrétion
Del tot an tot an ma franchise   du tout au tout en mon pouvoir,
Sanz ce que ne vos an efforz. —   sans que je vous y contraigne. —
« Dame, nule force si forz   « Ma dame, nulle force si forte

(1) V. 1927.
(2) Vv. 1948-1949.
(3) Vv. 1959-1971.
(4) Vv. 1975-1989.

N'est come cele sanz mantir,
Qui me comande a consantir
Vostre voloir del tot an tot. »

n'est que celle qui, sans mentir,
me commande de consentir
votre vouloir de tout en tout. »

La défense qu'elle lui prêtait dans les soliloques de la nuit, elle voudrait bien l'entendre de sa bouche, pour le repos de sa propre conscience ; elle l'invite à se disculper (1) :

« Dame », fet il, « vostre merci,
Quant vostre sire m'asailli
Quel tort oi je de moi defandre ? »

« Ma dame », fait-il, « par votre grâce,
quand votre époux m'assaillit,
quel tort eus-je de me défendre ? »

Elle l'accorde sans difficulté, et l'acquitte de l'homicide, mais elle voudrait savoir encore quelle est cette force qui le plie, sans murmure, à son vouloir et lui de s'en expliquer avec une grâce qu'on n'attendrait pas d'un si rude bretteur (2) :

« Dame », fet il, « la force vient
De mon cuer qui a vos se tient ;
An cest voloir m'a mes cuers mis. »
— Et qui le cuer, biaus douz amis ? —
« Dame, m oel. » — Et les iauz qui ? —
« La granz biautez que an vos vi. »
— Et la biautez qu'i a forfet ? —
« Dame, tant que amer me fet. »
— Amer ? Et cui ? — « Vos, dame chiere. »
— Moi ? — « Voire voir. » — An quel
[meniere ? —
« An tel que graindre estre ne puet,
An tel que de vos ne se muet
Mes cuers n'onques aillors nel truis,
An tel qu'aillors panser ne puis,
An tel que toz a vos m'otroi,
An tel que plus vos aim que moi,
An tel, se vos plest, a delivre
Que por vos vuel morir et vivre. »

« Dame », fait-il, « cette force vient
de mon cœur qui s'attache à vous.
En ce vouloir, m'a mis mon cœur ! »
— Et qui le cœur, cher doux ami ?
« Madame, mes yeux. » — Et les yeux qui ?
« La grand beauté qu'en vous je vis. »
— La beauté de quoi est-elle coupable ? —
— Dame, c'est elle qui me fait aimer. —
— Aimer ? et qui ? — « Vous, dame chère. »
— Moi ? — « En vérité. » — De quelle
[manière ? —
« Telle que ne peut être plus grande,
telle que de vous ne s'écarte
mon cœur et qu'ailleurs ne le trouve,
telle que je ne puis penser à autre chose,
telle que tout à vous je m'octroie,
telle que vous aime plus que moi,
telle, si vous voulez, qu'à votre guise
pour vous je veux mourir ou vivre. »

Il y a une singulière éloquence, malgré quelque rhétorique, dans une pareille déclaration et, pour l'avoir écrite, on se persuade difficilement que Chrétien dans sa vie n'en ait point fait, une fois au moins, de pareille. Comment s'étonner si, après cela, Yvain se dit prêt à défendre la Fontaine, envers et contre tous Ainsi, conclut l'auteur, non sans ironie sans doute et fier d'avoir

(1) Vv. 1999-2001.
(2) Vv. 2015-2032.

rendu vraisemblable et presque nécessaire ce paradoxe de la
veuve prête à épouser le meurtrier de son mari (1) :

Einsi sont acordé briémant.	Ainsi sont-ils vite d'accord.

Reste à faire sanctionner cet accord par l'assemblée des feu-
dataires, qui joue, auprès de la châtelaine, le rôle de Conseil de la
couronne. Ils se lèvent à l'entrée d'Yvain, impressionnés par la
fierté de son allure et déjà devinant en lui le futur époux de
leur maîtresse. Après un bref et habile discours du sénéchal
prononcé au nom de la dame, ses vassaux la supplient de faire
ce qu'elle désire le plus au monde et elle leur présente Yvain,
non comme le meurtrier de son mari, qualité, si l'on peut dire,
qu'elle a bien soin de cacher, mais comme celui qui aspire à sa
main et s'engage à défendre la fameuse Fontaine. Volontiers
leur dirait-elle, comme dans *Girart de Viane*, à Charlemagne, la
duchesse de Bourgogne veuve : « A quoi sert le deuil ? donnez-
moi un mari très puissant » (2) :

Li chevaus qui ne va pas lant	Le cheval, qui ne va pas lentement,
S'efforce, quant an l'esperone.	prend le galop, quand on l'éperonne.
Veant toz ses barons se done	En présence de tous ses barons s'accorde
La dame a mon seignor Yvain.	la dame à Monseigneur Yvain.
Par la main d'un suen chapelain	De la main du chapelain
Prise a Laudine de Landuc,	il a pris Laudine de Landuc,
La dame qui fu fille au duc	la dame qui était fille du duc
Laudunet don an note un lai.	Laudunet, sur qui on chante un lai.

Laudine, c'est la première fois, en vertu du procédé de suspen-
sion qui nous est désormais familier, qu'on nous livre son nom
et il semble que ce n'est aussi qu'en l'épousant qu'Yvain s'en
enquière ou l'apprenne du chapelain sans même s'en être informé.
Au reste le nom ne fait rien à l'affaire. Seuls importent la beauté
et le lignage. En même temps nous apprenons, par accident, une
des sources possibles de Chrétien, un de ces lais que colportaient
les chanteurs bretons et dont la poétesse Marie de France nous a
laissé les types les plus achevés.

Le jour même eurent lieu les noces, que Chrétien ne nous con-
tera pas, aimant mieux se taire, dit-il, qu'en dire trop peu, préférant d'ailleurs aussi s'abandonner à ses réflexions désabusées (3) :

(1) V. 2037.
(2) Vv. 2146-2153.
(3) Vv. 2164-2169. On y retrouve celles du *Roman de Thèbes*.

Mes or est mes sire Yvains sire
Et li morz est toz obliez.
Cil qui l'ocist est mariez
An sa fame et ansanble gisent,
Et les janz aimment plus et prisent
Le vif qu'onques le mort ne firent.

Mais à présent Messire Yvain est maître
et le mort est vite oublié.
Celui qui l'a tué est marié
avec sa femme et ils dorment ensemble,
et les gens aiment plus et estiment
le vivant que jamais ne firent du mort.

Les fêtes se prolongent jusqu'à la veille du jour où le roi Arthur vient voir la merveille de la fontaine et de la pierre, suivi de toute sa maison, et, n'y trouvant pas Yvain, Ké se répand déjà en ses médisances coutumières (1) :

« Et que est ore devenuz
Yvains, quand il n'est ça venuz,
Qui se vanta aprés mangier
Qu'il iroit son cousin vangier ?
Bien pert que ce fu aprés vin.
Foïz s'an est, je le devin. »

« Ah ! qu'est donc devenu
Yvain, puisqu'il n'est pas ici,
qui se vanta après manger
d'aller venger son cousin ?
Il paraît bien qu'il était pris de vin.
Il s'est enfui, je le devine. »

Sans s'attarder, le roi verse de l'eau sur le *perron*, la pluie tombe abondamment, et aussitôt, comme eût agi son prédécesseur, Messire Yvain entre, armé, dans la forêt et se précipite sur les intrus au plein galop de son cheval. Ké réclame l'honneur de lui résister, mais il n'est pas de taille ; au premier coup de lance, il fait la *tourneboule* et il passe par-dessus la tête de son cheval, son heaume piqué en terre. Bon prince, Yvain se contente de cette petite vengeance et se démasque au roi, devant lequel il lève la ventaille qui cache son visage, après quoi tous, et Gauvain le premier, lui font fête. Leur ayant conté par le menu son aventure, le vainqueur les emmène en son château, dont les habitants (il faut se représenter ces châteaux plus comme des villes fortifiées, tel Provins, que comme des *burgs* isolés) se précipitent à la rencontre d'Arthur et de sa Cour, et c'est de nouveau, comme dans *Érec*, une de ces descriptions d'entrées de princes auxquelles Chrétien a assisté maintes fois et qu'il aurait même parfois organisées, s'il est vrai, comme le voulait G. Paris, qu'il ait été héraut d'armes (2) :

Li drap de soie sont fors tret
Et estandu a paremant
Et des tapiz font pavemant

Les draps de soie sont tirés au dehors,
et pendus comme parement.
Des tapis ils font un pavement

(1) Vv. 2179-2184.
(2) Vv. 2340-2353.

Et par les rues les estendent...
Que por la chalor del soloil
Cuevrent les rues de cortines.
Li sain, li cor et les buisines
Font le chastel si resoner
Qu'an n'i oïst pas Deu toner.
Contre lui dancent les puceles,
Sonent flaütes et freteles,
Timbre, tabletes et tabor (1).

et par les rues ils les étendent...
Contre la chaleur du soleil
ils couvrent les rues de tentures.
Les cloches, les cors et les buccines
font ainsi résonner le château
que l'on n'eût pas ouï Dieu tonner.
Devant le roi dansent les pucelles,
sonnent flûtes et chalumeaux,
cymbales, tambourins et tambours (1).

La châtelaine vient à la rencontre d'Arthur, vêtue d'un manteau impérial, robe d'hermine toute fraîche et, sur le front, un diadème orné de rubis, le visage joyeux et riant. Après quelques paroles gracieuses, ils se donnent l'accolade *à pleins bras.* Mais le conteur veut les laisser pour nous parler du soleil et de la lune. Petite charade dont il donne aussitôt la solution. Soleil ? Gauvain qui étincelle parmi tous autres et dont *chevalerie est enluminée,* comme le matin l'est par l'astre du jour. Lune ? la demoiselle qui a sauvé Yvain. Parce qu'elle est blonde ? Non, elle est brune, mais elle s'appelle Lunete, ce qu'on ne nous avait pas dit encore et, à la grande satisfaction des folkloristes qui triomphent ici, ayant reconnu en elle une divinité des cieux païens, satellite de Diane qui serait notre Laudine. Quoi qu'il en soit, Gauvain adopte Lunete pour amie et lui offre son service, et ses compagnons, parmi *nonante,* se choisissent chacun la sienne. Que nous voilà loin de la rudesse des chansons de geste. A tous cependant la dame fait telle fête, comme le doit une maîtresse de maison bien courtoise, qu'il en est d'assez fous pour la croire amoureuse d'eux. Avertissement à ceux que peut tromper cette gentillesse française, commandée par l'esprit de société qui naît, ou retour de Chrétien sur lui-même, à qui a pu donner le change le bon accueil d'une grande dame.

Cependant l'heure du départ d'Arthur et de sa Cour a sonné et, en même temps, semble-t-il, celle de la fin du roman, qui paraît terminé. Mais alors il n'eût été qu'un simple conte, voire un fabliau un peu plus spirituel et un peu plus développé que n'exige le genre. Au contraire, il va rebondir et une nouvelle phase s'ouvrira où bientôt apparaîtra la thèse psychologique et sociale dont *Érec* nous a rendu la donnée familière. Toute la semaine, ses

(1) Ou peut-être, comme veut bien me le faire observer mon collègue Gérold : « tambourins, cymbales et tambours ». Cf. *Revue des Cours et Conférences,* 1928, t. II, p. 368 et 741 s

anciens frères d'armes ont supplié Yvain de les accompagner, mais enfin c'est Gauvain qui lui adresse les paroles décisives (1) :

« Comant ? *Seroiz vos or de çaus* »	« *Comment ? Seriez-vous donc de ceux* »,
Ce li dist mes sire Gauvains,	ainsi parlait Messire Gauvain,
« *Qui por leur fames valent mains* ?	« *qui par leurs femmes valent moins* ?
Honiz soit de sainte Marie	Honni soit de sainte Marie
Qui por anpirier se marie !	qui pour s'avilir se marie !
Amander doit de bele dame,	S'élever doit par sa Dame
Qui l'a a amie ou a fame,	celui qui l'a pour maîtresse ou femme,
Si n'est puis droiz que ele l'aint,	sinon, il est juste qu'elle ne l'aime plus,
Que ses los et ses pris remaint. »	privé de valeur et de gloire. »

N'est-ce pas déjà, quatre siècles avant Corneille, une théorie de l'amour-dignité que peuvent sentir profondément tous ceux qui, ayant hésité une minute entre la douceur de l'amour et la rudesse des combats, ont réveillé leur énergie et résolu le conflit intérieur en concevant que la lâcheté est le dissolvant de la passion et que celle-ci ne peut s'épanouir que dans *ces plus grandes âmes*, comme dira Descartes au *Traité des Passions* (2) ?

Prenez garde, continue Gauvain (3),

« Que fame a tost s'amor reprise,	« car la femme a vite repris son amour
Ne n'a pas tort, s'ele desprise	et elle n'a pas tort si elle méprise
Celui qui de noiant anpire,	celui qui sans raison s'amoindrit,
Quant il est del reaume sire.	quand il est maître du royaume.
Or primes doit vostre pris croistre !	D'abord il faut que votre gloire croisse.
Ronpez le frain et le chevoistre,	Rompez le frein et les rênes
S'irons tornoiier moi et vos... »	et allons au tournoi ensemble... »

Gauvain ne se dissimule pas la peine que son ami aura à quitter Laudine ; peut-être si lui-même avait si belle amie ne s'y résoudrait-il point et tel conseille bien autrui qui n'en ferait rien. Ébranlé par ces raisonnements, Yvain, placé entre la force de l'homme et la séduction de la femme, promet qu'il ira vers son épouse tenter d'obtenir d'elle congé d'accompagner le roi pour aller au tournoi, afin qu'on ne l'appelle *récreant*. Ce que nous avons dit de ce mot entendu et répété par Énide nous dispense de l'interpréter à nouveau. Et elle lui répond (4) :

(1) V. 2484-2492.
(2) Cf. mes *Écrivains français en Hollande dans la première moitié du XVIIe siècle*, Paris, Champion, 1920, in-8°, pp. 618-619.
(3) Vv. 2495-2501.
(4) Vv. 2562-2575.

— Je vos creant
Le congié jusqu'a un termine.
Mes l'amors devandra haïne,
Que j'ai a vos, seürs soiiez,
Certes, se vos trespassiiez
Le terme que je vos dirai...
Se vos volez m'amor avoir
Et de rien nule m'avez chiere,
Pansez de revenir arriere
A tot le mains jusqu'a un an
Huit jorz aprés la saint Jehan :
Hui an cest jor sont les huitaves. —

— Je vous accorde
ce congé, seulement à terme.
Mais il deviendra de la haine, l'amour
que j'ai pour vous, soyez-en sûr,
certes, si vous dépassiez
le terme que je vous dirai...
Si vous voulez mon amour avoir,
et si le moins du monde vous m'aimez,
songez à revenir vers moi
à tout le moins d'ici un an,
huit jours après la Saint-Jean
dont c'est aujourd'hui l'octave. —

Yvain pleure et soupire, trouve le terme trop long, espère ne pas devoir l'atteindre et, d'autre part, demande qu'elle exclue le cas de force majeure, maladie ou emprisonnement. Elle y consent, mais à quoi bon, car, dit-elle (1) :

— bien vos promet
Que, se Deus de mort vos defant,
Nus essoines ne vos atant
Tant con vos sovaingne de moi. —

— je vous promets
que, si Dieu vous défend de la mort,
nulle entrave ne vous attend
si longtemps qu'il vous souviendra
[de moi. —

En gage de sa foi, elle lui donne l'anneau de fidélité, qui le protégera de tout danger, tant qu'il se rappellera son amie et à condition qu'il ne le donne ni ne le prête à personne. Et ils se quittent parmi les larmes et l'amère douceur des derniers embrassements (2) :

Li rois le cors mener an puet,
Car del cuer n'an manra il point
Qui si se tient et si se joint
Au cuer celi qui se remaint,...
Des que li cors est sanz le cuer,
Don ne puet il vivre a nul fuer ;
Et se li cors sanz le cuer vit,
Tel mervoille nus hon ne vit.
Ceste mervoille est avenue ;
Qu'il a la vie retenue
Sanz le cuer qui estre i soloit
Que plus siure ne le voloit.
Li cuers a buene remenance,
Et li cors est an esperance
De retorner au cuer arriere...

Le roi peut emmener le corps,
mais le cœur il n'emporte point,
lequel reste tenu et joint
au cœur de celle qui demeure...
Or dès que le corps est sans cœur
il ne peut vivre à aucun prix ;
que le corps vive sans le cœur
telle merveille, nul ne la vit.
Cette merveille est arrivée
qu'il a la vie retenue
sans le cœur qui l'animait,
car celui-ci ne voulut le suivre.
Le cœur a un heureux séjour
et le corps vit dans l'espérance
de retourner joindre le cœur...

(1) Vv. 2596-2599.
(2) Vv. 2642-2657.

L'espérance des amants sera déçue, car l'année se passe pour Yvain, en compagnie de Gauvain, à courir tous les tournois où l'on joute, et la suivante est déjà largement entamée lorsque, à la mi-août, un jour que le roi tenait sa cour à Cestre (Chester), Yvain, qui avait tendu ses pavillons en dehors de la ville, se mit à penser à sa Dame et au terme qu'il avait dépassé, et comme il y songe, seule la honte l'empêche de pleurer ; quand tout à coup surgit une demoiselle, allant l'amble sur un palefroi pie.

Quittant son manteau et parvenue devant le roi, elle déclare que sa dame le salue ainsi que Gauvain et tous les autres, sauf Yvain (1),

« Le desleal, le traïtor,
Le mançongier, le jangleor,...
Qui se feisoit verais amerre,
S'est faus et traîtres et lerre. »

« le déloyal, le traître,
le menteur et le trompeur,...
qui se donnait pour vrai amant
et n'est que fourbe, traître et larron. »

Larron, sans conteste puisqu'il a volé un cœur (2) :

Cil n'anblent pas les cuers, qui aimment...
Li amis prant le cuer s'amie
Einsi qu'il ne li anble mie,
Ainz le garde que ne li anblent
Larron qui prodome resanblent.
Et cil sont larron ipocrite
Et traïtor qui metent lite
As cuers anbler, don aus ne chaut ;
Mes li amis, quel part qu'il aut,
Le tient chier et si le raporte. »

« Ceux qui aiment ne volent pas les cœurs...
L'ami prend le cœur de l'amie,
mais ne le lui vole point,
il le garde pour que ne le dérobent
ces larrons qui font les braves gens.
Ceux-là sont larrons, hypocrites
et traîtres, qui à l'envi
volent des cœurs dont ils n'ont souci.
Le vrai ami, où qu'il aille,
le garde précieusement et le rapporte. »

Et, interpellant alors le ravisseur, elle lui reproche avec vivacité d'avoir oublié sa promesse, tandis que la dame, à la guise de vrais amants, comptait les jours (3) :

« Car qui aimme, il est an porpans,
N'onques ne puet prandre buen some,
Mes tote nuit conte et asome
Les jorz qui vienent et qui vont...
Yvain, n'a mes cure de toi
Ma dame, ainz te mande par moi
Que ja mes vers li ne revaingnes
Ne son anel plus ne detaingnes...
Rant li, que randre le t'estuet. »

« Car qui aime est en souci
et jamais ne trouve bon somme,
mais toute la nuit compte et recompte
les jours qui viennent et qui vont...
Yvain, elle n'a plus souci de toi
ma Dame, mais te mande par moi
de ne plus revenir vers elle
et de ne plus garder son anneau...
Rends-le-lui, car il te faut le rendre. »

(1) Vv. 2719-2724.
(2) Vv. 2729-2741.
(3) Vv. 2756-2773.

Sans attendre un geste du héros qui reste sans paroles, elle le lui arrache du doigt, puis se retire. Il tombe dans une mélancolie que Chrétien décrit avec pénétration et éloquence (1) :

Quanque il ot tot li ancroist	Tout ce qu'il entend lui pèse
Et quanqu'il voit tot li enuie.	et tout ce qu'il voit le chagrine.
Mis se voudroit estre a la fuie	Il voudrait s'enfuir
Toz seus an si sauvage terre	tout seul en si sauvage terre
Que l'an ne le seüst ou querre,	que l'on ne sût où le chercher,
N'ome ne fame n'i eüst,	où il n'y eût ni homme ni femme,
Ne nus de lui rien ne seüst	et que nul ne connût rien de lui
Nient plus que s'il fust an abisme.	non plus que s'il fût dans l'abîme.
Ne het tant rien con lui meïsme,	Il ne hait rien plus que lui-même
Ne ne set a cui se confort	et ne sait qui le consolera
De lui qu'il meïsmes a mort.	de s'être ainsi lui-même tué.

Il quitte l'assemblée des barons, qui, le voyant devenir fou, et sentant qu'il n'est plus de ce monde, le laissent s'éloigner ; bientôt la démence s'empare de lui (2) :

Lors li monta uns torbeillons	Alors lui monte un tourbillon
El chief si granz que il forsane,	à la tête, si grand qu'il délire,
Lors se descire et se depane	déchire et rompt ses vêtements
Et fuit par chans et par arees...	et fuit par champs et par labours...

Il a oublié qu'il est chevalier ; rencontrant un jeune garçon tenant un arc et des flèches, il les lui ravit et, dans les bois, abat des bêtes, dont il mange la chair crue. On songe à Tristan dans la Forêt de Morrois ; ainsi que lui aussi, perdu *comme homme hors de sens et sauvage*, il trouve un jour un vieil ermite, qui, effrayé devant cet être, se barricade en sa cahute, ne laissant dehors que du pain bis, à demi moisi, sur lequel l'affamé se précipite. Un jour qu'il reposait dans la forêt, une dame et deux demoiselles découvrent le dormeur nu et, l'ayant considéré, l'une de celles-ci finit par reconnaître (ô vraisemblance !), à une cicatrice du visage, que c'est Yvain. S'il pouvait guérir de cette folie que trahit son état, combien il servirait, lui le meilleur chevalier, à vaincre le comte Allier, le redoutable ennemi de la dame. Or il se fait que celle-ci possède un onguent que lui donna la sage fée Morgue et qui le guérira *de la rage et de la tempête* ravageant cette pauvre cervelle. Rentrée chez elle, elle tire d'un coffre

(1) Vv. 2782-2792.
(2) Vv. 2804-2807.

la précieuse drogue, la confie à l'une de ses suivantes avec une chemise et des braies fines, des chausses noires bien taillées, pourpoint, robe de petit gris, manteau de soie teint de graine, et un palefroi. Montée sur celui-ci, elle retrouve Yvain à la même place, dans la même position et, sans tenir compte des recommandations de la dame, qui a prescrit de n'oindre que les tempes, elle enduit tout le corps du magique onguent, puis, laissant près de lui les vêtements qu'elle a apportés, elle se cache derrière un chêne. A son réveil, Yvain a recouvré raison et mémoire, mais, se voyant nu, il a honte, et il en eût eu davantage, s'il avait su ce qui venait de lui arriver. Il s'étonne de la robe neuve qu'il aperçoit et qu'il s'empresse de revêtir. Cependant il se sent si faible qu'il a besoin d'aide et se laisse emmener jusqu'au château, sans résistance, par la demoiselle, qui joue l'étonnement d'une telle rencontre. Ils l'atteignent après avoir passé une rivière où la demoiselle jette la boîte vide d'onguent, pour pouvoir feindre de l'avoir perdue, mais elle n'évite point par ce mensonge la colère de sa maîtresse.

Fidèles aux usages courtois, dame et demoiselles donnent le bain au chevalier retrouvé, lui font tailler les cheveux et raser la barbe, et il reprend si bien ses forces qu'un beau jour, prenant en main la cause de son hôtesse, il se met à la tête des chevaliers de celle-ci, enhardis par sa propre audace, et s'élance avec eux à l'assaut du château du comte Allier. Le voyant combattre des fenêtres du château, ceux qui y étaient demeurés disaient entre eux (1) :

« Haï ! con vaillant chevalier !	« Ah ! le vaillant chevalier !
Con set ses anemis pleissier,	comme il fait tomber ses ennemis,
Con roidemant il les requiert !	comme vivement il les attaque !
Tot autresi antr'aus se fiert	Il se jette entre eux tout ainsi
Con li lions antre les dains,	que le lion entre les daims,
Quant l'angoisse et chace la fains...	quand la faim le presse et l'étreint...
Veez com il portait de sanc	Voyez comme il teint de sang
Et sa lance et s'espee nue,	et sa lance et son épée nue,
Veez comant il les remue,	voyez comment il les chasse,
Veez comant il les antasse,	voyez comment il les harcèle
Com il lor vient, com il lor passe,	et leur court sus, et les dépasse ;
Com il ganchist, com il trestorne ;	comme il gauchit, et se détourne,
Mes au ganchir petit sejorne	mais ce détour dure peu
Et po demore an son retor...	et le retour ne tarde guère...
Et veez comant il le fet	Puis voyez comme il s'escrime

(1) Vv. 3199-3237.

De l'espee, quant il la tret !   de l'épée, quand il l'a tirée.
Onques ne fist de Durandart   Jamais ne fit par Durendal
Rolanz de Turs si grant essart   Roland de Sarrasins si grand massacre
An Roncevaus ne an Espaingne. »   à Roncevaux ni en Espagne. »

Chassé et acculé au réduit de sa défense, Allier se rend à Yvain qui l'emmène désarmé auprès de la dame de Noroison, dont nous apprenons ainsi le nom par ce même procédé, toujours, de révélation tardive. Glissant de l'admiration et de la reconnaissance à l'amour, elle l'eût volontiers gardé pour maître, mais lui, ne voulant point se laisser retenir, la quitte.

Comme il cheminait, pensif, par un bois profond, il entend un grand cri et, dans des essarts, aperçoit un lion qu'un serpent tenait par la queue, et sur les reins duquel celui-ci crachait des flammes ardentes. Le héros se demande un instant ce qu'il faut faire, mais son hésitation est de courte durée. S'inspirant de la symbolique élémentaire des Bestiaires, qui est restée, sur ce point, celle de nos poètes modernes, Hugo par exemple, il secourt la bête gentille et noble et s'attaquera à la venimeuse et à la félonne.

Dans *La Queste du Graal,* qui imitera ce passage, Perceval se résoudra de même (1). Ici Yvain, se protégeant de la flamme par le bouclier, sert le reptile de l'épée et le tranche en deux, tant pis si une partie de la queue du lion reste dans la gueule du serpent. Aussi s'attend-il à voir venir sur lui, en fureur, le lion délivré, mais (2) :

Oez que fist li lions donques !   Écoutez ce que fit alors le lion !
Il fist que frans et deboneire,   En bête noble et débonnaire,
Que il li comança a feire   il se mit à montrer,
Sanblant que a lui se randoit,   par son attitude, qu'il se rendait à lui ;
Et ses piez joinz li estandoit,   il tendait vers lui ses pattes jointes,
Et vers terre ancline sa chiere,   inclinait la tête vers la terre,
S'estut sor les deux piez derriere   se tenait sur les deux pattes de derrière
Et puis si se ragenoilloit   et puis aussi s'agenouillait
Et tote sa face moilloit   et mouillait toute sa face
De lermes par humilité.   de larmes en signe d'humilité.

Sans s'attarder, le chevalier se remet en route, mais voici que la noble bête le suit, qui désormais ne le quittera plus. Le mufle

_____

(1) *La Queste del saint Graal, roman du XIII° siècle,* édité par A. Pauphilet, Paris, 1923, in-12 (LES CLASSIQUES FRANÇAIS DU MOYEN AGE, de M. Roques), p. 94, « si pense que il aidera au lyon por ce que plus est naturelx beste et de plus gentil ordre que li serpenz ».
(2) Vv. 3392-3401.

au vent, a-t-elle flairé une proie, elle ne lui courra sus que si son nouveau maître y consent. Elle le regarde, celui-ci acquiesce et l'excite comme on ferait d'un braque. Un chevreuil paissait dans un pré ; d'un saut, le lion est sur lui, l'abat, le prend sur son dos et le ramène à Yvain, qui en fait cuire la chair sur un feu de bois ; mais elle lui paraît fade, sans pain ni sel, alors que son fidèle compagnon se régale du reste. Yvain s'endort, tandis que le lion veille sur le cheval et, depuis ce jour, suivi partout par la bête, il sera connu, nouvel Androclès, comme *le Chevalier au Lion.*

Le lendemain, s'étant remis à la voie, le singulier couple parvient à la fameuse Fontaine sous le pin et, en la voyant, il s'en faut de peu qu'Yvain ne retombe dans sa folie. Il tombe pâmé, et, dans sa chute, se blesse au cou par l'épée sortie du fourreau. Le croyant mort, le lion se roule de douleur, trépigne, rugit et veut se jeter sur la pointe de la même épée qu'il a saisie avec les dents et appuyée au tronc d'un arbre couché, quand le maître sort de son évanouissement et, resongeant à sa dame, exhale ainsi sa douleur (1) :

« Que fet que ne se tue	« Pourquoi ne se tue-t-il pas
Cist las qui joie s'est tolue ?	le malheureux qui s'est ravi la joie ?
Que faz je, las, qui ne m'oci ?	Pourquoi tardé-je à me tuer ?
Comant puis je demorer ci	Comment puis-je rester ici
Et veoir les choses ma dame ?	en face des biens de ma dame ?
An mon cors por qu'arreste m'ame ?	Pourquoi au corps l'âme s'attarde-t-elle ?
Que fet ame an si dolant cors ?	Que fait l'âme en si pauvre corps ?
S'ele s'an iert alee fors	Si elle s'en était évadée,
Ne seroit pas an tel martire...	elle ne serait pas en tel martyre.
Don n'ai je cest lion veü	N'ai-je pas vu ce lion,
Qui por moi a si grant duel fet	qui pour moi si grand douleur a
Qu'il se vost m'espee antreset	qu'il se voulut certainement passer
Parmi le cors el piz boter ?	mon épée à travers corps et poitrine ?
Et je doi la mort redoter	Et je devrais craindre la mort,
Qui a duel ai joie changiee ?	moi qui ai changé la joie en deuil ?
De moi s'est la joie estrangiee.	De moi s'est la joie éloignée.
Joie ? La ques ? N'an dirai plus ;	Joie ? Laquelle ? je n'en dis pas plus
Que ce ne porroit dire nus,	car nul ne pourrait la décrire,
S'ai demandee grant oiseuse.	et ma question est bien vaine.
Des joies fu la plus joieuse	Des joies étaient la plus joyeuse,
Cele qui m'iert aseüree :	celle qui m'était assurée,
Mes mout par m'ot corte duree.	mais elle fut de courte durée,
Et qui ce pert par son mesfet	et qui la perd par son méfait
N'est droiz que buene avanture et (2). »	n'a droit au bonheur. »

----

(1) Vv. 3531-3562.
(2) Dire la bonne aventure, c'est donc prédire le bonheur (le malheur restant sous-entendu).

Tandis qu'il exhalait ainsi sa plainte, une pauvre femme, enfermée dans la petite chapelle, l'observait par une fente du mur et l'appelle (1) :

« Deus ! » fet ele, « cui oi ge la ?
Qui est qui se demante si ? »
Et cil li respont : — Et vos qui ? —
« Je sui », fet ele, « une cheitive,
La plus dolante riens qui vive. »
Et cil respont : — Tes, fole riens !
Tes diaus est joie et tes maus biens
Anvers le mien don ge languis.
Tant con li hon a plus apris
A delit et a joie vivre,
Plus le desvoie et plus l'enivre
Diaus, quant il l'a, que un autre home… —
« Certes », fet ele, « je sai bien
Que c'est parole tote voire ;
Mes por ce ne fet mie a croire
Que vos aiiez plus mal de moi ;…
Qu'il m'est avis que vos poez
Aler quel part que vos volez,
Et je sui ci anprisonee
Si m'est tes faeisons donee
Que demain serai ceanz prise
Et livree a mortel juïse. »
— Ha Deus ! — fet il, — por quel forfet ? —

« Dieu », fait-elle « qui entends-je là ?
Qui donc se lamente ainsi ? »
Il lui répond : — Et vous, qui êtes-vous ? —
« Je suis » fait-elle, « une prisonnière,
le plus malheureux être qui vive… »
Il lui répond : — « Tais-toi, folle,
ta douleur est joie et ton mal bien
à côté de la peine où je languis.
Plus l'homme aura appris
à vivre en plaisir et en joie,
plus l'affole et plus l'accable
malheur, quand il vient, qu'un autre. —
« Certes, » fait-elle, « je sais bien
que cette sentence est vraie,
mais il n'est pas pour cela croyable
que vous ayez plus de maux que moi…
car je crois que vous pouvez
aller partout où vous voulez,
et moi je suis ici emprisonnée
et tel est mon destin
que demain je serai enlevée d'ici
pour subir la peine capitale. »
— Dieu, — dit-il, — pour quel forfait ? —

Elle est accusée de trahison et sera brûlée ou pendue, si elle ne trouve champion pour la défendre ; à quoi Yvain observe qu'elle est moins malheureuse que lui, puisqu'elle peut trouver un libérateur. Peut-être, mais celui-là devra se mesurer avec au moins trois adversaires et il n'est que deux chevaliers au monde qui en seraient capables : *Et qui sont-ils* ? demande Yvain (2) :

« Li uns est mes sire Gauvains
Et li autre mes sire Yvains
Por cui demain serai a tort
Livree a martire de mort. »
— Por cui ? — fet il, — qu'avez vos dit ? —
« Sire, se Damedeus m'aït,
Por le fil au roi Uriien. »
— Or vos ai antandue bien,

« L'un est Messire Gauvain
et l'autre Messire Yvain,
pour lequel demain je serai à tort
livrée à martyre de mort. »
— Pour qui, fait-il, qu'avez-vous dit ? —
« Sire, que le seigneur Dieu m'aide,
pour le fils du roi Urien. »
— Maintenant je vous ai bien comprise,

---

(1) Vv. 3570-3597. Les vers 3578 - 3581 imités de Boèce, *Consolatio*, II, IV, 4.
(2) Vv. 3625-3647.

Mes vos n'i morroiz ja sanz lui.
Je meïsmes cil Yvains sui
Por cui vos estes an esfroi ;
Et vos estes cele, ce croi,
Qui an la sale me gardastes,
Ma vie et mon cors me sauvastes...
Or me dites, ma douce amie :
Qui sont cil qui de traïson
Vos apelent et an prison
Vos ont anclose an cest reclus ? —

mais vous ne mourrez pas sans lui.
C'est moi-même qui suis cet Yvain,
pour qui vous êtes en détresse ;
et vous êtes celle, je crois,
qui me gardâtes en la salle
et me sauvâtes vie et corps...
Mais dites-moi, ma douce amie,
quels sont ceux qui de trahison
vous accusent et prisonnière
vous ont jetée en ce réduit ? —

Lunete, car c'est bien elle, lui raconte alors, comment, l'année de congé expirée, elle a vu la colère de la dame contre son époux et amant infidèle se retourner vers la suivante, des mains de laquelle elle l'avait accepté. Le sénéchal, qui est souvent le *losengier* ou traître de ce genre de romans, l'avait alors, pour la perdre, accusée devant la Cour, à quoi elle avait répondu, suivant la coutume du duel judiciaire, qu'elle s'en défendrait par la victoire d'un seul champion contre trois adversaires. Ayant donné trois gages et obtenu quarante jours de répit, elle avait en vain cherché partout, même à la cour d'Arthur, l'un des deux défenseurs auxquels elle avait pensé, Yvain ou Gauvain, mais celui-ci est à la poursuite de la reine Guenièvre qu'a enlevée un chevalier, ce qui prouve que *Lancelot* est antérieur au présent récit (1).

Qu'elle se rassure, l'aide d'Yvain, ainsi miraculeusement retrouvé, ne lui fera point défaut, pourvu qu'elle se taise sur le nom de ce dernier. En attendant la terrible bataille, il va demander asile dans un château voisin, où l'on hésite un peu à accepter aussi le lion privé, et où il trouve des chevaliers, des dames et des demoiselles, qui, après avoir fait fête à leur hôte, ne peuvent lui cacher leurs douleurs et leurs craintes d'une terrible aventure qui les attend le lendemain avant midi : un géant (après le lion, le géant, nous voici en plein fantastique) qui a nom Harpin de la Montagne, convoite la fille du seigneur du lieu, laquelle, naturellement, clause de style, passe en beauté toutes les pucelles du monde. Encore s'il la désirait pour lui-même, mais il déclare qu'il la livrera aux plus vieux et aux plus vilains de ses valets. Déjà, par manière de menace, il lui a tué deux de ses six fils et le cruel se prépare à faire subir aux autres le même sort. Que n'a-t-on, demande Yvain, fait appel à la Cour d'Arthur, notamment à Monseigneur Gauvain. Celui-ci est le propre beau-frère du baron,

(1) Cf. vv. 3706-3715.

mais il est resté introuvable étant à la poursuite de la reine (1).
Il en pèse à son frère d'armes, mais celui-ci le remplacera, pourvu
que ce soit avant midi, pour la délivrance de la nièce, qui, *gente
de corps* et douloureuse, vient vers lui *le chief enclin*. Avec sa
mère, elle veut se jeter aux genoux de son sauveur, qui n'accepte point une telle humilité. Le lendemain vient et, avec lui,
le géant, menant rudement les quatre fils qu'il avait enlevés, liés
de cordes sur des roncins, clochant, faibles, maigres et battus
d'un fouet à nœud par un hideux nain. Il se répand tout haut en
menaces qui tendent ou à la mort des quatre malheureux ou au
déshonneur de leur sœur qu'il acceptera en échange. « Ça ! mes
armes et mon cheval ! », crie le courageux Yvain, bondissant
sous l'outrage fait à la nièce de son cher Gauvain, et le combat
bientôt s'engage, qui aurait pu mal tourner, n'était l'intervention du fidèle lion, lequel voyant son maître broncher (2),

A cest cop li lions se creste,	à ce coup, sa crinière se hérisse,
De son seignor eidier s'apreste,	il se prépare à secourir son maître.
Si saut par ire et par grant force,	Il saute de fureur et avec grand force,
S'aert et fant com une escorce	saisit et fend comme une écorce
Sor le jaiant la pel velue,	sur le géant la peau d'ours velue ;
Desoz la pel li a tolue	sous la peau il lui enlève
Une grant piece de la hanche,	un large morceau de la hanche,
Les ners et les braons li tranche.	lui tranchant les muscles et les cuisses.
Et li jaianz li est estors,	Mais le géant lui est échappé,
Si bret et crie come uns tors	brayant et criant comme un taureau,
Que mout l'a li lions grevé.	car le lion l'a cruellement blessé.
A deus mains a le pel levé	Des deux mains il lève sa massue
Et cuide ferir, mes il faut.	et croit l'abattre, mais il le manque.

Le lion saute en arrière, le coup passe à côté d'Yvain, qui,
sans perdre un instant, du tranchant de l'épée, coupe la tête à
son adversaire (3) :

Li jaianz chiet, la morz l'asproie ;	Le géant tombe, la mort le presse,
Et se uns granz chasnes cheïst,	et si un grand chêne avait chu,
Ne cuit que tel esfrois feïst	je crois qu'il n'eût fait tel bruit
Que li jaianz fist au cheoir.	que le géant fit en sa chute.

---

(1) Cf. vv. 3918-3929, à rapprocher des précédents à cause de l'allusion
au chevalier de la Charrette, mais Lancelot n'est pas nommé non plus ;
il le sera plus loin, dans une troisième allusion, vv. 4741-4745. Celle-ci
est d'autant plus curieuse qu'elle semble se référer à un Lancelot inachevé,
le héros étant encore dans la tour.
(2) Vv. 4219-4231.
(3) Vv. 4244-4247.

Alors tous les habitants du château se précipitent comme les chiens à la curée (1) :

Einsi corurent sanz feintise	Ils y coururent sans tarder
Tuit et totes par anhatine	tous et toutes à l'envi,
La ou cil gist gole sovine.	là où il gisait la gorge béante.
Li sire meïsmes i cort	Le seigneur même y accourt
Et totes les janz de sa cort,	et tous les gens de sa suite,
Cort i la fille, cort la mere.	y court la fille, y court la mère.

Elles sont dans la joie, ainsi que les quatre frères, cependant n'espérant point pouvoir retenir le héros, elles le supplient de revenir auprès d'elles pour lui faire fête, quand il se sera acquitté de la grave obligation, sur laquelle il ne s'est point expliqué, mais que le lecteur connaît bien. Il ne s'engage point, mais fait promettre aux quatre fils et à la fille de s'en aller avec le nain auprès de Monseigneur Gauvain pour lui faire part de leur aventure (2) :

Et comant il s'est contenuz	Et comment lui s'est comporté
Viaut que li soit dit et conté.	il veut qu'il lui soit dit et conté,
Car por neant fet la bonté	car elle est vaine la bravoure
Qui ne viaut qu'ele soit seüe.	qui ne veut pas être connue.

Ainsi, par la voix de Chrétien, en ce que j'ai appelé la seconde Renaissance française, est proclamée la part qu'a la gloire en l'Aventure. Ceux à qui cette mission est confiée s'en acquitteront volontiers, mais de qui diront-ils à Gauvain la vaillance (3) ?

Et il respont : « Tant li porroiz	Et il répond : « Vous lui pourrez
Dire quant devant lui vandroiz	dire, quand vous viendrez devant lui,
Que li Chevaliers au Lion	que le Chevalier au Lion
Vos dis que je avoie non.	vous ai-je dit que j'avais nom.
Et avuec ce priier vos doi	Et en outre je dois vous prier
Que vos li dites de par moi	de lui dire de ma part
Qu'il me conoist bien et je lui,	qu'il me connaît bien et moi lui,
Et si ne set qui je me sui. »	quoiqu'il ne sache qui je suis. »

Satisfait d'avoir proposé à son *compaing* cette énigme, il pique des deux pour arriver à l'heure de midi à la chapelle. Mais déjà la pauvre demoiselle Lunete en a été tirée, *nue en sa chemise*

(1) Vv. 4254-4259.
(2) Vv. 4278-4281.
(3) Vv. 4289-4296.

et liée au bûcher qui doit la consumer. C'est en cet appareil qu'Yvain, survenant, l'aperçoit, mais, sans s'approcher d'elle (1),

Vers la presse toz esleissiez
S'an va criant : « Leissiez, leissiez
La dameisele, janz mauveise !
N'est droiz qu'an re ne an forneise
Soit mise, que forfet ne l'a. »

vers la foule, il s'élance au galop
en criant : « Laissez, laissez
cette demoiselle, méchantes gens,
il n'est juste qu'en bûcher ou fournaise
elle soit jetée, car elle n'est pas coupable. »

La foule s'écarte devant le champion inconnu, mais lui, en cet instant, n'a qu'une préoccupation, revoir celle qu'il aime (2) :

Et lui est mout tart que il voie
Des iauz celi que ses cuers voit
An quelque leu que ele soit ;
As iauz la quiert tant qu'il la trueve,
Et met son cuer an tel esprueve
Qu'il le retient et si l'afrainne
Si con l'an retient a grant painne
A fort frain le cheval tirant.

Beaucoup lui tarde d'apercevoir
des yeux celle que son cœur voit
en quelque lieu qu'elle soit.
Des yeux la cherche tant qu'il la trouve
et met son cœur à telle épreuve
qu'il le retient et le refrène
ainsi que l'on retient à grand'peine
d'un fort frein le cheval tirant.

Et pendant qu'il retient ses soupirs pour ne pas se trahir, les filles de la Cour laissent libre cours à leurs plaintes sur la fidèle amie qu'elles ont perdue et par les conseils de laquelle la dame répandait sur elles ses bienfaits, manteaux de vair, surcots et cotes. Sans s'attarder à leurs lamentations, Yvain s'approche de Lunete agenouillée, et qui déjà s'était confessée, *clamant sa coulpe* (3) :

Et cil qui mout l'avoit amee
Vient vers li, si l'an lieve amont
Et dit : — Ma dameisele, ou sont
Cil qui vos blasment et ancusent ?
Tot maintenant, s'il nel refusent
Lor iert la bataille arramie. —
Et cele qui ne l'avoit mie
Ancor veü ne esgardé
Li dit : « Sire de la part Dé
Veigniez vos a mon grant besoing !
Cil qui portent le faus tesmoing
Sont ci vers moi tuit apresté ;
S'un po eüssiez plus esté,
Par tant fusse charbons et çandre.
Venuz estes por moi defandre,

et celui qui l'aimait beaucoup
vient vers elle et la relève
lui disant : — Ma demoiselle où sont
ceux qui vous chargent et vous accusent ?
Tout aussitôt, s'ils ne se dérobent,
leur sera la bataille offerte. —
Et celle qui ne l'avait pas
encore vu ni regardé
lui dit : « Seigneur, de la part de Dieu
secourez-moi en ma grand détresse !
Ceux qui portent le faux témoignage
sont ici à côté de moi tout prêts ;
si vous aviez tardé un peu plus,
je serais maintenant charbon et cendre.
Vous êtes venu me défendre ;

(1) Vv. 4337-4341.
(2) Vv. 4344-4351.
(3) Vv. 4394-4411.

Et Deus le pooir vos an doint
Einsi con je de tort n'ai point
Del blasme don je sui retee ! »

que Dieu vous en donne pouvoir,
aussi sûrement que je n'ai point commis
le crime dont je suis accusée ! »

Le sénéchal et ses deux frères se répandent en menaces contre elle et son champion, qui cependant ne se laisse point intimider, confiant dans la parole de l'accusée et dans le bon droit que Dieu soutient toujours. Nous avons ici une théorie en forme du duel judiciaire si en honneur alors (1) :

— Bien croi ce qu'ele dit m'an a
Si la defandrai se je puis ;
Que son droit an m'aïe truis.
Et, qui le voir dire an voudroit,
Deus se retient devers le droit
Et Deus et droiz a un se tienent ;
Et quant il devers moi s'an vienent,
Donc ai ge meillor conpaignie
Que tu n'as et meillor aïe. —

— Je crois ce qu'elle m'en a dit
et je la défendrai si je puis,
car j'ai son droit pour mon soutien.
Si l'on en veut dire le principe,
Dieu se tient du côté du droit,
Dieu et le droit ne font qu'un,
et si tous deux ils m'assistent,
j'ai donc meilleur compagnonnage
que tu n'as et meilleure aide. —

L'autre répond qu'il se fait aider par qui il lui plaît, mais il récuse le lion qu'il ne veut point pour adversaire et exige que Yvain lui ordonne de se retirer, ce que la bête fait docilement. Après s'être éloignés pour prendre leur élan, moins courtois que les brigands d'Érec, les trois traîtres foncent ensemble sur lui qui, sans s'émouvoir, *de son écu leur fait quintaine.* Ainsi appela-t-on, jusque dans les Académies du xviie siècle, le mannequin armé d'un bâton sur qui s'escrimaient les jeunes gentils-hommes. Leurs trois lances s'y brisent successivement, puis il rompt d'un arpent, tel Horace, et revient, abattant d'abord le sénéchal, mais succombant bientôt sous les coups d'épée des deux acolytes de ce dernier. Le lion, qui a observé la scène et qui, malgré sa docilité, ne se sent pas tenu par la promesse faite en son nom, juge le moment venu d'intervenir, il se jette sur le sénéchal désarçonné et (2)

Que ausi con ce fussent pailles
Fet del hauberc voler les mailles,

comme si c'était de la paille
fait du haubert voler les mailles,

lui arrache le gras de l'épaule, le côté et met les entrailles à nu. Ensuite il se retourne contre les autres, sans souci, cette fois,

(1) Vv. 4440-4448.
(2) Vv. 4525-4526.

des appels et des coups de son maître, car il sait que ce dernier, au fond, l'en aime mieux. Mais les attaqués se défendent et blessent le lion. C'est alors au tour d'Yvain de venger sa bête avec tant d'ardeur qu'ils se rendent à merci. La demoiselle est délivrée, reçue en grâce par sa dame, et les traîtres brûlés sur le bûcher qu'ils destinaient à l'innocente (1) :

Car ce est reisons et justise	car c'est raison et justice
Que cil qui autrui juge a tort	que qui accuse autrui à tort
Doit de cele meïsme mort	doit de cette même mort
Morir que il li a jugiee.	mourir, qu'il lui a destinée.

Tous font fête à leur légitime seigneur, sans toutefois le reconnaître, même la dame, qui garde le cœur de ce dernier et qui l'invite à séjourner chez elle avec son lion familier. Un ingénieux et spirituel dialogue s'engage. Jamais Chrétien n'a poussé plus loin la grâce et l'aisance que dans cette œuvre (2) :

— Dame, ce n'iert hui	— Dame, ce ne sera aujourd'hui
Que je me remaingne an cest point	que je resterai en ce lieu,
Tant que ma dame me pardoint	jusqu'à ce que ma dame me pardonne
Son mautalant et son corroz.	son déplaisir et son courroux.
Lors finera mes travauz toz. —	Alors finira toute ma peine. —
« Certes, » fet ele, « ce me poise.	« Certes », fait-elle, « il m'en peine.
Ne taing mie por tres cortoise	Je ne tiens pas pour très courtoise
La dame qui mal cuer vos porte.	la dame qui vous porte haine,
Ne deüst pas veer sa porte	elle ne devrait pas défendre sa porte
A chevalier de vostre pris,	à chevalier de votre valeur,
Se trop n'eüst vers li mespris. »	à moins qu'il ne lui ait trop manqué. »
— Dame, — fet il, — que qu'il me griet,	— Dame, — dit-il, — quoiqu'il me pèse
Trestot me plest quanque li siet,	tout me plaît qui lui agrée,
Mes ne m'an metez plus an plet !	mais ne m'en demandez pas plus,
Que l'achoison ne le forfet	car la cause ni la faute
Ne diroie por nule rien	je ne dirais pour rien au monde,
Se çaus non qui le sevent bien. —	si ce n'est à ceux qui les savent bien. —
« Set le donc nus se vos dui non ? »	«Nul ne sait donc, si ce n'est vous deux ? »
— Oïl, voir, dame ! — « Et vostre non	— Oui, madame ! — « Et votre nom,
Seviaus, biaus sire, car nos dites !	au moins, cher seigneur, dites-le-moi,
Puis si vos an iroiz toz quites. »	puis je vous tiendrai quitte. »
— Toz quites, dame ? Non feroie.	—Tout à fait quitte, Madame ?Hélas ! non !
Plus doi que rendre ne porroie.	Je dois plus que ne pourrais rendre.
Neporquant ne vos doi celer	Pourtant je ne vous dois cacher
Comant je me faz apeler.	comment je me fais appeler :
Ja del Chevalier au Lion	désormais du Chevalier au Lion
N'orroiz parler se de moi non.	n'ouïrez parler, qu'il ne s'agisse de moi.
Par cest non vuel que l'on m'apiaut. —	De ce nom veux-je qu'on appelle. —

(1) Vv. 4572-4575.
(2) Vv. 4588-4615.

La dame répond, non sans que l'auteur et son lecteur ne s'en amusent (1) :

« Por Deu, biaus sire, ce qu'espiaut
Que onques mes ne vos veïmes
Ne vostre non nomer n'oïmes ? »
— Dame, par ce savoir poez
Que ne sui gueires renomez. —
Lors dit la dame de rechief :
« Ancor s'il ne vos estoit grief
De remenoir vos priëroie. »
— Certes, dame, je n'oseroie
Tant que certainement seüsse
Que le buen gré ma dame eüsse. —
« Or alez donc a Deu, biaus sire,
Qui vostre pesance et vostre ire
Vos atort, se lui plest, a joie ! »
— Dame, fet il, Deus vos an oïe ! —
Puis dit antre ses danz soef :
— Dame vos an portez la clef
Et la serre et l'escrin avez
Ou ma joie est, si nel savez. —

« Dieu, cher seigneur, comment expliquer
que jamais nous ne vous vîmes
ni n'entendîmes votre nom ? »
— Madame, par là vous voyez bien
que je ne suis guère réputé. —
Alors la dame dit encore :
« Toutefois, s'il ne vous ennuyait,
de demeurer je vous prierais. »
— Certes, Madame, je n'oserais
si je ne savais avec certitude
que j'eusse le pardon de ma Dame. —
« Allez donc avec Dieu, cher sire,
que votre peine et votre douleur
il les change, s'il lui plaît, en joie. »
— Dame, fait-il, Dieu vous entende ! —
Puis il dit entre les dents à voix basse :
— Dame, vous détenez la clef
et la serrure et le coffret
où est ma joie, mais ne le savez. —

Il s'éloigne en grande angoisse, accompagné de la seule Lunete, à qui il recommande encore le silence sur son libérateur, tout en la suppliant d'intercéder pour lui auprès de sa maîtresse, si l'occasion s'en présentait (2) :

Et il l'an mercie çant foiz,
Si s'an va pansis et destroiz
Por son lion que li estuet
Porter que siure ne le puet.
An son escu li fet litiere
De la mosse et de la fouchiere.
Quant il li a feite sa couche,
Au plus suef qu'il puet le couche,
Si l'an porte tot estandu
Dedanz l'anvers de son escu.

et il l'en remercie cent fois,
puis s'en va, soucieux et inquiet,
pour son lion qu'il lui faut
porter, car celui-ci ne le peut suivre.
En son écu il lui fait une litière
de mousse et de fougère.
Quand il lui a fait une couche,
le plus doucement qu'il peut l'y couche,
et l'emporte ainsi étendu
dans l'envers de son bouclier.

En cet équipage, ils trouvent asile dans un château, dont le seigneur, sa dame, leurs fils et leurs filles lui font bel accueil et où deux d'entre celles-ci *qui mout savoient de cirurgie*, pansent les blessures de l'homme et de la bête, après quoi l'un et l'autre prennent congé.

(1) Vv. 4616-4634.
(2) Vv. 4651-4660.

Pendant leur convalescence, il arriva que le seigneur de la Noire Épine, introduit ici, sans autre présentation ou transition, étant passé de vie à trépas, l'aînée de ses filles prétendit à tout son héritage en déniant à la cadette quelque part que ce fût. Celle-ci décide de recourir au roi Arthur, soutien et colonne de la justice, mais l'aînée, l'apprenant, la devance et acquiert à sa cause Monseigneur Gauvain, à cette seule condition qu'elle lui en garderait le secret. L'anonymat et le mystère sont de l'essence de l'aventure et ces paladins ont souvent plus de spontanéité que de discernement.

Enfin arrive l'autre sœur, trois jours après que la reine Guenièvre était revenue avec les autres prisonniers de chez Méléaguant et alors que Lancelot par trahison était resté dans la tour (troisième allusion (1) et des plus précises à *Lancelot*, ce qui atteste une fois de plus l'étroite parenté d'*Yvain* avec le roman précédent). Or, à ce même moment, étaient parvenus à la Cour la nièce et les neveux de Gauvain, pour lui conter la victoire du mystérieux Chevalier au Lion sur le géant, dont il y eut grande joie.

Entre les deux plaidantes s'engage devant le roi un véritable procès, la cadette affirmant qu'elle ne céderait pas à la force, l'aînée, sûre de l'appui du meilleur chevalier du monde, ne se prêtant à aucune concession. Tout ce qu'elle accepte, c'est l'éternel duel judiciaire du champion qu'élirait sa sœur contre le sien propre. Soit, fait le roi, à condition de lui laisser quarante jours, si elle le demande, pour s'en chercher un. La déshéritée en tombe d'accord et se retire en songeant qu'un seul pourra lui venir utilement à l'aide, ce fameux Chevalier au Lion, vainqueur du terrible Géant.

Alors commence une *Queste* qui, elle aussi, nous l'avons vu à propos de Lancelot, est un procédé essentiel du Roman d'Aventure, celui d'hier comme celui d'aujourd'hui, et qu'entreprend d'abord la cadette, puis une demoiselle dans le château de laquelle elle a trouvé l'hospitalité. Celle-ci a abordé, par un hasard vraiment un peu trop providentiel, à la demeure de celui qu'Yvain avait délivré de la tyrannie du Géant et qui lui montre le chemin de la fontaine, où elle retrouve Lunete. La suivante la convoie jusqu'à l'abatis d'arbres où elle a quitté son libérateur: occasion pour la malheureuse de rappeler ses infortunes

_____

(1) Pour les deux autres, voir plus haut, p. 332, n. 1.

et de ne pas nous laisser oublier les protagonistes du drame. Mise ainsi sur la trace de celui qu'elle cherche, la messagère aboutit au château où Yvain et son lion ont été guéris de leurs blessures, et qu'ils viennent de quitter. Vous ne doutez pas un instant que sur la seule et vague indication de la direction qu'ils ont prise, elle ne les rejoigne et ne le supplie avec éloquence de venir en aide à la déshéritée.

De même que l'auteur n'a pas voulu nous laisser perdre de vue ses principaux personnages, il trouve moyen, non sans adresse, de nous rappeler la thèse de la *récréance* du chevalier, car à la péroraison de l'impétrante (1) :

« Or me respondez, s'il vos plest,
Se vos venir i oseroiz
Ou se vos an reposeroiz ! »
— Naie, — fet il, — de reposer
Ne se puet nus hom aloser,
Ne je ne reposerai mie,
Ainz vos siurai, ma douce amie,
Volantiers la ou vos pleira...
Or m'an doint Deus eür et grace
Que je par sa buene avanture
Puisse desresnier sa droiture. —

« Or répondez-moi, s'il vous plaît,
si vous oserez y venir
ou si vous y renoncerez ! »
— Non, fait-il, — en renonçant
nul ne peut conquérir la gloire.
Donc je ne renoncerai pas,
mais je vous suivrai, chère amie,
volontiers, là où il vous plaira...
Que Dieu me donne l'heur et la grâce
que, par sa providence.
je puisse défendre le droit. —

Peut-être croit-on qu'aussitôt il va, suivi de la messagère, rejoindre l'infortunée et engager un duel à sa gloire pour le triomphe de l'innocence outragée, ce serait mal connaître notre feuilletoniste et les règles déjà bien établies du genre, depuis le roman d'Apulée. Elle doit être longuement semée d'obstacles, la voie qui conduit au dénouement et nous séparer à regret des héros triomphants. Chemin faisant, en effet, le romancier les mène au *Chastel de Pesme Avanture* (v. 5109). *Male* nous ferait déjà craindre ; *pesme, pessima*, le superlatif, nous fait frissonner. Contrairement aux lois de l'hospitalité que nous avons jusqu'à présent vu observer à l'égard de tout passant, sans autre examen, l'accueil fait aux survenants y est sinistre (2) :

« Mal veigniez, sire, mal veigniez !...
Hu ! Hu ! maleüreus, ou vas ?... »
— Janz sanz enor et sanz bonté, —
Fet mes sire Yvains qui escoute, —

« Soyez le mal venu, sire, le mal venu...
Hu ! hu ! malheureux, où vas-tu ?... »
— Gent sans honneur et sans bonté, —
Fait Messire Yvain qui écoute, —

(1) Vv. 5092-5106.
(2) Vv. 5115-5139.

Janz maleüreuse et estoute (1),	Gent envieuse et insolente,
Por quoi m'asauz, por quoi m'aquiaus ? —	Pourquoi m'assaillir et m'attaquer ? —

Une dame d'âge l'interpelle à son tour, du haut des murs, justifie les insulteurs en lui expliquant qu'ils essaient par leurs menaces de le détourner d'entrer sans oser en dire la cause, car telle est la coutume à laquelle tous sont astreints. Il n'en faut pas plus pour tenter la curiosité et le courage d'un chercheur d'aventure et, suivi de son lion et de la messagère, il se précipite, accueilli par la malédiction du portier, qui cependant lui livre passage, et bientôt se présente à lui un spectacle inattendu et d'une grâce singulière. Une grande salle, devant celle-ci une prairie, close de pieux aigus, ronds et gros et, à l'intérieur de cette clôture, trois cents jeunes filles occupées à divers ouvrages (2) :

De fil d'or et de soie ovroient	travaillant avec des fils d'or et de soie,
Chascune au miauz qu'ele savoit.	chacune le mieux qu'elle pouvait.
Mes tel povreté i avoit...	Mais en tel dénuement...
Et as memeles et as cotes	que aux seins et aux coudes
Estoient lor cotes desrotes	leurs robes étaient trouées
Et les chemises au dos sales.	et leurs chemises sales dans le dos.
Les cos gresles et les vis pales	Les cous grêles, le visage pâle,
De fain et de meseise avoient.	de faim et de misère avaient.
Il les voit et eles le voient,	Lui les voit et elles le voient,
Si s'anbruncheut totes et plorent	baissent le front toutes et pleurent,
Et une graut piece demorent,	et un bon moment demeurent,
Qu'eles n'antandent à rien faire	laissant tomber leur ouvrage,
Ne lor iauz ne pueent retreire	et ne pouvant lever leurs yeux
De terre, tant sont acorees.	de terre, tant elles sont tristes.

Nous avons là un tableau fait d'après le modèle vivant, semble-t-il, de ces ateliers d'Arras ou de Troyes, où de pauvres ouvrières, mal vêtues, cousaient les orfrois et tissaient les tapisseries dont devaient s'enrichir et s'orner la Chambre des Dames et les salles des chevaliers, luxe fait de misère. Yvain s'émeut et interroge le rude portier, qui continue à proférer les pires menaces (3) .

— Mes di moi, par l'ame ton pere,	— Dis-moi plutôt, par l'âme de ton père,
Dameiseles que j'ai veües	ces demoiselles que j'ai vues
An cest praël, don sont venues,	dans ce pré, d'où sont-elles venues,
Qui dras de soie et orfrois tissent ?	qui tissent draps de soie et orfrois ?
Oevres font qui mout m'abelissent,	Elles font des travaux qui me plaisent,
Mes ce me desabelist mout	mais ce qui me déplaît beaucoup

(1) Corrigé d'après la petite édition Foerster in-12, la 4ᵉ, celle de 1912.
(2) Vv. 5196-5211.
(3) Vv. 5226-5236.

Qu'eles sont de cors et de vout
Megres et pales et dolantes ;
Si m'est avis, beles et jantes
Fussent mout se eles eüssent
Iteus choses qui lor pleüssent. —

c'est qu'elles sont de corps et de visage
maigres, pâles et douloureuses.
Il me semble que belles et gentilles
elles seraient, si elles avaient
telles choses qui leur plussent. —

Le portier bourru refuse de le renseigner, mais, à force de chercher, il trouve une porte qui lui permet de les rejoindre ; de plus près, voyant leurs larmes couler, il leur demande la cause de leur chagrin et elles de lui raconter comment le roi de l'Ile aux Pucelles passa un jour par ce château, y fut provoqué par les châtelains, deux fils de diable issus d'une femme et d'un *nulon* ou lutin (1), et comment il n'obtint la vie sauve qu'en leur livrant, chaque année, trente jeunes filles, tribut qui rappelle singulièrement celui que payaient les Athéniens au Minotaure et les sujets du roi Marc au Morholt. Yvain va naturellement jouer à l'égard de celles-ci le rôle de Tristan. Mais elles ne s'y attendent point et avec âpreté leur porte-parole traduit leur peine (2) :

Mes mout dis ore grant anfance,
Qui parlai de la delivrance ;
Que ja mes de ceanz n'istrons.
Toz jorz dras de soie tistrons,
Ne ja n'an serons miauz vestues.
Toz jorz serons povres et nues
Et toz jorz fain et soif avrons ;
Ja tant gaeignier ne savrons
Que miauz an aiiens a mangier.
Del pain avons a grant dangier,
Au main petit et au soir mains ;
Que ja de l'uevre de noz mains
N'avra chascune por son vivre
Que quatre deniers de la livre,
Et de ce ne poons nos pas
Assez avoir viande et dras ;
Car qui gaaigne la semainne
Vint souz, n'est mie fors de painne.
Et buen sachiez vos a estros
Que il n'i a celi de nos

Mais je viens de dire grand folie
en parlant de la délivrance,
car nous ne sortirons plus d'ici.
Toujours draps de soie tisserons,
et n'en serons pas mieux vêtues.
Toujours serons pauvres et nues
et toujours faim et soif aurons ;
jamais tant gagner ne pourrons
que mieux en ayons à manger.
Du pain en avons chichement,
au matin peu et au soir moins,
car de l'ouvrage de nos mains
ne gagne chacune pour vivre
que quatre deniers de la livre (3).
Avec cela ne pouvons pas
avoir beaucoup de mets et draps,
car qui gagna en sa semaine
vingt sous, n'est pas tiré de peine,
et bien sachez en tous les cas
qu'il n'est aucune d'entre nous

---

(1) Ce mot est une altération du précédent, qui lui-même dérive de *Neptunus*. (Cf. A. Thomas dans le *Dictionnaire général de la langue française* de Hatzfeld et Darmesteter, v° *lutin*.) *Nulon* est encore en usage dans le folklore wallon de la région de Verviers.

(2) Vv. 5295-5324.

(3) S'agit-il de la livre de marchandises ouvrées dûment pesées ou de la livre de fil fournie par elles ou de la livre d'argent ? (H. Pirenne.)

Qui ne gaaint vint souz ou plus.
De ce seroit riches uns dus !
Et nos somes an grant poverte,
S'est riches de nostre deserte
Cil por cui nos nos traveillons.
Des nuiz grant partie veillons
Et toz les jorz por gaeignier ;
Qu'an nos menace a maheignier
Des manbres, quant nos reposons,
Et por ce reposer n'osons.

qui ne gagne vingt sous ou plus,
de quoi rendre riche un duc !
Et nous sommes en grand misère,
quoique riche soit de nos gains
celui pour lequel nous peinons.
Des nuits grand partie veillons
et toute la journée pour gagner,
car on nous menace de rouer
nos membres, si nous nous reposons,
aussi reposer nous n'osons.

On dirait de l'éloquente plainte des filles d'atelier de la naissante industrie textile de Champagne ou d'Artois, criant leur
misère et pleurant sur leurs doigts agiles, dont l'effort ne suffit
pas à les faire vivre d'un salaire insuffisant. Mais, pour en revenir
au roman, ce qui tourmente le plus les infortunées, c'est de voir
périodiquement des chevaliers, hébergés dans ce castel maudit,
succomber le lendemain sous les coups des *deux vifs diables*,
comme il arrivera d'ailleurs à leur interlocuteur lui-même. Ren-
tré dans la maison, il n'y trouve personne, mais, parvenu enfin
dans un verger, il y aperçoit (1)

Un riche homme qui se gisoit
Sor un drap de soie, et lisoit
Une pucele devant lui
An un romanz, ne sai de cui.
Et por le romanz escouter
S'i estoit venue acoter
Une dame, et c'estoit sa mere
Et li sires estoit ses pere...

un riche homme, qui était couché
sur un drap de soie, et écoutait
une pucelle lisant près de lui
un roman, je ne sais de qui.
Et pour écouter le roman
y était venue s'accouder
une dame, qui était sa mère
et le seigneur était son père.

Tous les hôtes du verger font fête au nouveau venu, en particulier la jeune fille, qui lui lave elle-même les mains, le visage et
le cou et le revêt de riches vêtements. Le lendemain, après avoir
dormi paisiblement en compagnie de son lion et entendu avec
la messagère la Messe du Saint-Esprit, Yvain veut prendre congé
du *riche homme*, congé que ce dernier lui refuse avant de
s'être mesuré avec ses deux forts *serjanz*, dont la défaite lui
assurera la main de sa fille. Alors surgissent, hideux et noirs
tous deux, les fils du gnome, armés d'un bâton de cornouiller garni
de cuivre, le corps protégé par une armure, la tête et les jambes
nues. Le lion se hérisse sous la menace qui plane sur son maître,

(1) Vv. 5363-5370.

au point que le hideux couple en a peur et exige qu'on l'enferme dans une chambre. Précaution inutile, car le combat est à peine engagé que le lion s'émeut du danger que court son maître, cherche une issue et, ne la trouvant point, gratte la terre furieusement sous le seuil à demi pourri, s'y engage jusqu'aux reins et finit par sortir de sa prison ; il se jette sur l'un des *maufés*, le saisit, le roule à terre comme un peloton de laine, et lui arrache l'épaule. L'autre, volant au secours de son compagnon, présente à Yvain à découvert son cou nu sur lequel celui-ci assène un tel coup qu'il sépare la tête du tronc. Le blessé alors se rend à merci. Le seigneur du lieu et sa femme acclament le vainqueur et, en récompense, veulent absolument lui imposer leur fille et sa riche dot, auxquelles il a toutes les peines du monde à se dérober. La scène est d'excellente comédie. Tout ce qu'il accepte et même réclame, c'est la délivrance des pauvres ouvrières, qu'il emmène derrière lui comme un troupeau et qui se confondent en actions de grâce envers leur libérateur. Ces ressuscitées de la légende celtique ne sont plus que les victimes échappées à l'enfer industriel qu'est l'atelier où on les exploite. Dans l'un comme dans l'autre cas est satisfait notre sentiment de la justice, qui ne supporte point de voir une belle jeunesse livrée à la mort ou à la tyrannie de la misère.

Mais Yvain les congédie rapidement, car, non plus que nous, il n'a oublié la mission pour laquelle il était en route, la défense de la déshéritée que, guidé par la messagère, il rejoint enfin et accompagne à la Cour d'Arthur. La quarantaine étant à la veille d'expirer, l'aînée déjà triomphe et réclame du roi l'entrée en possession de l'héritage qu'elle a usurpé, lorsque surgissent la plaignante et le Chevalier au Lion, sans sa bête, toutefois, qu'il a laissée à son hôtel et qu'il serait incorrect de faire intervenir en un loyal combat. En vain, avant que celui-ci s'engage, fait-elle appel une dernière fois aux bons sentiments de sa sœur pour qu'elle lui laisse au moins sa part. Rien n'y fait et déjà le peuple s'assemble pour voir la lutte des deux champions inconnus, car ni Yvain ni Gauvain ne se révèlent par leur blason ni leurs couleurs habituelles, de telle sorte que même (1)

ne s'antreconoissent mie	ne se reconnaissent pas
Cil qui conbatre se voloient,	ceux qui voulaient se combattre
Qui mout antramer se soloient.	et qui se plaisaient à s'entr'aimer.

(1) Vv. 5998-6000.

Ici le romancier, qui n'est pas sensible uniquement à l'aventure, d'instituer une discussion psychologique assez quintessenciée sur l'amitié et la haine. Peuvent-ils donc s'aimer en se combattant ? L'amour et la haine sauraient-ils en même temps habiter la même âme. Il faut donc qu'ils logent en des chambres séparées, semblables à deux aveugles, car c'est un fait qu'aujourd'hui (1) :

Li anemi sont cil meïsme	les ennemis sont ceux-là même
Qui s'antraimment d'amor saintisme.	qui s'entr'aiment du plus saint amour.

Ne se reconnaissant point, ils s'élancent, sans une parole ni une menace, et c'est un terrible duel, le plus beau de ceux qu'a peints notre romancier que celui où se mesurent, pour une cause qui leur est étrangère, les deux meilleurs chevaliers de la Cour d'Arthur (2) :

Car il se donent mout granz flaz	... Ils se donnent de grands coups
Des tranchanz, non mie des plaz,	des tranchants et non du plat,
Et des pons redonent teus cos	et des pommeaux se donnent tels chocs
Sor les naseus et sor les cos	sur le nasal et sur le cou
Et sor les fronz et sor les joes	et sur le front et sur les joues,
Que totes sont perses et bloes	qu'elles en devienent toutes bleues,
La ou li sans quace desoz...	là où le sang coule à fleur de peau...
Car des pons si granz cos se donent	Et des pommeaux tels coups se donnent
Sor les hiaumes que tuit s'estonent	sur les heaumes qu'ils en sont étourdis.
Et par po qu'il ne s'escervelent.	Pour un peu ils se briseraient le crâne.
Li oel des chiés lor estancelent ;	Les yeux dans les orbites étincellent.
Qu'il ont les poinz quarrez et gros	Ils ont les poings carrés et gros
Et forz les ners et durs les os,	et forts les nerfs et durs les os,
Si se donent males groigniees	ils se donnent males nasardes,
A ce qu'ils tienent anpoignees	alors qu'ils tiennent empoignées
Les espees qui grant aïe	les épées qui leur font grand aide,
Lor font quant il fierent a hie.	quand ils en frappent comme d'une masse.

Seul depuis le moyen âge le génie mythique de Hugo a su, dans le *Mariage de Roland*, retrouver le secret de la description de ces combats de géant, où il n'est pas inférieur aux modèles reconstitués par lui à travers les adaptations de Jubinal. Comme dans *La Légende des siècles*, les deux lutteurs, recrus de fatigue, se reposent, puis reprennent de plus belle, mais bientôt ils se rendent compte que ni l'un ni l'autre ne pourra remporter la victoire.

(1) Vv. 6049-6050.
(2) Vv. 6123-6148.

Alors Yvain parle, mais à voix si sourde qu'on ne la reconnaît pas et dit (1) :

« Sire », fet il, « la nuiz aproche !	« Seigneur », fait-il, « la nuit approche.
Je ne cuit blasme ne reproche	Je ne crois pas que blâme ou reproche
I aions se nuiz nos depart.	ayons, si la nuit nous sépare,
Mes tant di de la moie part	mais je dis, en ce qui me touche,
Que mout vos dot et mout vos pris,	que bien vous crains et vous estime
N'onques an ma vie n'anpris	et que jamais de ma vie n'entrepris
Bataille don tant me dousisse,	bataille qui me donnât plus de peine,
Ne chevalier cui tant vousisse	et que jamais ne pensai voir chevalier
Conoistre ne cuidai veoir... »	que je désirasse plus connaître... »
— Quant vos plest que je vos apraingne	— S'il vous plaît que je vous apprenne
Par quel non je sui apelez,	par quel nom je suis appelé,
Ja mes nons ne vos iert celez :	celui-ci ne vous sera caché,
Gauvains ai non, fiz le roi Lot. —	je suis Gauvain, fils du roi Lot. —

En entendant ces mots, Yvain, éperdu, jette à terre son épée ensanglantée et son écu brisé et se lamente (2) :

« Que ja se je vos coneüsse,	« Jamais si connu je vous eusse,
A vos conbatuz ne me fusse,	contre vous battu ne me fusse,
Ainz me clamasse recreant	mais je me serais rendu
Devant le cop, ce vos creant. »	avant le coup, je vous le jure !... »
— Comant ? — fit mes sire Gauvains.	—Comment?—fait Monseigneur Gauvain.
— Qui estes vos ? — « Je sui Yvains	— Qui êtes-vous ? — « Je suis Yvain,
Qui plus vos aim que rien del monde...	qui plus vous aime que nul au monde...
Mes je vos vuel de cest afeire	Mais je vous veux dans cette affaire
Tel amande et tel enor feire	vous faire amende si honorable
Qu'outreemant outrez m'otroi. »	que je me déclare totalement vaincu. »

Et c'est alors, entre les deux frères d'armes repentants, tout à fait oublieux d'ailleurs de celles dont ils défendent la cause, un assaut de générosité à qui se déclarera vaincu par l'autre. Il n'y a plus qu'à s'en remettre à l'arbitrage du roi Arthur, grand juge de cette sorte de conflit, qu'il va régler en même temps que celui des deux sœurs. Par une simple ruse, il obtient de l'aînée un aveu (3) :

« Ou est », fet il, « la dameisele	« Où est », fait-il, « la demoiselle
Qui sa seror a fors botee	qui a chassé sa sœur
De sa terre et deseritee	de sa terre et l'a déshéritée
Par force et par male merci ? »	par force et par mauvais gré ? »
— Sire, — fet ele, — je sui ci. —	—Seigneur, —fait-elle, — je suis ici. —
« La estes vos ? Venez donc ça !	« Vous êtes là ? Venez donc ici !
Bien le savoie grant pieç'a	Je le savais depuis longtemps

(1) Vv. 6237-6267.
(2) Vv. 6279-6291.
(3) Vv. 6384-6395.

Que vos la deseritiiez.
Ses droiz ne sera mes noiiez ;
Que coneü m'avez le voir.
Sa partie par estovoir
Vos covient tote clamer quite. »

que vous la déshéritiez.
Son droit ne sera plus contesté,
puisque vous m'avez confessé la vérité.
Il faut que de nécessité
vous lui abandonniez sa part. »

Prise au piège et en maugréant, elle accepte ce jugement et l'hommage que lui fera sa sœur en tant que « sa femme-lige », pour la terre qu'elle lui laisse. Comme on désarme les deux adversaires, voici que surgit le fidèle lion cherchant son maître et, quand il l'a trouvé, l'accablant de caresses. Alors s'explique aux yeux de tous et de Gauvain en particulier, dont la nièce fut par lui sauvée des entreprises du géant, le mystère du Chevalier au Lion...

Ce dernier, guéri de ses blessures ne s'attarde pas à recevoir les marques de reconnaissance de son compagnon, il songe toujours à sa dame, auprès de qui il souhaite rentrer en grâce (1) :

Mes sire Yvains qui sanz retor
Avoit son cuer mis an amor
Vit bien que durer ne porroit,
Mes par amor an fin morroit
Se sa dame n'avoit merci
De lui ; qu'il se moroit por li ;
Et pansa qu'il se partiroit
Toz seus de cort et si iroit
A la fontainne guerroiier
Et s'i feroit tant foudroiier
Et tant vanter et tant plovoir
Que par force et par estovoir
Li covandroit a feire pes,
Ou il ne fineroit ja mes
De la fontainne tormanter
Et de plovoir et de vanter.

Monseigneur Yvain, qui sans retour
avait donné son cœur à l'amour
voyait qu'il ne pourrait durer,
mais par amour enfin mourrait,
si sa dame n'avait pitié
de lui ; car il se mourait pour elle.
Et il songea qu'il partirait
tout seul de la Cour et irait
à la Fontaine s'attaquer
et y ferait tant foudroyer
tant venter et tant pleuvoir
que par force et nécessité,
il la contraindrait à la paix,
ou il ne cesserait jamais
de tourmenter la fontaine
pour faire pleuvoir et venter.

Il le fait comme il le dit et tel est l'ouragan qu'il semble que la forêt de Brocéliande soit prête à s'engloutir dans l'abîme (2) :

La dame de son chastel dote
Que il ne fonde toz ansanble ;
Li mur crollent et la torz tranble
Si que por po qu'ele ne verse.

La dame craint que son château
ne soit complètement effondré ;
les murs vacillent, le donjon tremble,
il s'en faut de peu qu'il ne croule.

Une fois de plus, la dame, apeurée, prend conseil de sa fidèle

(1) Vv. 6511-6526.
(2) Vv. 6540-6543.

suivante Lunete. Recourir à un de ses chevaliers pour braver l'offense de l'insolent et défendre la Fontaine merveilleuse, il n'y faut point songer, mais peut-être pourrait-on penser au héros qui elle-même la sauva (1) :

« Dame, qui cuideroit trover
Celui qui le jaiant ocist
Et les trois chevaliers conquist,
Il le feroit buen aler querre ;
Mes tant com il avra la guerre
Et l'ire et le mal cuer sa dame,
N'a il el mont home ne fame
Cui il servist, mien esciant,
Jusque il li jurt et fiant,
Qu'il fera tote sa puissance
De racorder la mesestance
Que sa dame a si grant a lui
Qu'il an muert de duel et d'ennui. »
Et la dame dit : — Je sui preste,
Ainz que vos antroiz an la queste,
Que je vos plevisse ma foi
Et jurerai, s'il vient a moi,
Que je sanz guile et sanz feintise
Li ferai tot a sa devise
Sa pes, se je feire la puis. —

« Madame, qui pourrait trouver
celui qui tua le géant
et vainquit les trois chevaliers,
il ferait bien de l'aller chercher ;
mais tant qu'il aura la haine,
la colère, le mauvais gré de sa dame,
il n'est au monde homme ni femme
qu'il servît, à ma connaissance,
s'ils ne lui juraient et promettaient
de faire tout leur pouvoir
pour apaiser l'inimitié
que sa dame a pour lui si grande
qu'il en meurt de douleur et d'ennui. »
Et la dame dit : — Je suis prête,
avant que vous alliez à sa recherche,
à vous engager ma parole
et à jurer, s'il vient vers moi,
que moi, sans ruse et sans feinte,
je ferai selon son gré
sa paix, si je la puis faire. —

L'astucieuse Lunete la prend au mot et lui fait jurer sur les reliques (la prenant ainsi au piège de vérité) qu'elle s'efforcera de réconcilier le Chevalier au Lion avec sa dame jusqu'à ce qu'il soit en faveur auprès d'elle comme par le passé. Lunete n'a pas loin à aller pour le rencontrer, car elle le trouve à la Fontaine, où elle lui conte par le menu sa nouvelle ruse, dont Yvain se réjouit beaucoup. Le lion toujours suivant, ils vont au château tous les trois où il ne se fait point connaître, mais où, tout armé, ventaille baissée, il se jette aux pieds de Laudine (2) :

Et Lunete qui fu delez
Li dit : « Dame, relevez l'an
Et metez force et painne et san
A la pes querre et au pardon,
Que nus ne li puet se vos non
An tot le monde porchacier ! »
Lors le fet la dame drecier
Et dit : — Mes pooirs est toz suens !

Et Lunete qui était à côté
lui dit : « Madame, relevez-le
et mettez votre peine et votre sens
à lui procurer paix et pardon,
que nul ne peut, sinon vous,
seule au monde lui assurer ! »
Alors la dame le fait lever
et dit : — « Mon pouvoir est tout à lui !

(1) Vv. 6602-6621.
(2) Vv. 6732-6758.

Ses volantez feire et ses buens
Voudroie mout, que je poïsse. —
« Certes, dame, ja nel deïsse, »
Fet Lunete, « se ne fust voirs.
Toz an est vostre li pooirs.
Assez plus que dit ne vos ai ;
Mes des or mes vos an dirai
La verité, si la savroiz :
Ainz n'eüstes ne ja n'avroiz
Si buen ami come cestui...
Dame, or li pardonez vostre ire :
Car il n'a dame autre que vos.
C'est mes sire Yvains, vostre espos. »

Faire sa volonté et son plaisir,
je le voudrais beaucoup, si je le pouvais. —
« Certes, Madame, je ne le dirais »
fait Lunete, « si ce n'était vrai.
Le pouvoir en est tout en vous,
beaucoup plus que ne vous l'ai dit.
Mais désormais je vous dirai
la vérité et vous la saurez :
jamais vous n'eûtes ni n'aurez
aussi bon ami que celui-ci...
Madame, pardonnez-lui votre colère !
il n'a d'autre dame que vous,
c'est Messire Yvain votre époux... »

Ce nom ainsi lancé par la suivante frappe Laudine comme la foudre (1) :

A cest mot la dame tresaut
Et dit : — Se Damedeus me saut,
Bien m'avez au hoquerel prise !
Celui qui ne m'aimme ne prise
Me feras amer maugré mien...
Miauz vosisse tote ma vie,
Vanz et orages andurer !
Et se ne fust de parjurer
Trop leide chose et trop vilainne,
Ja mes a moi, por nule painne
Pes ne acorde ne trovast.
Toz jorz mes el cors me covast,
Si con li feus cove an la çandre,
Ce don je ne vuel or reprandre
Ne ne me chaut del recorder
Puisqu'a lui m'estuet acorder. »

A ce mot la dame sursaute !
et dit : — Que Dieu me sauve,
vous m'avez prise au piège !
Celui qui ne m'aime ni me prise
tu me feras aimer malgré moi ?...
J'aimerais mieux toute ma vie
vents et orages endurer,
et n'était que le parjure
est par trop laide et vile chose,
jamais chez moi, à aucun prix,
il ne trouverait paix ou accord.
Toujours dans mon corps couverait,
comme le feu sous la cendre,
ce à quoi je ne veux renoncer
mais que je ne puis rappeler (2),
puisqu'il faut m'accorder avec lui. »

Messire Yvain, voyant que sa grâce est proche, implore encore la miséricorde de son altière dame et dit (3) :

« Conparé ai mon fol savoir
Et je le dui bien conparer.
Folie me fist demorer,
Si m'an rant corpable et forfet.
Et mout grant hardemant ai fet
Quant devant vos osai venir ;
Mes s'or me volez retenir,
Ja mes ne vos mesferai rien. »

« J'ai expié ma folle déraison
et il était juste que je la paye.
Folie m'a fait tarder
et je m'en avoue coupable.
C'est de ma part grande audace
d'avoir osé paraître devant vous,
mais si vous voulez me garder,
je ne me rendrai plus coupable. »

(1) Vv. 6759-6776.
(2) A savoir sa rancune et sa malédiction.
(3) Vv. 6782-6793.

— Certes, — fet ele, — je vuel bien
Por ce que parjure seroie
Se tot mon pooir n'an faisoie
De pes feire antre vos et moi. —

—Certes —, fait-elle, — je le veux bien,
parce que je serais parjure
si je ne faisais mon possible
pour faire la paix entre nous. —

Voilà donc la paix faite et Yvain heureux, au sortir de tant d'épreuves (1) :

Qu'il est amez et chier tenuz
De sa dame et ele de lui.
Ne li sovient de nul enui,
Que por la joie les oblie
Qu'il a de sa tres douce amie.

car il est aimé et chéri
de sa dame et elle de lui.
Il ne lui souvient de nul ennui,
car pour la joie il les oublie
qu'il a de sa très douce amie.

Lunete aussi voit dans cet accord la fin de ses propres malheurs, le couronnement de sa difficile entreprise et l'auteur, ayant terminé, lui aussi, la dure épreuve qu'est toujours pour l'écrivain consciencieux l'achèvement d'un livre, n'a plus qu'à signer le sien (2) :

Del *Chevalier au Lion* fine
Crestiiens son romanz einsi ;
Qu'onques plus conter n'an oï
Ne ja plus n'an orroiz conter
S'an n'i viaut mançonge ajoster.

Du *Chevalier au Lion* termine
Chrétien ici son roman,
car il n'en entendit pas conter plus,
et plus n'en entendrez conter,
si l'on n'y veut mensonge ajouter.

Il semble bien que nous soyons ici en présence du roman qui est le chef-d'œuvre de Chrétien de Troyes, celui dont la composition, relativement serrée, approche le plus près de la loi moderne du genre, où il a déployé peut-être le plus de pénétration psychologique, où les personnages sont le mieux campés, où son style est le plus parfait, où sa part d'invention est la plus grande.

Posons d'abord que, à la différence de ses autres œuvres, Chrétien ne cite point de sources, si ce n'est (v. 2153) le *lai de Laudunet*, et une autre *in fine* mais d'une façon assez vague : « *Qu'onques plus conter n'an oï* » (v. 6816). Il n'est pas d'œuvre sur laquelle se soit plus savamment et sans doute plus inutilement exercée la sagacité des « sourciers » et des celtisants ; si bien que trop souvent Chrétien, ses héros et son génie inventif, se trouvent écrasés sous le faix de leurs constatations. Que l'inspiration celtique y soit cependant présente, cela n'est pas niable ; je n'en veux pour preuve que le cadre arthurien dans lequel l'auteur a

(1) Vv. 6804-6808.
(2) Vv. 6814-6818.

inséré sa tapisserie, aussi arthurien qu'*Érec* et *Lancelot*, plus arthurien que *Cligès*. La vogue est donc toujours à Arthur et aux Chevaliers de la Table ronde, mais le rôle de Guenièvre est plus effacé que dans les trois romans que nous venons de nommer. Par contre, le personnage du roi est moins accessoire que dans *Érec*, moins passif que dans *Lancelot*. Il apparaît ici aussi sans doute comme le conservateur de la coutume, fût-elle dangereuse ou saugrenue, mais surtout comme le bouclier de l'honneur et de la foi jurée et le gardien du droit.

Il est souverain de la Grande-Bretagne et transporte sa cour, suivant l'usage des anciens rois, de domaine en domaine, de château en château. Celui où il siège au début est à *Carduel an Gales*, mais le lieu où il passe si vite et si facilement, sous la conduite de Calogrenanz et à la suite d'Yvain, est dans la Forêt de Brocéliande, c'est-à-dire dans la Bretagne armoricaine, riche en légendes et où était encore vivante, au XVIe siècle, celle d'une fontaine et d'un « perron » de Bellenton (1).

« Item joignant la dicte fontayne y a une grosse pierre que on nomme le perron de Bellenton, et toutes foiz que le seigneur de Montfort vient à la dicte fontayne et de l'eau d'icelle arrouse et moulle ledit perron, quelque chaleur, temps, assure (2) de pluye, quelque part que soit le vent et que pourroit dire que le temps ne seroit aucunement disposé à pluye, tantost et en peu d'espace, aucunes foiz plus tost que le dit seigneur ne aura peu recoupvrez son chasteau de Comper, aultres fois plus tard, et quelque fois ains que soit la fin d'icelui jour, pleut ou pays si abundanment que la terre et les biens estant en ycelle en sont arousez et moult leur prouffite. »

Wace, dans sa *Chronique des Normands*, qui est du dernier tiers du XIIe siècle, parle aussi de (3)

Breceliant	Brocéliande
Dont Breton vont sovent fablant,	dont les Bretons font maint conte,
Une forest mout longue e lee,	une forêt très longue et large,
Qui en Bretaigne est mout loee.	qui en Bretagne est fort célèbre.
La fontaine de Berenton	La fontaine de Bérenton
Sort d'une part lez un perron.	sourd d'un côté, près d'une pierre.
Aler soleient veneor	Les chasseurs avaient coutume d'aller
A Berenton par grant chalor,	à Bérenton par la grande chaleur
Et a lor corz l'eve espuisier	y puiser de l'eau avec leurs cors
E le perron desus moillier.	et mouiller le dessus de la pierre.

(1) D'après un manuscrit cité par Aurélien de Courson, *Essai sur l'Histoire de la Bretagne Armoricaine*, Paris, 1840, pp. 422-423.

(2) Lisez *asseur*, et entendez : à l'abri de (cf. Huguet, *Dictionnaire de la Langue française du XVIe s.*, Paris, Champion, 1925, vº *asseur*).

(3) Cité par W. Foerster dans l'introduction de *Kristian von Troyes Wörterbuch zu seinen sämtlichen Werken*, Halle, Niemeyer, 1914, in-12, p. 101*.

Por ço soleient pluie aveir...
La sueut l'en les fees veeir,
Se li Breton nos dïent veir,
E altres merveilles plusors...
La alai jo merveilles querre,
Vi la forest e vi la terre ;
Merveilles quis, mais nes trovai...
Fol m'en revinc, fol i alai.

Ainsi obtenaient-ils la pluie...
Là d'ordinaire on voit les fées,
si les Bretons nous disent vrai,
et plusieurs autres prodiges...
Des prodiges j'y allai chercher.
J'ai vu la forêt et le pays ;
prodiges y cherchai, mais n'en trouvai :
sot j'y allai, sot j'en revins.

Il n'est pas douteux que Chrétien n'ait facilement recueilli, peut-être au cours du séjour en Bretagne, que la fin d'*Érec* nous a fait supposer, les traditions locales relatives à la Fontaine de Bellenton, dont il a oublié le nom, et à la Forêt de Brocéliande, qui n'appelle pas encore chez lui les personnages fantastiques de l'enchanteur Merlin et de la fée Viviane. Il n'est pas douteux non plus que cette fontaine, dont les eaux provoquent la pluie, se rattache à de très anciennes cérémonies propitiatoires celtiques dont voici, à ma connaissance, le témoignage le plus décisif, que j'emprunte au livre de Ch. Renel, sur *Les Religions de la Gaule avant le Christianisme* (1) d'après Grégoire de Tours (*De gloria confessorum*, II, vi). Il s'agit du lac de Saint-Andéol, près d'Aubrac (Cévennes) : « A une certaine époque une multitude de gens à la campagne faisait comme des libations à ce lac. Elle y jetait les linges ou des pièces d'étoffe servant de vêtement aux hommes quelques-uns des toisons de laine ; le plus grand nombre y jetait des fromages, des gâteaux de cire, du pain, et chacun, suivant sa richesse, des objets qu'il serait trop long d'énumérer. Ils venaient avec des chariots, apportant de quoi boire et manger, abattaient des animaux et, pendant trois jours, ils se livraient à la bonne chère. Le quatrième jour, au moment de partir, *ils étaient assaillis par une tempête accompagnée de tonnerre et d'éclairs immenses et il descendait du ciel une pluie si forte et une grêle si violente qu'à peine chacun des assistants croyait-il pouvoir échapper.* Les choses se passaient ainsi tous les ans et la superstition tenait enveloppé le peuple irréfléchi. »

De même, dans *Yvain*, l'imprudent qui répand, sur la pierre magique de la fontaine, l'eau de celle-ci à l'aide d'un bassin d'argent, provoque non pas la pluie fécondante, mais la tempête dévastatrice et suscite l'arrivée menaçante du châtelain possesseur

---

(1) Cf. aussi Félix Bellamy, *La Forêt de Bréchéliant, La Fontaine de Barenton*, Rennes, 1896, 2 vol. in-8°, et L. Rosenzweig, *Les Fontaines du Morbihan*.

de ces merveilles, qui apparaît comme un Wotan, une sorte de dieu des vents et des nuées, dont la cérémonie magique a usurpé le pouvoir et qui s'en venge durement.

Il n'en a pas fallu plus pour que soit ébranlée aussi l'imagination des folkloristes et que Laudine sa femme soit tenue elle aussi pour une divinité atmosphérique, la Frigga de cet Odin et, quant à Lunete, son nom révélerait à suffisance et au premier examen sa parenté avec la lune. Pourtant c'est sa maîtresse qui paraît le plus lunatique.

Laissons là ces rêveries à la Max Muller qui ont pu conduire un fantaisiste à démontrer par ironie que Napoléon était un mythe solaire et ses maréchaux les douze signes du zodiaque et affirmons une fois de plus que *Yvain* est celtique dans la mesure où certains contes du XVIIIe siècle sont chinois, péruviens ou persans, que ce décor a été élu par Chrétien, parce qu'il enveloppait des brumes de riche imagination galloise ou armoricaine les invraisemblances voulues de son récit et qu'il était propre à exciter surtout, dans son auditoire féminin, toutes les puissances de rêve.

Mais il a eu recours aussi à des éléments antiques (1), ce qui ne permet pas de faire toujours un départ aussi net que le veulent les manuels, entre la matière celtique et la matière antique (nous en avons eu déjà la preuve dans *Cligès*) et les voici. Il semble bien que le mariage de la veuve avec le meurtrier de son époux vienne tout droit du *Roman de Thèbes*, où Jocaste accepte sans trop de répugnance la main d'Œdipe, ce qui fait dire à l'anonyme (2) :

Car femme est tost menee a tant	car femme est vite menée au point
Que on en fait tot son talant.	où l'on fait d'elle à son plaisir.

Laudine ne craint-elle pas qu'on puisse jaser (3)

Ne dire : « C'est cele qui prist	et dire : « C'est celle qui épousa
Celui qui son seignor ocist. »	celui qui son mari tua. »

Antique aussi, sans contredit, l'anneau qui rend Yvain invisible

---

(1) Cf. Foster E. Guyer, *Some of the latin Sources of Yvain,* qui voit dans la Didon de Virgile le modèle de Laudine.

(2) *Roman de Thèbes,* éd. Constans, t. I, vv. 399-400.

(3) Vv. 1809-1810.

dans la demeure de sa victime et où l'on ne peut que reconnaître l'anneau de Gygès, familier aux clercs, lecteurs de *latin* ou vieux livres, à moins que ce ne soit celui que Médée donna à Jason dans *Le Roman de Troie* (1).

Pour le lion à la docilité de chien, c'est ou bien le lion d'Androclès, des *Noctes atticae*, des *Nuits attiques* d'Aulu-Gelle (XV, 5) ou, selon Zenker, celui du Samien Elpis dans Sénèque.

Quant au château des Pucelles, on a le choix entre l'Avalon celtique (2), ou les Champs-Élysées des Anciens, mais on penche plutôt pour cette dernière hypothèse, quand on réfléchit que les victimes ont été livrées en tribut comme les jeunes filles athéniennes aux exigences du Minotaure.

Ainsi l'élément gréco-romain balance à peu près l'élément celtique, mais l'un et l'autre le cèdent en importance à ce que j'appellerai, sans jeu de mots, l'élément Chrétien. Nulle part, en effet, on peut le croire après les immenses recherches qui ont passé pardessus et à côté de l'œuvre, notre auteur ne semble avoir été plus livré à lui-même, à ses propres forces d'imagination et d'analyse (3). Il n'a même pas un protecteur, l'acceptation d'une dédicace entraînant encore certaine limitation.

Pourquoi n'en a-t-il plus choisi, qui nous le dira ? Serait-il à une date voisine de celle de 1173, *terminus ad quem* résultant de l'allusion à Nour-ed-Dîn (v. 596) (4), dégoûté de l'expérience du *Lancelot*, ce *Lancelot* qui est antérieur, puisque nous avons relevé pas moins de trois allusions très précises et très circonstanciées à ce roman (v. 3706-3713, 3918-3929, 4741-4745) ? Serait-il en disgrâce pour avoir laissé inachevée l'œuvre précédente et sa mauvaise humeur se marquerait-elle par quelque coup de boutoir contre les femmes, ou chercherait-il à rentrer en grâce en proposant une solution conforme à ses idées et acceptable par le parti courtois en tentant la conciliation de la bravoure et de l'amour. Tout cela n'est qu'hypothèse et il vaut

---

(1) Cf. Faral, *Recherches sur les Sources latines des Contes et Roman Courtois du moyen âge*, Paris, Champion, 1913, in-8°, p. 340.

(2) Cf. Edm. Faral, *L'Ile d'Avallon et la fée Morgane*, dans les *Mélanges Jeanroy*, Paris, Droz, 1929, in-4°, p. 243-253.

(3) C'est ce qu'a très bien montré Mme M. Borodine dans *La Femme et l'Amour au XIIe siècle d'après les Poèmes de Chrétien de Troyes*, Paris, Picard, 1909, in-8°, pp. 233-237.

(4) Je ne suivrai pas Foerster dans les subtils raisonnements qui arrivent à assigner à cette œuvre la date de 1169, qui semble un peu trop reculée.

mieux insister sur les réalités psychologiques et littéraires de l'œuvre d'artiste que nous avons sous les yeux.

Que d'abord le plan de l'œuvre soit bien équilibré, c'est ce qui résultera d'un simple tableau destiné à en rappeler les différentes phases :

1º La Cour d'Arthur, récit de Calogrenant ;

2º L'aventure d'Yvain et la conquête de la dame Laudine, à l'aide de la servante Lunete ;

3º Départ d'Yvain à l'instigation de Gauvain, oubli du terme fixé, folie et aventures du héros, au nombre de neuf, dont la rencontre du lion, qui désormais le suit « et lui donne son nom », la victoire sur le géant, le duel contre les trois *losengiers* pour sauver Laudine, la délivrance des Pucelles, le duel contre Gauvain pour la déshéritée ;

4º Réconciliation de l'époux-amant et de sa dame par l'astuce de Laudine.

L'unité est parfaite et de nature à satisfaire les plus difficiles, n'était la multiplication des aventures, dont le lien avec le sujet principal n'apparaît pas toujours avec la même netteté que dans le sauvetage de Lunete des mains des traîtres qui veulent la mettre à mort. Encore Yvain en est-il toujours le héros et sommes-nous dispensés de ces longs récits de personnages adventices interrompant l'action comme dans maint roman des âges suivants.

Ce qu'on peut objecter encore à ces aventures accessoires greffées sur la principale, c'est qu'elles sont toujours déterminées par le hasard, conduit par la fantaisie du conteur, et que rarement elles sont amenées par le caractère du protagoniste.

Mais c'est là un petit défaut inhérent au genre. Ce qui, par contre, n'est pas de l'essence du roman d'aventure et qui, par la suite, en disparaîtra presque complètement, c'est le souci de développer une thèse, laquelle se fait jour assez nettement, sans cependant être imposée avec trop d'insistance et d'une façon trop scolastique à l'attention du lecteur. Or c'est ce souci d'une thèse, nous ne nous lasserons pas de le répéter, qui est, dans un siècle de formidable production narrative, le véritable et grandiose mérite d'un Chrétien de Troies au regard de ses émules.

Une fois de plus, en effet, notre auteur a abordé, à propos de son conte, le problème moral, psychologique et social de l'amour, du mariage et de la chevalerie, qui, certainement, s'est posé à bien des aventureuses consciences de jeunes gens dans la seconde moitié du XIIᵉ siècle, où l'exploit n'est plus commandé seulement par la foi envers Dieu ou envers le Prince, mais par un idéal de bravoure, de fantaisie, d'amour et de gloire.

A la solution proposée dans son premier roman *Érec,* hostile à la *récréance* ou abandon du chevalier dans les bras de la femme et prônant la subordination de celle-ci à l'idéal chevaleresque ; à la solution imposée par sa protectrice Marie de Champagne et incarnée dans *Lancelot,* de la subordination complète de l'homme à la femme, selon les commandements de la loi courtoise, il oppose une solution nouvelle, qui tente de concilier le respect dû à la dame avec l'indépendance de l'homme et ses devoirs de bravoure et d'honneur envers lui-même.

Yvain conquiert Laudine et, comme Érec, pourrait être tenté d'endormir à jamais sa vaillance dans les serres de velours d'une si belle proie, mais Gauvain le rappelle à l'ordre dans les termes que voici qui montrent décidément le problème de la *récréance* ici posé une fois de plus (1) :

« Comant ? *Seroiz vos or de çaus* »	« *Comment ? seriez-vous donc de ceux* »'
Ce li dist mes sire Gauvains,	ainsi parla Messire Gauvain,
« *Qui por leur fames valent mains ?*	« *qui par leurs femmes valent moins*?
Honiz soit de sainte Marie,	Honni soit de sainte Marie
Qui por anpirier se marie ! »	qui pour s'avilir se marie. »

Il quitte donc cette jeune veuve adorée et amoureuse, mais il ne le fait point sans son congé, qu'elle limite à un an, sous peine de forfaiture et d'exclusion. Ce terme il l'oublie non dans des infidélités conjugales, mais dans les âpres délices des tournois, et comme une messagère vient lui en faire, à la Cour d'Arthur, les plus amers reproches et lui ravir l'anneau qu'il a reçu en gage, qui le protège et dont il n'est plus digne, il devient fou, conséquence extrême de l'abandon. Guéri par les onguents féeriques, il erre néanmoins d'aventure en aventure, désespéré, n'osant même pas révéler son identité à Laudine quand il se trouve en sa présence, après le duel judiciaire qu'il soutient pour sauver Lunete. Il faudra toute la ruse de celle-ci, qui fait jurer, sur les reliques, à Laudine qu'elle réconciliera le Chevalier au Lion avec sa Dame, pour faire rentrer en grâce, auprès de sa femme, l'époux repentant qui désormais promet de ne plus la mécontenter.

Est-ce à dire que désormais il sera *récréant d'armes et de che-*

(1) Vv. 2484-2488.

valerie, c'est bien peu probable. Elle-même en serait sans doute fort marrie et aussi bien aura-t-il toujours à défendre la Fontaine contre ceux qui en font jaillir la ruineuse tempête ; mais si on lui renouvelle son congé, on peut tenir pour assuré qu'il n'en oubliera plus le terme.

Ainsi, mais ainsi seulement, à terme et conditionnellement, l'exploit et l'aventure, nécessaires au bonheur du chevalier et à l'honneur qui en est la condition, au plein développement de sa personnalité et à la société, où il est le vengeur du droit, le redresseur des torts et le libérateur des opprimés, lui sont concédés dans le cadre du mariage.

Donc, à certains égards, *Yvain* ou *Le Chevalier au Lion* est bien un *anti-Érec*, puisque la femme toute-puissante (quel renversement des rôles, relativement à la chanson de geste !) fait la loi à l'homme, mais, à d'autres, elle s'accorde avec une doctrine un peu bourgeoise, et par là anticourtoise, puisqu'elle concilie l'aventure et la vie matrimoniale. La dame et maîtresse, régulatrice de la vie aventureuse, est l'épouse du héros et non pas, comme la Guenièvre de *Lancelot*, la femme d'un autre. Sur ce point, on retombe dans la donnée de *Cligès*, avec l'hypocrisie en moins.

Mais il y a par ailleurs bien des différences. Nous avons déjà surpris Chrétien, incidemment d'ailleurs, en flagrant délit d'anti féminisme, cet antiféminisme si fréquent au moyen âge, peut-être sous l'influence des clercs, mais il se manifeste ici, en dépit de la thèse qui semble y contredire, avec plus de vigueur et de netteté. L'auteur paraît se venger de la royauté qu'il a accordée à la femme et du droit qu'il semble lui conférer de réglementer la part de l'aventure, par des piqûres d'épingles assez pénétrantes. Cette impérieuse, qui punit d'une disgrâce si complète et si exclusive le péché d'oubli, la faute, d'ailleurs capitale, d'avoir outrepassé le terme qu'elle avait donné et qui pardonne plus difficilement encore, comme on l'a dit, la blessure d'amour-propre que la blessure d'amour, est elle-même une inconstante et une infidèle, car, après avoir versé sur son mari mort des larmes de sang, et l'avoir regretté comme le meilleur chevalier qui fût au monde et que jamais elle ne remplacera, il lui suffit d'un dialogue adroitement mené par sa suivante pour la rendre impatiente de connaître le meurtrier de son mari, lequel sera bientôt le remplaçant. Cette volte-face est annoncée par une épigramme, insérée dans un monologue d'Yvain (1) :

(1) Vv. 1436-1440.

« Que fame a plus de mil corages.
Celui corage qu'ele a ore
Espoir changera ele ancore,
Ainz le changera sanz « espoir »,

Si sui fos quant je m'an despoir. »

« car la femme a plus de mille humeurs.
Ce sentiment qu'elle éprouve à présent
peut-être en changera-t-elle encore ;
bien plus, elle en changera sans « peut-
être »,
je suis bien fou de désespérer. »

Puis, parlant en son propre nom, le conteur dira plus loin (1) :

Mes une folor a an soi
Que les autres dames i ont,
Et a bien pres totes le font,
Que de lor fol'es s'ancusent
Et ce qu'eles vuelent refusent.

Mais elle a une folie en elle
que les autres femmes ont aussi
et presque toutes font ainsi,
qu'elles se reprochent leurs folies
mais ce qu'elles veulent elles le refusent.

C'est au point que Mme Borodine a voulu trouver, dans ces paroles, l'amertume d'un aveu ou un écho de souvenirs personnels. On pourrait y voir aussi, si l'on veut, l'écho d'une disgrâce auprès de Marie, refusant le *Lancelot* après l'avoir demandé, mais ce sont là des hypothèses toutes gratuites que rien ne vient étayer.

De tous les romans de Chrétien, *Yvain* est celui où peut-être les caractères sont le plus fortement campés et le plus poussés. Le roi Arthur lui-même qui, dans les autres romans, est une silhouette un peu falote de légende et qui, dans *Lancelot*, n'est plus qu'un fantoche assez ridicule et berné, fait ici figure, nous l'avons vu, d'arbitre et de justicier, digne d'inspirer un saint Louis. Gauvain par contre n'apparaît pas beaucoup plus intéressant que dans le roman que nous venons de citer, il est le chevalier parfait, l'incomparable, doué de toute bravoure, sinon de toute clairvoyance, car nous avons pu nous étonner à bon droit de voir ce preux sans peur et sans reproche épouser la cause de l'usurpatrice et la défendre par les armes contre le Chevalier au Lion, mais sa loyauté envers celui-ci est parfaite ; il fait assaut de générosité avec lui en voulant se déclarer le vaincu d'un combat toujours égal. Il est, en même temps que le plus brave, le meilleur et le plus dévoué des compagnons d'armes, et qui ne permet pas à celui qu'il a élu pour son pair en bravoure et en exploit d'abandonner la chevalerie pour les délices de l'amour.

Il est singulier que Chrétien n'ait pas fait un roman de Gauvain et se soit attaché plutôt à d'autres personnages, qui en sont

(1) Vv. 1640-1644.

en quelque sorte la réplique. Peut-être cela tient-il à ce que la perfection absolue est moins intéressante pour l'amateur de nuances que la perfection tempérée d'imperfections. Une petite tache rehausse parfois la beauté d'un visage.

Cependant Yvain n'est pas moins brave que Gauvain. Cela se voit dans le combat judiciaire qu'ils se livrent pour les deux sœurs et où leur valeur égale ne permet ni à l'un ni à l'autre de triompher de son adversaire. Mais, par ailleurs, comme le récit ne nous apprend rien d'autre des exploits de Gauvain, c'est le fils du roi Urien qui retient toute notre attention. Sa bravoure est légendaire aussi et totale. Jamais on ne le voit hésiter devant le danger et plus l'aventure est périlleuse, plus elle l'attire. La perspective d'un combat inégal ne l'émeut point, et il se mesurera aussi bien contre les trois *losengiers*, les deux *maufés*, ou le géant, confiant dans la force de son poing, la bonté de son droit ou la protection de Dieu, qu'il n'invoque d'ailleurs pas au cours du combat. En vain ceux qui veillent aux remparts chercheront-ils à le détourner d'entrer au Château des Pucelles, l'attrait du péril est là pour l'y pousser, non moins que la volonté de secourir l'infortune. Il est difficile parfois de démêler les deux mobiles. Le premier paraît dominer au début dans l'affaire de la Fontaine, comme il le dit au vilain qui lui demande (1) :

« Et que voudroies tu trover ? »   « Et que voudrais-tu trouver ? »
— *Avanture por esprover*   — *Aventure pour éprouver*
Ma proesce et mon hardement. —   *ma prouesse et ma bravoure.* —

Et c'est aussi pour la gloire, dont le sentiment, en cette pré-renaissance que constitue le xiie siècle français, est déjà bien fort, puisque Chrétien proclame (2) :

Car por neant fet la bonté,   *car elle est vaine la bravoure,*
Qui ne viaut qu'ele soit scüe.   *qui ne veut pas être connue.*

Au contraire, toutes les aventures qui suivent son mariage avec Laudine ont pour but le secours à l'infortune : il délivrera la nièce de Gauvain des entreprises du géant, Lunete de celles de ses persécuteurs, les Pucelles de leur dur esclavage, la déshéritée de l'usurpation de sa sœur aînée.

(1) Vv. 361-363.
(2) Vv. 4280-4281.

Ainsi apparaît, beaucoup plus que dans *Érec*, où le héros pourvoit le plus souvent à sa propre défense, ou dans *Cligès*, où se pratique surtout l'exploit pour l'exploit, ou dans *Lancelot*, où le chevalier reconquiert Guenièvre plus pour lui-même que pour le roi, le caractère moral de la chevalerie chez le (1)

Chevalier errant
Qui avanture alast querant.

chevalier errant
qui aventure s'en va quérant.

Mais si Yvain apparaît, en présence du danger, avec le caractère de l'invincibilité et de la toute-puissance, revêtu de sa bravoure comme d'une cotte de mailles, il nous apparaît, devant la femme qu'il aime, aussi faible et aussi soumis qu'il est indomptable devant l'ennemi. Ce n'est pas qu'il soit sensuel ou enclin à la volupté. Après chacune de ses victoires presque, celle pour qui il s'est dévoué s'offre à lui ou lui est offerte avec sa beauté et ses richesses, mais il les repousse, sans hauteur et avec fermeté, fidèle à l'amour unique qu'il a conçu en coup de foudre pour l'éplorée qu'il a faite veuve.

Il a beau avoir exprimé sur la versatilité de la femme l'opinion que nous avons mentionnée et qui est celle de Chrétien, au fond misogyne, il est, à son égard, le type du parfait amant selon les règles de l'amour courtois, tendre, soumis, respectueux, agenouillé. A une exception près toutefois, et elle atteste l'importance du conflit qui existe en lui entre la chevalerie et l'amour, c'est qu'il la quitte, avec sa permission d'ailleurs, et que, l'ayant quittée, il oublie le terme fixé et encourt sa disgrâce. Pareil à Tristan et à l'imitation de ce héros qui, lui, a, pour toujours, entre l'exploit et l'amour, choisi l'amour, il devient fou, d'une folie réelle qui l'entraîne à vivre nu, telle une bête sauvage, dans la forêt solitaire. Quand le baume provenant de la fée Morgue elle-même l'a guéri, son esprit redevient conscient, mais son âme n'en est que plus torturée par le remords de sa faute et par le souci de rentrer en grâce. C'est une page vraiment émouvante que celle, où, mis en présence de Laudine, qui ne le reconnaît point sous la ventaille, il lui fait l'aveu des malheurs et des souffrances de son exil et où, s'éloignant, il murmure à voix basse (2) :

---

(1) Vv. 259-260. L'expression, qui devait jouir d'une si singulière fortune jusqu'à *don Quichotte*, figurait déjà dans *Érec*, v. 1121, mais on ne la rencontre pas ailleurs chez Chrétien.

(2) Vv. 4632-4634.

« Dame, vos an portez la clef	« Madame, vous détenez la clé
Et la serre et l'escrin avez	et la serrure et le coffret
Ou ma joie est, si nel savez. »	où est ma joie, mais ne le savez. »

Dans toute cette phase de la disgrâce, l'exploit et l'aventure, en dehors de leur caractère moral et libérateur, sont, pour cette âme ulcérée, un dérivatif de la douleur. Il semblerait logique, qu'un dernier exploit, se rapportant cette fois à la dame, dût emporter la grâce par la reconnaissance, mais l'auteur sait de reste que ce n'est pas la gratitude qui mène ou ramène à l'amour, et il préfère recourir une seconde fois à l'astuce de la suivante.

Semblable à une tragédie grecque, notre roman a trois acteurs principaux; non pas le mari, la femme et l'amant, mais le mari, la femme et la suivante. Chrétien est un remarquable peintre de la femme, et il excelle à en montrer les revirements et les ruses.

Après avoir dessiné en traits vigoureux Laudine déchirant ses vêtements, égratignant sa gorge et son visage, déployant, après la perte de son époux, tout l'appareil d'une douleur excessive, il s'applique avec une rare finesse à la montrer, sous l'adroite pression de la suivante, glissant de la douleur à la curiosité, et de la curiosité à l'amour. Son compatriote La Fontaine en usera ainsi dans *La jeune Veuve,* mais il lui réservera au moins un an pour lui faire demander à son père (1) :

> « Où donc est le jeune mari
> Que vous m'avez promis ? », dit-elle.

Excessive dans ses passions et, partant, extrêmement mobile, Laudine est, à l'égard de son nouvel amant devenu son mari, impérieuse, tenace, mais sans caprice. Elle ne manque pas de générosité, puisqu'elle laisse partir, malgré le légitime souci qu'elle peut avoir de la défense de sa fontaine, son nouvel époux, mais elle s'irrite, à bon droit, semble-t-il, quand l'infidèle a oublié le terme qu'elle lui a assigné. A la fin même, prise au piège qu'on lui a tendu, prisonnière du serment fait par elle sur les reliques, de réconcilier le Chevalier au Lion et sa dame, elle ne cesse de lui manifester son courroux, quoique la malice de l'auteur permette de deviner qu'elle finira par se résigner assez facilement à cette paix de contrainte. D'ailleurs il lui a été promis que sa royauté féminine exercerait désormais son absolu pouvoir sur un époux à jamais soumis.

(1) *Fables,* VI, 21.

Quant à Lunete, elle est bien la suivante de la comédie antique et moderne, l'équivalente de la *mestre* de Fénice dans *Cligès*, l'astucieuse entremetteuse, adroite à servir, auprès de sa maîtresse, les entreprises de l'amant. Sûre d'elle-même, habile en son langage, affectant tour à tour la rudesse et l'humilité, feignant l'irritation, puis se faisant prier pour dire ce qu'elle brûle de révéler, elle use de toutes les malices de la diplomatie féminine, la plus sûre de toutes, pour arriver à ses fins. Deux fois nous la voyons à l'œuvre, la première, quand, par reconnaissance pour Yvain, qui eut jadis des égards pour elle à la cour d'Arthur (elle n'est donc pas serve, mais noble), elle fait, à son intention, d'une veuve affolée une amante docile ; la seconde quand, par la ruse, elle amène la réconciliation des deux époux. Il semble que, pour son propre salut, la dévouée ait moins d'éloquence et que, pareille à Brangien, elle soit moins habile à plaider pour elle-même que pour autrui. Bien plus, sa générosité va jusqu'à essayer, faiblement d'ailleurs, à détourner Yvain de se sacrifier pour elle dans un combat inégal.

Il n'y a guère à dire des comparses de ce drame : châtelain et châtelaine aux filles belles comme le jour, chevaliers, géant et nain, les pucelles, les deux sœurs, mais il faut réserver une place à un être à qui il a plu à Chrétien de donner une âme, par un véritable tour de force qui évoque, une fois de plus, le nom de cet autre Champenois, La Fontaine : le Lion. Il paraît chimérique et ridicule de lui attribuer un rôle dans une histoire humaine, mais cet animal, dont l'auteur n'avait sans doute jamais vu l'original, pas même dans une cage, est ici semblable à ceux qu'on voit dans les miniatures des *Bestiaires* et qui ne sont guère que de gros caniches. C'est parce que Chrétien sans doute aimait beaucoup les chiens, les chiens défenseurs de leur maître, qu'il a conféré à son lion, avec un peu plus de force, toutes leurs vertus. L'on a beau essayer de se défendre contre l'absurde, on ne peut pas ne pas éprouver une certaine sympathie pour la brave bête qui suit Yvain afin de le remercier de l'avoir sauvée du serpent, qui le précède dans les essarts pour faire lever le gibier et lui assure la nourriture, qui veille sur son sommeil et, indocile seulement en cas de danger, hérisse sa crinière et bondit sur l'adversaire quand elle voit succomber le maître dans un combat inégal contre un géant ou contre des ennemis supérieurs en nombre ; de telle sorte que cette invraisemblance vient, pour le lecteur, atténuer l'autre invraisemblance d'une perpétuelle victoire.

Plus qu'à l'étude des caractères individuels, Chrétien, devançant, à quatre siècles de distance, le classicisme, s'est appliqué à dégager à sa façon une théorie des passions et à étudier leurs effets sur le cœur de l'homme et de la femme. A tout seigneur, tout honneur, et puisqu'il est le grand responsable de l'intronisation de l'amour dans le roman, examinons de quelle façon, parfois scolastique et pédante, mais le plus souvent par dissection sur le modèle vivant, il analyse la passion qui meut ces protagonistes, dont l'âge ne nous est pas donné, mais qu'il faut supposer entre vingt et trente ans, en plein épanouissement de leurs forces, puisqu'aucun ne donne jamais signe de lassitude. Bien que Myrrha Borodine ait qualifié Laudine de sensuelle, il importe de remarquer que la sensualité est absente de ce roman et qu'on y cherchera en vain les tableaux voluptueux et parfois osés que nous avons trouvés dans *Érec*, *Cligès* et *Lancelot*. Chrétien plus âgé deviendrait-il plus chaste ? Je ne sais, mais il n'en est pas moins incliné devant la toute-puissance de l'amour, dieu des âmes et des destinées et, en débutant, il regrette la déchéance de son culte (1) :

Li autre parloient d'amors,	Les autres parlaient d'amour,
Des angoisses et des dolors,	des angoisses et des douleurs,
Et des granz biens qu'an ont sovant	et des grands biens qu'en ont souvent
Li deciple de son covant	les disciples de son ordre,
Qui lors estoit riches et buens ;	qui alors était riche et heureux ;
Mes or i a mout po des suens,	mais maintenant ils sont fort peu,
Que a bien pres l'ont tuit leissiee,	et presque tous l'ont délaissé,
S'an est amors mout abeissiee ;	et amour en est avili,
Car cil qui soloient amer	car ceux qui se plaisaient à aimer
Se feisoient cortois clamer,	étaient proclamés courtois,
Et preu et large et enorable ;	preux, généreux, honorables ;
Or est amors tornee a fable	A présent l'amour est bafoué
Por ce que cil qui rien n'an santent	parce que ceux qui ne le ressentent point
Dient qu'il aimment, mes il mantent...	disent qu'ils aiment, mais ils mentent...
Mes por parler de çaus qui furent,	Mais pour parler de ceux qui furent
Leissons çaus qui an vie durent !	laissons ceux qui sont en vie,
Qu'ancor vaut miauz, ce m'est a vis,	car mieux vaut encore, ce m'est avis
Uns cortois morz qu'uns vilains vis.	courtois mort que vilain vif (2).

(1) Vv. 13-32.
(2) Ce même dédain du vilain indigne de l'amour se retrouve dans le *De Amore* (éd. p. E. Trojel, Copenhague, 1892, in-12), sorte de code de cour d'amour qu'André le Chapelain, le chapelain de Marie de Champagne (vers 1185-1187), rédigea à son intention et que traduisit plus tard en 1290 Drouart la Vache. Cf. les thèses de R. Bossuat, *Li livres d'Amours de Drouart La Vache* et *Drouart La Vache, traducteur d'André le Chapelain*, Paris, Champion, 1926, 2 vol. in-8°, et mon article des *Nouvelles littéraires* du 11 février 1928 : *L'Art d'aimer au moyen âge.*

Une fois de plus le poète propose donc l'image parfaite du passé, le tableau de l'amour courtois tel qu'il se pratiquait à la cour idéale d'Arthur (1), en modèle aux rudes chevaliers qu'il faut assouplir et aux dames qui aspirent à les dominer.

Cet Amour-là est le petit dieu antique, armé de ses flèches et de son carquois, sans doute, quand aux vers 1357-1358, on nous le montre partant en chasse et faisant son butin dans les cœurs qu'il ravage, vengeant, par la plaie qu'il fait au cœur d'Yvain, celle que ce dernier a infligée à Laudine en lui ravissant son mari (2) :

Que si doucemant le requiert,	car il l'attaque si sournoisement
Que par les iauz el cuer le fiert.	que par les yeux elle le frappe au cœur,
Et cist cos a plus grant duree	et ce coup a plus long effet
Que cos de lance ne d'espee.	que coup de lance ni d'épée.
Cos d'espee garist et sainne	Le coup d'épée guérit et se cicatrise
Mout tost des que mires i painne :	bien vite si le médecin s'y applique,
Et la plaie d'Amors anpire	mais la plaie d'Amour empire
Quand ele est plus pres de son mire.	quand elle est au plus près du médecin.

Amour est capricieux. Le moyen âge dirait capricieuse, car il met l'amour au féminin. Il lui arrive de se loger en mauvais lieu, ce qui veut dire chez un vilain, indigne de la grâce de l'amour courtois (3) :

S'est granz honte qu'Amors est teus	C'est grand honte qu'Amour soit tel
Et quant ele si mal se prueve	et se conduise si mal
Qu'an tot le plus vil leu que trueve	qu'au plus vil lieu qu'il trouve
Se herberge tot ausi tost	il se loge tout aussi vite
Com an tot le meillor de l'ost.	que dans le meilleur de l'armée.

Mais cette fois amour, qui est si haute chose, a pris logement, en noble lieu, dans une âme vraiment digne de lui.

On verra reparaître encore le dieu d'amour incidemment, au v. 5377, mais, le plus souvent, Chrétien, plus éloigné de la lecture d'Ovide qu'au moment où il écrivait *Cligès*, oublie cette fade figure mythologique qui, quoique réchauffée et rajeunie un peu par l'enthousiasme de Ronsard, a fait tant de tort à notre art

---

(1) Vv. 5394-5395 :

Car la janz n'est mes amoreuse,	Car l'on n'est plus amoureux
Ne n'aimment mes si com il suelent.	et l'on ne s'aime plus comme jadis.

(2) Vv. 1367-1374.

(3) Vv. 1386-1390. Voir aussi la note précédente sur André le Chapelain.

et à notre littérature, pour ne plus songer qu'à la passion qu'elle incarne et sur laquelle il se plaît à ratiociner. Il tient à en dépeindre, par la bouche d'Yvain, l'invincible puissance, ce qui est à la fois adroit et loyal, étant donné son dessein de la faire se mesurer avec la bravoure (1) :

— Dame, nule force si forz	— Madame, nulle force si forte
N'est come cele sanz mantir,	n'est que celle, qui sans mentir,
Qui me comande a consantir	me commande de consentir
Vostre voloir del tot an tot. —	votre vouloir de tout en tout.

D'où vient cette force ? lui demande-t-elle, et lui de répondre comme nous l'avons vu (2).

On ne peut dénier à cette tirade une éloquence assez directe, une éloquence peut-être un peu voulue et qui nous fait aspirer à la rudesse de Béroul dans *Tristan et Iseut*, mais Thomas et Chrétien lui-même n'avaient sans doute pas fait parler autrement les amants de Cornouailles se révélant leur passion.

Au moins n'y a-t-il pas là de préciosité, comme dans le discours quintessencié de la messagère reprochant à l'oublieux Yvain d'avoir volé le cœur (3) qui lui avait été confié, et de ne pas l'avoir rapporté fidèlement à l'heure dite. Heureusement que cette préciosité est un peu rachetée par cette jolie admonestation, qui fait bien sentir la gravité de la faute (4) :

« Car qui aimme, il est an porpans,	« Car qui aime est en souci
N'onques ne puet prandre buen some,	et jamais ne trouve bon somme,
Mes tote nuit conte et asome	mais toute la nuit compte et recompte
Les jorz qui vienent et qui vont. »	les jours qui viennent et qui vont. »

et elle est simple aussi, cette formule de la fin (5) :

Et lui est mout tart que il voie	beaucoup lui tarde d'apercevoir
Des iauz celi que ses cuers voit	des yeux celle que son cœur voit
An quelque leu que ele soit.	en quelque lieu qu'elle soit.

(1) Vv. 1986-1989.
(2) Vv. 2015-2032.
(3) Cf. aussi *Yvain*, vv. 2647-2648 :

Des que li cors est sans le cuer	Dès que le corps est sans le cœur,
Don ne puet il vivre a nul fuer.	il ne peut vivre à aucun prix.

(4) Vv. 2756-2759.
(5) Vv. 4344-4346.

L'analyse de Chrétien ne s'applique pas seulement à l'amour, mais à d'autres manifestations psychologiques sur lesquelles il se plaît à s'arrêter, telles la douleur et la joie, ce qui nous vaut cette remarque d'Yvain à Lunete qui se lamente (1) :

« Tant con li hon a plus apris
A delit et a joie vivre,
Plus le desvoie et plus l'enivre
Diaus, quant il l'a, que un autre home. »

« Plus l'homme aura appris
à vivre en plaisir et en joie,
et plus l'accable, l'affole
le malheur, quand il vient qu'un autre. »

C'est aussi une progression très observée et très nuancée que celle qui porte Yvain, frappé par la disgrâce de sa dame, de la stupeur muette à la folie (2).

Les manifestations de la démence dans la forêt ne sont pas moins naturelles et heureusement décrites : sa vie de chasseur sauvage, son absence de pudeur manifestée par la nudité, sa misanthropie devant laquelle seul un ermite trouve grâce, sans pouvoir cependant en tirer une parole.

On trouvera au début encore une petite dissertation de vingt vers sur l'attention qui ne manque ni d'ingéniosité ni de finesse (3) :

Des que li cuers n'i antant mie,
As oreilles vient la parole
Aussi come li vanz qui vole ;...
Les oreilles sont voie et doiz
Par ou s'an vient au cuer la voiz ;
Et li cuers prant dedans le vantre
La voiz qui par l'oroille i antre.

Dès que le cœur est inattentif,
aux oreilles vient la parole
de même que le vent qui vole...
Les oreilles sont route et canal
par où s'en vient au cœur la voix
et le cœur prend dans la poitrine
la voix qui par l'oreille y entre.

Ces propos subtils sont mis dans la bouche de Calogrenant, mais il est douteux que jamais chevalier du roi légendaire Arthur ou du vrai comte de Champagne en ait tenu d'aussi fins. Chrétien n'en a que plus de mérite à les imposer à ses lecteurs ou à ses auditeurs, à qui il apprendra ainsi à raisonner sur les choses de l'esprit et à en pénétrer la complexité. Il le fera même à l'occasion avec beaucoup trop de longueur et de pédantisme lorsque, à propos du duel de Gauvain et d'Yvain qui se combattent sans se connaître, il se demandera comment la haine peut cohabiter avec l'amitié dans une âme, problème qui n'est pas puéril, comme

(1) Vv. 3578-3581.
(2) Vv. 2781-2807.
(3) Vv. 156-167.

il pourrait paraître, car dans ces romans où parle souvent la
voix du sang, aucune voix secrète ne s'élève en eux pour avertir
les deux adversaires qu'ils s'acharnent après celui qu'ils aiment
le plus au monde. Sans s'attarder à l'hypothèse ici formulée que
l'amitié s'est enfermée dans la cellule la plus cachée du cœur,
qui est un logement à compartiments, tandis que la haine couche
à la porte pour être plus apparente, il faut souligner combien toutes
ces réflexions, ces ratiocinations fussent-elles même fautives,
montrent la supériorité du roman courtois sur la chanson de geste
et conduisent aux subtiles analyses d'un Montaigne en passant
par les bavardages scolastiques des moralistes religieux du
XVIe siècle (1).

Religieux, Chrétien ne l'apparaît guère en cette œuvre, encore
qu'on y rencontre peut-être un peu plus de formules chrétiennes
que dans les précédentes, mais, ainsi que dans celles-ci, la religion
apparaît tout en surface et en formules plus qu'en effusion ou
inspiration. Or cela ne laisse pas d'être surprenant, en ce siècle
où s'érigent un peu partout les cathédrales haussées par la foi des
maîtres d'œuvre et l'offrande des fidèles. Que ce soit ici scepti-
cisme ou négligence, le fait est que l'on ne voit nulle part, en aucune circonstance, la foi inspirer les héros comme dans la Chanson
de geste. L'adversaire qu'on abat est un mauvais, quelquefois
fils de lutin (non de diable), mais jamais un Sarrasin ou un infidèle.
Sans doute frotté lui-même de *clergie*, Chrétien aime parler avec
révérence de (2)

cele feste qui tant coste	cette fête qui tant vaut
Qu'an doit clamer la Pantecoste	qu'on doit nommer la Pentecôte

ou des clercs (3)

qui sont despansier	qui sont dispensateurs
Feire la haute despanse	de cette suprême dispense
A quoi la cheitive ame panse.	à quoi la chétive âme pense.

Sans doute aussi Yvain ne manque pas d'affirmer en mainte
occasion : « S'il plaît à Dieu en qui je crois », ni de faire célébrer
la messe avant le combat (v. 4031).

La pucelle qu'Yvain va délivrer du géant le prie (4)

---

(1) Voir encore les raisons de Gauvain, vv. 2513-2538.
(2) Vv. 5-6.
(3) Vv. 1170-1173.
(4) Vv. 4064-4065.

Por la reïne glorieuse
Del ciel et des anges...

par la reine glorieuse
du ciel et des anges..

et lui en a grand'pitié (1) :

Quand il ot qu'ele se reclaimme
De par Celui que il plus aimme
Et de par la Dame des ciaus,
Et de par Deu qui est li miaus
Et la douçors de pïeté.

Quand il entend qu'elle se réclame
de Celui qu'il aime le plus
et de la Dame des cieux
et de Jésus qui est le mieux
et la douceur de la piété.

Chrétien sait aussi, co mme tout le siècle, que Dieu se tient aux côtés du champion du droit dans le duel judiciaire (2) :

Mes buene fiance an lui a
Que Deus et droiz li eideront
Qui a sa partie seront ;...
Deus se retient devers le droit
Et Deus et droiz a un se tienent ;

Bonne confiance en lui y a
que Dieu et le droit l'aideront,
qui seront de son côté....
Dieu se tient du côté du droit,
Dieu et le droit ne font qu'un ;

et c'est là une fière formule (3). Mais que dire de cette impertinence à propos des pucelles délivrées (4)...

Je ne cuit pas qu'eles feïssent
Tel joie come eles li font
De Celui qui fist tot le mont,
S'il fust venuz de ciel an terre...

Je ne crois pas qu'elles eussent montré
aussi grand'joie qu'elles lui témoignent
à celui qui créa le monde,
s'il fût venu du ciel en terre...

ou encore de ces reproches de la veuve à Dieu, qui l'empêche de venger son mari sur la personne du meurtrier invisible (5) :

Autrui que toi n'an doi blasmer,
Que tu le m'anbles a veüe.
Ainz teus force ne fu veüe
Ne si lez torz con tu me fes,
Que nes veoir tu ne me les
Celui qui si est pres de moi.

Autre que toi n'en dois blâmer
de le dérober à ma vue.
Jamais ne fut vue telle violence
ni si vilain tort comme tu fais
en ne me laissant même pas voir
celui qui est si près de moi.

et du défi à Dieu de refaire un aussi bel être que Laudine (vv. 1503-1506) ?

Ainsi donc, un peu plus de religion sans doute que dans ses

---

(1) Vv. 4071-4075.
(2) Vv. 4332-4334 ; 4444-4445.
(3) Des formules pareilles se retrouvent d'ailleurs dans les Chansons de geste.
(4) Vv. 5780-5783.
(5) Vv. 1212-1217.

romans précédents, mais celle-ci réduite toujours à un rôle accessoire, rites et formules, et non pas passée comme peut-être dans
le *Conle del Graal*, dernière œuvre du poète, au rang de mobile
essentiel de l'action.

On n'en peut pas dire autant de la pitié purement humaine qui
anime le héros à l'égard de l'infortune. Sensible avec moins de
manifestations extérieures que dans mainte chanson de geste,
Yvain se sent spontanément attiré vers la faible femme en détresse. On se demande même si ce n'est pas un peu le spectacle
de la douleur vive et vraie de la veuve (1) qui rend Laudine à ses
yeux plus séduisante, parce que plus touchante. C'est en tout
cas un fait, qui ne saurait être fortuit et qui répond aussi à une
des tendances essentielles de l'esprit chevaleresque et courtois,
que l'exploit du héros dans ses errances ne s'exerce que pour la
nièce de Gauvain qu'il faut ravir au déshonneur qui l'attend chez
le géant, pour la dame à l'onguent dont les biens sont menacés
par un gênant voisin, pour la déshéritée, victime d'une sœur
impitoyable et pour les pucelles captives. Il y a lieu de revenir
un instant sur ce curieux tableau de la misère naissante du prolétariat de l'industrie de luxe, soie (2), tapisseries, orfrois, alors en
formation dans les grandes villes de l'Artois, de Flandre et de
Champagne, et où Chrétien, malgré ses tendances aristocratiques,
ne cherche pas à dissimuler sa pitié pour celles dont le travail
crée de la richesse et du bien-être, sans qu'elles-mêmes y prennent
part. Il y a l'accent d'une grande revendication dans cette plainte
émouvante où s'exhale leur misère, plainte qui devait faire penser
aux auditrices et aux lectrices de Chrétien de quelle sueur était
trempé l'or pourfilé de leur cotte ou de leur bliaut (3) :

Toz jorz dras de soie tistrons,	Toujours draps de soie tisserons
Ne ja n'an serons miauz vestues.	et n'en serons pas mieux vêtues.
Toz jorz serons povres et nues	Toujours serons pauvres et nues
Et toz jorz fain et soif avrons ;	et toujours faim et soif aurons.
Ja tant gaeignier ne savrons	Jamais tant gagner ne pourrons
Que miauz an aiiens a mangier.	que mieux en ayons à manger.

(1) Vv. 1460-1475.
(2) L'éminent historien Pirenne me fait cependant observer que l'industrie de la soie n'est pas encore née en France à cette époque ; mais ne
pourrait-on pas faire état de notre passage d'*Yvain*, pour en affirmer l'existence en Champagne, car supposer un voyage de Chrétien en Orient, c'est
une hypothèse séduisante, mais audacieuse ? Il sait cependant l'existence
du harem et a placé l'un de ses romans à Constantinople.
(3) Vv. 5298-5308.

Del pain avons a grant dangier,	Du pain en avons chichement,
Au main petit et au soir mains ;	au matin peu, et au soir moins,
Que ja de l'uevre de noz mains	car de l'ouvrage de nos mains
N'avra chascune por son vivre	ne gagne chacune pour vivre
Que quatre deniers de la livre.	que quatre deniers de la livre.

Sans doute veulent-elles dire que chaque livre (en poids) de marchandise ne leur rapporte que quatre deniers (1) :

Et de ce ne poons nos pas	et avec cela nous ne pouvons pas
Assez avoir viande et dras ;	avoir beaucoup de mets et draps
Car qui gaaigne la semainne	car qui gagna en sa semaine
Vint souz, n'est mie fors de painne.	vingt sous n'est pas tiré de peine.

Un salaire de vingt sous par semaine, même en tenant compte de la puissance d'achat de la monnaie d'alors, ce n'est pas assez pour vivre, mais il en est un qui gagne davantage, le maître, pour qui elles travaillent et qui exploite leur nécessité (2) :

Et nos somes an grant poverte,	et nous sommes en grand'misère
S'est riches de nostre deserte	mais il s'enrichit de nos gains
Cil por cui nos nos traveillons.	celui pour lequel nous peinons.

Nous n'avions pas rencontré encore dans le roman de pareilles récriminations et de pareils tableaux, dont le réalisme, par un art suprême, s'encadre si bien dans la plus fantastique des aventures. On peut en dire autant de la rencontre du vilain au début, mais qui est plus hideux que pitoyable, étant plus semblable à une bête sauvage qu'à un homme. On hésite donc à en faire une préfiguration des « animaux mâles et femelles » de La Bruyère et une protestation contre la misère des champs, comme l'atelier des pucelles est une protestation contre la misère des villes.

Au lieu d'insister dans ce cas-là sur l'élément moral, peut-être vaut-il mieux faire valoir les qualités d'évocation réaliste de la description (3) :

Si vi qu'il ot grosse la teste	Je vis qu'il avait grosse tête
Plus que roncins ne autre beste,	plus que roncin ou autre bête,
Chevos meslez et front pelé,	cheveux en broussailles, front pelé,
S'ot plus de deux espanz de lé,	de plus de deux empans de large,
Oroilles mossues et granz,	oreilles velues et grandes,

(1) Vv. 5309-5312. Voir plus haut p. 339, n. 3.
(2) Vv. 5317-5319.
(3) Vv. 295-307.

24

Auteus com a uns olifanz,	telles qu'en a un éléphant,
Les sorciz granz et le vis plat,	sourcis touffus, visage plat,
Iauz de choete et nes de chat.	yeux de chouette et nez de chat,
Boche fandue come los,	bouche fendue comme un loup,
Dans de sangler aguz et ros,	dents de sanglier aiguës et brunes,
Barbe noire, grenons tortiz,	barbe noire, moustache tordue,
Et le manton aers au piz,	le menton soudé à la poitrine,
Longue eschine, torte et boçue.	longue échine, torte et bossue.

On retrouvera ce vilain dans la *chantefable* d'*Aucassin et Nicolette*. Peut-être de tels tableaux de genre reposaient-ils notre portraitiste du beau idéal et parfait qu'il lui fallait, de nécessité, accorder à son héroïne. De la façon la plus naturelle, il fait tracer ce portrait, en touches successives, par Yvain monologuant, admirant, lui invisible (1) :

« ses chevos	« les cheveux
Qui passent or, tant par reluisent... »	qui passent l'or fin tant ils luisent... »

ce visage comme il n'en a jamais vu de si frais ni de si coloré, cette gorge qu'il lui voit étreindre, plus claire et plus polie que cristal (2) :

« Don ne fust ce mervoille fine	« Quelle merveille ne serait-elle
A esgarder s'ele fust liee,	à regarder, si elle était joyeuse,
Quant ele est or si bele iriee ? »	quand elle est si belle en sa fureur ? »

Une fois de plus, et l'on ne saurait comment mettre cette constatation en harmonie avec des déclarations pareilles faites au sujet d'Énide, de Soredamor ou de Fénice, si elle n'était dans la bouche de l'amoureux, la Nature s'est ici surpassée (3) :

« Onques mes si desmesurer	« Jamais ainsi se surpasser
An biauté ne se pot Nature,	en beauté ne se put Nature,
Que trespassé i a mesure,	car elle a passé la mesure.
Ou ele espoir n'i ovra onques.	Ou peut-être n'y ouvra-t-elle point ?
Comant poïst avenir donques ?	Comment serait-il donc possible ?
Don fust si granz biautez venue ?	D'où serait si grande beauté venue ?
Ja la fist Deus de sa main nue	Dieu la fit de sa main nue
Por Nature feire muser. »	pour abasourdir la Nature. »

Le héros, à qui Laudine va s'accorder, ne nous est présenté que d'une façon plus vague ; il est vrai que la beauté de l'homme im-

(1) Vv. 1462-1463.
(2) Vv. 1488-1490.
(3) Vv. 1492-1499.

porte moins que sa force et il nous est montré surtout sous la cotte de mailles et le heaume, dont la ventaille reste souvent baissée, ou devant Laudine, timide en robe d'écarlate, fourrée de petit gris, à fermail d'or ouvré de pierres précieuses, à ceinture et aumônière de brocart d'or.

Le personnage de Lunete, dont le rôle est capital cependant dans l'intrigue, est bien plus vague encore, puisqu'elle n'est qu'*avenante et belle* (v. 974), une *avenante brunette* (v. 2416), sage et gentille, qui est la lune dont Gauvain est le soleil, quand il l'a choisie pour amie.

Plus précise est la description des lieux que le romancier excelle à nous présenter, forteresses féodales, dont le donjon domine la bourgade aux maisons tassées qu'enserre l'enceinte extérieure, pont-levis, poternes à chausse-trappe, où Yvain se trouve pris comme dans une souricière, salles à fenêtres étroites, sortes de créneaux évasés vers l'intérieur, d'où l'on peut voir sans être vu, la forêt profonde avec sa Fontaine merveilleuse et son perron troué, dont les quatre rubis flamboient, plus vermeils (1)

Que n'est au matin li solauz	que n'est au matin le soleil
Quant il apert an oriant.	quand il apparaît à l'Orient.

Comparaison vieille comme le monde que le soleil éclaire, mais qui atteste à la fois des souvenirs classiques et, par tel coup de burin heureux ou une image fraîche, une vision personnelle (2) :

Quand vint que l'aube fut crevee.	Quand l'aube creva dans le ciel (3).

On peut faire bon marché du chant des oiseaux, qui gazouille dans toute la poésie lyrique, populaire comme savante, mais il faut faire ressortir, pour montrer la vigueur du sentiment de la nature chez Chrétien, son tableau de l'ouragan suscité par l'eau versée sur le perron (4) :

« Que lors vi le ciel si derot	« Car je vis lors le ciel si déchiré
Que de plus de quatorze parz	que de plus de quatorze côtés
Me feroit es iauz li esparz,	l'éclair me frappait les yeux
Et les nues tot mesle mesle	et les nuages pêle-mêle
Gitoient noif et pluie et gresle.	jetaient neige, et pluie et grêle.

(1) Vv. 428-429.
(2) V. 4931. L'image qui vient d'être mentionnée, à propos de Gauvain et de Lunete, comparés respectivement au soleil et à la lune, est plus fade.
(3) Cf. *Lancelot*, p. 47 de l'éd. Foerster, v. 1293.
(4) Vv. 440-448.

Tant fu li tans pesmes et forz
Que çant foiz cuidai estre morz
Des foudres qu'antor moi cheoient
Et des arbres qui despeçoient. »

L'orage était si sinistre et si fort
que cent fois je me crus tué
par la foudre tombant autour de moi
et les arbres volant en éclats. »

Ce n'est là qu'un témoignage entre cent de l'art de la description chez notre auteur. J'ai assez insisté sur les scènes de bataille, en particulier sur celle d'Yvain et de Gauvain, à la fin du récit, pour n'y point revenir, mais je voudrais noter au hasard quelques croquis aux traits si nets, aux couleurs si vives qu'ils rappellent les enluminures des siècles suivants (1) :

Mes cele i remaint tote sole
Qui sovant se prant a la gole
Et tort ses poinz et bat ses paumes
Et list en un sautier ses saumes
Anluminé a letres d'or...

Mais elle est restée toute seule,
souvent se prenant à la gorge,
tordant les mains, battant des paumes,
lisant en un psautier ses psaumes
enluminé de lettres d'or...

ou cette simple évocation si évocatrice en sa concision (2) :

Desor une coute vermoille
Troverent la dame seant.

Sur une couverture vermeille
trouvèrent la dame séant.

Je citerai encore, justement parce qu'elle est d'un objet accessoire et qu'elle est d'un réalisme poétique, cette description d'un pain bis, dont, en des heures de misère, le poète avait dû manger (3) :

N'avoit mie cinc souz costé
Li sestiers don fu fez li pains
Qui plus iert egres que levains,
D'orge pestriz atot la paille,
Et avuec ce iert il sanz faille
Moisiz et ses come une escorce.

Il n'avait pas coûté cinq sous
le setier dont ce pain était fait,
étant plus aigre que levain,
d'orge pétri avec la paille,
et avec cela était-il, sans erreur,
moisi et sec comme une écorce.

Tout ceci est d'un observateur et d'un peintre qui a accumulé en son cerveau les sensations de formes et de couleurs et excelle à nous rendre présentes et vivantes ses imaginations par des comparaisons empruntées à la vie quotidienne.

Je ne parle pas de ces banalités d'une gorge plus blanche que le cristal ou la glace, mais au contraire de cette évocation précise,

---

(1) Vv. 1411-1415.
(2) Vv. 1948-1949.
(3) Vv. 2846-2851.

à propos du géant qui s'effondre, de l'arbre tombant sous la cognée (v. 4245) ou à propos des chevaliers d'Esclados le Roux cherchant Yvain (1) :

Par tot leanz de lor bastons	partout là dedans de leurs bâtons,
Com avugles qui a tastons	comme un aveugle qui, à tâtons,
Va aucune chose cerchant.	va quelque chose quérant.

La bûche qui fume dans le grand âtre sous le large manteau conique de la cheminée du château lui a inspiré aussi des images familières. La joie d'amour retardée, dit Gauvain à son compagnon (2) :

Sanble la vert busche qui art,	semble verte bûche qui brûle,
Qui de tant rant plus grant chalor,...	qui donne d'autant plus de chaleur...
Con plus se tient a alumer	qu'elle est plus lente à s'allumer

et, à propos de Laudine abandonnée à elle-même et inclinant peu à peu vers l'amour d'Yvain (3) :

Et par li meïsmes s'alume	et d'elle-même s'allume,
Ausi con la busche qui fume	ainsi que la bûche qui fume
Tant que la flame s'i est mise,	jusqu'à ce que s'y mette la flamme
Que nus ne sofle ne atise.	que nul ne souffle ni n'attise.

Du familier dans ce domaine, si noble et si choisie que soit à l'ordinaire sa langue, il n'hésite pas, en l'occasion, à glisser au trivial, surtout pour honnir Ké l'impertinent, à qui Calogrenant déclare (4) :

« Toz jorz doit puïr li fumiers	«Toujours doit puer le fumier,
Et taons poindre et maloz bruire	le taon piquer, le bourdon bruire,
Enuieus enuiier et nuire. »	l'ennuyeux ennuyer et nuire. »

Vivant à la suite des cours et familier avec la chasse, chasse à courre et chasse au faucon, Chrétien emprunte surtout le plus volontiers ses comparaisons et ses images à cet exercice favori des gentilshommes et des dames. Yvain comprendra mieux Gauvain quand, lui conseillant de quitter sa jeune épouse, il lui dira (5) :

Ronpez le frain et le chevoistre	Rompez le frein et les rênes

(1) Vv. 1141-1143.
(2) Vv. 2520-2523.
(3) Vv. 1777-1780.
(4) Vv. 116-118.
(5) V. 2500.

et comme il est naturel de dire à propos d'Yvain, retrouvant Laudine dont il ne veut pas encore se faire connaître (1) :

Et met son cuer an tel esprueve	il met son cœur à telle épreuve
Qu'il le retient et si l'afrainne	qu'il le retient et le refrène,
Si con l'an retient a grant painne	ainsi qu'on retient à grand'peine
A fort frain le cheval tirant.	d'un fort frein le cheval tirant.

Ailleurs ce sont les chiens courants et chiens d'arrêt, qu'évoque la chasse en forêt avec le lion qui en tient lieu, évente la bête, s'arrête, regarde son maître et part, excité par ses cris (2),

Ausi com uns brachez feïst.	ainsi que l'eût fait un braque.

C'est encore le braque qui sert à dépeindre la recherche anxieuse de ceux qui, dans les salles du château de Laudine, veulent y dépister Yvain (3) :

« Et reverchié toz ces quachez	« Tous les coins sont explorés
Plus menüemant que brachez	plus menu que par les braques
Ne va traçant perdriz ou caille »	qui vont levant perdrix ou cailles »

ou le chien à la chaîne, chez Yvain parlant à Ké, pour exprimer une attitude (4) :

« Ne vuel pas sanbler le gaignon	« Je ne veux pas être le dogue
Qui se herice et regringne	qui se hérisse et grince des dents
Quant autre mastins le rechingne. »	quand un autre mâtin le provoque. »

Les oiseaux de proie, élevés par le bel art du fauconnier, si en honneur alors, ne servent pas moins : Yvain poursuivant Esclados le Roux ressemble à un gerfaut poursuivant une grue, mais ne pouvant l'atteindre (vv. 882-5), ou, quand il fait carnage de ses ennemis, il rappelle le faucon et les sarcelles (v. 3195). C'est pour des traits pareils à ceux-là qu'on a loué Homère.

Mais la comparaison n'est certainement qu'un des éléments du style de Chrétien de Troyes ; ce qu'il en faut louer surtout c'est la prodigieuse *continuité* qui, sans effort, sans trace d'essoufflement, presque sans remplissage, si ce n'est çà et là une réduplication d'expression, qui est peut-être une tentative consciente

(1) Vv. 4348-4351.
(2) V. 3439.
(3) Vv. 1265-1267.
(4) Vv. 646-648.

d'élégance cicéronienne (1), conduit l'action à travers les méandres des octosyllabes élégants et harmonieux à rime plate, sans alternance, mais toujours riche sans excès ni calembour.

L'absence de fatigue pour le lecteur résulte non seulement de la prodigieuse facilité de l'auteur, facilité qui suppose un travail assidu au grattoir (car le parchemin est rare) sur le lutrin oblique, mais aussi de l'habile alternance du récit, du monologue et du dialogue, de l'affirmation et l'interrogation, des formules positives et négatives, d'un emploi adroit et modéré cependant de l'inversion. Ces artifices se déploient surtout à l'aise dans les monologues qui, avec leurs retours de pensée, leurs contradictions, rappellent, avons-nous dit, les stances de la tragédie classique et dont nous fournissent d'heureux exemples le monologue d'Yvain amoureux et celui de Laudine hésitante faisant en imagination comparaître devant elle le coupable (2) :

« Va », fet ele, « puez tu noiier   « Allons », fait-elle, « peux-tu nier
Que par toi ne soit morz mes sire ? »   que par toi fut tué mon mari ? »
— Ce, — fet-il, — ne puis je pas dire,   — Cela, — fait-il, — je ne le puis,
Ainz l'otroi bien. — « Di donc por quoi   mais je l'accorde. — « Dis donc, pourquoi
Feïs le tu ? Por mal de moi,   l'as-tu fait ? Par mauvais gré,
Por haïne ne por despit ? »   par haine ou par mépris ? »

Cette citation donne déjà une idée exacte de la rare habileté avec laquelle Chrétien s'entend à couper le dialogue sans s'arrêter à la limite harmonique de la rime ni à la césure de la quatrième syllabe et dont voici l'exemple le plus curieux (3) :

— An cest voloir m'a mes cuers mis. —   — En ce vouloir m'a mis mon cœur. —
« Et qui le cuer, biaus douz amis ? »   « Et qui le cœur, cher doux ami ? »
— Dame, mi oel. — « Et les iauz qui ? »   — Dame, mes yeux. — « Et les yeux qui ? »
— La granz biautez que an vos vi. —   — La grand beauté qu'en vous je vis. —
« Et la biautez qu'i a forfet ? »   « Et la beauté qu'y a-t-elle fait ? »
— Dame, tant que amer me fet. —   — Dame, c'est elle qui me fait aimer. —
« Amer ? Et cui ? » — Vos, dame chiere —   « Aimer ? Et qui ? » — Vous dame, chère. —
« Moi ? » — Voire voir — « An quel me-   « Moi ? » — En vérité. — « De quelle
          [niere ? »   [manière ?
                                                »

Mais on s'en rendra compte mieux encore en relisant la conver-

---

(1) On la trouve constamment dans *La Comédie latine en France au XIIe siècle,* dont je vais publier les textes avec mes anciens élèves. Voir aussi Edm. Faral, *Les Arts poétiques du XIIe et du XIIIe siècle,* Paris, Champion, 1923.
(2) Vv. 1760-1765.
(3) Vv. 2017-2024.

sation entre la maîtresse et la suivante, entre Laudine et Lunete cherchant à lui faire aimer ou admettre comme époux le meurtrier de son mari et qui mériterait de devenir classique, au même titre que telle scène de Molière. Elle est d'ailleurs d'excellente comédie. Quelle savante progression, chez la maîtresse, de la douleur à la curiosité, de la curiosité à l'amour, et, chez la suivante, quelle habileté dans le passage de la réprimande sur un chagrin excessif à l'argumentation sur le meilleur chevalier, à la feinte mauvaise humeur, à la promesse d'un nouvel époux dont la venue au gré de Laudine tarde trop (1) :

« Et quant le porrons nos avoir ? »　　« Et quand le pourrons-nous avoir ? »
— Jusqu'à cinc jorz. — « Trop tarderoit　　— Dans cinq jours. — « C'est bien long,
Que, mien vuel, ja venuz seroit.　　car je voudrais qu'il fût déjà ici.
Vaingne anuit ou demain seviaus ! »　　Qu'il vienne cette nuit ou demain au
　　　　　　　　　　　　　　　　　　　　　　[moins ! »

Ailleurs, au contraire, c'est une éloquence continue, oratoire, presque périodique, comme dans la déclaration d'Yvain que nous avons citée avec cette sextuple répétition de *an tel* (v. 2025-2032), ou dans les propos admiratifs des châtelaines du haut des remparts, avec la sextuple répétition encore ou *anaphore* du *veez* (2).

Et quelle harmonie il sait parfois donner à un groupe de deux ou quatre de ces octosyllabes, avant lui si secs et si peu sonores, dont il accroît la sonorité en les composant de syllabes heureusement choisies (3) :

Contre le roi li chastiaus tone　　Devant le roi le château tonne
De la joie que l'an i fet　　de la joie que l'on y fait

ou à propos de la tempête provoquée (4) :

Ne finera tant que il voie　　ne finira jusqu'à ce qu'il voie
Le pin qui la fontainne onbroie　　le pin qui la fontaine ombroie
Et le perron et la tormante　　et la margelle et la tourmente
Qui pluet et nege et gresle et vante.　　qui pleut et neige et grêle et vente.

Voici une recherche voulue de dureté par l'accumulation de monosyllabes, d'explosives et de voyelles brèves, pour exprimer

(1) Vv. 1820-1823.
(2) Vv. 3212-3219.
(3) Vv. 2338-2339.
(4) Vv. 773-776.

la force physique des deux meilleurs chevaliers qui se mesurent, Yvain et Gauvain (1)

Qu'il ont les poinz quarrez et gros	Ils ont les poings carrés et gros
Et forz les ners et durs les os.	et forts les nerfs et durs les os.

Puis, par opposition, un délicieux effet de douceur et de fluidité trouvé par un homme qui, avant Verlaine, chercha à reproduire le bruit de la pluie par l'accumulation de la susurante diphtongue *ui*, et des liquides *n* et *l* (2) :

Et la nuiz et li bois li font	Et la nuit et le bois lui font
Grant enui, et plus li enuie	grand ennui et plus lui ennuie
Que li bois ne la nuiz la pluie.	que le bois ni la nuit la pluie.

Quand on confère ainsi les moyens d'expression à la chose exprimée, plus encore que le conteur habile à enchaîner notre attention, à bercer notre imagination, à guider ou à égarer notre fantaisie, ou plus encore que le psychologue soucieux de démontrer une thèse morale et sociale, tentative de conciliation entre le mariage et l'amour, l'amour et la prouesse, on serait tenté de louer en Chrétien le parfait styliste, le maître ouvrier de la langue française, lequel est à celle-ci ce que le maître d'œuvre était à l'art gothique, où les contreforts, les ogives et les rosaces accroissent alors sans l'alourdir l'élégance et la fusée des cathédrales vers le ciel.

(1) Vv. 6143-6144.
(2) Vv. 4844-4846. Effet analogue chez le grand poète Paul Valéry dans le *Cimetière marin* (*Charmes*, p. 107). Je hume ici ma future fumée. De même l'*Ébauche d'un serpent* est, métriquement parlant, un exercice d'allitération vocalique. Cf. mon *Essai d'explication du « Cimetière marin »* dans la *Nouvelle Revue française*, 1er février 1929.

CHAPITRE IX

L'ASCENSION VERS LE MYSTICISME

PERCEVAL LE GALLOIS ou *LE ROMAN DU GRAAL*

« Tant sainte chose est le graal. »

C'est encore cette idée des cathédrales qui s'impose à notre imagination en approchant de la dernière œuvre de Chrétien, celle qui suffirait à assurer sa gloire, si l'on savait qu'il créa, pour le plaisir et l'édification de nos contemporains, le type de Perceval-Parsifal et que, le premier, il conta les merveilles du Saint Graal. Car s'il a le mérite d'avoir trouvé le roman arthurien qui devait jouir, chez nous et ailleurs, d'une si longue et si singulière fortune, il a aussi celui d'avoir introduit dans notre littérature et, par son traducteur Wolfram von Eschenbach, dans la littérature allemande, par conséquent chez Wagner, l'auguste thème symbolique du vase d'élection, fontaine de vie et source de béatitude, le Graal. On doit à Chrétien sans doute le premier *Tristan*, on lui doit sûrement le premier *Perceval* ou *Roman du Graal*, qui est conservé, mais que malheureusement la mort l'empêcha d'achever et de mener à sa parfaite solution.

Ainsi, à ses débuts le *Tristan*, à sa fin le *Graal*, c'est-à-dire deux des plus nobles imaginations conçues par l'espèce humaine, voilà ce qu'il nous a donné, et il nous plaît de constater que ce sont des imaginations médiévales et françaises, même si les harmonies wagnériennes les ont revêtues du vaporeux manteau de la *Stimmung*. Comme la vie de Wagner, et ce ne peut être une rencontre fortuite, celle de Chrétien se déroule du poème de l'amour à celui de la foi. C'est que leur âge n'est pas alors le même, non plus que les préoccupations et les circonstances qui les inspirent.

Pour Chrétien, qui nous occupe, elles ont singulièrement changé. Bien que Marie de Champagne s'intéresse encore à l'amour courtois et fasse traduire et adapter l'*Ars amandi* par André le Chapelain (1), elle tend vers la bigoterie et son veuvage a assombri sa cour. Son brillant époux le comte Henri de Champagne, après avoir été à la Croisade en 1178, est mort en 1180. Il a eu pour compagnon en ce *voyage,* le somptueux Philippe d'Alsace, comte de Flandre, que Chrétien, qui n'est point guerrier et chez qui l'Orient ne provoque qu'un vagabondage d'imagination, a pu connaître à cette occasion.

Aimant le faste et la couleur, pour la joie des yeux et par l'espoir du don, il avait dû déjà se sentir attiré vers ce seigneur qui règne sur les drapiers d'Arras, les tisserands d'Ypres, les bourgeois de Gand et les marchands de Bruges, dans les entrepôts duquel s'amoncellent les richesses du monde alors connu — laine, soie et lin, pourpres, martres et vairs, ivoire, argent et or, — que Chrétien avait tant de fois accumulées dans ses descriptions de cours fantastiques. Ainsi se bâtissait-il ingénument un château en Flandre, mais le rêve dut surtout prendre corps, lorsque, après la mort du roi Charles VII, père de Marie, pendant la minorité de Philippe-Auguste, Philippe d'Alsace, qui le marie à sa nièce Isabelle de Vermandois, devient comme une sorte de régent du royaume avec la complicité du jeune et déjà astucieux souverain, désireux de faire échec à l'ambition de ses oncles de Champagne. Chrétien, qui prend de l'âge et ne semble jamais avoir été attiré vers les faibles rois de l'Ile-de-France, au lieu d'aller vers le prince adolescent dont il peut difficilement deviner l'esprit, et qui est déjà plus tendu d'ailleurs vers les réalisations de la politique que vers celles de la poésie, se dirige vers la grandeur actuelle, fastueuse et sans doute généreuse, du puissant comte de Flandre, Philippe d'Alsace.

En l'absence de tout autre document qui en parle (qu'est-ce qu'un poète ou un conteur pour ses contemporains ? celui qui passe; pour l'avenir seul, il est celui qui dure), nous avons à ce sujet la propre révélation de l'écrivain dans sa dédicace du début (2) :

---

(1) Cf. la thèse récente de Bossuat, *Drouart la Vache, traducteur d'André le Chapelain,* Paris, Champion, 1927, in-8°.

(2) Ed. Baist, vv. 7-14, éd. Potvin, t. I, p. 307. Le prologue qui figure au début de cette dernière édition semble postiche, mais M. Wilmotte le tient pour authentique.

En l'absence d'édition Foerster, celles de M. Wilmotte et de A. Hilka n'ayant pas encore paru, je recourrai non à la vieille édition Potvin : *Perceval le Gallois ou le Conte du Graal, publié d'après les manuscrits originaux,* Mons, 1863-1866 (Société des Bibliophiles belges (7 vol. in-8°) mais à l'édition de Baist, meilleure, fondée sur le seul manuscrit de Paris fr. 794, et

Crestiens seme et fet semance
D'un roumans que il ancomance
Et si le seme an si bon leu
Qu'il ne puet estre sanz grant preu ;
Qu'il le fet por le plus prodome
Qui soit an l'empire de Rome,
C'est li cuens Phelipes de Flandres (1)
Qui mialz valt ne fist Alixandres.

Chrétien sème et fait semence
d'un roman qu'il commence
et le sème en si bon lieu
que ce ne peut être sans grand honneur,
car il le fait pour le plus noble
qui soit en l'empire de Rome,
c'est le comte Philippe de Flandre,
qui plus vaut que ne fit Alexandre.

Vient alors un vif éloge, que l'on peut croire sincère, car il
n'en fit point ailleurs de pareil, des vertus du comte (2) :

Li cuens aimme droite justise
Et leauté et sainte iglise,
Et tote vilenie het ;
S'est plus larges que l'an ne set ;
Qu'il done selonc l'evangile
Sanz ypocrisye et sanz guile,
Et dit : « Ne saiche ta senestre
Le bien quant le fera la destre ;
Cil le saiche qui le reçoit
Et Deus qui toz les segrez voit
Et set totes les repostailles
Qui sont es cuers et es antrailles. »

Le comte aime la vraie justice
et loyauté et sainte Église
et toute vilenie hait
et est plus large qu'on ne le sait,
car il donne selon l'Évangile,
sans hypocrisie ni tromperie
disant : « Ne sache ta main gauche
le bien que fera ta droite.
Le sache seul qui le reçoit
et Dieu, qui tous les secrets voit
et connaît tous les mystères
qui sont en cœurs et en entrailles. »

également épuisée, Fribourg, s. d., in-8°. *La continuation de Perceval* de
Gerbert de Montreuil a été rééditée par Mary Williams dans les Classiques
français du Moyen Age de M. Roques, t. I, 1922, t. II, 1925 ; *La Queste del
Saint Graal*, par A. Pauphilet, *ibid.*, en 1923, auquel on doit une excellente
thèse sur le roman en prose qui porte ce titre. *Le Roman de l'histoire dou
Graal*, de Robert de Boron, y a paru aussi en 1927 par les soins de W.-A.
Nitze (CLASSIQUES FRANÇAIS DU MOYEN AGE). Parmi les travaux les
plus récents et les plus importants sur l'épineuse question du *Graal* il
faut citer, outre W. Foerster: *Kristian von Troyes Wörterbuch zu seinen
sämtlichen Werken*, 1914, Ed. Wechssler, *Die Sage vom heiligen Graal*,
Halle, Niemeyer, 1898, in-12, Birch-Hirschfeld, *Die Sage vom Gral*, Leipzig,
1877, W. Golther, *Parzival und der Gral*, Stuttgart, Metzler, 1925, in-8,
S. Singer, *Wolframs Stil und der Stoff des Parzival*, Vienne, Holler, 1916,
F. Lot, *Études sur le Lancelot en prose*, Paris, Champion, 1918, Bruce,
The Evolution of Arthurian romance, Göttingue, 1923, 2e éd. p. p. Hilka
1928, 2 vol. in-8°, *Mediæval Studies*, Paris, Champion, 1927, in-8°,
A. Schreiber, *Kyot und Crestien* dans *Zeitschrift für romanische Philologie*,
t. XLVIII, 1928, p. 1-52, les importantes communications de M. Wilmotte,
L'État actuel des Études sur la Légende du Gral, ACADÉMIE ROYALE DE
BELGIQUE, *Bulletin de la Classe des Lettres*, 5e s., t. XV, 1929, pp. 100-122,
et t. XVI, 1930, pp. 40-64, 97-119, 378-393, ainsi que *Le Roman du Gral,
traduit et adapté*, Paris, Renaissance du Livre, 1930, *Le poème du Gral et
ses auteurs*, Paris, Droz, 1930, Une traduction allemande de *Perceval*, par
K. Sandkühler, a paru à Stuttgart, Orient Verlag, 1929.

(1) Sur Philippe d'Alsace, voir l'article de Henri Pirenne dans la *Biographie
nationale* de Belgique.

(2) Vv. 25-63.

A de telles paroles, il n'y a pas à se tromper, l'éternel mendiant qu'est le poète, qui doit nourrir son génie des miettes de la table des grands, paye en éloges le pain, les viandes et les robes fourrées de vair qu'il a reçues. Le don se consomme, l'éloge reste et traverse les temps. Qui est le bon marchand du troc ?

Nous approchons, et il importe d'y insister, d'un siècle plus scolastique où bientôt tout sera symbole et où tout symbole voudra une interprétation. La main gauche c'est la vanité, la droite c'est la charité (1) :

Deus est charité, et qui vit	Dieu est charité et celui qui vit
An charité, selonc l'escrit	en charité, selon l'écrit
Saint Pol ou je le vi et lui,	de saint Paul où je le vis et lus,
Il maint an Deu et Deu an lui.	demeure en Dieu et Dieu en lui.

Ce sont accents religieux que nous n'avons pas encore entendus chez Chrétien ; mais il revient vite aux dons du bon comte Philippe, que lui inspire son noble cœur débonnaire (2) :

Donc avra bien sauvé sa poinne	Donc il n'aura pas perdu sa peine
Crestiens, qui antant et peinne	Chrétien qui s'efforce et peine
Par le comandement le conte,	par le comandement du Comte,
A rimoier le meillor conte,	à mettre en rime le meilleur conte
Qui soit contez an cort real	qui soit conté en cour royale,
Ce est *li contes del Graal*,	c'est le *roman du Graal*
Don li cuens li baille le livre.	dont le Comte lui baille le livre.

Ce livre, en prose latine sans doute, qui racontait les merveilles du Graal, parlait-il aussi de Perceval ? Nous ne le savons point, nous ne le saurons peut-être jamais. Beaucoup supposent qu'il n'a pas plus existé que le manuscrit des mémoires autographes qu'un romancier affirme souvent avoir retrouvé dans la commode de son héros imaginaire, mais il est permis de douter que Chrétien ait osé mêler le nom de son protecteur à une semblable supercherie, dont il le fait en quelque sorte ici le garant (3).

---

(1) Vv. 47-50.

(2) Vv. 61-67.

(3) Gerbert de Montreuil dans *La Continuation de Perceval*, éd. Mary Williams (*Classiques français du Moyen Age*), t. I, pp. 214-215, vv. 7004-7007, parle aussi du *livre* :

Et que il puist la fin ataindre	Et qu'il puisse la fin atteindre
De *Perceval* que il emprent,	du *Perceval* qu'il entreprend,
S con li livres li aprent	selon que le livre le lui apprend
Ou la meterre en est escripte.	où la matière en est écrite.

Ce qui résulte de cette éloquente dédicace, c'est, outre la qualité de protecteur attitré, le fait qu'elle s'adresse à un homme
encore vivant (elle est donc antérieure à juillet 1190), et, comme,
religieuse cependant d'inspiration, elle ne fait point allusion
au grand dessein de la croisade, on la peut tenir pour antérieure
à 1189, *lerminus ad quem*, de la vie et de l'œuvre de Chrétien de
Troyes, puisque son *Conte del Graal* fut interrompu par sa mort.
En témoigne son continuateur Gerbert de Montreuil (1) :

Ce nous dist Crestiens de Troie	Ainsi nous dit Chrétien de Troyes
Qui de Percheval comencha,	qui le *Perceval* commença,
Mais la mort qui l'adevancha	mais la mort, qui le devança,
Ne li laissa pas traire affin.	ne le lui laissa achever.

Le récit proprement dit commence par une de ces descriptions
du printemps dont les poètes lyriques du temps, provençaux
ou français, se plaisent à faire le cadre gracieux de leurs amours (2) :

Ce fu au tans qu'arbre florissent,	Au temps où les arbres fleurissent,
Fuelles, boschaige, pré verdissent	feuilles, bocages et prés verdissent,
Et cil oisel an lor latin	où les oiseaux en leur latin,
Dolcemant chantent au matin,	doucement chantent au matin,
Et tote riens de joie anflame,	où tout être de joie s'enflamme,
Que li filz a la veve dame	le fils de la veuve dame
De la gaste forest soutainne	de la sauvage forêt solitaire
Se leva...	se leva...

Exposition dont la netteté et la concision ne laissent rien à dési
rer et qui, en quelques lignes, nous présente le moment (le printemps), le milieu (la *gaste forest*, la forêt vierge), la dame veuve
et son fils, qui, suivant un procédé cher à l'auteur du *Lancelot*,
ne nous sera désigné par son nom que beaucoup plus tard.
Ce *valet* selle son *chaceor*, son cheval de chasse, s'arme de trois
javelots et sort, dans le dessein d'aller voir les laboureurs de
sa mère, qui hersaient ses avoines, et il entre dans la forêt, tout
empli de l'ardeur et de la douceur du temps (3) :

Ensi an la forest s'an antre.	Ainsi dans la forêt il entre
Et maintenant li cuers del ventre	et aussitôt le cœur dans sa poitrine
Por le dolz tans li resjoï	pour le doux temps s'éjouissait
E por le chant que il oï	et pour le chant qu'il entendait

(1) *Ibid.*, p. 214, vv. 6984-6987.
(2) *Perceval*, vv. 69-76.
(3) Vv. 85-94.

Des oisiaus qui joie feisoient ;
Totes ces choses li pleisoient.
Por le dolçor del tans serain,
Osta au chaceor son frain,
Si lo leissa aller peissant
Par l'erbe fresche verdeant.

des oiseaux qui s'ébaudissaient.
Toutes ces choses lui plaisaient.
Pour la douceur du temps serein,
il ôta au cheval son frein
et le laissa aller paissant
par l'herbe fraîche verdoyante.

Il serait difficile de mieux donner une impression de réveil des choses et de fraîcheur, il y a là une petit symphonie pastorale en clair majeur, qui prépare et annonce l'éclosion d'une âme. Le jeune garçon mutin, à droite, à gauche, en avant, en arrière, lance ses javelots, quand il voit parmi la forêt (1)

Venir cinc chevaliers armez
De totes armes acesmez,
Et molt grant noise demenoient
Les armes a ces qui venoient,
Car sovant hurtoient as armes
Li rain des chasnes et des charmes,
Et tuit li hauberc fremissoient,
Les lances as escuz hurtoient.
Sonoit li fuz, sonoit li fers
Et des escuz e des haubers.

venir cinq chevaliers armés
et parés de toutes leurs armes
et très grande noise menaient
les armes de ceux qui venaient,
car souvent se heurtaient à leurs armes
les branches des chênes et charmes,
et tous les hauberts frémissaient,
les lances aux écus se heurtaient.
Sonnait le bois, sonnait le fer
et des écus et des hauberts.

Le *valet* entend, mais ne voit pas, et croit d'abord que ce sont des diables, puis quand il aperçoit (2)

Et les hiaumes clers et luisanz...
Et vit le vert et le vermoil
Reluire contre le soloil,
Et l'or et l'azur et l'argent...
Lors dist : « Ha ! sire Deus, merci !
Ce sont ange que je voi ci !...
Ne me dist pas ma mere fable
Qui me dist que li ange estoient
Les plus beles choses qui soient,
Fors Deu qui est plus biaus que tuit.
Ci voi ge Damedeu, ce cuit ;
Car un si bel an i esgart
Que li autre, si Deus me gart,
N'ont mie de biauté le disme.
Et si dist ma mere meïsme
Qu'an doit Deu croire et aorer
Et soploier et enorer
Et je aorerai cestui
Et toz les anges avoec lui. »

les heaumes clairs et luisants...
Quand il vit le vert et le vermeil
reluire à l'éclat du soleil
et l'or et l'azur et l'argent,
il dit : « Ah ! seigneur Dieu, merci !
ce sont anges que je vois ici...
Ma mère ne m'a conté fables,
quand elle a dit qu'anges étaient
les plus belles choses qui soient
hors Dieu qui est plus beau que tous.
Ici vois-je Dieu lui-même, je crois,
car j'en aperçois un si beau
que les autres, Dieu me garde,
n'ont pas de sa beauté la dîme.
Or ma mère même m'a dit
qu'on doit croire en Dieu et l'adorer,
se prosterner et l'honorer.
J'adorerai donc celui-ci
et tous les anges avec lui. »

(1) Vv. 101-110.
(2) Vv. 130-152. Pour le dernier vers j'adopte la leçon des autres manuscrits.

Le voilà qui se jette à genoux et récite toutes les oraisons qu'il a apprises. Le maître des survenants l'aperçoit, et, pour ne pas lui faire peur, fait arrêter sa suite, puis s'avance, seul (1) :

Et dit : « Vallez, n'aiés peor. »
— Non ai ge par le salveor, —
Fet li vaslez, — an cui je croi !
Estes vos Deus ? — « Nenil par foi. »
— Qui estes dons ? — « Chevaliers sui ! ».
— Ainz mes chevalier ne conui...
Fist li vallez, — ne nul n'an vi
N'onques mes parler n'an oï ;
Mes vos estes plus biaus que Deus ;
Car fusse je or autreteus
Ensi luisanz et ensi fez ! —

« Garçon », fait-il, « n'ayez peur. »
— Je n'en ai point, par le Sauveur, —
fait le valet, — en qui je crois.
Êtes-vous Dieu ? — « Eh ! non, ma foi. »
— Qui êtes-vous donc ? — « Chevalier
— Jamais chevalier ne connus, — [suis. »
fit le valet, — ni nul n'en vis,
ni jamais n'en ouïs parler.
Mais vous êtes plus beau que Dieu,
et fussé-je maintenant pareil,
aussi brillant et magnifique ! —

Sans s'émouvoir de cette admiration, celui qui en est l'objet demande au naïf s'il n'a point vu passer cinq chevaliers et trois pucelles, mais celui-ci, sans se donner la peine de répondre et tout à son étonnement prodigieux, touche de la main la lance et dit (2) :

— Biaus amis chiers,
Vos qui avez non chevaliers,
Que est ice que vos tenez ?... —
« Jel te dirai, ce est ma lance. »
— Dites vos, — fet il, — qu'an la lance
Si con je faz mes javeloz ? —
« Nenil, vaslez, tu es trop soz...
Mes des chevaliers me respont,
Di moi se tu sez ou il sont
Et les puceles veis tu ? »
Li vaslez au pan de l'escu
Le prant, et dit tot en apert :
— Ce que est et de coi vos sert ? —
« Escuz a non ce que je port. »
— Escus a non ? — « Voire », fet il,
« Ne le doi mie tenir vil,
Car il m'est tant de bone foi
Que, se nus lance ou tret a moi,
Ancontre toz les cos se tret ;
C'est li servises qu'il me fet. »

— Bel ami cher,
vous qui avez nom chevalier,
qu'est-ce donc ce que vous tenez ?... —
« Je te le dirai, c'est ma lance. »
— Voulez-vous dire, fait-il, qu'on la lance
Comme je fais mes javelots ? —
— Nenni, garçon, tu es trop fou...
Mais réponds-moi : les chevaliers,
dis-moi si tu sais où ils sont
et les pucelles, ne les vis-tu ? »
Le valet par le bord de l'écu
le prend et dit tout aussitôt :
— Qu'est cela et de quoi vous sert ? —
— « Écu a nom ce que je porte. »
Écu a nom ? — « Mais oui », fait-il,
« et ne le dois tenir pour vil,
car il m'est de si bon service
que, si on tire sur moi,
de tous les coups il me préserve ;
c'est le service qu'il me fait. »

Sur ces entrefaites, le maître est rejoint par ses compagnons, qui lui demandent ce que lui veut ce Gallois, indication de

(1) Vv. 169-179.
(2) Vv. 187-228.

nationalité qui achève de situer la scène en ce lointain pays de
Galles, paradis des légendes celtiques. Des gens de cette nation,
ils n'ont pas opinion très favorable, les fiers barons anglo-nor-
mands (1) :

« Sire, sachiez bien antreset
Que Galois sont tuit par nature
Plus fol que bestes an pasture.
Cist est ausi com une beste... »

« Sire, sachez certainement
que les Gallois sont tous de nature
plus sots que bêtes en pâture.
Celui-ci n'est pas plus qu'une bête. »

Mais le maître s'entête à l'interroger sur ceux qu'il cherche, sans
en rien tirer d'ailleurs que d'autres questions sur ses armes (2) :

Au pan del hauberc si le tire :
— Or me dites, — fet il, — biaus sire,
Qu'est ce que vos avez vestu ? —
« Vaslez », fet il, « don nel sez tu ? »
—Je non.—«Vaslez, c'est mes haubers»...
— De ce, — fet il, — ne sai ge rien,
Mes molt est biaus, se Deus me salt.
Qu'an fetes vos et que vos valt ? —
« Vaslez, c'est a dire legier.
Se voloies a moi lancier
Javeloz ne saiete traire
Ne me porroies nul mal faire. »
— Danz chevaliers, de teus haubers
Gart Deus les biches et les cers !
Que nul ocirre n'an porroie,
Ne jamés apres ne corroie... —
E cil qui petit fu senez
Li dist : — Fustes vos ensi nez ? —
« Nenil, vaslez, ce ne puet estre
Qu'ensi poïst nule riens nestre » —
— Qui vos atorna donc ensi ? —
« Vaslez, je te dirai bien qui. »
— Dites le donc. — « Molt volantiers :
N'a mie ancor cinc jorz antiers
Que tot cest hernois me dona
Li rois Artus qui m'adoba. »

Par le pan du haubert le tire.
— Dites-moi, — fait-il, — cher sire,
Qu'est-ce que vous avez revêtu ? —
« Valet », fait-il, « ne le vois-tu ? »
—Moi, non!—«Garçon, c'est mon haubert.»
— De cela — fait-il, — je ne sais rien,
mais il est bien beau, Dieu me sauve !
Qu'en faites-vous, et à quoi vous sort ? —
« Garçon, c'est aisé à dire.
Si tu voulais me lancer
javelot ou tirer une flèche,
tu ne pourrais me faire de mal. »
— Seigneur chevalier, de tels haubers,
Dieu garde les biches et les cerfs,
car je ne pourrais plus en tuer
et je ne courrais plus jamais après... —
Et celui qui avait peu de sens
lui dit : — Êtes-vous né comme cela ? —
« Nenni, garçon, ce ne peut être,
car nul ne pourrait ainsi naître. »
— Qui vous habilla donc de la sorte ? —
« Valet, je te dirai bien qui. »
— Dites-le donc. — « Très volontiers :
il n'y a pas cinq jours entiers
que tout ce harnais me donna
le roi Arthur qui m'adouba. »

La scène est d'une naïveté délicieuse, surtout la question :
« Êtes-vous donc né comme cela ? » La fraîcheur d'âme de
ce sauvageon est en harmonie parfaite avec la *gaste forest* solitaire où il a été élevé. Ses premières curiosités ainsi satisfaites,

(1) Vv. 240-243.
(2) Vv. 257-288.

il consent à mener la troupe auprès des herseurs de sa mère, qui s'effraient beaucoup en le voyant en telle compagnie (1) :

Que bien sorent s'il li avoient	car ils savaient que s'ils lui avaient
Lor afere dit et lor estre,	dit leur qualité et leur vie,
Que il voldroit chevaliers estre	qu'il voudrait être chevalier
Et sa mere an istroit del san,	et que sa mère en perdrait la raison,
Que destorner le cuidoit an	car on pensait le détourner
Que ja chevalier ne veïst	de jamais voir des chevaliers
Ne lor afere n'apreïst.	ni d'apprendre leur genre d'existence.

Eux ont bien vu passer ceux que l'on cherche, mais l'interrogant ne laissera pas partir le chevalier sans qu'il lui soit révélé qu'il pourra trouver le roi Arthur, à Carduel, en Galles, où il tient sa cour. Avant de quitter le jeune homme, l'inconnu voudrait savoir de quel nom l'appeler, mais il n'en peut tirer autre chose que ceci qu'il s'appelle : *beau fils, beau frère* ou *beau sire*.

Tandis qu'aussi peu édifié, son interlocuteur s'éloigne, le garçon se hâte de retourner vers sa mère, fort inquiète de le voir revenir si tard et qui ne se tient plus de joie (2) :

Car come mere qui molt aimme	Car en mère très aimante
Cort contre lui et si le claimme	elle court à sa rencontre et l'appelle
Biaus filz, biaus filz, plus de cent foiz.	« Beau fils, beau fils ! » plus de cent fois.
« Biaus filz, molt a esté destroiz	« Mon cœur bien a été angoissé, beau fils,
Mes cuers por vostre demoree ;	par votre long retardement.
De duel ai esté acoree	De douleur ai été si anxieuse
Si que par po morte ne sui.	que j'ai failli en mourir.
Ou avez vos tant esté hui ? »	Où avez-vous été si longtemps ? »
— Ou, dame, je le vos dirai	— Ah ! ma dame, je vous le dirai,
Molt bien, que ja n'an mantirai,	très bien et sans en rien mentir,
Que je ai molt grant joie eüe	c'est qu'une grande joie j'ai eue
D'une chose que j'ai veüe.	d'une chose que j'ai vue.
Mere, ne me soliez vos dire	Mère, n'aviez-vous coutume de dire
Que li ange Deu nostre sire	que les anges de Dieu, notre sire,
Sont si tres bel c'onques nature	sont si beaux que jamais Nature
Ne fist si bele criature	ne fit si belles créatures
N'el monde n'a si bele rien ? —	et qu'au monde n'y a rien si beau ? —
« Biau filz, ancor le di ge bien,	« Beau fils, je le dis bien encore,
Jel dis por voir et di ancores. »	je le dis, vrai, et redis encore. »
— Taisiez, mere ! ne vi ge ores	« Taisez-vous, mère, ne vis-je aujourd'hui
Les plus beles choses qui sont,	les plus belles choses qui soient,
Qui par la gaste forest vont ?	allant par la forêt sauvage ?
Il sont plus bel, si con ge cuit	Ils sont plus beaux, à ce que je crois,

(1) Vv. 314-320.
(2) Vv. 351-383.

Que Deus ne que si ange tuit. —
La mere antre ses braz le prant
Et dit : « Biaus filz, a Deu te rant ;
Que molt ai grant peor de toi.
Tu as veü, si con je croi,
Les anges don la gent se plaignent
Qui occient quan qu'il ataignent. »
— Voir non ai, mere, non ai, non ;
Chevalier dient qu'il ont non. —
La mere se pasme a cest mot...

que Dieu ni que ses anges tous. »
La mère entre ses bras le prend
et dit : « Beau fils, te donne à Dieu,
car j'ai bien grand peur pour toi.
Tu as vu, à ce que je crois,
les anges dont les gens se plaignent
et qui tuent tout ce qu'ils atteignent. »
— Vraiment non, mère, non pas, non,
ils disent s'appeler « chevaliers » ! —
La mère à ce mot se pâme...

Quand elle est revenue à elle, elle lui explique comment elle espérait le garder de la chevalerie en empêchant qu'il en entendît parler et qu'il ne vît des chevaliers. Son mari en fut un, le meilleur de toute l'île, mais il fut blessé aux jambes en un combat, resta paralysé et sa terre fut ruinée, ainsi que tout le royaume d'Uterpandragon, père d'Arthur. Sur sa litière, il s'était fait transporter dans le manoir qu'il possédait en la *gaste forest*, son fils n'ayant encore que deux ans. Il en avait deux autres en âge d'être adoubés, et qui le furent, mais qui périrent dans une rencontre, au moment où ils revenaient se montrer à leur père, qui en mourut de douleur (1) :

« Del duel des fils morut li pere,
Et je ai vie molt amere
Sofferte puis que il fu morz.
Vos esteiez toz li conforz
Que je avoie e toz li biens,
Que il n'i avoit plus des miens,
Rien plus ne m'avoit Deus lessiée
Dont je fusse joianz et liee. »

« Du deuil des fils mourut le père
et j'ai la vie bien amère
soufferte depuis qu'il est mort.
Vous étiez tout le réconfort
que j'avais et tout le bien,
car il n'en restait plus des miens,
Dieu ne m'avait rien laissé plus
dont je fusse joyeuse et satisfaite. »

Dans la splendide et cruelle ingratitude de l'enfant, qui ne songe qu'à vivre sa vie, le jeune homme, sans même écouter ce qu'il tient pour des jérémiades, répond (2) :

— A mangier, — fet il, — me donez.
Ne sai de coi m'areisonez.
Mes molt iroie volantiers
Au roi qui fet les chevaliers,
Et g'i irai, cui qu'il an poist. —

— Donnez-moi, — fait-il — à manger,
Je ne sais de quoi vous parlez,
mais j'irais bien volontiers
au roi qui fait les chevaliers
et j'irai, à qui qu'il en pèse. —

(1) Vv. 461-468.
(2) Vv. 471-475.

En vain la mère essaye-t-elle de le retenir. N'y parvenant point, elle habille, avec l'active résignation d'une maman, celui qui va la quitter, d'une chemise de grosse toile, de braies ou larges culottes (1)

a la guise

De Gales ou l'an fet ansanble
Braies et chauces, ce me sanble...

à la mode

de Galles, où l'on fait ensemble
braies et chausses, ce me semble.

Elle y ajoute une cote, sorte de sarrau, et un chaperon de cuir de cerf bordé, accoutrement bien rustique et aussi peu chevaleresque que possible. Avant de le laisser partir, elle lui communique ses inquiétudes. Sans doute il obtiendra du roi des armes, mais qui lui enseignera à s'en servir? Qu'au moins, il suive ses conseils(2):

« Chevaliers seroiz jusqu'a po,
Filz, se Deu plest, et je le lo.
Se vos trovez ne pres ne loing
Dame qui d'aïe ait besoing
Ne pucele desconselliee
La vostre aïe aparelliée
Lor soit, s'eles vos an requièrent,
Que totes enors i afierent:
Qui as dames enor ne porte
La soe enors doit estre morte. »

« Vous serez chevalier d'ici peu,
fils, s'il plaît à Dieu, et je le permets.
Si vous trouvez près ou loin
dame qui d'aide ait besoin
ou pucelle dans le malheur,
que votre aide prête
leur soit, si elles vous en requièrent,
car tout honneur leur est dû.
Qui aux dames honneur ne porte
son propre honneur il voit périr. »

La mission du chevalier errant, protecteur de la femme, se précise ici, peut-être sous l'influence de l'Église, mieux que dans aucun roman précédent. La mère conçoit cependant que son fils puisse devenir amoureux, mais qu'il déploie alors toute délicatesse (3) :

« Et se vos aucune an proiez
Gardez que vos ne l'enuiez,
Ne ferés rien qui li despleise.
De pucele a moit qui la beise,
S'ele le beisier vos consant,
Le sore plus vos an desfant,
Ce lessier le volez por moi ;
Et s'ele a enel an son doi,
Ou a sa ceinture aumosniere,
Se par amor ou par proiere
Le vos done, bon m'iert et bel
Que vos anportoiz son anel. »

« Et si d'amour une en priez,
gardez-vous de la fâcher
ni de faire rien qui lui déplaise.
D'une pucelle on a beaucoup en l'em-
si elle vous consent un baiser, [brassant,
le surplus, je vous le défends,
laissez-le pour l'amour de moi,
et si elle a anneau au doigt,
ou ceinture ou aumônière,
si par amour ou par prière,
elle vous le donne, je veux bien
que vous emportiez son anneau. »

(1) Vv. 480-482.
(2) Vv. 511-520.
(3) Vv. 523-534.

A l'égard des compagnons qu'il rencontrera, elle l'avise surtout de demander leur nom et de fréquenter les *prodomes*, mot à sens multiple, qui signifie ici les gentilshommes, en songeant moins à la noblesse de la race qu'à la noblesse du cœur. Enfin, et ceci souligne le caractère religieux grandissant de la chevalerie, elle l'adjure (1)

Que an yglise et an moustier
Alez proier Nostre Seignor. »

« dans l'église et au couvent
d'aller prier Notre Seigneur. »

Mais l'étonnant est que ce sauvageon, hôte de la *gaste forest*, ne sait pas ce qu'est une église, n'en ayant jamais vu (2) :

— Mere, fet il, que est iglise ? —
« Uns leus ou an fet le servise
Celui qui ciel e terre fist
Et homes et bestes i mist. »
— Et mostiers, qu'est ? — « Ice meïsme
Une meison bele et saintisme,
U il a cors sainz et tresors,
S'i sacrefie l'an le cors
Jesu Crist, la prophete sainte
Que Giu firent honte mainte ;
Traïz fu et jugiez à tort
Si sofri angoisse de mort
Por les homes et por les fames ;
Qu'an anfer aloient les ames,
Quant eles partoient des cors,
Et il les an gita puis fors.
Cil fu a l'estaiche liez,
Batuz et puis crocefiez,
Et porta corone d'espines.
Por oïr messes et matines
Et por cel seignor aorer
Vos lo gie au mostier aler. »

— Mère, fait-il, qu'est-ce une église?—
« Un lieu où l'on fait le service
à celui qui ciel et terre créa
et hommes et bêtes y plaça. »
— Et couvent, qu'est-ce ? — « Même
une maison belle et très sacrée, [chose,
où l'on trouve reliques et trésors,
et où l'on sacrifie le corps
de Jésus-Christ, le saint prophète.
à qui Juifs firent mainte honte.
Il fut trahi et condamné à tort
et souffrit angoisse de mort
pour les hommes et pour les femmes,
car en Enfer allaient les âmes,
quand elles partaient des corps,
et il les retira dehors.
Il fut à la colonne lié,
battu et puis crucifié
et porta couronne d'épines.
Pour ouïr messes et matines
et pour le Seigneur adorer
je vous conseille au moutier d'aller. »

Nous connaissions de telles homélies par les chansons de geste, où elles accompagnent presque toutes les invocations solennelles à Dieu, mais on est un peu surpris d'en trouver une pareille ici. Il y a quelque chose de changé chez notre auteur et dans le roman courtois, que la religion tend à annexer, comme elle a fait de la chevalerie.

Le jeune homme se met aux pieds des *revelins* ou chaussures de cuir grossier, veut emporter ses trois javelots, mais pour

(1) Vv. 548-549.
(2) Vv. 553-574. Au v. 559, variante du Ms. fr. 12576 (ap. Wilmotte, II, p. 61).

ne pas trop ressembler à un Gallois, à la prière de sa mère, n'en garde qu'un, prend en main une baguette pour frapper son cheval, et, après s'être laissé embrasser, s'éloigne. Il n'est pas distant d'un jet de pierre, qu'il se retourne (1),

Si regarda et vit cheüe	regarda et vit chue
Sa mere au chief del pont ariere	sa mère, à la tête du pont, en arrière,
Et jut pasmee an tel meniere	gisant pamée en telle manière
Con s'ele fust cheüe morte.	que si elle fût tombée morte.
Et cil ceingle, de la reorte,	Et il cingle de la baguette
Son chaceor parmi la crope...	son cheval parmi la croupe...

Le premier geste du futur chevalier est de dure indépendance à l'égard de sa famille. La mission exclut la tendresse et ceci est conforme à la loi de l'Église : « Tu quitteras ton père et ta mère ... »

Ayant chevauché tout le jour et passé la nuit étendu dans la forêt, au matin, il parvient à une tente mi-rouge, mi-dorée, dressée dans la prairie, et dont le pommeau étincelait au soleil. Tout cela est si brillant que le garçon croit voir une de ces églises dont sa mère lui a parlé (2) :

Lors vient au tref, sel trueve overt ;	Il vient à la tente, la trouve ouverte
En mi le tref, un lit covert	et, au milieu, un lit couvert
D'une coste de paisle voit ;	d'une courtepointe de soie y voit ;
El lit, tote sole gisoit	sur le lit toute seule gisait
Une dameisele andormie...	une demoiselle endormie...
Alees erent ses puceles	ses suivantes s'en étaient allées
Por coillir floretes noveles	pour cueillir fleurettes nouvelles
Que par le tref jonchier voloient...	dont elles voulaient joncher la tente...

Au piaffement du cheval, la demoiselle s'éveille et le garçon qui était *nice*, c'est-à-dire un peu simple, caractère essentiel, sur lequel nous aurons à revenir, dit (3) :

« Pucele, je vos salu	« Pucelle, je vous salue
Si con ma mere le m'aprist,	comme ma mère me l'a appris.
Ma mere m'anseigna e dist	Ma mère m'a enseigné et dit
Que les puceles saluasse	que les pucelles saluasse
En quel que leu que les trovasse. »	en quelque lieu que les trouvasse.... »
La pucele de peor tranble	La pucelle de peur tremble
Por le vaslet, qui fol li sanble...	à cause du garçon qui fou lui semble...
— Vaslez, — fet ele, — tien ta voie;	— Valet, —fait-elle, — poursuis ta voie,

(1) Vv. 602-605.
(2) Vv. 647-655.
(3) Vv. 662-702.

Fui, que mes amis ne te voie. —
« Einz vos beiserai, par mon chief ! »
Fet li vaslez, « cui qu'il soit grief,
Que ma mere le m'anseigna. »
— Je voir ne te beiseré ja, —
Fet la pucele, — que je puisse.
Fui, que mes amis ne te truisse,
Que s'il te trueve, tu es morz. —
Li vaslez avoit les braz forz,
Si l'anbrace molt nicemant,
Car il nel sot fere autremant...
Et cele s'est molt desfandue...
Mes desfansse mestier n'i ot
Que li vaslez, an un randon
La beisa, volsist ele ou non,
Vint foiz, si con li contes dit,
Tant c'un anel an son doit vit
A une esmeraude molt clere :
« Encor, » fet il, « me dist ma mere
Qu'an vostre doi l'anel preïsse,
Mes que plus rien ne vos feïsse ;
Or ça, l'anel jel vuel avoir. »
— Mon anel, n'avras tu ja voir ! —
Fet la pucele, — bien le saches
S'a force del doi nel m'araiches. —
Li vaslez par la main la prant,
A force le doit li estant,
Si a l'anel an son doi pris
Et el suen doi meïsmes mis.

fuis, que mon ami ne te voie.
«Avant, sur ma tête, je vous embrasserai,
fait le garçon, « à qui qu'il pèse,
car ma mère me l'enseigna. »
— Vraiment, je ne te baiserai,
fait la pucelle, si je peux,
fuis, que mon ami ne te trouve,
car s'il te trouve, tu es mort. —
Le valet avait les bras forts
et l'embrasse très gauchement,
car il ne savait faire autrement...
Et elle s'est beaucoup défendue,
mais sa résistance n'empêcha
que le garçon d'une venue
l'embrassa, qu'elle voulût ou non,
vingt fois, à ce que dit le conte.
Un annelet en son doigt vit
avec une émeraude très claire.
« Ma mère », fait-il, « m'a dit encore
de vous prendre l'anneau du doigt,
mais de ne rien vous faire de plus.
Or ça je veux avoir l'anneau. »
— Mon anneau, tu ne l'auras pas, —
fait la pucelle, — sache le bien,
si de force tu ne me l'arraches. —
Le valet lui prend la main,
De force le doigt lui étend,
de ce doigt il a pris l'anneau
et même au sien il l'a mis.

Puis l'audacieux prend congé en disant (1) :

« Or m'an irai ge bien paiez,
Et mont meillor beisier vos fet
Que chanberiere que il et
An tote la maison ma mere,
Que n'avez pas la boche amere. »

« Je m'en irai donc bien payé :
il fait bien meilleur vous embrasser
que nulle chambrière qu'il y ait
dans toute la maison de ma mère,
car vous n'avez pas bouche amère. »

Elle pleure et le menace, mais en vain. Le méchant garçon trouve un récipient plein de vin, un hanap d'argent et, sur une éclisse de jonc, une nappe blanche, sous laquelle il découvre trois bons pâtés de chevreuil frais et se met en devoir de les dévorer, après avoir en vain invité la pauvre fille à lui tenir compagnie.

Il recouvre ce qui reste et prend congé, tandis qu'elle pleure. Survient alors son ami qui voit les pas du cheval (2),

(1) Vv. 704-708.
(2) Vv. 765-797.

Si dist : « Dameisele je croi
A ces ansaignes que je voi
Que chevalier a eü ci. »
— Non a, sire, jel vos afi,
Mes un vaslet galois i ot,
Enuieus e vilain et sot
Qui a de vostre vin beü,
Tant con lui plot e bon li fu
Et manja de vos trois pastez. —
« Et por ce, bele, si plorez ?... »
— Il i a plus, sire, — dist ele, —
Mes eniaus est an la querele,
Qu'il lo me toli, si l'an porte...
« Par foi », fet il, « ci ot oltraige,...
Mes je cuit qu'il i ot plus fait... »
— Sire, — fet ele, — il me beisa. —

« Beisa ? » — Voire, jel vos di bien ?
Mes ce fu maleoit gré mien. —
« Einçois vos sist et si vos plot,
Onques nul contredit n'i ot, »
Fet cil que jalosie anguisse.
« Quidiez que je ne vos conuisse ?
Ne sui si borgnes ne si lois
Que vostre fausseté ne voie... »

et dit : « Demoiselle, je crois,
à ces traces que je vois,
qu'il y a eu ici un chevalier. »
— Non, seigneur, je vous l'assure,
mais il y a eu un valet gallois,
méchant, vilain et fou,
qui de votre vin a bu
autant qu'il lui a plu
et mangea de vos trois pâtés. —
« Et c'est pourquoi, belle, vous pleurez ?. . »
— Il y a plus, seigneur, — dit-elle, —
Mon anneau est de l'affaire,
car, il me le prit et l'emporte...
« Ma foi », fait-il, « il y eut outrage...
mais je crois qu'il y eut plus... »
— Seigneur, — fait-elle, — il m'em-
[brassa. —

« Vous embrassa ? »—Oui, je vous le dis,
mais ce fut bien malgré moi. —
« Au contraire il vous convint et plut,
de défense il n'y eut point, »
fait celui que jalousie presse,
« croyez-vous que je ne vous connaisse ?...
Je ne suis assez borgne ou louche
pour ne voir votre fausseté... »

et il jure de faire bonne justice de l'insolent et d'avoir sa tête. Cependant, cœur content, ventre lesté, celui-ci poursuit sa route et rencontre un charbonnier, à qui il demande le chemin de Carduel, où le roi Arthur tient sa cour, en *un chaslel sur mer assis*, moitié triste, moitié joyeux, joyeux d'avoir vaincu Ryon, le roi des Iles, triste d'avoir perdu ses compagnons (1),

Qui as chastiaus se departirent
La ou le meillor sejor virent,

qui partirent pour les châteaux
où ils virent le meilleur séjour,

sans doute aux champs élyséens. Dans la direction qu'on lui montre, le garçon avance (2),

Tant que sor mer vit un chastel
Molt bien seant et fort et bel,
Et voit issir par mi la porte
Un chevalier armé qui porte
Une cope d'or an sa main.
Sa lance tenoit et son frain
Et son escu an la senestre

jusqu'à ce que sur la mer vit un château
bien situé, fort et beau,
et voit sortir parmi la porte
un chevalier armé qui porte
une coupe d'or en sa main.
Sa lance tenait et les rênes,
son écu en la main gauche,

(1) Vv. 833-834.
(2) Vv. 841-856.

Et la cope d'or en la destre,	et la coupe d'or en la droite ;
Et les armes bien li seoient	les armes bien lui séyaient,
Qui totes vermoilles estoient.	qui toutes vermeilles étaient.
Li vaslez vit les armes beles	Le valet vit les armes belles,
Qui totes estoient noveles,	qui étaient tout à fait nouvelles.
Si li plorent et dist : « Par foi,	Elles lui plurent et il dit : « Ma foi,
Cez demanderai ge le roi,	celles-ci les demanderai au roi.
S'il les me done, bel m'an iert.	S'il me les donne, bien m'en ira.
Et dahez ait qui altres quiert. »	Malheur à qui en voudra d'autres. »

L'inconnu lui demande où il va et il répond qu'il veut aller
en Cour demander au roi ces armes. Sans le comprendre, l'homme
qui les porte le charge de dire à Arthur, s'il ne veut devenir son
vassal, d'envoyer vers lui un champion pour revendiquer son
royaume, et la coupe d'or, signe de puissance. Le valet, s'éloignant, arrive à la salle carrée et pavée, où le Roi est assis à sa table,
pensif et muet, dînant avec ses chevaliers qui devisent gaîment.
Le jeune homme entre à cheval et, avisant le jeune Yonet, il
lui demande où est le roi, puis, hardiment, il l'interpelle, sans en
pouvoir obtenir une réponse (1) :

Li rois panse et mot ne li sone.	Le roi songe et mot ne sonne.
« Par foi », dist li vaslez adonques,...	« Ma foi », dit alors le garçon,
« Quant l'an n'an puet parole traire,	« puisqu'on n'en peut tirer parole,
Comant puet il chevalier faire ? »	comment ferait-il chevaliers ? »

Il fait tourner bride à son cheval, mais si brusquement et
si gauchement qu'il heurte le roi, précipite le chaperon de ce
dernier sur la table et le tire ainsi d'une torpeur dont il s'excuse
(il est vraiment bien débonnaire) sur le souci que lui cause le
chevalier vermeil de la forêt de Quinqueroi. Celui-ci ne vient-il
pas de lui contester la souveraineté de sa terre et, en présence
de la reine, de lui dérober la coupe d'or dont elle a reçu le
contenu sur ses vêtements ? Mais le garçon n'est qu'à son
objet (2) :

« Feites moi chevalier » fet il,	« Faites-moi chevalier », fit-il,
« Sire rois, car aler m'an voel. »	« Sire roi, car je veux m'en aller. »
Cler et riant furent li oel	Clairs et riants étaient les yeux
An la teste au vaslet salvaige ;	en la tête du jeune sauvage.
Nus qui le voit nel tient a saige,	Nul qui le voit ne le croit sage,
Mes trestuit cil qui le veoient	mais tous ceux qui le contemplaient
Por bel et por gent le tenoient.	pour beau et noble le tenaient.

(1) Vv. 904-908.
(2) Vv. 950-956.

Le Roi l'invite à descendre de son cheval, il s'y refuse. Arthur n'insiste point, mais l'insolent a d'autres exigences (1) :

« Ne serai chevaliers des mois Se chevaliers vermauz ne sui ; Donez moi les armes celui Que j'ancontrai defors la porte Qui vostre cope d'or anporte. »	« Jamais chevalier ne serai, si Chevalier vermeil ne suis ; donnez-moi les armes de celui que je rencontrai hors la porte et qui votre coupe d'or emporte. »

Ké le sénéchal, qui, comme les autres barons présents, souffre encore des blessures reçues dans les combats, se moque de l'audacieux (2),

Et dit : « Amis, vos avez droit, Alez les prandre or androit Les armes, car eles sont vos... »	Et dit : « Ami, vous avez raison, allez les prendre tout de suite ces armes, car elles sont vôtres. »

Arthur reproche au sénéchal sa médisance coutumière (3) :

Se li vaslez est fos et nices, S'est il, espoir, molt gentius hom,	« Si le valet est sot et simple, peut-être est-il bon gentilhomme, »

et le *valet* va se retirer quand (4)

A une pucele veüe, Bele et gente, si la salue, Et cele lui, et si li rist Et an riant itant li dist : « Vaslez, se tu viz par aaige Je pans et croi an mon coraige... Qu'an trestot le monde n'avra... Nul meillor chevalier de toi. Ensi le pans, et cuit et croi. » Et la pucele n'avoit ris Passez avoit anz plus de sis.	il a vu une pucelle belle et gentille ; il la salue et elle lui ; il lui sourit et riante aussi elle lui dit : « Valet, si tu vis assez vieux, je pense et crois en mon cœur... qu'au monde entier il n'y aura... nul meilleur chevalier que toi. Ainsi je le pense, estime et crois. » Et la pucelle n'avait ri depuis plus de six ans passés.

La prédiction, prononcée à haute voix, irrite tant le sénéchal que celui-ci s'élance sur la pucelle et lui donne un tel soufflet qu'il la jette à terre, et, se précipitant ensuite sur le fou de Cour qu'il trouve sur son passage, il le lance dans le feu, parce que celui-ci avait coutume de vaticiner (5) :

(1) Vv. 974-978.
(2) Vv. 981-983.
(3) Vv. 990-991.
(4) Vv. 1013-1024.
(5) Vv. 1037-1040.

« Ceste pucele ne rira
Jusque tant que ele verra
Celui qui de chevalerie
Avra tote la seignorie. »

« Cette pucelle ne rira,
jusqu'au moment où elle verra
celui qui de chevalerie
aura toute la seigneurie. »

Le fou crie, la pucelle pleure, mais le valet ne s'attarde pas, chevauchant à la poursuite du chevalier vermeil, devancé par Yonet qui connaît les raccourcis. Celui-là attendait près d'une roche bise. Arrivé près de lui, le garçon sauvage le somme, au nom d'Arthur, de lui rendre ses armes.

Dédaigneux d'un si chétif adversaire, mais durement menacé, le chevalier le frappe à deux mains, du bois de la lance, jusqu'à le renverser sur l'encolure du cheval, mais l'habile enfant, de son javelot, l'atteint droit dans l'œil, et l'abat mort. Il s'agit maintenant de dépouiller le cadavre de ses armes et à cela il ne parvient point. Heaume et haubert lui semblent adhérer au corps. Plus familier avec ces adoubements, Yonet a vite fait d'en désaccoutrer le mort jusqu'au gamboison de soie que recouvre la cotte de maille, mais le rustre préfère garder sa grosse chemise de chanvre, que l'eau ne traverse point et que lui a confectionnée sa mère.

Il ne quittera pas non plus ses grossiers brodequins de cuir, par-dessus lesquelles Yonet lui passe les chausses. Il le revêt du haubert, le coiffe du heaume et le fait monter sur le destrier en lui mettant le pied dans les étriers, qu'il n'avait jamais vus, non plus que les éperons, et il l'arme de l'écu et de la lance. Le valet, ainsi harnaché, lui fait présent de son cheval de chasse, le charge de rendre au roi la fameuse coupe d'or et de dire à la pucelle frappée par Ké qu'il la vengera, ce dont Yonet s'acquitte à la joie d'Arthur, qui regrette le valet gallois, et à l'humiliation de Ké, que raille le fou.

Pendant ce temps, le sauvageon armé, poursuivant sa route, arrive dans une plaine où il aperçoit, au bord de la mer, à l'embouchure d'un fleuve, un château carré à quatre tours, dominé par un donjon central. Il s'engage sur le beau pont de pierre qui y conduit, défendu au milieu par une barbacane et un pont-levis. Un *preud'homme* s'y ébattait, tenant une canne à la main et suivi de deux jeunes gens. Se souvenant de la leçon maternelle, il le salue en disant (1) :

Sire, ce m'anseigna ma mere.

Ainsi me l'enseigna ma mère.

(1) V. 1339.

Le *preud'homme* le voyant sot, lui fait conter par le menu
les détails de son récent exploit et lui accorde l'hospitalité qu'il
demande, s'il consent à écouter les conseils de sa sagesse et
d'abord à recevoir une belle leçon d'escrime chevaleresque (1) :

« Amis, or aprenez	« Ami, apprenez maintenant
D'armes et garde vos prenez	les armes et prenez garde
Comant l'an doit lance tenir	comment l'on doit lance tenir,
Et cheval poindre et retenir. »	cheval éperonner et retenir. »
Lors a desploiee l'anseigne,	Alors il déploie l'enseigne
Se li mostre et se li anseigne	et lui montre et lui enseigne
Comant an doit son escu prandre.	comment on doit son bouclier prendre.
Un petit le fet avant pandre	Un peu le laisse en avant pendre
Tant qu'au col del cheval le joint	jusqu'à atteindre le cou du cheval
Et met la lance el fautre, et point	et met lance sur feutre et pique
Le cheval qui cent mars valoit...	le coursier, qui cent mares valait...
Li prodon sot molt de l'escu	Le preud'homme savait bien manier l'écu
E del cheval et de la lance,	et le cheval et la lance,
Car il l'ot apris des anfance.	l'ayant appris depuis l'enfance.

Les yeux écarquillés, le naïf contemple cet enseignement
par l'action qu'il se met à répéter avec autant d'adresse (2)

Con s'il eüst toz jors vescu	que s'il eût toujours vécu
An tornoiement et an guerres	dans les tournois et dans les guerres
Et alé par totes les terres	et couru par toutes les terres,
Querant bataille et avanture,	cherchant bataille et aventure,
Car il li venoit de nature...	car il le tenait de Nature...
Quant li vaslez ot fet son tor,	Quand le valet eut fait sa passe
Devant le prodome, au retor,	devant le preud'homme, au retour,
Lance levee s'an repaire	il s'en revient lance levée,
Si com il li ot veü faire,	ainsi qu'il lui avait vu faire :
Si dist : « Sire, ai le ge bien fait ? »	« Sire », dit-il, « ai-je bien fait ? »

A trois reprises, il recommence, puis passe du combat à cheval
au combat à pied, qui se pratique *par escremie* (escrime) *de
l'espée*, quand les lances sont brisées. Toujours soucieux de
suivre les conseils de sa mère, l'élève demande au maître son
nom. Gornemant de Goort, dont le nom nous est familier, depuis
Parsifal, voudrait le retenir un mois encore pour parfaire l'éducation du sauvageon, mais celui-ci est pris du désir soudain
de revoir sa maman, qu'il vit tomber pâmée à la tête du pont, et
se contente d'échanger le chanvre qu'elle lui donna contre (3),

(1) Vv. 1409-1424.
(2) Vv. 1452-1471.
(3) Vv. 1577-1580.

Chemise et braies de cheinsil
Et chauces taintes an bresil,
Et cote d'un drap de soie ynde
Qui fu tissuz et fez an Ynde.

chemise et braies de fine toile
et chausses teintes en rouge
et cotte d'un drap de soie indigo
qui fut tissé et fait en Inde.

Dernier bienfait, le *preud'homme* lui chausse l'éperon droit (1)

La costume soloit teus estre
Que cil qui feisoit chevalier
Li devoit l'esperon chaucier...
Et li prodon l'espee a prise,
Se li ceint et si le beisa,
Et dit que donce li a
La plus haute ordre avoec l'espee
Que Deus a fete et comandee,
C'est l'ordre de chevalerie
Qui doit estre sans vilenie.

La coutume en effet était telle
que celui qui armait chevalier
lui devait l'éperon chausser...
Et le preud'homme a pris l'épée,
il la lui ceint et le baisa
et dit qu'il lui a donné
avec l'épée le plus haut ordre
que Dieu a fait et commandé :
c'est l'ordre de chevalerie
qui doit être sans vilenie.

Nous assistons pour la première fois chez Chrétien à un *adoubement* et nous voyons la constitution progressive de cet ordre de chevalerie, qui survivra jusqu'à l'aube du XVIe siècle, et auquel nous devons nous-mêmes tant de nobles et folles conceptions.

En vertu de ses règles les plus sacrées, il l'adjure d'épargner l'ennemi vaincu qui demande merci, de ne pas trop parler (conseil qui lui coûtera cher), d'aider pucelles ou femmes en détresse, d'aller à l'église prier, et le valet dit au preud'homme (2) :

« Qu'autel oï ma mere dire. »

« Ma mère m'en a dit autant. »

Sur quoi le maître le supplie de ne plus sortir à tout propos cette phrase (3) :

« Et que dirai ge donc, biaus sire ? »
— Li vavasors, ce poez dire,
Qui vostre esperon vos chauça,
Le vos aprist et enseigna. —
Et cil li a le don doné
Que jamés n'i avra soné
Un mot, tant com il sera vis,
Se de lui non, qu'il li est vis
Que ce est bien qu'il li ansaigne.
Li prodon maintenant le saigne,
Si a la main levee an haut

« Et que dirai-je donc, beau sire ? »
— Vous pouvez dire que le chevalier
qui vous chaussa votre éperon
vous l'apprit et vous l'enseigna... —
Et il lui a promis
que jamais il ne sonnera
mot, tant qu'il sera vivant,
si ce n'est de lui, car il lui semble
que c'est le bien qu'il lui enseigne.
Le preud'homme fait le signe de croix
et a la main en l'air levée

(1) Vv. 1602-1614.
(2) V. 1650.
(3) Vv. 1661-1674.

Et dist : — Biaus sire, Deus vos saut !
Alez a Deu qui vos conduie ;
Que la demore vos enuie. —

et dit : — Beau sire, Dieu vous sauve !
Allez à Dieu qui vous conduise,
puisque rester vous peine. —

Le nouveau chevalier quitte son hôte, et après longues chevauchées à travers les forêts, aperçoit un château fort au milieu d'une terre en friche au bord de la mer. Le pont qui le défend est ruineux, il le franchit et frappe à la porte, qu'une pucelle maigre et pâle lui fait ouvrir par quatre de ses sergents, qui ne sont guère en meilleur point, ayant trop jeûné et veillé (1) :

Et cil ot bien defors trovee
La terre gaste et escovee,
Dedanz rien ne li amanda,
Que, par tot la ou il ala,
Trova anhermies les rues
Et les meisons viez decheuës ;
Que home ne fame n'i avoit.
Deus mostiers an la vile avoit
Qui estoient deus abaïes,
Li uns de nonains esbaïes,
L'autre de moinnes esgarez ;...
Ençois vit crevez et fanduz
Les murs et les torz descovertes ;
Et les meisons erent overtes
Ausi de nuiz come de jorz.
Molins n'i mialt ne n'i cuist forz.
An nul leu de tot le chastel
Ne ne trova pain ne gastel,
Ne rien nule qui fust a vandre,
Don l'an poïst un denier prandre.

Il avait bien dehors trouvé
la terre dévastée et épuisée ;
dedans, rien ne le lui compensait,
car, partout où il allait,
il trouvait dévastées les rues
et les maisons vieilles abandonnées,
car il n'y avait ni hommes ni femmes.
Deux moutiers étaient dans la ville,
c'est-à-dire deux abbayes,
l'une de nonnains folles,
l'autre de moines insensés.
Il vit crevés et fendus
les murs et les tours sans toits,
et les maisons étaient ouvertes
de nuit comme de jour.
Moulin n'y moud et four n'y cuit.
Nulle part en tout le château
ne trouva pain ni gâteau,
ni rien qui fût à vendre,
dont on pût un denier prendre.

Bref, un vrai château de la misère, ou plutôt le spectacle désolant d'une ville assiégée. Descendu de cheval, on le conduit en un palais couvert d'ardoise, on l'y revêt d'un manteau gris et on le fait monter dans la salle, où deux gentilshommes chenus et une jeune fille viennent à sa rencontre (2) :

Li prodome estoient chenu,
Ne pas si que tuit fussent blanc ;
De bel aaige, atot lor sanc
Et a tote lor force fussent,
S'enui et pesance n'eüssent.
Et la pucelle vint plus jointe,

Les gentilshommes étaient chenus
mais non au point d'être tout blancs.
De bel âge, avec leur sang
et dans toute leur force eussent été,
s'ils n'avaient eu deuil et souci.
Et la pucelle venait plus charmante,

(1) Vv. 1725-1746.
(2) Vv. 1766-1780.

Plus acesmee et plus cointe / mieux parée et plus brillante
Que espreviers ne papegauz ; / que l'épervier ou le perroquet.
Ses mantiaus fu et ses bliauz / Son manteau et son bliaud
D'une porpre noire, estelee / étaient d'une pourpre sombre, constellée
De vair, et n'ert mie pelee / de vair, et elle n'était point pelée,
La pane qui d'ermine fu ; / la fourrure qui d'hermine était.
D'un sebelin noir et chenu, / D'une zibeline noire et blanche
Qui n'estoit trop lons ne trop lez, / qui n'était trop longue ni trop large
Fu li mantiaus au col orlez. / était garni au col le manteau.

Chrétien, sur le retour, est resté le grand maître des élégances mondaines, qui, aux châtelaines ses lectrices, fournit, non pas seulement la pâture de l'esprit, mais l'ornement rêvé pour leurs corps. Il est aussi le peintre de la beauté de la femme, il se souvient de tous les portraits qu'il en a faits et il avoue avoir parfois un peu flatté ses modèles, mais, cette fois, il fera vrai (1) :

Et se je onques fis devise / et si jamais je fis portrait
An biauté que Deus eüst mise / de la beauté que Dieu avait mise
An cors de fame ne an face, / dans corps ou visage de femme,
Or me plest que une an reface, / il me plaît d'en faire maintenant un
Ou ge ne mantirai de mot. / où je ne mentirai d'un mot :
Desliee fu et si ot / elle était décoiffée et avait
Les chevous teus... [que l'an deïst] / les cheveux tels... [que l'on eût dit]
Que il fussent tuit de fin or, / qu'ils étaient tout d'or fin,
Tant estoient luisant et sor ; / tant ils étaient brillants et blonds.
Le front ot blanc et haut et plain, / Elle avait le front blanc, haut et lisse,
Come se il fust ovrez de main, / comme s'il avait été sculpté à la main,
Que de main d'ome l'uevre fust / et que de main d'homme l'œuvre fût
De pierre, ou d'ivoire ou de fust. / de pierre, d'ivoire ou de bois.

Peut-être voyait-il travailler, auprès du comte Philippe d'Alsace, les tailleurs d'image ou les enlumineurs de Flandre, prédécesseurs des van Eyck et des Memling et admirait-il leurs œuvres à l'égal de celles de Dieu, qu'il invoquera plus loin (2) :

Sorciuz brunez et large antruel / Sous bruns sourcils, à large intervalle
An la teste furent li oel / dans la tête étaient plantés les yeux
Riant et veir, cler et fandu ; / riants, changeants, clairs, bien fendus.
Le nes ot droit et estandu ; / Elle avait le nez droit et mince ;
Et mialz li avenoit el vis / mieux lui seyait en son visage
Li vermauz sor le blanc asis, / le vermeil sur le blanc tranchant,
Que li sinoples sor l'argent. / que le sinople sur l'argent.
Por anbler san et cuer de gent / Pour ravir l'esprit et le cœur de tous
Fist Deus de li passe merveille ; / Dieu fit d'elle la passe merveille

(1) Vv. 1781-1794.
(2) Vv. 1795-1805.

N'onques puis ne fist la paroille,   et depuis ne fit la pareille
Ne devant faite ne l'avoit.   ni, avant, faite ne l'avait.

Et Énide ? et Soredamor ? et Fénice ? et Laudine ? Les poètes sont aussi oublieux envers les figures qu'ils ont tirées de leur imagination que les amants envers celles qu'ils ont louées au delà de toute mesure : la dernière est toujours la plus belle. Le chevalier vermeil salue cette princesse inconnue qui s'excuse de la pauvre hospitalité qu'elle pourra seule lui offrir, mais qu'elle lui offre néanmoins (1) :

Einsi l'an maine par la main   Elle l'emmène par la main
Jusqu'an une chanbre celee,   jusqu'en une chambre fermée,
Qui molt ert bele et longue et lee.   qui était belle et longue et large.
Sor une coute de samit,   Sur une courte pointe de velours,
Qui fu tandue sor un lit,   qui était tendue sur un lit,
Se sont leanz andui assis ;   ils s'y sont assis tous les deux.
Chevalier quatre, cinq et sis   Quatre, cinq ou six chevaliers
Vindrent leanz et si se sistrent,   y vinrent aussi et s'assirent
Par tropeaus, et nul mot ne distrent.   en groupe, sans dire mot.

Lui non plus, se souvenant du *chastoiement* de Gornemant de Goort, son parrain dans l'ordre de chevalerie, ne souffle mot, ce dont eux s'étonnent (2) :

Deus », fet chascuns, « molt me mervoil   « Dieu », fait chacun, « je me demande
Se cil chevaliers est muiaus,   si ce chevalier est muet.
Grans diaus seroit, c'onques si biaus   Ce serait grand deuil, car jamais si beau
Chevaliers ne fu nez de fame.   chevalier ne fut né de femme.
Moult avient bien delez ma dame,   Il fait bien auprès de ma Dame
Et ma dame ausi delez lui,   et ma Dame aussi, près de lui,
S'il ne fussent muel andui.   s'ils n'étaient muets tous les deux.
Tant est cil biaus et cele bele,   Il est si beau et elle si belle
C'onques chevaliers ne pucele,   que jamais chevalier ni pucelle
Si bien n'avindrent mes ensanble   si bien ne se convinrent ensemble
Que de l'un et de l'autre sanble   que l'un à l'autre et il semble
Que Deus l'un por l'autre feïst   que Dieu l'un pour l'autre les fit
Por ce qu'ansanble les meïst. »   afin qu'ensemble il les mît ».

La première, elle se décide à rompre le silence et à lui demander d'où il est venu, à quoi il répond en louant le sage Gornemant de Goort, dont elle se trouve être la nièce. Il a dû être bien traité par lui, mais elle ne pourra lui offrir qu'un chevreuil qu'a tué un de ses sergents. Après le dîner, cinquante hommes d'armes

(1) Vv. 1822-1830.
(2) Vv. 1838-1850.

vont monter la garde sur les remparts, tandis que les serviteurs lui dressent un lit, avec de beaux draps, une couverture et un oreiller, luxe suprême, au chevet (1) :

Trestote l'aise et le delit
Qu'an seüst deviser an lit
Ot li chevaliers cele nuit,
Fors que solemant le deduit
De pucele, se lui pleüst,
Ou de dame, se li leüst,
Mes il n'an savoit nule rien...

Toute l'aise et tout le plaisir
qu'on peut supposer en un lit,
le chevalier l'eut cette nuit,
si ce n'est seulement le déduit
de pucele, s'il lui avait plu,
ou de dame s'il avait pu,
mais il n'en avait nulle idée...

Et voilà peut-être le passage qui est l'origine de la fameuse conception du chaste fol, chère à Wagner. Mais ici il n'échappera point à la tentation charnelle. Tandis qu'il dort du sommeil du juste (2) :

Mes s'ostesse pas ne repose
Qui estoit an sa chanbre anclose.
Cil dort aeise et cele panse
Qui n'a an li nule desfanse
D'une bataille qui l'assaut.

Son hôtesse ne repose point,
laquelle en sa chambre s'était enfermée.
Lui dort à l'aise et elle est en souci,
qui n'a chez elle nulle défense
d'une bataille qui la menace.

Il ne faut point prendre ces mots au figuré ; ce sont vraiment, du moins elle le croit, des intérêts politiques, le souci de défendre sa terre menacée par l'ennemi, qui la poussent à une démarche insolite et hardie, contraire à l'attitude de réserve qu'a imposée jusqu'à présent notre auteur à ses héroïnes (3) :

Molt se trestorne et molt tressaut,
Molt se degiete, et se demainne ;
Un mantel cort de soie en grainne
A afublé sor sa chemise,
Si s'est en avanture mise
Come hardie et corageuse,
Mes ce n'est mie por oiseuse
Einz se panse que ele ira
A son oste, et si li dira
De son afere une partie.
Lors s'est de son lit departie
Et issue fors de sa chanbre ;
A tel peor que tuit li manbre
Li tranblent, et li cors li sue :
Plorant est de la chanbre issue.

Elle se retourne et s'agite,
se déjette et se démène.
Un manteau court de soie écarlate
passé par-dessus sa chemise,
elle s'est confiée à l'aventure,
en fille hardie et courageuse ;
et ce n'est pas pour peu de chose,
mais elle est décidée à aller
à son hôte et à lui dire
une part de ce qui la préoccupe.
Alors elle a quitté son lit
et est sortie de sa chambre
avec telle crainte que tous ses membres
tremblent et que le corps lui sue.
Pleurante est de la chambre issue.

(1) Vv. 1911-1917. Cf. Wilmotte, II, p. 63.
(2) Vv. 1921-1925.
(3) Vv. 1926-1967.

Et vient au lit ou cil se dort,	et vient au lit où celui-là dort.
Et plore et sopire molt fort ;...	Elle pleure et soupire très fort,
Si s'acline, et si s'agennoille,	elle se prosterne, et s'agenouille,
Plore tant que ele li moille	elle pleure tant qu'elle lui mouille
De ses lermes tote la face (1) ;...	de ses larmes tout le visage...
Tant a ploré que cil s'esvoille	Elle a tant pleuré qu'il s'éveille
Si s'esbaïst toz et mervoille	et s'ébahit et s'étonne
De sa face qu'il a moilliee	de sa propre face mouillée
Et voit celi agennoilliee	et il la voit agenouillée
Devant son lit, qui le tenoit	devant son lit, qui le tenait
Par le col anbracié estroit,	par le cou embrassé étroit.
Et tant de corteisie fist	Il lui fait tant de courtoisie
Que antre ses braz la reprist	qu'entre ses bras à son tour la prend
Maintenant, et vers lui la trest,	aussitôt, et l'attire vers lui,
Si li dist : « Bele que vos plest ?	lui disant : « Belle, que vous plaît-il ?
Por qui estes venue ci ? »	Pourquoi êtes-vous venue ici ?»
— Ha ! gentius chevaliers, merci ! —	— Ah ! gentil chevalier, grâce,
Por Deu vos pri et por son fil,	au nom de Dieu, vous prie et de son fils,
Que vos ne m'an aïez plus vil	de ne pas me tenir plus vile
De ce que je sui ci venue.	par ce que suis ici venue.
Por ce que je sui presque nue,	Quoique je sois presque nue,
N'i panssai ge onques folie,	je n'y ai point conçu folie,
Ne malvestié ne vilenie ;	ni méchanceté ni vilenie,
Qu'il n'a el monde rien qui vive	car il n'y a au monde être qui vive,
Tant dolante ne tant cheitive	si malheureux et si chétif,
Que je ne soie plus dolante »...	que je ne sois plus malheureuse... —

Demain, elle aura mis fin à ses jours, car, des trois cent dix chevaliers qui défendaient sa ville, il ne lui en reste plus que cinquante, les autres ayant été massacrés ou faits prisonniers par Anguingeron, le sénéchal de Clamadeu des Iles, lequel l'a assiégée depuis un hiver et un été (2) :

— Et tot adés sa force crut	— et cependant sa force a crû
Et la nostre ert amenuisiee	et la nôtre s'est amenuisée
Et nostre vitaille espuisiee,	et nos vivres sont épuisés,
Que il n'en a ceanz remeis	car il n'en est céans resté
Don se peüst repestre un eis.	dont se pût repaître une abeille.
Si somes ataint entreset	Nous sommes vaincus complètement,
Que demain, se Deus ne le fet,	et demain, si Dieu n'y remédie,
Li sera cist chastiaus randuz,	lui sera ce château rendu,
Que ne puet estre defanduz,	car il ne peut être défendu,
Et je avoec, come cheitive.	et moi aussi, comme captive.
Mes, certes, einz que il m'ait vive,	Mais certes avant qu'il ne m'ait vive
M'ocirrai ge, si m'avra morte ;	me tuerai-je, il m'aura morte,
Puis ne me chaut se il m'anporte.	puis ne me chaut s'il m'emporte,
Clamadeus... —	Clamadeu... —

(1) Ordre du texte de Mons.
(2) Vv. 1992-2005.

Sans s'émouvoir, il lui répond (1) :

« Amie chiere,...	« Amie chère,...
Confortez vos, ne plorez plus ;	consolez-vous, ne pleurez plus
Et vos traiez vers moi ceïsus,	et venez vers moi ici dessus,
S'ostez les lermes de vos ialz.	ôtez les larmes de vos yeux.
Deus, se lui plest, vos donra mialz	Dieu, s'il lui plaît, vous donnera mieux
Demain que vos ne m'avez dit.	demain que vous ne m'avez dit.
Lez moi vos traiez an cest lit,	Entrez près de moi, en ce lit,
Qu'il est asez lez a oes nos.	car il est assez large pour notre usage.
Huimés ne me lesserez vos. »	D'aujourd'hui vous ne me quitterez pas. »
Et cele dist : — Se vos pleisoit,	Et elle dit : — S'il vous plaisait,
Si feroie. — Et cil la beisoit	je le ferais. — Et lui l'embrassait,
Qui an ses braz la tenoit prise.	qui en ses bras la tenait prise.
Si l'a soz le covertor mise	Il l'a sous la couverture mise
Tot soavet et tot aeise.	tout doucement et sans obstacle
Et cele suefre qu'il la beise	et elle consent qu'il l'embrasse
Ne ne cuit pas qu'il li enuit.	et je ne crois pas qu'il lui déplaise.
Ensi jurent tote la nuit,	Ainsi gisent toute la nuit
Li uns lez l'autre, boche a boche,	l'un contre l'autre, bouche à bouche,
Jusqu'au main que li jorz aproche ;	jusqu'au matin où le jour approche.
Tant li fist la nuit de solaz	Il lui fit la nuit tant de caresses
Que, boche a boche, braz à braz,	que, bouche à bouche, embrassés,
Dormirent tant que il ajorna.	ils dormirent jusqu'au matin.

Le passage reste ambigu, mais une illusion s'en va, Perceval le *nice* n'est pas à l'origine et nécessairement un chaste ; c'est bien plus tard que cette condition sera imposée par l'église monastique et militante au conquérant du *graal*, Galaad. L'amante, grisée de baisers, se retire dans sa chambre où elle s'habille sans indiscrète chambrière. Devant tous, abordant son compagnon de la nuit, elle lui donne congé, s'excusant, la fine mouche, de l'indigence et de la rigueur de son hospitalité, mais lui ne veut rien entendre et défendra sa terre contre l'implacable ennemi, lui demandant, en échange, sa *druerie*, c'est-à-dire son amour (2) :

Et cele respont par coïntise :	Elle de répondre par coquetterie :
— Sire, molt m'avez or requise	— Seigneur, vous venez de me demander
De povre chose et de despite ;	un pauvre être méprisable,
Mes s'ele vos ert contredite,	mais s'il vous était refusé
Vos le tanriez a orguel,	vous le taxeriez d'orgueil.
Por ce veher ne la vos vuel ;	Aussi ne vous le veux-je refuser ;
Et ne porquant ne dites mie	et pourtant ne dites pas
Que je deveigne vostre amie	que je devienne votre amie
Par tel covant et par tel loi	par tel accord et telle loi
Que vos ailliez morir por moi. —	que vous alliez mourir pour moi. —

(1) Vv. 2023-2045. Pour 2031, cf. Wilmotte, II, p. 63.
(2) Vv. 2083-2092.

Aussi le trouve-t-elle bien jeune pour se mesurer à si dur adversaire. Toutefois aucun avertissement n'y vaut, et elle, au fond, n'attend pas autre chose (1) :

Tel plet le a cele basti	Tel discours lui a-t-elle fait
Qu'ele li blasme et si le vialt,	qu'elle le détourne de ce qu'elle veut,
Mes sovant avient que l'an sialt	mais souvent advient qu'on se plaise
Escondire sa volanté,	à contredire la volonté
Quant an voit bien antalanté	de l'homme qu'on voit décidé
Home de fere son talant,	à faire ce que l'on désire,
Por ce que mialz li atalant.	afin qu'il le veuille plus fort.

On n'est pas plus psychologue que ne sont Chrétien et la pucelle, pour qui va se battre le chevalier aux armes vermeilles. Accompagné des supplications et des vœux de ceux dont il va tenter le salut, il se précipite sur l'assiégeant et, après les paroles de défi, semblables à celles des héros d'Homère, le désarçonne, blessé et vaincu. Anguingeron implore sa merci, que, se souvenant de l'enseignement récemment reçu, son adversaire lui accorde, mais il aime mieux mourir que de se rendre à la pucelle ou à Gornemant, à qui il a fait trop de mal pour qu'ils lui pardonnent ; par contre, il accepte de se rendre au roi Arthur, de raconter sa défaite en présence de la fille que Ké a souffletée et dont la vengeance est proche. Ceux du château reprochent à leur jeune champion une telle mansuétude à l'égard de leur farouche ennemi, mais le vainqueur, fidèle à la loi de la générosité chevaleresque, leur répond (2) :

« Trop eûst an moi po de bien,	« Il y eût eu en moi peu de vertu,
Des que je au desore an fui	du moment où j'avais le desssus,
Se n'eûsse merci de lui. »	si je ne lui avais fait grâce. »

Sans s'attarder aux mêmes reproches, la belle le couvre de baisers ; mais le moment n'est pas encore venu de se réjouir, car Clamadeu survient qui pense déjà tenir la ville à sa merci. Rencontrant un valet, il apprend la défaite de son sénéchal par un chevalier aux armes vermeilles, sorti du château de Beaurepaire, dont on nous a tu jusqu'à présent le nom. Intervient alors un vieux gouverneur de Clamadeu qui, sûr de l'emporter sur les affamés, lui conseille d'ordonner l'assaut du château de Blanchefleur. Après le nom de la demeure, nous est donc révélé celui de

(1) Vv. 2104-2110.
(2) Vv. 2310-2312.

la châtelaine. Vingt chevaliers feront une démonstration devant la porte ; tandis que le gros des hommes d'armes donnera l'assaut par ailleurs. A lui tout seul, le chevalier aux armes vermeilles a raison des vingt qu'il laisse entrer dans les murs ; les autres se précipitent à leur suite et sont ou abattus par les archers tirant par les mâchicoulis ou écrasés sous la lourde porte coulisse que l'on laisse retomber sur eux. Le reste, avec Clamadeu, se replie en désordre. Une fois de plus le roman fantastique nous a donné un tableau d'une vérité saisissante. L'attaque brusquée ayant échoué, le *mestre* conseille la réduction par la famine, mais ici nouvelle déception, car (1)

Le jor meïsmes, uns granz vanz	le jour même, un grand vent
Ot par mer chaciee une barge	avait par mer poussé une barge,
Qui de fromant portoit grant charge	qui de froment portait grand'charge
Et d'altre vitaille estoit plainne.	et d'autres vivres était pleine.

On s'imagine la joie des assiégés, qu'apprennent bientôt Clamadeu et les siens. Il ne lui reste plus que la ressource d'un cartel envoyé au chevalier vermeil, qu'il provoque à un combat singulier. En vain la pucelle prie-t-elle son amant de s'y dérober, ponctuant le sermon des plus douces caresses (2) :

Car a chascun mot le beïsoit,	Car à chaque mot l'embrassait
Si dolcemant et si soëf	si doucement, si suavement
Que ele li metoit la clef	qu'elle lui mettait la clef
D'amor an la serre del cuer.	d'amour en la serrure du cœur.

Il est à peine besoin de décrire la lutte, dont l'issue n'est que trop prévue, car elle n'est que la répétition de la précédente, avec cette nuance que les deux adversaires, cette fois, vident les arçons, mais, au combat de l'épée, Clamadeu des Iles succombe comme son sénéchal. Même scène aussi de merci du vainqueur et de refus du vaincu de se rendre à autre que le roi Arthur. Il se met en route vers Disnadaron en Galles, où celui-ci tient sa cour, et où, devant tous les barons assemblés, devant la reine, devant la pucelle qui a ri, le fou qui a prédit et Ké qui a médit, il raconte loyalement la nouvelle victoire du chevalier aux armes vermeilles.

(1) Vv. 2486-2489.
(2) Vv. 2596-2599.

Cependant l'on mène grande joie au château de Beaurepaire, où celui-ci est accueilli par la reconnaissance bruyante du populaire et par la gratitude plus tendre de Blanchefleur, son amie, la belle, dont il eût volontiers accepté après le corps la terre, s'il ne lui ressouvenait de nouveau de sa mère qu'il vit choir pâmée. S'il la retrouve vivante, il promet de la ramener, et si elle est morte, il reviendra seul prendre possession du pays et de la pucelle.

Après avoir erré tout le jour, il est vers le soir parvenu à une rivière coulant, rapide et profonde, au pied d'une roche (1)

Et il vit par l'eve avalant	et il vit descendant le courant
Une nef qui d'amont venoit.	une nef qui d'amont venait.
Deus homes an la nef avoit...	Deux hommes en la nef y avait...
Et cil qui devant fu peschoit	et celui de l'avant pêchait
A l'esmeçon, si aeschoit	à l'hameçon, et amorçait
Son ameçon d'un poissonet,	son hameçon d'un poissonnet,
Petit graignor d'un veironet.	guère plus grand qu'un vaironet.
Cil qui ne set que fere puisse	Lui qui ne sait que faire
Ne an quel leu passage truisse	ni en quel lieu trouver passage,
Les salue et demande lor :	les salue et leur demande :
« Anseigniez moi », fet il, « seignor ;	« Enseignez-moi », fait-il, « seigneurs,
S'an ceste eve a ne gué ne pont ? »	si sur cette eau il y a gué ou pont... »
Et cil qui pesche li respont :	Et celui qui pêche répond :
— Nenil, biau frere, a moie foi ;	— Nenni, beau frère, par ma foi,
Ne n'i a nef, de ce me croi,	il n'y a nef, croyez-moi,
Graignor de cesti ou nos somes	plus grande que celle où nous sommes
Qui ne porteroit pas cinc homes ;	(qui ne porterait pas cinq hommes),
Vingt liues amont ne aval,	à vingt lieues amont ou aval,
Si n'i puet an passer cheval,	et l'on ne peut passer à cheval ;
Barge n'i a ne pont ne gué. —	il n'y a barge, pont ni gué. —
« Or m'anseigniez », fet il, « por Dé,	« Dites-moi donc, fait-il, pour Dieu,
Ou je porroie avoir ostel. »	où je pourrais trouver abri ? »
Et cil li dist : — De ce et d'el	Et il lui dit : — *De cela et d'autre chose*
Avreiez vos mestier, ce quit ;	*vous auriez besoin, je crois* ;
Je vos herbergerai enuit.	je vous hébergerai cette nuit.
Montez vos an par cele frete	Montez par cette fente
Qui est en cele roche ferte,	qui est ouverte en cette roche
Et quant vos la amont vanroiz,	et, quand vous parviendrez en haut,
Devant vos an un val verroiz,	vous verrez devant vous en un val,
Une meison ou ge estois	une maison où je demeure
Pres de rivieres et de bois. —	entre le rivage et les bois. —

Le cavalier fait ainsi que le pêcheur lui a recommandé, mais, parvenu au sommet du rocher, n'apercevant pas d'abord de

(1) Vv. 2960-2996.

maison, il croit avoir été dupé, lorsque, devant lui, se dressa (1) :

Le chief d'une tor qui parut ;	le sommet d'une tour qui parut.
Lan ne trovast jusqu'à Barut	L'on n'eût trouvé jusqu'à Beyrouth
Si bele ne si bien asise ;	si belle ni si bien assise.
Quarree fu de pierre bise,	Elle était carrée, de pierre grise
S'avoit deus torneles antor ;	et flanquée de deux tourelles.
La sale fu devant la tor,	La salle était devant la tour
Et les loiges devant la sale.	et les galeries devant la salle.

Le pont-levis étant baissé, il le franchit, des valets le désarment, un autre le revêt d'un manteau d'écarlate, et il est introduit, une fois passées les loges (2),

An la sale qui fu quarree	dans la salle qui était carrée
Et autant longue come lee.	et aussi longue que large.
Enmi la sale sor un lit,	Au milieu de la salle, sur un lit,
Un bel prodome seoir vit	il vit assis un beau preud'homme
Qui estoit de chenes meslez,	dont les cheveux étaient grisonnants ;
Et ses chies fu anchapelez	la tête coiffée d'un chaperon
D'un sebelin noir come more,	d'une zibeline noire comme mûre,
A une porpre vous desore	recouverte de pourpre,
Et d'itel fu sa robe tote	et de même était toute la robe.
Apoiez fu desor son cote ;	Appuyé sur son coude,
Si ot devant lui un feu grant	il avait devant lui un grand feu
De sesche busche, bien ardant,	de bûches sèches, tout ardant,
Et fu antre quatre colomes...	et qui était entre quatre colonnes...
Les colomes forz i estoient	Les colonnes étaient fortes
Qui le cheminal sostenoient	qui la cheminée soutenaient,
D'arain espés et haut et lé.	d'airain épais, haut et large.

On le mène devant ce seigneur qui s'excuse de ne pas être en état d'aller à sa rencontre, qui ne parvient qu'à se soulever un peu sur le coude et qui l'invite à s'asseoir auprès de lui, puis lui demande d'où il vient (3) :

Que que il parloient einsi,	Tandis qu'ils parlaient ainsi,
Un vaslez antre par la porte	un valet entre par la porte.
A son col une espee aporte,	A son col une épée apporte
Par les renges estoit pandue.	par le baudrier pendue.
Si l'a au riche home randue,	Il l'a remise au riche homme
Et il l'a bien demie treite,	qui l'a tirée à demi
Si vit bien ou ele fu feite,	et vit bien où elle fut faite,
Que an l'espee fu escrit ;	car sur l'épée c'était écrit ;
Et avoec ce ancore vit	et avec cela encore vit

(1) Vv. 3013-3019.
(2) Vv. 3045-3063.
(3) Vv. 3092-3132.

Qu'ele estoit de si bon acier | qu'elle était de si bon acier
Qu'ele ne pooit peçoier | qu'elle ne pouvait se briser
Fors que par un tot seul peril, | si ce n'est dans un seul péril,
Que nus ne savoit mes que cil | que nul ne savait, hors celui
Qui avoit forgiee l'espee. | qui avait forgé l'épée.
Li vaslez qui l'ot aportee | Le valet qui l'avait apportée
Dist : « Sire, la sore pucele, | dit : « Sire, la pucelle blonde,
Vostre niece, qui tant est bele, | votre nièce, qui tant est belle,
Vos anvoie ci cest present,... | vous envoie ici ce présent...
Vos la donroiz cui vos pleira ; | Vous la donnerez à qui vous plaira.
Mes madame seroit molt liee | Mais ma dame serait fort satisfaite,
Se ele estoit bien anploiee | si elle était en bonnes mains,
La ou ele sera donee ; | là où elle sera donnée,
C'onques cil qui forja l'espee | car celui qui forgea l'épée
N'an fist que trois et si jura (1) | n'en fit que trois et il jura
Que jamés plus n'an forgera | que jamais plus ne forgerait
Espee nule aprés cesti. » | nulle épée après celle-ci.
Et li sires an ravesti | Et le seigneur en investit
Celui qui leanz ert estranges, | celui qui était là étranger,
De l'espee parmi les ranges | de l'épée avec le baudrier,
Qui valoient bien un tresor; | qui déjà valait un trésor :
Li ponz de l'espee fu d'or ;... | le pommeau en était d'or,...
Li fuerres d'orfrois de Venece ; | le fourreau d'orfroi de Venise.
Si richement apareilliee | Ainsi richement ornée,
La li a li sires bailliee | le seigneur la lui a donnée
Et dist : « Biaus frere, ceste espee | et dit : « Beau sire, cette épée
Vos fu jugiee et destinee | vous fut assignée et destinée
Et je voel molt que vos l'aiez ; | et je veux fort que vous l'ayez,
Mes ceigniez la et si l'essaiez. » | mais ceignez-la et l'essayez. »

Le chevalier aux armes vermeilles accepte du riche homme ce riche présent, qui lui sied au flanc et mieux au poing, il le confie au garçon auquel il avait remis ses armes, et puis se rassied auprès de l'hôte qui lui réserve de si grands honneurs (2) :

Que qu'il parloient d'un et d'el | Comme ils parlaient de chose et d'autre,
Uns vaslez d'une chanbre vint, | un valet d'une chambre,
Qui une blanche lance tint, | tenant une brillante lance
Anpoigniee par le mi leu ; | empoignée par le milieu
Si passa par delez le feu | et passa à côté du feu
De ces qui leanz se seoient, | et de ceux qui là étaient assis
Et tuit cil de leanz veoient | et tout ceux de la salle voyaient
La lance blanche et le fer blanc. | la lance et le fer brillants.
S'issoit une gote de sanc | Il coulait une goutte de sang

(1) Pour ce vers et le suivant, je donne le texte de Mons, éd. Potvin, t. I, vv. 4333-4.
(2) Vv. 3152-3163.

Del fer de la lance an somet   de la pointe du fer de la lance,
Et jusqu'a la main au vaslet   et jusqu'à la main du valet
Coloit cele gote vermoille.   coulait cette goutte vermeille.

Le nouveau chevalier contemple avec stupeur ce prodige et, s'il s'abstient d'en demander l'explication, c'est qu'il se souvient de l'avertissement de son maître Gornemant, de ne point trop parler (1) :

Et lors dui autre vaslet vindrent,   Et alors vinrent deux autres valets,
Qui chandeliers an lor mains tindrent   tenant en mains des chandeliers
De fin or ovrez a neel.   d'or fin ouvré en nielle.
Li vaslet estoient molt bel,   Ils étaient très beaux les valets
Cil qui les chandeliers portoient ;   qui portaient les chandeliers.
An chascun chandelier ardoient,   En chaque chandelier brûlaient
Dis chandoiles a tot le mains.   dix cierges, à tout le moins.
Un *graal* antre ses deus mains   Un *graal* entre ses deux mains
Une damoisele tenoit   tenait une demoiselle
Et avoec les vaslez venoit,   qui avec les valets venait,
Bele et jointe et bien acesmee ;   belle, élancée, bien parée.
Quant ele fu leanz antree   Quand elle fut entrée en la salle
Atot le *graal* qu'ele tint,   avec le *graal* qu'elle tenait,
Une si granz clartez an vint   une si grande clarté en vint
Qu'aussi perdirent les chandoiles   que les chandelles en perdirent
Lor clarté, come les estoiles   leur clarté, comme les étoiles,
Quant li solauz lieve o la lune.   quand le soleil se lève ou la lune.
Aprés celi an revint une   Après elle en vint une autre,
Qui tint un tailleor d'argent...   qui tenait un plat d'argent.
Pierres precieuses avoit   Pierres précieuses étaient
El *graal*, de maintes menieres,   sur le *graal* de maintes espèces,
Des plus riches et des plus chieres..   des plus riches et des plus chères
Qui an mer ne an terre soient...   qui en mer ni en terre soient...
Tot autresi con de la lance   Ainsi qu'avait passé la lance,
Par de devant lui trespasserent   devant lui elles passèrent
Et d'une chambre an autre alerent   et d'une chambre en une autre allèrent,
Et li vaslez les vit passer   et le jeune homme les vit passer
Et n'osa mie demander   et n'osa à nul demander
Del *graal*, cui l'an en servoit,   à qui l'on présentait le *graal*,
Que il toz jorz el cuer avoit   car il avait toujours au cœur
La parole au prodome sage ;...   la parole du preud'homme sage...

A notre tour saluons-le au passage ce *graal* qui, sous les auspices de Chrétien de Troyes, apparaît ici, tout gonflé de pouvoir mystique, mais, pour ne pas interrompre le cours de ce récit, nous avons à imiter le silence du chevalier aux armes vermeilles; ce n'est pas encore le moment de nous demander ce

(1) Vv. 3175-3209.

qu'il signifie ; cependant il faut noter au passage tous les détails : la lance, qui dégoutte de sang, le *graal* d'or pur, ruisselant de clarté, tenu par une demoiselle, le *tailleor* ou plat d'argent, dont le cortège passe devant le riche homme blessé pour pénétrer dans une chambre où repose quelqu'un à qui l'on sert le *graal*.

On dresse alors une table d'ivoire d'une seule pièce, posée sur des pieds d'ébène et, sur la nappe blanche, on place le repas. A chaque plat, présenté dans la salle au preud'homme, repasse le *graal* et son cortège, sans que jamais le trop prudent jeune homme interroge (1) :

A chascun mes don l'an servoit,	A chaque mets que l'on servait,
Le *graal* trespasser veoit,	il voyait repasser le *graal*,
Par devant lui tot descovert,	par devant lui, tout découvert,
Et si ne set cui l'an an sert	et il ne sait à qui on le sert,
Et si le voldroit il savoir,	pourtant il voudrait le savoir,

mais il attendra le lendemain pour le demander à un des pages de la cour. Après le repas, c'est la veillée, où l'on offre encore les fruits les plus rares, figues, noix de muscade, grenades et gingembre et du vin de mûre, puis le preud'homme se retire ou plutôt se fait porter dans sa chambre, car, explique-t-il (2) :

« Je n'ai nul pooir de mon cors,	« Je suis paralysé du corps
Si covandra que l'an m'an port. »	et il faudra que l'on m'emporte. »
Quatre sergent delivre et fort	Quatre hommes d'armes découplés et forts
Lors d'une chanbre s'an issent,	sortent alors d'une chambre,
La coute as quatre acors seisissent,	saisissent aux quatre coins
Qui el lit estandue estoit,	la couverture étendue sur le lit
Sor coi li prodon se gisoit ;	où gisait le preud'homme,
Si l'anportent la ou il durent.	et l'emportent où ils devaient.

Puis les valets s'empressent auprès de l'hôte, le déshabillent et le couchent dans de fins draps blancs de lin, mais, au matin, quand *l'aube du jour a crevé* et que, éveillé, il regarde autour de lui, il n'aperçoit plus personne. Il trouve près de lui ses armes, les revêt, cherche à pénétrer dans les chambres, en voit les portes fermées ; nul ne répond à ses appels. Seule est ouverte la porte de la salle, dont il descend les degrés, au pied desquels il aperçoit son cheval, sa lance et son écu appuyés au mur. Il se met en selle, franchit le pont-levis abaissé (3)

(1) Vv. 3261- 3265.
(2) Vv. 3304-3311.
(3) Vv. 3351-3352.

Por ce que riens nel retenist,	pour que rien ne le retienne
De quel ore que il venist.	à quelque heure qu'il vienne,

mais il ne l'a pas encore passé, que le train de derrière de son cheval se soulève et n'échappe que par un bond. Son cavalier se retourne, voit le pont levé ; il appelle, mais nul ne lui répond. Il s'enfonce, soucieux, dans la forêt, où il ne tarde pas à apercevoir sous un chêne une pucelle qui se lamente, pleurant son ami mort, dont elle tient sur ses genoux le corps et la tête coupée (1) :

« Dameiseie, qui a ocis	« Demoiselle, qui a tué
Le chevalier qui sor vos gist ? »	le chevalier qui gît sur vous ? »
— Sire, uns chevaliers l'ocist, —	— Seigneur, un chevalier le tua, —
Fet la pucelle, — hui matin. —	fait la pucelle, — ce matin. —

Sans s'appesantir, elle s'étonne de le voir si reposé, son cheval bien pansé et lavé, le poil luisant, alors qu'on ne connaît de château ou de demeure à vingt-cinq lieues à la ronde (2) :

« Par foi, » fet il, « bele, ge oi	« Ma foi », fait-il, « belle, j'ai eu
Tant d'aeise com ge avoir poi... »	autant d'aise que j'en pus avoir... »
— Ha, sire, geüstes vos donques	— Ah ! seigneur, vous couchâtes donc
Chies *le riche roi pescheor* ? —	chez *le riche roi pêcheur* ? —
« Pucele, par le Sauveor,	« Pucelle, par le Sauveur,
Ne sai s'est peschierres ou rois,	ne sais s'il est pêcheur ou roi,
Mes il est saiges et cortois,	mais il est sage et courtois.
Rien plus dire ne vos an sai,	Je ne vous en puis rien dire de plus,
Fors tant que deus homes trovai	si ce n'est que deux hommes trouvai,
Hersoir seanz an une nef,	hier soir, séant dans une nef,
Qui aloient nageant soëf.	qui allaient naviguant doucement.
Li uns des deus homes najoit,	L'un des deux hommes ramait,
L'aultres a l'ameçon peschoit	l'autre à l'hameçon pêchait,
Et cil sa meison m'anseigna	et celui-ci m'indiqua sa maison
Hersoir et si me herberja. »	hier soir et m'hébergea. »

Nous comprenons donc, mais maintenant seulement avec netteté (le roman d'aventure jusqu'aujourd'hui se plaît à proposer au lecteur des énigmes que le conteur résoudra peu à peu), que le pêcheur et le riche preud'homme ne font qu'un et, de plus, qu'il est roi. La pucelle lui donne le titre qui restera connu, dans la légende, de *riche roi* (3) :

(1) Vv. 3424-3427.
(2) Vv. 3445-3468.
(3) Vv. 3469-3482.

— Biau sire,
Rois est il, bien le vos os dire ;
Mes il fu an une bataille
Navrez et mahaigniez sanz faille,
Si que il aidier ne se pot,
Qu'il fu feruz d'un javelot,
Parmi les hanches amedos,
S'an est alques si angoissos
Qu'il ne puet a cheval monter ;
Mais quant il se vialt deporter..
Si se fet an une nef metre,
Et vet peschant a l'ameçon,
Por ce *li rois peschierre* a non. —

— Cher Sire,
il est roi, j'ose bien vous le dire,
mais il fut en une bataille
navró et blessé assurément,
de sorte qu'il ne peut marcher,
car il fut frappé d'un javelot
à travers les deux hanches
et il en est toujours si paralysé
qu'il ne peut monter à cheval,
mais quand il se veut distraire...
il se fait mettre en une nef
et va pêchant à l'hameçon,
c'est pourquoi il a nom *le roi pêcheur.* —

Il lui raconte alors qu'en effet celui-ci s'excusa de ne point aller à sa rencontre, mais le fit asseoir près de lui (1) :

— Certes, il grant enor vos fist
Quant il delez lui vos asist
Et quant delez lui vos seïstes ;
Or me dites se vos veïstes
La lance don la pointe sainne,
Et si n'i a ne sanc ne vainne ? —
« Se ge la vi ? Oïl, par foi ».
— Et demandastes vos por coi
Ele sainne ? — « N'an parlai onques. »
— Si m'aïst Deus, or sachiez donques
Que vos avez esploitié mal.
Et veïstes vos le *graal* ? —
« Oïl bien. » — Et qui le tenoit ? —
« Une pucele. » — Don venoit ? —
« D'une chanbre et en autre, ala... »
— Aloit devant le *graal* nus ?
« Oïl. » — Qui ? — « Dui vaslet sanz plus. »
— Et que tenoient an lor mains ? —
« Chandeliers de chandoiles plains. »
— Et aprés le *graal* qui vint ? —
« Une autre pucele. » — Et que tint ? —
Un petit tailleor d'argent. »
— Demandastes vos a la gent
Quel part il aloient ensi ? —
« Onques de ma boche n'issi. »
— Si m'aist Deus, des or revalt pis. —

— Certes il vous fit grand honneur,
quand il vous assit près de lui,
et quand près de lui fûtes assis.
Or, dites-moi si vous avez vu
la lance dont la pointe saigne
et qui pourtant n'a sang ni veine ? —
« Si je la vis ? oui, ma foi. »
— Et demandâtes-vous pourquoi
elle saigne ? — « Je n'en parlai jamais. »
— Dieu m'aide, mais sachez donc
que vous avez bien mal agi.
Et vîtes-vous le *graal* ? —
« Oui bien. » — Et qui le tenait ? —
« Une pucele. » — D'où venait-elle ? —
« D'une chambre, et en autre alla... »
— Nul n'allait-il devant le *graal* ? —
« Oui. » — Qui ? — « Deux valets sans plus. »
— Et que tenaient-ils en leurs mains ? —
« Chandeliers de chandelles pleins. »
— Et après le *graal* qui vint ? —
« Une autre pucele. » — Que tenait-elle ? —
« Un petit plat d'argent »...
— Demandâtes-vous à ces gens
vers où ils allaient ainsi ? —
« Nul mot ne sortit de ma bouche. »
— Dieu m'aide, c'est pis encore. —

Et voici qu'un nouveau mystère va s'éclaircir, d'une façon moins naturelle que dans le *Lancelot,* où le lecteur est aussi

(1) Vv. 3508-3533.

tenu en suspens jusqu'à la moitié du récit, à savoir le nom du héros. La pucelle continue à l'interroger (1) :

— Comant avez vos non, amis ? —	— Comment vous appelez-vous, ami ? —
Et cil qui son non ne savoit	Et lui qui son nom ne savait
Devine et dit que il avoit	devine et dit qu'il avait
Percevaus le Galois a non	Perceval le Gallois pour nom
Et ne set s'il dit voir ou non,	et il ne sait s'il dit vrai ou non.
Et il dit voir, si ne le sot.	Il dit vrai, et pourtant ne le sut.
Et quant la dameisele l'ot,	Et quand la demoiselle l'entend,
Si s'est ancontre lui dreciee,	elle se dresse devant lui
Et li dist come correciee :	et lui dit, toute courroucée :
— Vostre nons est changiez, amis. —	— Votre nom est changé, ami. —
« Comant ? » — Percevaus li cheitis :	— En quoi ? — « En Perceval le chétif :
Ha, Percevaus, maleüreus,	Ah ! misérable Perceval,
Con fus or mesavantureus	que tu as été infortuné
Quant du tot ce n'as demandé	de n'avoir nullement demandé ce
Que tant eüsses amandé	par quoi tu eusses fait tant de bien
Le boen roi qui est maheigniez	au bon roi qui est blessé,
Que toz eüst regaaigniez	au point qu'il eût vite regagné
Ses manbres et terre tenist.	l'usage de ses membres et sa terre..
Ensi granz biens en avenist ;	Tel grand bien en fût advenu,
Mes or saches bien que enui	mais sache vraiment que malheur
En avandra toi et autrui,	en adviendra à toi et à autrui,
Por le pechié, ce saches tu,	pour le péché, sache-le,
De ta mere, t'est avenu	de ta mère cela t'est advenu,
Qu'ele est morte de duel de toi ;	car elle est morte de douleur pour toi.
Ge te conuis mialz que tu moi,	Je te connais mieux que tu ne me connais
Que tu ne sez qui ge me sui ;	car tu ne sais qui je suis.
An la meison ta mere fui	En la maison de ta mère je fus
Norrie avec toi grant termine ;	élevée avec toi un long temps
Si sui ta germainne cosine	et suis ta cousine germaine
Et tu es mes cosins germains.	et tu es mon cousin germain.
Si ne me poise mie mains	Il ne m'en pèse pas moins
De ce que il t'est mescheü	du malheur qui t'est survenu,
Que tu n'as del *graal* seü	de n'avoir pas du *graal* su
Qu'an an fet et cui an le porte,	ce qu'on en fait, à qui on le porte,
Que de ta mere qui est morte. —	que de ta mère qui est morte.... —

En apprenant ainsi brutalement la mort de sa mère, Perceval, puisque Perceval il y a, semble éprouver une émotion, encore qu'un peu tardive (2) :

« Ha cosine », fet Percevaus,	« Ah ! cousine », fait Perceval ,
« Se ce est voirs que dit m'avez,	« s'il est vrai ce que vous m'avez dit,
Dites moi comant le savez. »	dites-moi comment vous le savez. »

(1) Vv. 3534-3568.
(2) Vv. 3574-3584.

— Je le sai, — fet la dameisele,
— Si veraiement come cele
Qui an terre metre la vi. —
« Or ait, Deus de s'ame merci, »
Fet Percevaus, « par sa bonté !
Felon conte m'avez conté ;
Et puis que ele est mise an terre,
Que iroie ge avant querre ? »

— Je le sais, — fait la demoiselle,
— vraiment en tant que celle
qui en terre mettre la vis. —
« Dieu ait donc de son âme merci, »
fait Perceval, « par sa bonté !
Cruel conte m'avez conté,
mais, puisqu'elle est mise en terre,
qu'irais-je chercher plus avant ? »

Il invite sa cousine à le suivre, au lieu de rester auprès du cadavre de son ami. « Les morts aux morts, les vifs aux vivants », lui dit-il en homme pratique, décidé d'ailleurs à poursuivre et à provoquer le meurtrier. Elle s'y refuse avant d'avoir enseveli le décapité et après lui avoir indiqué le chemin par où le vainqueur s'était enfui, elle l'interroge encore sur l'épée que Perceval a reçue du riche Roi pêcheur et qui jouera un rôle presque aussi considérable que le *Graal* lui-même chez les continuateurs de Chrétien (1) :

Mes ou fu cele espee prise,
Qui vos pant au senestre flanc ;
Qui onques d'ome ne trest sanc,
Ne ne fu a nul besoing trete ?
Je sai bien ou ele fu fete
Et si sai bien qui la forja ;
Gardez ne vos i fiez ja,...
Qu'ele vos volera an pieces. —
« Bele cosine, une des nieces
Mon oste si li anvea
Hersoir et il la me dona,
Ge m'an tenoie a bien paié.
Mes molt m'an avez esmaié
Se ce est voirs que dit m'avez,
Or me dites, se vos savez
Se il avient qu'ele soit frete
Sera ele jamés refete ?»
— Oïl, mes grant poinne i avroit.
Qui la voie tenir savroit
Au lac qui est sor Cotovatre (2)
La la porroit fere rebatre
Et retranper et fere sainne.
Se avanture vos i mainne,
N'alez se chiés Trabuchet non,
Un fevre qui ensi a non,
Que cil la fist et refera,

— Mais où fut prise cette épée,
qui pend à votre côté gauche
qui de nul homme ne prit sang,
ni ne fut pour nul péril tirée ?
Je sais bien où elle fut faite
et je sais bien qui la forgea.
Gardez-vous de vous y fier jamais,
car elle volera en pièces. —
« Belle cousine, une des nièces
de mon hôte la lui envoya
hier soir et il me la donna.
Je m'en croyais bien gratifié,
mais vous m'avez fort effrayé,
si est vrai ce que m'avez dit.
Dites-moi donc, savez-vous
s'il advenait qu'elle fût brisée,
si jamais elle sera refaite ? »
— Oui, mais il faudrait grand'peine.
Celui qui saurait le chemin
du lac qui est près de Cotovatre (2),
là pourrait-il la faire rebattre
et retremper et réparer.
Si aventure vous y mène
n'allez sinon chez Trébuchet,
un forgeron, qui ainsi s'appelle,
car celui-là la fit et refera,

(1) Vv. 3616-3645.
(2) Nom qu'on n'a pu identifier.

Ou jamés fete ne sera	ou jamais elle ne sera refaite,
Par home qui s'an antremete. —	quelque homme qui s'y applique. —

Sur ces mots, qui annoncent bien des épisodes qu'eût certainement traités Chrétien, s'il avait achevé son œuvre que, telle l'épée, lui fit et nul ne saura réparer, Perceval quitte sa cousine, restée auprès du mort et, au bout de quelque temps, aperçoit la trace (1)

D'un palefroi et megre et las	d'un palefroi et maigre et las,
Qui devant lui aloit le pas ;...	qui devant lui marchait au pas...
Bien travelliez et mal peüz	Fort malmené et mal repu
Sanble que il eüst esté,	il paraissait avoir été,
Ausi come cheval presté	tout ainsi qu'un cheval prêté,
Qui le jorz est bien travelliez	qui le jour est très harrassé
Et la nuit mal aparelliez ;...	et la nuit fort mal soigné.
Tant estoit megres qu'il tranbloit	Il était si maigre qu'il tremblait
Ausi con s'il fust anfonduz...	comme s'il avait fondu
Et les oroilles li pandoient.	et les oreilles lui pendaient.

Mais celle qui le monte semblait plus malheureuse encore (2) :

Qu'an la robe que ele vestoit,	car en la robe qu'elle avait revêtue
N'avoit plainne paume de sain,	n'y avait pleine paume d'intact,
Einz li sailloient hors del sain	mais lui sortaient de la poitrine
Les memeles par les rotures ;	les seins par les déchirures ;
A neuz et a grosses costures	par des nœuds et à grosses coutures
De leus an leu ert atachiee	de place en place elle était rattachée.
Et sa char si fu dehachiee...	La chair était lacérée...
Qu'ele l'avoit crevee et arse	comme si elle l'avait eue crevée et brûlée
De noif, de gresle et de gelee.	par la neige, la grêle, la gelée.

Perceval pique des deux vers elle (3),

Et ele estraint sa vesteüre	et elle ramène son vêtement
Entor li por le mialz covrir ;	autour d'elle pour se mieux couvrir,
Lors comancent pertuis ovrir,	mais d'autres trous s'ouvrent alors,
Que quant que ele mialz se cuevre	car lorsque mieux elle se couvre
Un pertuis clost et cent an oevre.	un trou elle clôt et cent en ouvre.

Amèrement elle jette sa plainte, invoque Dieu et appelle au secours.

Perceval, qui l'a rejointe, s'informe de son malheur, mais elle le supplie de ne point s'arrêter auprès d'elle, car, si survient l'Or-

(1) Vv. 3655-3669.
(2) Vv. 3682-3691.
(3) Vv. 3704-3708.

gueilleux de la Lande, qui l'a mise en pareil état, il en aura vite tiré vengeance. Elle n'a pas plutôt prononcé ce nom, qu'il sort du bois (1)

Et vint ausi com une foudre Par le sablon et par la poudre...	et vient tout ainsi que la foudre par le sablon et par la poudre,

criant et menaçant. Mais avant de se jeter sur lui, il raconte la raison pour laquelle il traîne après lui, en si triste appareil, la pauvre pucelle *déconseillée* (2). Cette histoire, Perceval la reconnaît, puisqu'il en est le principal acteur, car on a deviné en effet que c'est elle à qui, sous la tente, il a, au début de ses pérégrinations, dérobé un baiser et l'anneau, mais à qui il est soupçonné d'avoir volé bien autre chose (3) :

Fame qui sa boche abandone Le soreplus de legier done.	Femme qui sa bouche abandonne le surplus facilement donne.

Perceval se présente comme le coupable, affirmant en même temps son innocence quant au *dernier point*, mais l'autre ne veut rien entendre. Le combat s'engage, l'épée de Perceval se brise, comme sa cousine le lui avait annoncé, mais le Roi Pêcheur, qui l'a fait suivre à la trace par un serviteur, s'en fait apporter les morceaux. Cette circonstance, que Perceval n'a même pas aperçue, n'arrête point la lutte, qui se termine par la défaite prévue de l'Orgueilleux de la Lande implorant merci. Perceval ne la lui accordera que s'il fait grâce lui-même à sa pauvre amie, ce qui est aussitôt accepté. Sur les injonctions du vainqueur, l'Orgueilleux de la Lande, au castel le plus proche, la fera baigner et parer et s'ira rendre prisonnier au roi Arthur, au nom du *chevalier vermeil*. Il racontera à Carlion comment il fut vaincu et, avec ces répétitions communes aux chansons de geste, aux romans courtois, aux contes de fées, le fera devant la demoiselle qui a ri, lui annonçant, à la grande joie du fou, prompte vengeance du soufflet que Ké lui donna. Ainsi est fait et Gauvain, à ce récit narré devant la reine et la cour, s'étonne de ce chevalier aux armes vermeilles, supérieur aux plus fameux. Le roi est, de son côté, anxieux de le revoir, et fait s'ébranler toute la cour (4),

(1) Vv. 3795-3796.
(2) Infortunée.
(3) Vv. 3825-3826.
(4) Vv. 4108-4111. Les *sommiers* sont les chevaux de bât ou de charge.

Cofres anplir, trosser somiers
Et chargier charrettes et chars...
Tantes et pavellons et trez,

coffres emplir, trousser sommiers
et charger charrettes et chars...
tentes, pavillons et toiles,

pour aller retrouver celui qu'il eût voulu avoir armé de ses mains (1) :

La nuit an une praerie
Lez une forest sont logié.
Cele nuit ot il bien negié
Que molt froide estoit la contree.

La nuit en une prairie,
près d'une forêt sont logés ;
cette nuit il avait neigé,
car la contrée était très froide.

Paysage de neige, au milieu duquel, par un clair de lune, cherchant *aventure et chevalerie* (v. 4139) parvient Perceval aussi (2) :

Et einz que il venist as tentes,
Voloit une rote de gentes
Que la nois avoit esbloïes ;
Veûes les a et oïes,
Qu'eles s'an aloient fuiant
Por un faucon qui vint bruiant
Apres eles de grant randon ;
Tant c'une an trova abandon
Qu'ert d'antre les altres sevree,
Si l'a ferue et si hurtee
Qu'ancontre terre l'abati ;
Mes trop fu tart, si s'an parti.
Il ne la volt lier ne joindre.
Et Percevaus comance à poindre
La ou il ot veû le vol :
La gente fu ferue el col,
Si seinna treis gotes de sanc
Qui espandirent sor le blanc ;...
La gente n'a mal ne dolor,
Qu'ancontre terre la tenist,
Tant que il a tans i venist
Ele s'an fu ençois volee ;
Et Percevaus vit defolee
La noif qui soz la gente jut
Et le sanc qui ancor parut.
Si s'apoia desor sa lance
Por esgarder cele senblance
Du sanc et de la noif ensamble :
Que la fresche color li sanble
Qui ert au la face s'amie ;

mais avant d'arriver aux tentes,
il vit voler une troupe d'oies sauvages,
que la neige avait éblouies.
Il les a vues et ouïes,
car elles s'en allaient fuyant
à cause d'un faucon qui venait bruissant
après elles à toute volée,
si bien qu'il en trouva abandonnée
une, des autres séparée,
et l'a frappée et heurtée
au point de l'abattre à terre ;
mais il arriva trop tard et partit
sans vouloir la saisir ni joindre.
Et Perceval se met à piquer des deux
vers là où il avait vu le vol.
L'oie était blessée au col
d'où saignaient trois gouttes de sang,
qui se répandirent sur le blanc ;
mais elle n'a mal ni douleur,
qui à terre la retienne,
si bien qu'à temps il ne parvint
qu'elle ne fût déjà envolée.
Et Perceval vit foulée
la neige sur laquelle l'oie avait reposé
et le sang qui, encore, paraissait.
Il s'appuya sur sa lance
afin de contempler l'aspect
du sang et de la neige ensemble.
La fraîche couleur lui semble
qui est au visage de sa mie.

(1) Vv. 4122-4125.
(2) Vv. 4133-4168.

Et panse tant que il s'oblie
C'autresi estoit an son vis
Li vermaus sor le blanc asis
Com ces trois goutes de sanc furent
Qui sor la blanche noif parurent. (1)

Tant il y pense que tout oublie,
car ainsi était en son visage
le vermeil sur le blanc posé
comme les trois gouttes de sang étaient
qui sur la blanche neige paraissaient (1).

Il y a, dans le roman de Chrétien, des scènes plus augustes, celle du *Graal*, il n'en est pas de plus exquises que celle du Perceval pensif, appuyé sur la lance, et contemplant, sur la neige blanche de la prairie, les trois gouttes de sang vermeil. Nous aurons à nous demander plus tard si les deux épisodes sont vraiment sans relations et s'il n'y a pas ici en même temps quelque évocation secrète du précieux sang qui dégoutte de la lance.

Comme il passe ainsi toute la matinée, perdu dans cette contemplation, l'aperçoivent des écuyers ; ils en viennent aviser Sagremor le *desreé*, l'indomptable Sagremor qui, sur l'ordre du Roi, se met à la voie, pour inviter l'inconnu à se présenter à la Cour. Il en semonce le distrait, puis n'obtenant pas de réponse, se jette contre lui, lance sur feutre, et ne parvient qu'à se faire démonter. Ké le médisant l'en raille sans indulgence, quand il le voit revenir à pied. Il espère s'en tirer à meilleur compte et, s'armant, va à son tour sommer l'inconnu de comparaître devant Arthur. Le résultat n'est pas meilleur, car Perceval (2)

Par desor la bocle l'ataint,
Si l'abati sor une roche
Que la chanole li esloche
Et antre le code et l'essele
Ausi come une seche estele
L'oz del braz destre li brisa
Si con li fos le devisa.

dessous la boucle l'atteint
et l'abat si bien sur une roche,
que la clavicule se fend
et que entre le coude et l'aisselle,
tout ainsi qu'une branche sèche,
l'os du bras droit se brisa,
comme le fou le prédit.

Le cheval revient sans son cavalier, qui gît pour mort, et auprès duquel s'empressent dames et barons (3) :

Et Percevaus sor les trois gotes
Se rapoia desor sa lance.

Et Perceval devant les trois gouttes
se rappuya dessus sa lance.

Cependant on ramène le blessé que le roi fait panser et Gauvain dit (4) :

(1) Texte de Mons, pour ces quatre derniers vers (vv. 5580-5584).
(2) Vv. 4270-4276.
(3) Vv. 4290-4291.
(4) Vv. 4312-4318.

« Sire, se Damedeu m'aïst.
Il n'est reisons, bien le savez,
Si con vos meïsmes l'avez
Toz jors dit et jugié a droit
Que chevaliers autre ne doit
Oster, si con cil dui ont fet,
De son pansé quel que il l'et. »

« Sire, que Dieu m'aide,
il n'est pas bien, vous le savez,
et vous-même vous l'avez
toujours dit et jugé à bon droit
qu'un chevalier un autre veuille tirer,
ainsi que ces deux-là ont fait,
de son penser, quel il l'ait. »

Il s'offre à y aller à son tour, raillé par Ké, qui lui reproche à l'avance un triomphe facile sur un combattant fatigué. Il pourra faire combat en bliaut de soie et il lui suffira de dire : « Seigneur, Dieu vous sauve », et de le caresser comme on fait d'un chat. Celui qui, de toutes les prouesses, avait la palme, s'arme (1)

Et vint au chevalier tot droit,
Qui sor sa lance ert apoiez.
Ancor n'estoit pas enuiez
De son pansé que molt li plot.
Et ne porquant li solauz ot
Deus des gotes del sanc remises
Qui sor la noif erent asises,
Et la tierce aloit remetant ;
Por ce ne pansoit mie tant
Li chevaliers com il ot fait.

et vint tout droit au chevalier
qui sur sa lance était appuyé,
n'étant pas encore lassé
de son penser qui lui plaisait.
Cependant le soleil avait
deux des gouttes de sang effacé,
qui sur la neige s'étaient mises
et la troisième allait fondant.
Aussi était-il moins songeur
le chevalier qu'auparavant.

Gauvain l'aborde courtoisement, lui transmettant l'invitation du roi (2) :

« Il an i ont ja esté dui »,
Fet Percevaus, « qui me toloient
Ma joie et mener m'an voloient
Ausi con se ge fusse pris,
Et je estoie si pansis
D'un pansé qui molt me pleisoit,
Et cil qui partir m'an voloit
N'aloit mie querant mon preu,
Que devant moi, an ice leu,
Avoit trois gotes de fres sanc
Qui anluminoient le blanc.
An l'esgarder m'estoit avis
Que la fresche color del vis
M'amie la bele i veïsse,
Ja mes ialz partir n'an queïsse.
— Certes, — fet mes sire Gauvains, —
Cil pansers n'estoit pas vilains,

« Ils ont déjà été deux »,
fait Perceval, « qui me ravissaient
ma joie et voulaient m'emmener
comme si j'étais prisonnier ;
or j'étais si pensif
d'un penser qui beaucoup me plaisait
et celui qui m'en voulait ôter
ne cherchait pas mon bien,
car devant moi, en ce lieu,
il y avait trois gouttes de sang frais
qui enluminaient la blancheur.
A les regarder me semblait
que la fraîche couleur du visage
de ma belle amie je voyais
et n'en pouvais ôter mes yeux.
— Certes, — fait Messire Gauvain, —
ce penser n'était pas vilain,

(1) Vv. 4383-4393.
(2) Vv. 4404-4423.

Ençois estoit cortois et dolz
Et cil estoit fos et estolz
Qui vostre cuer an remuoit. —

mais il était courtois et doux
et il était fou et insolent
celui qui en écartait votre cœur. —

Perceval demande si Ké y sera. — Oui, répond Gauvain, c'est même celui qui se mesura avec vous et à qui vous avez brisé le bras droit. — « La pucelle est donc vengée », dit Perceval, qui se nomme, sur une nouvelle question de Gauvain ; celui-là se réjouit de le connaître pour avoir tant entendu parler de ses exploits. Avant de l'introduire auprès d'Arthur, son neveu revêt d'une belle robe, tirée de ses coffres, Perceval désarmé, à qui le roi fait grand accueil, ainsi que la reine et la pucelle qui a ri. Ils l'emmènent avec eux à Carlion en Galles où les souverains continuent à tenir leur cour, lorsque, trois jours après, au milieu de la brillante assemblée, ils voient paraître (1)

Une dameisele qui vint
Sor une mule fauve et tint
En sa main destre une escorgiee.

une demoiselle arrivant
sur une mule fauve et tenant
en sa main droite un fouet.

C'est la demoiselle à la mule, à qui les écrivains ultérieurs feront un sort en lui consacrant un roman. Si Chrétien se plaît à peindre les belles, il n'excelle pas moins à décrire les monstres qui, à l'occasion, leur servent de repoussoir. Ce portrait-ci, peinture de genre, est à rapprocher de celui du vilain dans *Yvain* (2) :

La dameisele fu treciee
A deus treces grosses et noires
Et se les paroles sont voires
Teus con li livres les devise,
Onques riens si leide a devise
Ne fu neis dedanz anfer.
Einz ne veïstes si noir fer
Com ele ot le col et les mains.
Et ancores fu ce del mains
A l'autre leidure qu'ele ot.
Si oel estoient con dui crot
Petit ausi come de rat.
S'ot nes de singe ou de chat
Et oroilles d'asne ou de buef.
Si dant resanblent moel d'uef
De color, si estoient ros ;
Et si ot barbe come bos
Enmi le piz ot une boce,
Devers l'eschine sanble croce...

Sa chevelure était tressée
de deux tresses grosses et noires
et si les paroles sont vraies
que dans le livre l'on lit,
jamais être si complètement laid
ne fut, même dedans Enfer.
jamais ne vîtes aussi noir fer
qu'elle avait le cou et les mains.
Encore n'était-ce rien
à côté d'autre laideur qu'elle avait.
Ses yeux étaient comme deux trous
aussi petits que ceux des rats.
Elle avait nez de singe ou de chat
et oreilles d'âne ou de bœuf.
Ses dents semblaient des jaunes d'œuf
tant, de couleur, elles étaient brunes ;
elle avait de la barbe comme un bouc,
sur la poitrine une bosse,
son échine semblait une crosse...

(1) Vv. 4573-4575.
(2) Vv. 4576-4594.

Telle qu'elle est, en cette assemblée qui bée après l'aventure, elle se fait écouter curieusement (1) :

Le roi et les barons salue
Toz ansanble comunemant
Fors Perceval tant solemant,
Et dist de sor la mule fauve :
« Ha ! Percevaus, fortune est chauve
Derriers et devant chevelue.
Et dahez ait qui te salue
Et qui nul bien t'ore et te prie
Que tu ne la retenis mie
Fortune quant tu la trovas.
Chies le roi pescheor alas,
Si veis la lance qui sainne
Et si te fu lors si grant painne
D'ovrir ta boche et de parler
Que tu ne poïs demander
Por coi cele gote de sanc
Saut par la pointe del fer blanc ;
Et le *graal* que tu veïs
Ne demandas ne anqueïs
Quel riche home l'an an servoit...
Que se tu demandé l'eüsses
Li riches rois qui si s'esmaie
Fust ores gariz de sa plaie
Et si tenist sa terre an pes. »

Elle salue le roi et les barons
tous ensemble, communément,
excepté seulement Perceval
et dit du haut de sa mule fauve :
« Ah ! Perceval, Fortune est chauve
derrière et, devant, chevelue,
malheur à qui te salue
et qui te souhaite nul bien,
car tu ne la retins point,
Fortune, quand tu la rencontras.
Chez le Roi Pêcheur tu allas,
et vis la lance qui saigne
et ce te fut lors si grand'peine
d'ouvrir la bouche et de parler
que tu ne pus lui demander
pourquoi cette goutte de sang
sort de la pointe du fer brillant
et du *graal* que tu vis
tu ne demandas ni t'enquis
quel riche homme l'on en servait...
Si tu l'avais demandé
le Riche Roi, qui tant se désole,
fût guéri à présent de sa plaie
et gouvernerait sa terre en paix. »

Alors, pour lui faire sentir tous les malheurs qu'entraîneront pour tous son inopportun silence, la demoiselle à la mule vaticine ainsi (2) :

« Et sez tu qu'il en avandra
Del roi qui terre ne tandra
Qui n'est de ses plaies gariz ?
Dames an perdront lor mariz,
Terres an seront essilliees
Et puceles desconselliees
Qui orfelines remandront
Et maint chevalier an morront
Et tuit avront le mal par toi. »

« Et sais-tu ce qu'il adviendra
du roi qui ne gouvernera sa terre
et n'est pas guéri de ses plaies ?
Les dames en perdront leurs maris,
les terres en seront dévastées,
les pucelles infortunées,
qui resteront orphelines,
et maints chevaliers en mourront,
et tous ces maux viendront de toi. »

Sur ces funestes prédictions, elle se prépare à se retirer, mais non sans avoir proposé à ces jeunes guerriers, affamés de gloire et de combat, d'exceptionnelles aventures, celles du Château Orgueil.

(1) Vv. 4604-4635.
(2) Vv. 4637-4645.

leux, où cinq cent soixante-six chevaliers, tous ayant près d'eux leur amie, attendent qu'on les y vienne provoquer pour avoir joute ou bataille, mais surtout celle plus mystérieuse qui, sans qu'elle le précise, se rattache à la légende du Graal (1) :

« Au pui qui est soz Montesclere	« Au puy qui est sous Montesclere,
A une dameisele assise ;	il y a une demoiselle assise.
Molt grant enor avroit conquise	Très grand honneur aurait conquis
Qui le siege an porroit oster	celui qui pourrait enlever le siège
E la pucele delivrer,	et délivrer la pucelle.
Il avroit totes les loanges	Il aurait toutes les gloires
Et l'espee as estranges ranges	et l'épée à l'étrange baudrier
Porroit ceindre tot aseûr	pourrait ceindre en sécurité
Cui Deus donroit si boen eûr. »	celui à qui Dieu donnerait tel bonheur. »

Elle part. Gauvain saute à cheval pour la suivre. Girflet, fils de Nut, décide qu'il ira au Chastel Orgueilleux, Kahedin au Mont-Périlleux, tandis que Perceval, de son côté, jure qu'il ne couchera deux nuits de suite sous un même toit, tentera les plus dangereux passages, affrontera les plus rudes champions, jusqu'à ce qu'il sache à qui l'on sert le *Graal* et pourquoi saigne la lance. Cinquante autres jurent ainsi de poursuivre diverses aventures, quand survient Guinganbresil, portant écu d'or à bande d'azur, et venant accuser Gauvain de lui avoir tué son père par trahison sans cartel. Celui-ci s'en lavera par un duel judiciaire, dans la quarantaine, devant le roi d'Escavalon, mais d'ici là, il rencontrera maintes épreuves, auxquelles Chrétien va, pour un temps, se consacrer (2) :

Des avantures qu'il trova	Des aventures qu'il trouva
M'orrez vos parler maintenant.	vous m'entendrez parler maintenant.

Il ne faut pas conclure trop vite à un hors-d'œuvre. Gauvain, le parangon des chevaliers, tentera aussi *La Queste du Graal*, mais il n'est pas prédestiné à conquérir ses *repostailles* ou secrets. S'avançant donc, il aperçoit une troupe de chevaliers et, s'adressant à un écuyer isolé qui les suit, il apprend qu'il appartient à Méliant de Lis, un des futurs privilégiés de la même *Queste*, lequel va se mesurer avec Tiébaut de Tintaguel (3), son père nourricier, dont la fille ne veut se donner à lui que s'il la mérite par sa bravoure au tournoi. Ainsi l'amour, une fois de plus, sera le prix de la

(1) Vv. 4668-4676.
(2) Vv. 4776-4777.
(3) De là le Tintagel de Maeterlinck.

vaillance. A un arbre près de la lice, Gauvain attache les sept écus
qu'il a emportés, puis se retire. Cependant chevaliers et dames
prennent place dans les loges pour contempler le beau spectacle
qui fait partie des mondanités d'alors et, entre elles, des discussions
s'engagent, surtout entre les filles de Tiébaut, l'aînée, qui
n'estime rien tant que Méliant de Lis et la cadette, qu'on
appelle la *pucelle aux manches petites*, qui la contredit et
qu'elle soufflette. Scène de famille fort plaisante et très réaliste, glissée, comme toujours, au milieu d'épisodes fantastiques.
Quand leurs compagnes les ont séparées, l'attention se porte sur
Gauvain qui, sous un charme, attend, et que son inaction fait
prendre pour un marchand déguisé en chevalier. Le *vavasseur*
qui, le soir, l'héberge, lui demande le motif de cette abstention
et il allègue qu'étant inculpé de trahison, il doit éviter de se
laisser faire prisonnier, pour ne pas manquer l'assignation de son
adversaire. L'hôte est satisfait de cette explication, mais l'aînée
continue à soupçonner Gauvain et à l'accuser auprès de son
père qui vient lui-même s'assurer de la qualité de l'inconnu, mais
la cadette y va aussi et c'est une scène d'une fraîcheur délicieuse
que celle où la petite vient implorer l'illustre chevalier d'être son
champion pour la venger le lendemain de l'injure qu'à son
propos elle a reçue de sa sœur. Le père se prête à ce jeu et conseille même de lui envoyer en signe de *druerie* ou d'amour sa
manche, mais, comme elle est trop courte, il la lui fait remplacer
par une belle manche de velours que Gauvain portera au combat.
Ce dernier fait si bien qu'à la première passe il s'empare du cheval
de Méliant de Lis et en fait présent à sa *damette*, assise à la
fenêtre de sa tour ; il y ajoute ensuite un prisonnier dont il a
également triomphé, et quand, au retour, elle l'en a remercié, il
l'assure à jamais de ses services.

Mais, malgré ses instances, il quitte *la pucelle aux manches
petites*, qui lui baise le pied sur l'étrier, en signe de dévotion et
pour que d'elle il se souvienne. Après avoir tenté en vain, à l'orée
de la forêt, d'atteindre une biche blanche, toujours suivi d'Yvonet,
son écuyer, il rencontre des veneurs avec leurs meutes, des
archers et des chevaliers, dont le plus jeune et le plus beau le fait
conduire à sa sœur en son château pour l'y héberger. Il sera
là chez ses pires ennemis, mais on ne l'y connaît point. Dans
cette ville fortifiée, dont les murs surplombent comme presque
toujours, en ce récit, un bras de mer, il s'attarde à contempler
dans les rues, — nouvel et charmant croquis réaliste, — les
tables des changeurs, chargées de monnaies d'or et d'argent, et

les échoppes des armuriers, tisserands, émailleurs et marchands (1).
La sœur, heureuse d'une telle diversion, avenante et belle, fait à
Gauvain le plus gracieux accueil, et n'ayant pas d'autres soucis,
ensemble ils devisent d'amour, ce qui est, avec les armes, la
grande préoccupation des élégants et des élégantes de la seconde
moitié du xiie siècle. Sans s'attarder à de longs préambules
et déjà oublieux de la petite pucelle aux courtes manches (2),

Messire Gauvains la requiert	Messire Gauvain la requiert
D'amors et prie et dit qu'il iert	d'amour, la prie et dit qu'il sera
Ses chevaliers tote sa vie,	son chevalier toute sa vie,
Et ele n'an refuse mie,	et elle ne le refuse pas,
Einz l'otroie molt volantiers.	mais l'accorde bien volontiers.

Survient un vavasseur qui les trouve s'entrebaisant (déjà !) et,
reconnaissant Monseigneur Gauvain, s'écrie (3) :

« Fame, honie soies tu,	« Femme, honnie sois-tu,
Deus te destruie et te confonde,	Dieu te détruise et t'anéantisse,
Que l'ome de trestot le monde	car par l'homme du monde entier
Que tu devroies plus haïr,	que tu devrais le plus haïr
Te leisses ensi conjoïr,	tu te laisses ainsi cajoler,
Et qui te beise e si t'acole,	caresser et embrasser.
Fame, maleüree fole,	Femme, misérable folle,
Tu fez bien ce que tu doiz faire.	fais bien ce que tu dois faire.
A tes mains li deüsses treire	De tes deux mains devrais-tu arracher
Le cuer einz que beisier sa boche.	son cœur plutôt que baiser sa bouche.
Se tes beisiers au cuer li toche,	Si ton baiser le touche au cœur,
Le cuer del vantre li as tret ;	tu lui as tiré le cœur de la poitrine,
Mes asez mialz eüsses fet	mais tu aurais beaucoup mieux fait
S'as mains araché li eüsses,	si tu le lui avais arraché de tes mains,
Que ensi fere le deüsses,	car ainsi aurais-tu dû le faire,
Se fame deüst fere bien...	si femme pouvait faire bien...
Mes tu es fame, bien le voi,	Mais tu es femme, je le vois bien,
Que cil qui se siet delez toi,	car celui qui est assis près de toi
Ocist ton pere, si le beises !	tua ton père, et tu l'embrasses !
Quant fame puet avoir ses eises	Quand femme peut avoir son plaisir
Del soreplus petit li chaut. »	du surplus bien peu lui chaut.

Comme frappée par cette rude apostrophe, elle tombe à terre
pâmée ; quand il l'a ranimée et relevée (4)

(1) Vv. 5721-5744.
(2) Vv. 5789-5793.
(3) Vv. 5811-5827, avec erreur de numérotation.
(4) Vv. 5837-5847.

Si dit : « Ha ! or somes nos mort,	Elle lui dit : « Ah ! nous voilà morts.
Por vos morrai ja ci a tort	Pour vous mourrai aujourd'hui sans droit
Et vos, mien esciant, por moi.	et vous, à ce que je-crois, pour moi.
Ja vandra ci si con ge croi	Il va venir, comme je pense,
La comune de ceste vile	le peuple de cette ville.
Ja en verroiz plus de dis mile	Il y en aura vite plus de dix mille
Devant ceste tor amassez ;	devant cette tour amassés.
Mes ceanz a armes asez	Mais ici il y a beaucoup d'armes
Dont ge vos armerai bien tost.	dont je vous aurai bientôt armé.
Uns prodom de trestote un ost	Un vaillant homme contre une armée
Porroit bien ceste tor desfandre. »	pourrait bien ce donjon défendre. »

Elle l'équipe donc comme elle peut, mais il manque un écu ; il s'en fait un d'un échiquier et il s'arme d'une bonne épée qui avait nom Escalibor. Comme ils l'ont prévu, le *vavasseur* ameute la commune, bourgeois, maires et échevins en tête. Ils prennent, qui des haches et des guisarmes (1), qui un écu sans courroie, qui une porte, qui un vase. Ce sont là choses vues en Flandre, terre de révoltes populaires, et observées avec dédain par le poète aristocrate sur cette bourgeoisie toujours agitée d'Ypres, de Bruges ou de Gand. La pucelle insulte du haut de sa tour cette *vilenaille*, cette *pule servaille*, mais cependant se disculpe devant elle. Sans s'en émouvoir autrement, les plus hardis fracassent la porte à coups de hache ; Gauvain, devenu portier, abat le premier, ce qui fait hésiter les autres, à qui la demoiselle en colère jette sur la tête les dures pièces du jeu d'échecs. Cette scène héroï-comique est des mieux venues et évoque par certains traits la guerre Picrocholine ou la défense du clos de l'abbaye par frère Jean des Entommeures. Désespérant de forcer l'entrée qui n'est qu'une poterne assez étroite, les bourgeois se mettent à saper le donjon à coups de pics d'acier. Ils ne se sont pas plutôt attelés à cette besogne que survient Guinganbresil, le *mestre* ou gouverneur du roi qui, apprenant qu'il a chance de prendre Gauvain vivant, leur ordonne de mettre bas armes et outils. Ils n'y consentent que lorsque leur seigneur lui-même s'abouche avec le maire à qui seul ils obéissent. C'est un trait qui en dit long sur la puissance conquise en ce siècle par la commune avec laquelle les hauts barons ont à compter. Un sage *vavasseur* conseille à son maître de pactiser avec Gauvain, d'ajourner l'assignation au combat judiciaire à condition qu'il ira (2)

(1) Lance de gens de pied, à long fer irrégulier pourvu de crochets.
(2) Vv. 6075-6077.

Querre la lance don li fers,	quérir la lance dont le fer
Sainne ja ne sera si ters	saigne toujours, et ne sera jamais si sec
C'une gote de sanc n'i pande,	qu'une goutte de sang n'y pende,

pour l'apporter à son adversaire avant un an révolu, car il est écrit que par elle, tout le royaume de Logres (1), celui d'Arthur, sera détruit. Moins par loyalisme envers son oncle que par crainte de se parjurer, n'étant pas sûr de pouvoir conquérir le précieux objet, Gauvain d'abord se refuse à prêter ce serment et consent seulement à jurer qu'il fera tout son possible pour trouver la lance qui saigne. S'il n'y réussit point, il reviendra se rendre prisonnier en ce donjon. Ainsi dit, ainsi fait. Gauvain prend congé, renvoie ses valets et leurs chevaux, ne gardant que Gringalet (2), son destrier favori et (3)

De mon seignor Gauvain se test	De mon seigneur Gauvain se tait
Li contes ici a estal	le conte ici précisément
Si parlerons de Perceval.	et nous reparlerons de Perceval.

Ainsi, par cette transition rudimentaire, dont abuseront plus encore les conteurs de l'âge suivant, se poursuit dans le roman, du type *quesle* ou recherche, le parallélisme d'une double ou d'une triple action (4) :

Percevaus, ce conte l'estoire,	Perceval, ainsi conte l'histoire,
A si perdue la memoire	à ce point perdit la mémoire
Que de Deu ne li sovient mais.	que de Dieu ne lui souvient plus.
Cinc fois passa avrius et mais,	Cinq fois passa avril et mai,
Ce sont cinc anz trestuit antier	pendant cinq ans tout entiers
Qu'an eglise ne an mostier	qu'en église ni en couvent
Ne Deu ne ses sainz n'aora...	n'adora Dieu ni ses saints...
Et por ce ne lessa il mie	et pour cela ne laissa-t-il point
A requerre chevalerie,	de faire acte de chevalerie ;
Et les estranges avantures,	et les étranges aventures,
Les felenesses et les dures	les cruelles et les dures
Ala querant, si les trova	alla quérant et les trouva
Tant que molt bien s'i esprova	tant que fort bien s'y éprouva
N'onques n'auprist chose si grief	et n'entreprit chose si difficile
Don il ne venist bien a chief.	dont il ne vint bien à bout.

---

(1) *Dont jadis fu la terre al Ogres.* C'est la plus ancienne mention de ce nom qu'on a à tort rattaché à celui des Hongrois. Il est plus vraisemblable que ce soit la divinité infernale latine de la mort, *Orcus.* Cf. Al. Eckhardt, *L'ogre* dans la *Revue des Études hongroises*, juillet-décembre 1927, pp. 368-369.

(2) Encore un nom devenu mot commun, ce qui est le meilleur signe de la gloire et de la diffusion. Cf. G. Paris, *Romania*, t. XX, p. 150. Selon lui le rapport n'est pas direct.

(3) Vv. 6176-6178.

(4) Vv. 6179-6194.

Pendant ces cinq ans il n'envoya pas moins de cinquante chevaliers se rendre prisonniers à Arthur. Or, un jour, comme il cheminait par un lieu désert couvert de toutes ses armes, il rencontre cinq chevaliers avec leurs dames, tous à pied, coiffés de simples chaperons, en chemise de bure et déchaux. Les dames surtout s'étonnent de le voir armé et l'un des cinq chevaliers (1)

L'areste et dit : « Estez arriers,	l'arrête et dit : « Arrière,
Don ne creez vos Jesu Crist	vous ne croyez donc en Jésus-Christ,
Qui la novele loi escrist	qui écrivit la Nouvelle Loi
E la dona as Crestiens ?	et la donna aux Chrétiens ?
Certes il n'est reisons ni biens	Certes ce n'est raison ni bien
D'armes porter einz est granz torz	de porter les armes, c'est grand tort,
Au jor que Jesu Criz fu morz. »	au jour où Jésus-Christ est mort. »
Et cil qui n'avoit an porpans	Et lui, qui n'avait nullement idée
De jor ne d'ores ne de tans,	du jour, des heures ni du temps, .
Tant avoit a son cuer enui,	tant il avait de souci en son cœur,
A dit : « Queus jorz est il donc hui ? »	dit : « Quel jour est-ce donc aujourd'hui ? »
— Queus sire, ? Si ne le savez ?	— Lequel, seigneur ? vous ne le savez ?
C'est li vanredis aorez	C'est le vendredi adoré
Qu'an doit sinplemant enorer	où l'on doit humblement honorer
La croiz et ses pechiez plorer.	la croix et pleurer ses péchés,
Hui fu cil an croiz estanduz	car aujourd'hui fut en croix pendu
Qui trante deniers fu vanduz ;	celui qui trente deniers fut vendu,
Cil qui de toz pechiez est monde,	celui qui de tous péchés est pur.
Por les pechiez de tot le monde	Pour les péchés de tout le monde,
Don toz li monz ert antechiez,	dont tout le monde était souillé,
Devint il hom bien le sachiez.	il devint homme, sachez-le bien ;
Voir est que Deus et hom fu il	Dieu et homme fut-il vraiment
Et de la Virge nasqui il	et de la Vierge il naquit,
Et par le Saint Espir conçut...	qui par le saint Esprit conçut...
Et qui issi ne le crerra	Et celui qui ne le croira
Ja an la face nel verra. —	jamais en face ne le verra. —

Là ne s'arrête pas cette homélie familière aux Chansons de geste, mais dont les romans précédents de Chrétien ne présentent pas d'exemples. Il y a ici certes un témoignage d'une recrudescence chez lui de l'esprit religieux. Perceval demande aux pèlerins d'où ils viennent et ils lui répondent qu'ils ont été se confesser à un saint ermite (2) :

« Por Deu, seignor, la que queïstes,	« Pour Dieu, seigneurs, là que fîtes-vous?
Que demandastes, que feïstes ? »	Que demandâtes ? que cherchâtes ? »
— Quoi, sire ? — fet une des dames,	— Quoi, sire ? — fait une des dames,

(1) Vv. 6216-6244.
(2) Vv. 6269-6279.

— De noz pechiez i demandames   — sur nos péchés lui demandâmes
Consoil et confesse i preïsmes.   conseil et nous en prîmes confession.
La greignor besoigne i feïsmes   La plus grande besogne y fîmes
Que nus crestiens puisse feire   que nul chrétien puisse accomplir,
Qui bien voelle a Damedeu pleire. —   qui veuille plaire au Seigneur Dieu. —
Ce que Percevaus oï ot   Ce que Perceval avait entendu
Le fist plorer et si li plot   le fit pleurer et il lui plut
Que au bonhome alast parler.   d'aller parler au saint homme.

Il s'informe du chemin de l'ermitage, que les pénitents ont pris soin de marquer par des nœuds de branchage, et Perceval, soupirant du fond du cœur, repenti et pleurant, parvient à une petite chapelle, où l'ermite, un prêtre, et un *clergeon* (1)

... comançoient le servise   commençaient le service
Le plus bel qui an sainte eglise   le plus bel qui en sainte église
Puisse estre diz et li plus dolz,   puisse être dit et le plus doux,

l'office du Vendredi saint. Perceval, aussitôt entré, se jette à genoux (2) :

E li bons hom a lui l'apele,   et le preud'homme à lui l'appelle,
Qui molt le vit sinple et plorant   le trouvant si simple et pleurant,
Et vit jusqu'au manton colant   et voyant jusqu'au menton couler
L'eve qui des ialz li degote.   l'eau qui des yeux lui dégoutte.

Invité à se confesser, il avoue n'avoir pas depuis cinq ans révéré Dieu, et comme on lui demande pourquoi (3) :

« Sire, chies le Roi Pescheor   « Seigneur, chez le Roi Pêcheur
Fui une foiz et vi la lance   je fus une fois et vis la lance
Don li fers sainne sanz dotance   dont le fer saigne sans doutance
Et de cele gote de sanc   et de cette goutte de sang
Qui de la pointe del fer blanc   qu'à la pointe de fer brillant
Vi pandre, rien n'an demandai...   je vis pendre, je ne m'enquis point...
Et del *graal* que ge i vi,   et du *graal* que j'y vis,
Ge ne sai cui l'an an servi,   je ne sais à qui on le servait,
S'an ai puis eü si grant duel   et j'en ai eu depuis si grand'douleur
Que morz eusse esté, mon vuel,   que j'eusse voulu être mort
Et Damedeu an obliai   et j'oubliai le seigneur Dieu au point
Qu'ainz puis merci ne li criai... »   que depuis merci ne lui criai point... »
— Ha biaus amis, — fet li prodon,   —Ah ! cher ami, —fait le preud'homme,
— Or me di comant tu as non ? —   dis-moi comment t'appelles-tu ? —

(1) Vv. 6307-6309.
(2) Vv. 6312-6315.
(3) Vv. 6334-6360.

Et il li dist : « Percevaus, sire. »　　　et il lui dit : « Perceval, seigneur. »
A cest mot, li prodon sopire,　　　　　　A ces mots le preud'homme soupire,
Qui son non a reconeü,　　　　　　　　qui a reconnu ce nom
Et dit : — Frere, molt t'a neü　　　　　et dit : — Frère, beaucoup t'a nui
Uns pechiez don tu ne sez mot,　　　　un péché dont tu ne sais mot,
Ce est li diaus que ta mere ot　　　　c'est la douleur que ta mère eut
De toi, quant tu partis de li　　　　　de toi, quand tu la quittas,
Que pasmee a terre cheï　　　　　　　qui à terre pâmée tomba
Au chief del pont delez la porte　　　à la tête du pont, près de la porte
Et de ce duel fu ele morte. —　　　　et de cette douleur elle mourut. —

Ce péché de Perceval d'avoir provoqué la mort de sa mère est donc la cause de cet obstiné silence (1) :

— Pechiez la lengue te trancha　　　　— Péché t'a tranché la langue
Quant le fer qui ainz n'estancha　　　quand le fer qui jamais ne sécha
Devant toi trespasser veïs　　　　　　devant toi passer tu vis
Et la reison n'an anqueïs,　　　　　　et de la raison ne t'enquis.
　uant tu del *graal* ne seüs　　　　　Quand du *graal* tu n'as su
Cui l'an an sert, fol san eüs. —　　　à qui l'on en sert, insensé tu fus. —

Mais l'ermite, qui sait, va découvrir à lui et à nous ce qu'une question opportune lui eût plus tôt appris. Écoutons bien, comme lui, car nous avons ici la plus ancienne révélation authentique sur le mystère du *Graal* (2) :

Cil cui l'an an sert fu mes frere.　　—Celui à qui l'on en sert est mon frère.
Ma suer et soe fu ta mere,　　　　　Ta mère était ma sœur et la sienne
Et del riche Pescheor croi (3)　　　　et du riche Roi Pêcheur crois-le
Que il est filz a celui roi　　　　　qu'il est le fils de ce Roi
Qui del *graal* servir se fet.　　　　qui se fait servir du *graal*.
Et ne cuidiez pas que il ait　　　　　Et ne croyez pas qu'il ait
Luz ne lamproies ne saumons.　　　　brochets, lamproies, ni saumons.
D'une seule oiste ce savons　　　　　D'une seule hostie, nous le savons,
Que l'an an ce *graal* aporte　　　　qu'on lui apporte en ce *graal*
Sa vie sostient et conforte.　　　　　il entretient et ranime sa vie. —

Et voici qui va préciser encore la vertu de l'hostie que contient le vase sacré (4) :

(1) Vv. 6371-6376.
(2) Vv. 6377-6386.
(3) Pour ce vers et les suivants, j'adopte le texte de Mons, éd. Potvin, t. I, vv. 7791-7792.
(4) Vv. 6387-6393.

— Tant sainte chose est li *graaus*
Et tant par est esperitaus
Que sa vie plus ne soutient
Que l'oiste qui el *graal* vient.
Quinze anz a ja esté ensi
Que hors de la chanbre n'issi
Ou le *graal* veïs antrer. —

— Tant sainte chose est le *graal*,
et si surnaturelle,
que seule entretient sa vie
l'hostie qui dans le *graal* vient.
Quinze ans déjà il a été ainsi,
sans sortir de la chambre
où tu vis entrer le *graal*. —

Ceci dit, l'ermite donne à son neveu l'absolution, lui imposant, comme pénitence, de ne jamais passer devant église, chapelle ou *mouslier*, sans y aller prier et formule à son intention les commandements de l'Église à la chevalerie, qu'elle entend de plus en plus régenter et diriger et qu'elle oriente aussi vers la charité (1) :

— Deu croi, Deu aime, Deu aore,
Prodome et boene fame enore,
Contre le provoire te lieve,
C'est uns servises qui po grieve
Et Deus l'ainme por verité
Por ce qu'il vient d'umilité.
Se pucele aïe te quiert,
Aïe li que mielz t'an iert.
Ou veve dame ou orfenine
Aïe lor, si feras bien. —

— Crois en Dieu, aime Dieu, adore Dieu,
honore les sages hommes et les femmes.
Devant le prêtre lève-toi,
c'est un service qui coûte peu
et Dieu l'aime en vérité,
parce qu'il vient d'humilité.
Si une pucelle t'appelle à l'aide
secours-la, car mieux t'en adviendra,
ou la veuve ou l'orpheline
aide-les, tu feras bien. —

Il promet et, en récompense, l'ermite lui apprend à l'oreille une oraison secrète qui semble donner à cet enseignement religieux, qui tourne autour du *graal*, un certain caractère d'initiation, rappelant un peu les mystères antiques (2) :

Et an cele orison si ot
Asez des nons Nostre Seignor,
Tuit li meillor et li greignor
Que nomer ost ja boche d'ome
Se por peor de mort nes nome.
Quant l'orison li ot aprise
Desfandi li qu'an nule guise
Ne la deïst sanz grant peril.

Et en cette oraison il y avait
beaucoup de noms de Notre Seigneur,
les meilleurs et les plus puissants
que bouche d'homme ose nommer,
si ce n'est par peur de la mort.
Quand il lui eut appris cette oraison
il lui défendit qu'à nul prix
il ne la dît, sinon en grand péril.

Il entendit alors la messe, pleura ses péchés, longuement s'en repentit, reçut la communion et, pendant deux jours, partagea la pauvre nourriture de son oncle : cerfeuil, laitue et cresson,

(1) Vv. 6421-6431.
(2) Vv. 6446-6453.

millet, pain d'orge et d'avoine, arrosés d'eau claire de la fontaine,
tandis que le cheval avait d'orge tout un bassin, puis (1)

De Perceval plus longuemant	de Perceval plus longuement
Ne parole li contes ci	ne parle le roman ici

et revient à Monseigneur Gauvain, dont on rappelle seulement en
peu de mots comment il échappa au soulèvement de la commune et à la prison de son plus mortel ennemi.

Auprès d'un chêne, il rencontre une pucelle faisant grand deuil
pour un chevalier grièvement blessé qu'elle tenait entre ses bras.
Malgré les instances de celle-ci, il le tire de sa torpeur, ce dont, au
sortir de son évanouissement, le blessé lui exprime sa gratitude
et, pour la lui prouver, lui conseille de s'arrêter à la borne de
Galvoie (Galloway, sud de l'Écosse) au delà de laquelle il n'est
que péril mortel, car l'on y rencontre le plus terrible des adversaires. Il n'en faut pas plus pour exciter le brave d'entre les
braves (2) :

« Par foi », fet mes sire Gauvains,	« Ma foi, » fait Monseigneur Gauvain,
« Cist retorners seroit vilains,	« ce recul serait vilain,
Ge ne ving pas por sejorner,	je ne vins pas pour m'arrêter,
L'an le me devroit atorner	sans quoi l'on me devrait accuser
A trop leide recreantise,	de trop laide lâcheté,
Des que ge ai la voie anprise,	une fois que j'ai pris le chemin,
Se ge de ci m'an retornoie.	si d'ici je m'en retournais.
Tant irai que ge sache et voie	J'irai jusqu'à ce que je sache et voie
Por coi nus retorner n'an puet. » (3)	pourquoi on n'en peut revenir. »

Ne pouvant donc écarter le héros de la recherche du péril,
le blessé lui demande simplement de repasser par le grand chêne
où il repose, s'il sort vivant de l'épreuve, et de prendre soin de
la pucelle au cas où lui-même aurait rendu l'esprit. Messire Gauvain le promet et arrive à un château fort qui, comme les précédents, est au bord d'un bras de mer et domine par ailleurs des
vignobles (ceci est plus champenois que gallois) et des bois. Il y
pénètre et, sous un orme, en un pré, fait l'inévitable rencontre
d'une pucelle (4)

Qui miroit son vis et sa gole	qui mirait son visage et sa gorge
Qui plus estoit blanche que nois.	plus blanche que neige.
D'un cercelet estroit d'orfrois	D'un diadème étroit d'orfroi
Avoit antor son chief corone.	avait sa tête couronnée.

(1) Vv. 6476-6477.
(2) Vv. 6579-6587.
(3) Version de Mons pour ces deux derniers vers, éd. Potvin, vv. 7988-7989.
(4) Vv. 6642-6645.

Un dialogue assez vif et assez spirituel s'engage entre eux (1) :

Et ele li crie : « Mesure,
Mesure, sire, belement !
Que vos alez trop folemant...
Fos est qui por neant esploite. »
— De Deu soiez vos beneoite ! —
Fet messire Gauvains, — pucele ;
Or me dites, amie bele,
De coi fustes vos apansee,
Qui si tost m'avez amanbree
« Mesure » et ne savez por coi ? —
« Si faz, chevaliers, par ma foi,
Que ge sai bien que vos pansez. »
— Et coi ? — fet il. « Vos me volez
Prandre et porter ci contreval
Sor le col de vostre cheval. »
— Vos dites bien voir, dameisele. —
« Ge le savoie bien ! » fet ele.
« Mal dahé ait qui le pansa !
Garde ne le panser tu ja
Que tu sor ton cheval me metes.
Je ne sui pas de ces foletes
Don cil chevalier se deportent,
Qui desor lor chevaus les portent
Quant il vont an chevalerie. »

Elle lui crie : « Doucement,
doucement, seigneur, bellement,
vous allez trop follement.
Fou, celui qui pour rien travaille. »
— Par Dieu, soyez-vous bénie, —
fait Messire Gauvain, — pucelle.
Or, dites-moi, amie belle,
quelle a été votre intention
en me criant et me rappelant
« doucement », et vous ne savez pour-
« Si fait, chevalier, par ma foi. [quoi. —
Car je sais bien ce que vous pensez. »
— Et quoi ? — fait-il. « Vous me voulez
prendre et porter d'ici en bas
sur le cou de votre cheval. »
— Vous dites très vrai, demoiselle. —
« Je le savais bien », fait-elle.
« Malheur ait qui y pensa.
Garde-toi de t'imaginer
que sur ton cheval tu me mettes.
Je ne suis pas de ces follettes
dont s'amusent les chevaliers,
qui sur leurs chevaux les portent,
quand ils vont quérir aventure. »

Elle, il ne l'emmènera point, à moins cependant qu'il n'aille lui chercher un palefroi dans le jardin qu'elle lui désigne. Alors elle le suivra pour être témoin des malheurs qui lui arriveront. Une simple planche donne accès en ce jardin, où une foule anxieuse cherche à le détourner de suivre les avis de la mauvaise et d'entraîner le palefroi. Il le fait, nonobstant un autre avertissement menaçant qui lui vient d'un grand chevalier armé et il conduit le destrier à la pucelle, qui y monte toute seule sans lui permettre même de la toucher. En cette nouvelle compagnie, il retourne au chêne, y ranime avec une herbe le chevalier toujours évanoui et lui panse ses blessures. Il en est bien mal récompensé, car sous prétexte d'aller se confesser et communier, il lui demande le roncin que monte un vilain écuyer survenu à point nommé et auquel Gauvain arrache la bête de force. Ce dernier la lui amène mais, retrouvant soudain des forces, le blessé saute sur le destrier de Gauvain, lui laissant le roncin, et lui rappelant de loin

(1) Vv. 6648-6673.

les avanies et humiliations que le preux lui a fait subir jusqu'à le faire manger pendant un mois avec les chiens (1) :

— Es tu ce donc Greorreas	— Es-tu donc ce Greorreas
Qui la dameisele preïs	qui pris la demoiselle
Par force et ton boen an feïs,	par force et en fis ton plaisir.
Ne por quant bien savoies tu	Pourtant tu savais bien
Qu'an la terre le roi Artu	qu'en la terre du roi Arthur
Sont puceles asseûrees	les pucelles sont assurées.
Li rois lor a trives donees	Le roi leur a sûretés données,
Qui les garde et qui les conduit. —	lequel les garde et les protège. —

Ce noble discours de justicier correspondant à celui de *Lancelot*
n'émeut point le malfaiteur, qui s'éloigne sur le Gringalet, laissant Gauvain à la tête de son roncin et de la demoiselle mauvaise
qui s'en rit (2) :

Tantost mes sire Gauvains monte	Aussitôt messire Gauvain monte
Sor le roncin trotant et sot...	sur le roncin trottant et fou...
El roncin ot molt leide beste,	Ce roncin était bien laide bête,
Gresle ot le col, grosse la teste,	le cou grêle, grosse la tête,
Larges oreilles et pandanz	longues oreilles et pendantes ;
Et de vellesce ot teus les danz	la vieillesse découvrait ses dents,
Que l'une levre de la boche	car une lèvre de la bouche
De deus doie a l'autre ne toche...	de deux doigts l'autre ne touchait.
S'ot maigre crope et longue eschine,	Maigre croupe et longue échine ;
Les regnes et la chevecine	les rênes et le caveçon
Del frain furent d'une cordele,	du mors étaient de cordes,
Sanz coverture fu la sele,...	la selle était sans couverture,
Les estriés lons et foible trueve.	les étriers longs et faibles...

On ne saurait imaginer pour un chevalier plus ridicule appareil,
d'autant plus que ni éperon ni cravache ne font prendre le galop
à cette sinistre monture. Cela n'empêche pas notre couple d'arriver à un autre château sur une falaise, ou plutôt à un palais de
marbre aux cinq cents fenêtres, où dames et damoiselles, vêtues
de bliauts de soie, brochée d'or, regardaient les prés et les vergers
fleuris. La mauvaise pucelle est montée sur un bateau qui doit la
mener au palais et invite Gauvain à l'y suivre, s'il veut éviter le
danger qui le menace sous la forme d'un chevalier, le propre neveu
de Greorreas, monté sur Gringalet. Gauvain l'attend de pied
ferme, c'est le cas de le dire car, malgré l'éperon, le roncin ne
bouge pas, mais un tel coup de lance accueille l'adversaire que

(1) Vv. 7082-7089.
(2) Vv. 7122-7139.

celui-ci mord la poussière et que son vainqueur reprend le cheval.
Il retourne vers le rivage d'où la pucelle a disparu. Y survient
par contre un nautonier venu du château, mandé par les demoiselles, lequel réclame le destrier, mais se contente, en échange,
du blessé prisonnier et héberge vainqueur et vaincu. Le lendemain Gauvain lui exprime le désir de visiter le château sur la
falaise, ce dont il essaie de le détourner, car bien des dangers
l'y attendent. Une reine de haut parage l'y habite, qui y vint
jadis avec une autre reine, qu'elle appelle sa fille, et une nièce.
Un sage clerc d'astronomie, entendez un sorcier, a machiné dans
ce palais de tels enchantements qu'un chevalier couard n'y dure
pas une heure. Cinq cents chevaliers y servent les reines, cent
àbarbes et moustaches, cent qui se les rasent, cent chenus, cent
grisonnants, cent imberbes de nature. Avec elles aussi sont des
dames, qui ont perdu maris et biens, et demoiselles orphelines,
attendant (1)

« que leanz veigne	« que là survienne
Uns chevaliers qui les mainteigne,	un chevalier qui les soutienne
Qui rande as dames lor enors,	et rende aux dames leurs biens,
Et as puceles doinst seignors (2),	qui donne aux pucelles maris
Et des vaslez chevaliers face ;	et, des jeunes gens, chevaliers fasse.
Mes ainz sera la mers de glace	Mais plutôt la mer sera gelée
Que l'an un tel chevalier truisse	que l'on trouve un tel chevalier,
Qui el palès demorer puisse,	qui puisse rester dans ce palais,
Qu'il le convandroit a devise	car il le faudrait parfaitement
Saige et large sanz coveitise	sage et généreux sans convoitise,
Bel et franc, hardi et leal	beau et noble, brave et loyal,
Sanz vilenie et sanz nul mal.	sans vilenie et sans nul vice.
S'uns teus en i pooit venir	Si pareil y pouvait venir,
Cil porroit le palès tenir	il pourrait tenir le palais
Et randroit as dames lor terres	et rendrait aux dames leurs terres
Et feroit pes de maintes guerres,	et ferait paix après tant de guerres.
Les puceles marieroit	Il marierait les pucelles,
Et les vaslez adoberoit	et adouberait les jeunes gens
Et osteroit sanz nul delais	et mettrait fin sans nul délai
Les anchantemanz del palais. »	aux enchantements du palais. »

En somme, c'est un nouveau Château des Pucelles dont il
faut, comme dans *Yvain*, faire cesser les enchantements.
Sous peine d'être tenu *pour récréant et pour couard*, Gauvain
les affrontera. Au pied du palais, le nautonier et son hôte

(1) Vv. 7549-7568.
(2) Version du Ms. de Mons pour ce vers et le précédent, vv. 7577-7578.

trouvent un homme monté sur des échasses d'argent dorées, serties de pierres précieuses, qui taille un bâtonnet de frêne et ne leur dit rien. Des portes d'ivoire et d'ébène leur ouvrent passage, des pavements verts et vermeils, indigo et pers, s'allongent sous leurs pas, jusqu'à ce qu'ils arrivent à un lit d'or aux sangles d'argent, où, à chaque nœud, pend une clochette et que recouvre une large courtepointe de soie (1) :

A chascun des quepouz del lit,	A chacun des poteaux du lit
Ot une escharbocle fermé,	était fixée une escarboucle
Qui gitoient molt grant clarté.	qui jetait clarté plus grande
Molt plus que quatre cierge espris.	que quatre cierges allumés,
Li liz fu sor gocez asis,	Le lit était assis sur des nains
Qui molt rechignoient lor joes	qui plissaient fort les joues
Et li gocet sor quatre roes	et les nains sur quatre roues
Erent si isnel et movant	étaient si légers et mouvants
Qu'a un seul doi par tot leanz	que d'un seul doigt par la chambre
De l'un chief jusqu'a l'autre alast	d'un bout à l'autre fût allé
Li liz, qui un po le botast.	le lit pour peu qu'on le poussât.

En si riche couche, Gauvain rêve de s'asseoir. Il voudrait voir aussi les belles pucelles qui, la veille, le regardaient des cinq cents fenêtres du palais, mais le nautonier cherche à le détourner de ce lit périlleux où il courrait danger de mort. Comme le héros insiste, son conducteur prend si peur qu'il le quitte. L'autre s'y installe tout armé, le bouclier pendu au cou (2) :

E les cordes gietent un bret	Et les cordes jettent un cri
E totes les quanpanes sonent,	et toutes les clochettes sonnent
Si que tot le palès estonent	au point d'ébranler le palais,
Et totes les fenestres oevrent	et toutes les fenêtres s'ouvrent
Et les mervoilles se descoevrent	et les merveilles se découvrent
Et li anchantemant aperent ;	et les enchantements paraissent,
Que par les fenestres volerent	car par les fenêtres volèrent
Quarriaus et saietes leanz	carreaux et fléchettes dedans
Si an ferirent ne sai quanz	et en frappèrent, ne sais combien,
Mon seignor Gauvain an l'escu	Monseigneur Gauvain en l'écu,
Mes il ne sot qui l'ot feru...	mais qui l'a frappé, il ne sut.

Des fenêtres se referment sans que nul ne les pousse, mais voici qu'une porte s'ouvre non moins mystérieusement, livrant passage à un lion, qui se jette sur Gauvain et le met à genoux, mais celui-ci tire sa bonne épée et lui coupe la tête et les deux

(1) Vv. 7666-7676.
(2) Vv. 7786-7796.

pattes de devant, qui restent accrochées par les ongles à l'écu
où elles se sont plantées. Quand le nautonier revient, croyant sans
doute ne retrouver que des restes, il voit Gauvain tranquillement assis sur le lit (1) :

Et dit : « Sire, je vos creant	et dit : « Seigneur je vous assure
Que vos n'avez mes nule dote.	que vous ne devez avoir nulle crainte.
Ostez vostre armeüre tote,	Otez toute votre armure,
Que les mervoilles del palès	car les enchantements du palais
Sont remeses a toz jors mes	sont abolis à jamais
Par vos qui estez ci venuz ;	par vous qui êtes ici venu ;
Et des juenes et des chenuz	et des jeunes et des chenus
Seroiz serviz et enorez. »	serez servi et honoré. »

Et en effet voici que viennent par troupes les jeunes gens, qui
s'agenouillent devant celui qu'ils ont tant attendu et désiré, et
lui apportent robe, cote, manteau et surcot fourrés d'hermine,
puis les pucelles qui mandent l'hommage de leur reine au plus
brave des chevaliers et l'adorent comme leur seigneur. Invité à
monter sur la plate-forme du donjon, il contemple avec le nautonier (2)

Les rivieres et terres plainnes	les rivages, les terres, les plaines,
Et les forez de bestes plaines	et les forêts de bêtes pleines

et pense à y aller chasser, mais son hôte de la veille lui révèle
qu'une fois maître de ce château, on ne le quitte plus. Alors au
libre héros ne peut plus plaire ce séjour. La pucelle qui le sert
s'en aperçoit et mande auprès de lui sa tante, la reine aux tresses
blanches, qui vient avec l'autre reine et cent cinquante demoiselles. Elle l'interroge (3) :

« Mes estes vos de la mesnie	« Mais êtes-vous de la maison
Le roi Artus ? » — Dame, oïl voir. —	du roi Arthur ? » — Dame, certes. —
« Et estes vos, gel voel savoir...	« Et êtes-vous, je veux le savoir,
De ces de la Table Reonde	de ceux de la Table Ronde
Des meillors chevaliers del monde ?	des meilleurs chevaliers du monde ? »
— Dame, — fet il, — ge n'oseroie	— Dame, — fait-il, — je n'oserais
Dire que des plus prisez soie...	dire que je sois des plus prisés...
Ne ne cuit estre des peiors. —	mais je ne crois être des pires. —

La vieille reine le loue de cette modestie et continue (4) :

(1) Vv. 7840-7847.
(2) Vv. 7969-7970.
(3) Vv. 8082-8093.
(4) Vv. 8099-8135.

« Mes or me dites del roi Lot
De sa fame quant filz il ot ? »
—Dame, quatre. — «Or les me nomez.»
— Dame, Gauvains est li ainz nez
Et li seconz est Agravains,
Li orguilleus as dures mains,
Kaeriez et Gaerès
Ont non li altre dui après. —
Et la reïne li redist:
« Sire, si Damedeus m'aïst,
Ensi ont il non ce me sanble.
Car pleüst Deu que tuit ansanble
Fussent or ci avœeques nos.
Or me dites conuissiez vos
Le roi Urien ? » — Dame, oïl. —
« Et a il a la cort nul fil ? »
— Dame, oïl, deus de grant renon,
Li uns mes sire Yveins a non,
Li cortois, li bien afeitiez...
Et li autres a non Yvains,
Qui n'est pas ses freres germains,
Por ce l'apele l'an avoutre... —
« Biaus sire », fet ele, « li rois
Artus comant se contient ore ? »
— Mialz qu'il ne fist onques ancore,
Plus sains, plus haitiez et plus forz. —
« Par foi » fet ele, « ce n'est pas torz.
Il est anfes, li roi Artus.
S'il a cent anz, il n'a pas plus
Ne plus ne puet il pas avoir. »

« Mais, dites-moi, du roi Lot,
combien de fils eut-il de sa femme ?
— Dame, quatre. — «Nommez-les-moi. »
— Madame, Gauvain est l'aîné,
et le second est Agravain,
l'orgueilleux aux dures mains ;
Kaeriet et Gaeret
ont nom les deux autres après. —
Et la reine lui dit encore :
« Sire, que le Seigneur Dieu m'aide,
Ainsi se nomment-ils, ce me semble.
Or, plût à Dieu que tous ensemble
fussent ici avec nous.
Mais dites-moi, connaissez-vous
Le roi Urien ? » — Madame, oui. —
« Et a-t-il à la cour un fils ? »
— Dame, oui, deux de grand renom,
l'un s'appelle Messire Yvain,
le courtois, le très gracieux,
et l'autre a nom Yvain,
mais n'étant pas son frère germain
est appelé le bâtard... —
« Cher sire », fait-elle, « le roi
Arthur, comment va-t-il à présent ? »
— Mieux qu'il ne fit jamais encore,
plus sain, plus gai et plus fort. —
« Ma foi », fait-elle, « c'est bien juste,
il est jeune, le roi Arthur.
S'il a cent ans, il n'a pas plus
et ne peut pas plus avoir. »

Elle l'interroge encore avec un intérêt croissant sur la reine, que Gauvain ne nomme point, mais dont il fait le plus vif éloge (1) :

— Certes, Dame, tant est cortoise,
Et tant est bele et tant est sage...
Qu'ausins come li sages mestre
Les petiz anfanz andoctrine,
Ausi ma dame la reïne
Tot le monde anseigne et aprant,
Que de li toz li biens descent. —

— Certes, Madame, elle est si courtoise‘
et tant est belle et tant est sage...
ainsi que le maître savant
endoctrine les petits enfants,
ainsi madame la reine
enseigne tout le monde,
car d'elle descend tout le bien. —

Dans la bouche du narrateur des amours coupables de Lancelot et de Guenièvre, cet éloge ne laisse pas d'être un peu déconcertant.

_____

(1) Vv. 8140-8152.

Après avoir copieusement dîné, servi par cent cinquante pucelles et reposé sans danger dans le lit merveilleux, le lendemain, Gauvain aperçoit de la fenêtre, au delà de la rivière, la pucelle *male envieuse,* accompagnée d'un chevalier, que les reines lui dépeignent comme des plus dangereux. Cela suffit pour qu'il veuille se mesurer à lui et il leur en demande congé, qu'on lui accorde à condition qu'il promette de revenir. Parvenu sur l'autre rive, Gauvain le désarçonne, le blesse et le remet au nautonier. Pour sa récompense, la médisante continue à le honnir et l'entraîne vers de nouvelles aventures, au grand deuil des dames et pucelles du palais, qui, voyant s'éloigner leur libérateur, le pleurent à grand bruit (1) :

... « Ha ! lasses cheitives,	... « Hélas ! malheureuses,
Por coi somes nos or tant vives	pourquoi restons-nous en vie
Quant nos veons aler celui	quand nous voyons partir celui
Qui nostre sires devoit estre ? »	qui devait être notre roi ? »

La *male pucelle* mène Gauvain près d'un gué profond entre deux hautes rives (2) :

« Veez vos or ce gué parfont	« Voyez-vous ce gué profond
Don les rives si hautes sont ?	dont les rives si hautes sont.
Mes amis passer i soloit	Mon ami y passait toujours,
Quant ge voloie et si m'aloit	quand je voulais, et il m'allait
Coillir des flors que vos veez	cueillir de ces fleurs que voyez
An ces arbres et an ces prez. »	sous ces arbres et dans ces prés. »
— Pucelle, comant i passoit ?	— Pucelle, comment y passait-il ?
Mes je ne sai ou li guez soit ;	car je ne sais où serait le gué ;
La rive est trop haute, ce dot,	La rive est trop haute, je crains,
Et li guez trop parfonz par tot	et le gué partout trop profond
Si qu'an n'i porroit avaler. —	si bien qu'on n'y pourrait descendre. —
« Vos n'i oseriez antrer, »	« Vous n'y oseriez entrer,
Fét la pucele, « bien le sai...	fait la pucelle, je le sais bien...
Que ce est li Guez Perilleus	car c'est le Gué Périlleux,
Que nus, se trop n'est mervelleus,	où nul, s'il n'est un enchanteur,
N'ose passer..... »	n'ose passer..... »

Gauvain voit sous lui l'eau profonde, et l'autre rive escarpée, mais la rivière est étroite, il se dit que Gringalet a sauté plus grands fossés. Il sait que (3)

(1) Vv. 8417-8421.
(2) Vv. 8443-8461.
(3) Vv. 8472-8474.

... cil qui del Gué Perilleus	celui qui du Gué Périlleux
Porroit passer l'eve parfonde	pourrait passer l'eau profonde
Qu'il avroit tot le pris del monde,	aurait le prix sur tout le monde,

il s'éloigne, prend son élan, fait sauter son cheval, mais cavalier et monture tombent au milieu du gué. Cependant Gringalet nage et réussit à prendre pied sur la haute rive où se rencontre un beau chevalier chassant à l'épervier, qui interroge Gauvain sur *la male pucele* et sur son compagnon qu'il avait blessé. Le chasseur la connaît bien, car elle fut son amie, une amie cruelle, qui le détestait, car il lui avait ravi celui qu'elle aimait, en le tuant. Il loue Gauvain d'avoir franchi, lui premier, car la demoiselle en avait menti, le terrible passage. Interrogé sur son nom il répond qu'il est Grinomalant, seigneur d'Orquelene, et que la pucelle se nomme l'Orgueilleuse de Logres, son ami blessé, l'Orgueilleux de la Roche à la Voie étroite, gardant les ports [cols] de Galvoie. Gauvain, profitant de ce qu'ils se sont juré l'un à l'autre de se dire la vérité, lui demande ensuite ce qu'est le palais où il dormit dans le lit merveilleux. L'autre n'en veut rien croire, mais comme on lui montre les griffes du lion encore entées dans l'écu, il est forcé de s'incliner et de lui donner les détails qu'il sollicite sur la reine chenue (1):

« Ele est mere le roi Artu...	« Elle est mère du roi Arthur...
Quant Uterpandragon ses peres	Quand Uterpendragon, son père,
Fu mis an terre, si avint	fut mis en terre, il advint
Que la reïne Ygerne vint	que la reine Ygerne vint
An cest païs, si aporta	en ce pays et apporta
Tot son tresor et si ferma	tout son trésor et dressa
Sor cele roche le chastel	sur cette roche le château
Et le palès si riche et bel ;	et le palais si riche et beau,
Con deviser oï vos ai ;	que je vous ai ouï décrire.
Et si veïstes, bien le sai,	Vous y avez vu, je le sais,
L'autre reïne, l'autre dame,	l'autre reine, l'autre dame,
La grant, la bele, qui fu fame	la grande, la belle, qui fut femme
Le roi Loth et mere celui	du roi Loth et mère de celui
Qui teigne males voies hui,	qui suivit mauvais chemin,
Mere est Gauvain ».— Gauvain, biau sire	mère de Gauvain. » — «Gauvain, cher [sire,
Quenuis ge bien, et si os dire,	je le connais bien et j'ose dire
Que il n'ot mere, icil Gauvains,	qu'il n'a de mère, ce Gauvain,
Bien a passez vint anz au mains. —	depuis passé vingt ans au moins. —
« Si est, sire, n'an dotez ja,	« Mais si, seigneur, n'en doutez pas
Après, sa mere s'an vint ça	car après, sa mère s'en vint ici,
Anchargiee de vif anfant,	enceinte d'un enfant vivant,

(1) Vv. 8697-8727.

De la tres bele, de la grant   de la très belle, de la grande
Dameisele, qui est m'amie   demoiselle qui est mon amie,
Et suer, n'an mantiroie mie,   sœur, je ne mentirai pas,
Celui cui Deus grant honte doint »,   de celui à qui Dieu donne honte »,

et contre lequel il se répand en mortelles menaces (1).

— Vos n'amez pas si con je faz, —   — Vous n'aimez pas comme je fais, —
Fet messire Gauvains. — Par m'ame,   dit messire Gauvain. — Sur mon âme,
Se j'amoie pucele ou dame   si j'aimais pucelle ou dame,
Por la soe amor ameroie   pour l'amour d'elle j'aimerais
Tot son linage et serviroie. —   tout son lignage et le servirais. —
« Vos avez droit, bien m'i acort,   « Vous avez raison, je m'y accorde,
Mes quant de Gauvain me recort,   mais quand il me souvient de Gauvain
Comant ses pere ocist le mien,   comment son père tua le mien
Je ne li puis voloir nul bien. »   je ne lui puis vouloir nul bien. »

Ne sachant toujours à qui il a affaire, il le charge de porter un anneau à cette belle amie et de lui dire qu'il se fie tant à son amour qu'il croit qu'elle préférerait voir mourir son frère de mort amère que de le savoir blessé, lui, au petit doigt de pied. Tranquillement Gauvain accepte la mission, qui ne manque pas de piquant, et met l'anneau à son doigt, mais où la scène devient dramatique c'est quand on lui demande son nom (2) :

« Sire, vostre non   « Sire, votre nom
Me diroiz, se il ne vos poise,   me direz, s'il ne vous peine,
Einz que de moi partir vos loise. »   avant que je vous laisse me quitter. »
Et messire Gauvains li dist :   Et messire Gauvain lui dit :
— Sire, se Damedeus m'aïst,   — Sire, que le Seigneur Dieu m'aide,
Onques mes nons ne fu celez.   mon nom ne vous fut jamais caché
Ge sui cil que vos tant haez   je suis celui que tant haïssez,
Ge sui Gauvains. —   je suis Gauvain. —

Que n'a-t-il heaume lacé, et l'écu attaché au col, il se jetterait sur Gauvain et lui trancherait la tête... Mais plutôt, ils se rencontreront à huitaine, à la Pentecôte, chez le roi Arthur en Orcanie. Ils se quittent sur cette assignation et Gauvain, d'un prodigieux bond de son cheval, rejoint la demoiselle félonesse qui, cette fois, vaincue en son orgueil par tant de bravoure, lui demande, après avoir fait sa confession, de prendre d'elle justice (3) :

(1) Vv. 8736-8744.
(2) Vv. 8790-8797.
(3) Vv. 8925-8927.

« Tel que jamès nule pucele,
Qui de moi oie la novele,
Ne die a nul chevalier honte. »

« telle que jamais nulle pucelle,
qui de moi entende parler,
ne fasse insulte à chevalier. »

Le héros victorieux se garde bien de tirer vengeance d'une femme et se borne à la prier de retraverser la rivière sur la nef du bon nautonier pour regagner le palais de marbre des reines. Les pucelles accueillent le libérateur par leurs chants, leurs rondes et leurs danses. Il assied sa sœur près de lui, sur le lit de la merveille, lui remet l'anneau dont l'émeraude verdoie, de la part de l'ami qu'elle n'a jamais vu, mais à qui elle s'est accordée par message. Cependant elle proteste contre l'affirmation qu'elle préférerait la mort de son frère au moindre mal de son ami. La vieille reine parle bas à sa compagne comme eût fait, en pareil cas, une douairière du XIIe siècle (1) :

« Bele fille, que vos est vis
De ce seignor qui s'est assis
Delez vostre fille ma niece ?
Consellié a a li grant piece,
Ne sai de coi, mes molt me siet...
Et pleüst Deu que il l'eüst
Esposee et tant li pleüst
Con fist a Eneas Lavine. »

« Chère fille, que vous semble
de ce seigneur qui s'est assis
près de votre fille ma nièce ?
Il lui a parlé longuement,
ne sais de quoi, mais cela m'agrée...
Plaise à Dieu qu'il l'eût
épousée et qu'elle lui plût tant
que fit à Énéas Lavine. »

Chrétien, dans l'œuvre de son âge mûr, n'a pas oublié cet *Eneas* où il puisa ses premières inspirations et où il apprit l'art de disserter de l'amour (2) :

— Ha! Dame, — fet l'autre reïne,
— Deus li doint si metre son cuer
Que il soient con frere et suer
Et qu'il l'aint tant et ele lui
C'une chose soient andui. —

— Ah ! Madame, — fait l'autre reine,
—Dieu lui donne de disposer son cœur
pour qu'ils soient comme frère et sœur
et qu'il l'aime tant et elle lui
que tous deux ne fassent qu'un. —

Elle veut dire qu'il la prenne pour femme, car elle n'a pas reconnu son fils. Cependant Gauvain n'a point oublié l'assignation de Grinomalant et, avisant le plus sage des écuyers, le charge d'annoncer à Arthur en la cité d'Orcanie son prochain retour et l'imminent combat, mais avant de s'y rendre il crée cinq cents chevaliers (3) :

(1) Vv. 9011-9023.
(2) Vv. 9024-9028.
(3) Vv. 9135-9152.

E la reïne fist estuves	Et la reine fit des étuves
Et bainz chaufer an cinq cenz cuves	et chauffer l'eau en cinq cents cuves
S'i fist toz les vaslez antrer...	et y fit les écuyers entrer...
Et an lor ot robes tailliees	On leur avait taillé des robes
Qui bien furent aparelliees,	qui étaient toutes préparées,
Quant ils furent del baing issu.	quand ils furent sortis du bain.
Li drap de soie sont tissu	Les draps étaient tissés de soie
Et les robes furent d'ermines.	et les robes fourrées d'hermine.
Au mostier jusqu'après matines	Au moutier jusqu'après matines,
Li vaslet an estant vellierent	es écuyers, debout, veillèrent
C'onques ne s'i agenoillerent.	sans même s'y agenouiller.
Au matin, mes sire Gauvains	Au matin, Messire Gauvain
Chauça a chescun, de ses mains,	chaussa à chacun, de ses mains,
L'esperon destre et ceinst l'espee	'éperon droit et ceignit l'épée
E si li dona l'acolee ;	et leur donna l'accolade.
Lors ot il conpaignie viaus	Ainsi eut-il compagnie au moins
De cinq cenz chevaliers noviaus	de cinq cents chevaliers nouveaux.

Pendant ce temps le messager parvient à Orcanie où le roi Arthur tient sa cour, et, contemplant autour de lui cent comtes, palatins, cent ducs et cent rois assis, mais ne voyant point parmi eux son seul neveu Gauvain, qui lui est plus cher que tous, il se pâme. Dame Lore, du haut des loges, l'aperçoit et va avertir la reine (1) :

Et quant la reïne la voit,	et quand la reïne la voit
Si li demande qu'ele avoit...	elle lui demande ce qu'elle avait...
Explycyt Percevaus le viel (2).	*Ci finit le premier Perceval.*

Il n'y a pas de vers plus insignifiant dans tout le *Perceval* que ce simple octosyllabe *Si li demande qu'ele avoit*, et il n'en est peut-être pas de plus émouvant, car la phrase n'est pas finie et le récit est ici coupé, coupé par les ciseaux sinistres de la mort. A ce point, la plume d'oie tomba et peut-être roula du pupitre incliné où, enveloppé dans sa robe de bure, le savant clerc traçait sur le parchemin grinçant ses riches imaginations· Fut-il foudroyé par l'hémorragie ou tomba-t-il simplement évanoui comme le bon roi Arthur, dont il venait de décrire la pâmoison, nous l'ignorons, mais qu'il soit mort à la tâche sans avoir pu mener son œuvre à parfait achèvement, cela nous

(1) Vv. 9197-9198. (Cf. *Histoire littéraire de la France*, t. XXX, p. 27, et Foerster, *Kristian von Troyes, Wörterbuch zu seinen sämtlichen Werken*, p. 185.)

(2) Rubrique du Ms. de Paris, éd. Baist, p. 103.

le savons par l'aveu explicite d'un de ses continuateurs, Gerbert de Montreuil, auteur aussi d'un *Roman de la Violette* (1) et d'un *Tristan* (2) :

Ce nous dist CRESTÏENS DE TROIE	Ainsi nous dit CHRÉTIEN DE TROYES
Qui *de Percheval* comencha,	qui commença *le Perceval,*
Mais la mort qui l'adevancha	mais la mort qui le devança
Ne li laissa pas traire affin.	ne le lui laissa pas terminer.

Que devait-il conter encore ? Assurément, de Perceval qu'il fallait ramener au château du Roi Pêcheur et qui devait y poser les questions salvatrices sur le *Graal* et s'initier à ses mystères. Sans doute, l'épée brisée, eût-il réussi à la ressouder. Quant à Gauvain, il devait, lui aussi, essayer, mais en vain sans doute, de conquérir la lance et de la rapporter à son ennemi. Perceval devait-il retrouver Blanchefleur et l'épouser ? C'est possible, mais nous n'en sommes pas assurés. Au jeu de la continuation, bien des écrivains de la fin du XIIe siècle et du début du XIIIe siècle se sont attelés. Le maître a donné la méthode, le procédé, le rythme, il n'y a plus qu'à broder, mais il leur manque le talent de conteur de l'illustre fondateur du genre, duquel ils n'ont ni la verve ni l'éclat. Nous les suivrions peut-être dans leurs interminables récits, si nous étions assurés qu'ils avaient eu entre les mains le fameux livre baillé par Philippe d'Alsace à Chrétien, mais nous n'avons à cet égard aucune certitude (3).

Rappelons cependant les noms de ces zélés continuateurs en citant les chiffres de l'édition Potvin, qui, seule, en contient la somme :

1º Un anonyme, le Pseudo-Wauchier, qui poursuit jusqu'au v. 21916 et en qui Wilmotte voit Chrétien lui-même.

2º Wauchier de Denain (sur les formes de ce nom v. Wilmotte, *op. cit.*, II, pp. 105-106), qui fut au service de la comtesse

---

(1) Il vient d'être réédité par Douglas Labarée Buffum, *Le Roman de la Violette ou de Gerart de Nevers*, Paris, Champion, 1928, un vol. in-8º (*Société des Anciens Textes français*).

(2) *La continuation de Perceval*, éd. p. Mary Williams (Classiques français du Moyen Age publiés sous la dir. de M. Roques), Paris, Champion, 1922, t. I, v. 6984-6987. Il faut concéder à M. Wilmotte, *op. cit.* (*v. supra*, p. 378, n. 2), I, p. 122, que plusieurs manuscrits ignorent l'*explicit* ci-dessus mentionné.

(3) En dépit des vers 7006-7007 de la *Continuation de Gerbert* :

Si con li livres li aprent
Ou la meterre en est escripte.

Jeanne de Flandre (1206-1244), ceci vaut d'être souligné, et qui alla jusqu'au v. 34934.

3º Manessier, qui écrit aussi au commandement de la comtesse. On dirait que la Maison de Flandre s'intéresse au Graal comme celle de Brabant au Chevalier du Cygne. Il alla jusqu'au v. 45379 ;

4º Gerbert de Montreuil qui insère plus de 17.000 vers entre Wauchier et Manessier.

Les uns et les autres, à l'imitation de Chrétien, mènent parallèlement les aventures de Perceval et celle de Gauvain, indigne cependant de ressouder les fragments de l'épée et de conquérir les suprêmes mystères du Graal. Wauchier ne semble pas prendre ceux-ci très au sérieux et préfère montrer son héros détourné de la Queste par les faveurs d'une maîtresse qui n'est même pas la pauvre Blanchefleur. Manessier le conduit deux fois chez le Roi Pêcheur et lui fait poser les questions, dont les réponses sont décevantes. Il termine ses jours près du Graal qui, après sa mort, remonte au ciel. Quant à Gerbert, qui continue Wauchier, il montre Perceval d'abord incapable à cause de son péché, de rejoindre les tronçons de l'épée, à quoi il n'arrive qu'après être retourné au château du Graal, et y avoir revu la procession.

Il est certain que Manessier a déjà connu les versions en prose du premier quart du xiiiᵉ siècle, en particulier cette admirable *Queste del saint Graal*, qu'a si bien éditée et commentée A. Pauphilet (1), et dont l'inspiration cistercienne et symbolique nous mène aux plus hauts sommets de la mystique chrétienne. Toutefois il faut, pour interpréter correctement Chrétien et son *Perceval*, faire abstraction de cette évolution ultérieure, signe d'une transformation de l'esprit français allant d'une Renaissance païenne et sensuelle à un renouveau catholique et mystique. Il

(1) *Etudes sur la Queste del Saint Graal attribuée à Gautier Map*, Paris, Champion, 1921, in-8º ; *La Queste del Saint Graal*, roman du xiiiᵉ siècle, Paris, Champion, 1923, in-12 (CLASSIQUES FRANÇAIS DU MOYEN AGE); *La Queste du Saint Graal translatée des Manuscrits du XIIIᵉ siècle*, Paris, les éditions de la Sirène, 1923, in-12. Cf. aussi J. Boulanger, *Le Saint Graal, La Mort d'Artus*, Paris, Plon, 1923, in-12. M. J. Frappier prépare une thèse sur *la Mort d'Arthur*. A côté du livre d'Ed. Wechssler, *Die Sage vom heiligen Gral*, il faut placer maintenant celui de W. Golther, *Parzival und der Gral in der Dichtung des Mittelalters und der Neuzeit*, Stuttgart, Metzler, 1925, in-8º, les communications de M. Wilmotte, *L'État actuel des Études sur la Légende du Graal*, extraits des *Bulletins de la Classe des Lettres*, de l'Académie Royale de Belgique, 5ᵉ série, t. XV, nº 5, 6 mai 1929, 100-122 ; t. XVI, 1930, 40-64, 97-119, 378-393, *Roman du Graal*, 1930.

faudra de même faire abstraction, quoique à regret, du *Parzival* de
Wolfram von Eschenbach qui prétend suivre un certain Kyot (1)
der Provenzâl, sans doute Guiot de Provins, s'inspirant d'après lui
de l'œuvre du demi-juif Flegetan et chez qui le *Graal* est une
pierre, et le *tailleor*, par un contresens qui décèle une traduction,
un couteau. Plus encore il faut faire abstraction de l'Enchantement
du Vendredi saint du *Parsifal* de Wagner, de la prodigieuse
élévation de sa mélodie, de sa conception du chaste fol, bien
que sur plusieurs points les besoins de son génie lui aient fait
retrouver quelques-unes des inventions les meilleures du conteur champenois.

Pourtant il est indispensable de tâcher de se rendre compte
dans une certaine mesure de la source de Chrétien, du contenu
possible du livre français ou latin à lui remis par Philippe d'Alsace et que Hélinand, moine de Froidmont, cherchait en vain
au début du XIIIᵉ siècle. Si l'on veut éviter de se livrer au jeu
toujours périlleux des restitutions par collation des éléments
communs aux versions ultérieures, étrangères surtout, il ne
reste qu'un recours, le *Joseph d'Arimathie* de Robert de Boron,
parce que celui-ci prétend avoir été le premier à raconter du
Graal, ce qui ne prouve pas nécessairement son antériorité sur
Chrétien, mais surtout parce qu'il a écrit entre 1183 et 1199,
sensiblement à la même époque que lui et qu'il peut nous donner
une idée assez fidèle de d'état de la légende du Graal dégagée
à peu près de l'élément arthurien, dont la contamination est
vraisemblablement le fait de notre auteur. Dans le *Roman de
l'Estoire dou Graal* ou, selon l'appellation moderne plus commode
le *Joseph d'Arimathie* de Robert de Boron (2), rédigé aussi en vers
octosyllabes à rimes plates et à style plus plat encore, les héros
principaux ne sont ni Gauvain ni Perceval, mais Joseph d'Arimathie, Bron et Alain ; Joseph surtout, dont un hérésiarque du

(1) Cf. A. Schreiber, *Kyot und Crestien* dans *Zeitschrift für romanische
Philologie*, t. XLVIII, 1928, pp. 1-52. On croit de nouveau à Kyot, Frant-
zen eût été content.
(2) Nous avons maintenant, grâce au spécialiste américain W.-A.
Nitze, une bonne édition de Robert de Boron, *Le Roman de l'Estoire dou
Graal*, Paris, Champion, 1927, in-12 (CLASSIQUES FRANÇAIS DU MOYEN
AGE de M. Roques). Voir aussi son article *On the chronology of the Grail Ro-
mances* dans les *Manly Anniversary Studies in Language and Literature*,
Chicago, 1923, et *The Identity of Brons in Robert de Boron's metrical Joseph*,
dans *Medieval studies in memory of Gertrude Schoepperle Loomis*, Paris,
Champion, 1927, in-8°, pp. 135-145, où l'on trouvera beaucoup d'autres con-
tributions d'inégale valeur sur la périlleuse question du *Graal*. Sur les rapports
de Chrétien et Robert de Boron, cf. G.-D. Bruce, *The Evolution of Arthurian.
Romance*, Göttingen, 1923, t. I, pp. 219-276.

ixe siècle, ce qui atteste, selon Lot, l'ancienneté des légendes relatives à ce personnage, affirmait qu'il était représenté par le prêtre à l'autel. Il a recueilli dans un vase le sang du crucifié. A la suite de la résurrection, il est jeté par les Juifs dans une prison où Jésus lui apparaît, portant le vase qu'il avait cependant pris le soin de cacher dans sa maison avant l'arrestation. Il le donne pour le confier seulement à trois personnes : Joseph, Bron et le petit-fils de Bron. Vespasien, ayant entendu parler des miracles de Jésus-Christ et s'étant rendu à Jérusalem pour châtier les Juifs, se fait descendre dans la prison où Joseph a survécu, sans nourriture ni boisson, entretenu par la seule grâce du calice. Délivré, Joseph emmène un groupe de disciples avec sa sœur Enygeus et son mari Hebron (ou Bron). Au début, leur colonie prospère, mais bientôt périclite à cause du péché charnel (on notera ce détail). Désespéré des souffrances de son peuple, Joseph s'agenouille devant le Calice, et le Saint-Esprit lui ordonne d'instituer une nouvelle Cène. Bron pêchera un poisson, Joseph, assis à la place du Christ, ayant Bron à sa droite, disposera ce poisson en face du vase sur la table à laquelle les *purs* seuls pourront s'asseoir. Ceux qui siégeront au banquet (1) :

eurent sanz targier	eurent sans tarder
La douceur, l'acomplissement	la douceur, la plénitude
De leurs cuers tout entierement	de leurs cœurs tout entiers
Et cil qui la grace sentirent	et ceux qui sentaient la grâce
Assez errant en oubli mirent	très vite oublièrent
Les autres qui point n'en avoient.	les autres qui ne l'avaient point.

Les déshérités, qui ne trouvent point place au banquet, demandent à l'un des convives privilégiés, Petrus, comment s'appelle ce *vaisseau*, ce vase merveilleux, qui les comble de béatitude (2) :

— Et queu sera la renummee	— Et quelle sera la renommée
Dou veissel qui tant vous agree ?	Du vase qui tant vous agrée ?
Dites nous, comment l'apele on ?	Dites-vous, comment l'appelle-t-on ? —
Petrus respont : « Nou quier celer :	Pierre répond : « Je ne veux vous le cacher :
Qui a droit le vourra nummer	Qui le voudra bien nommer
Par droit *Graal* l'apelera.	Avec raison *Graal* l'appellera,
Car nus le *Graal* ne verra	car nul le *Graal* ne verra,
Ce croi je, qu'il ne li agree. » (3)	ainsi crois-je, qu'il ne lui agrée (3). »

(1) R. de Boron, *Estoire dou Graal*, v. 2564-2569 de l'éd. Nitze.
(2) *Ibid.*, vv. 2653-2661. Cf. M. Wilmotte, *Le Roman du Gral*, Paris, 1930, p. 64, et *Le Poème du Gral et ses auteurs*, Paris, Droz, 1930.
(3) Étymologie détestable et fantaisiste, comme le moyen âge en a fait tant. Sur le mot, voir plus loin.

Un siège doit rester vide, celui du faux apôtre Judas. En vain, un hypocrite, Moyses (représentant assurément l'Ancienne Loi) tente de s'y asseoir. La terre l'engloutit et la voix du Christ révèle que seul le 3e descendant de la lignée de Joseph, Alain, fils de Bron et Enygeus, pourra l'occuper. Au milieu du service du *Graal*, une lettre descend du ciel pour Pierre lui ordonnant d'aller en Avalon (1), prêcher le Christ et y attendre la naissance du fils d'Alain. Joseph transmet le *Graal* et ses secrets à Bron, qui désormais s'appellera le riche Pêcheur. Robert de Boron ajoute qu'il racontera plus tard les aventures d'Alain, de Pierre, de Moyse et du riche Pêcheur, s'il les trouve dans un livre (v. 3500). Pour l'instant, les laissant de côté, il parlera de *Merlin*, dont un fragment seulement a été conservé dans la forme originale (2) et dont l'objet est de rattacher le *Graal* au cycle arthurien.

Quoi qu'il en soit, Robert de Boron et Chrétien ont en commun le rôle accordé au *Graal*, ses vertus nutritives et irradiantes, témoignage de l'attention accordée par le xiie siècle au dogme de la transsubstantiation sous l'influence du beau poète latin Hugues de Saint-Victor et de saint Bernard, pour aboutir à sa consécration comme dogme essentiel de la foi catholique au 4e concile de Latran en 1215. Leur est commune encore la notion du roi Pêcheur, et, implicitement, la triple transmission du vase sacré, mais il manque à Robert de Boron bien des thèmes, ceux du Roi blessé, la lance et le plat d'argent, ainsi que l'épée *aux estranges renges*, au singulier baudrier.

· Voici encore une différence essentielle. Chez Robert de Boron, la légende apparaît d'emblée comme chrétienne, comme un de ces rameaux adventices sortis du tronc inépuisable de la croix ; chez Chrétien, au contraire, ce n'est que par voie de déduction et de suggestion qu'il est permis de la tenir pour telle. On croirait plutôt d'abord à une quelconque féerie, produit bâtard de l'imagination celtique et française. Cependant un détail dans Robert de Boron révèle une greffe galloise. Quand on demande à Pierre où il compte aller porter la sainte parole, il déclare que c'est en Avalon (3), et à ce seul mot s'évoquent les Champs

(1) Robert de Boron, *Estoire dou Graal*, éd. Nitze, pp. 108-109.
(2) Sur les différents sens de ce nom, cf. Bruce, *Evolution of Arthurian Romance*, t. I, 1923, pp. 264-267.
(3) Cf. Edm. Faral, *L'Ile d'Avalon et la Fée Morgane*, dans les *Mélanges de linguistique et de littérature offerts à M. Alfred Jeanroy*, Paris, E. Droz, 1928, in-8º, pp. 243-253.

Élysées celtiques et toute cette étonnante production de légendes hagiographiques des monastères irlandais et gallois, où des moines bretons ou brittons imposent aux dogmes chrétiens les formes de leur rêve et distendent la réalité de l'histoire dans les buées de leur inépuisable fantaisie. Inversement, sur un point, la forme donnée par Chrétien au *Conte del Graal* se révèle chrétienne par le contenu du vase sacré ; l'hostie qui suffit à nourrir le vieux Roi, père du Riche Roi Pêcheur, et aussi la lance qui saigne, qui rappelle celle dont l'aveugle Longin perça le flanc du Christ. Mais même sur cette interprétation si évidente, semble-t-il, l'accord n'a pu se faire entre les érudits.

Trois théories ont surgi, qui, toutes, ont leurs représentants acharnés, la première qui attribue à la Légende du Graal une origine exclusivement chrétienne, la seconde qui lui donne une interprétation exclusivement celtique, la troisième, celle de Miss Jessy L. Weston qui la rattache à des cultes naturistes. Il est à peine besoin, après avoir résumé Robert de Boron, de défendre la première, qui, semble-t-il, s'impose d'elle-même au premier plan : le *graal* ou *greal* (provençal *grazal*) qui vient de *cratalis* (grec κρατήρ) devenu *gradalis* ou *gradale* (1), forme attestée dans un testament espagnol de 1010, n'est pas en soi, il faut y insister, un mot mystérieux, il signifie le vase, dans le *Joseph d'Arimathie* le *veissel*, contenant le sang des blessures du crucifié, ce que nous appellerions le calice, tandis que chez Chrétien, c'est plutôt le saint ciboire, contenant le corps du Christ, l'hostie, encore que, dans l'art religieux du moyen âge, les deux objets ne fussent pas aussi nettement distingués qu'aujourd'hui.

Mais, du fait que ce vase suffit à nourrir ceux à qui on le présente, les Celtisants pensent au chaudron d'abondance et de rajeunissement possédé par Bran, fils de Llyr, que Nutt (2) identifie avec Bron, et le château du Graal est pour eux le château enchanté, symbole du monde de l'au-delà, dont les hôtes sont libérés par la question du héros, thème essentiellement folklorique aussi.

La théorie orientale et naturiste peut invoquer, par contre, le chaudron d'abondance des processions de Thrace, mais surtout elle se plaît à rappeler le sacrifice d'un Dieu, Adonis ou Osiris

---

(1) Voir le texte de Helinand, xiii⁰ s., dans Kr. von Troyes *Wörterbuch*, p. 177 *. Le mot est représenté aussi dans l'ancien patois des Hautes-Alpes, *une gralle* dans un inventaire de Monêtier (1656), un *grallon* assiette creuse à Saint-Chaffrey.

(2) *Legend of the holy Grail*, etc. Londres, Nutt, 1888, in-8⁰.

et la blessure du Roi Mehaigné lui apparaît comme une mutilation essentielle semblable à celle des prêtres de Cybèle. La procession du Graal serait donc une procession de la fécondité et de la végétation et aurait pour but d'assurer l'esprit de vie toujours en danger. Ils insistent sur le caractère d'initiation incontestable, rappelant celle des Mystères d'Éleusis et du culte de Mithra, que présente la légende du Graal. Le chevalier du Graal est l'initié. S'il ne surmonte les épreuves, la récolte manque, la terre devient *gaste*, participant aux blessures et aux mutilations de son roi ; s'il triomphe, il est ἐπόπτης, il est initié aux suprêmes secrets, il deviendra successeur du vieux Roi ou de son double ou fils le Roi Pêcheur. Le *graal* est parallèle à la κίστη ou boîte sainte, vase rituel d'où sort l'arbre de vie et qui semble avoir renfermé le pain de vie, nourriture divine par l'absorption de laquelle le mortel se confond en son Dieu (1).

Il y a là certainement une forte part d'imagination et de rêverie ; j'ai déjà dit que le *graal* avait ce don de mobiliser nos puissances de rêve, et cela est vrai même pour les érudits que devrait défendre leur sens critique, mais il n'en demeure pas moins qu'il serait aussi vain de nier la présence d'éléments païens et celtiques dans la légende du *graal* que de refuser d'en apercevoir l'éclatante donnée chrétienne. La vérité est qu'à son propos comme à propos de la plupart des rites catholiques, de l'hagiographie, du culte de la Vierge même, des pèlerinages aux fontaines et des autels des *collines inspirées*, se pose l'éternel problème des vieux rites que l'on débaptise et rebaptise mais qu'on ne déracine point. Vous pouvez à une déesse mère mettre le manteau bleu de la vierge, mais vous ne pouvez défendre au peuple de les confondre dans une même adoration et d'attribuer à celle-ci les vertus de celle-là. Vous pouvez lui imposer une autre langue, vous ne pouvez lui insuffler une autre âme : il gardera au même lieu les mêmes rites propitiatoires, surtout s'ils ont la forme de fêtes, et fêtes, rites, sauts et danses ne se distinguent point. Dans la vallée des Hautes-Alpes, où j'habite l'été, chaque année, le 15 août, garçons et filles, montant le soir aux chalets de l'envers et à ceux de l'endroit, de l'*ubac* et de l'*adret*, portant des torches, y dansent des rondes autour d'un feu. Depuis quels temps, dites ? des Romains, des Gaulois

---

(1) M. Léo Crozet veut bien me signaler un vase chaldéen, d'où s'échappent l'arbre de vie, deux jets d'eau et deux *poissons* (Perrot et Chipiez, t. II, p. 602) ; cf. *Revue assyriologique*, t. V, p. 132.

ou des Ligures, dont le nom de Névache porte la trace ? Et c'est le jour de l'Assomption.

Aucun raisonnement, aucune foi n'empêcheront que le culte chrétien ne se soit développé dans les vallées syriennes toutes bruyantes des pleurs qui sanglotent sur la mort d'Adonis ; aucun raisonnement, aucune foi non plus, n'empêcheront la légende chrétienne, tout imprégnée d'éléments païens, orientaux, byzantins, de s'être transportée, véhiculée par d'ardents propagandistes, à l'autre extrémité du monde occidental, dans la brumeuse Tulé, près des mers blanches comme du lait, où la moindre nuée traînant sur les flots a les contours vagues d'une fée à robe blanche, en des terres où le Celte porte le rêve au fond de ses yeux gris, et de s'y être pénétrée des légendes qui y ont fleuri sur les landes désertes parmi les ajoncs dorés et dans les forêts solitaires. Ces moines qui, pour distraire et nourrir leurs méditations, s'abîment dans la légende celtique, ceux de Glastonbury par exemple, qui veulent rattacher leur monastère à Joseph d'Arimathie, savent bien que leur ville s'appelle en celtique *Ynis gutrin*, l'île de verre (1), et que celle-ci est le Paradis breton ; pourquoi ne l'évangéliseraient-ils pas à son tour ?

Comment, parlant du *graal*, ne songeraient-ils pas à ce vase d'abondance (2) qui, dans tel roman irlandais sert, à chacun, le mets qu'il désire, et si même ils n'y songent pas, les imaginations dans lesquelles a été nourrie leur enfance se mêleront aux histoires étrangères que leur apportent les livres : le Celte a vaincu le Chrétien et l'a formé à son image.

Mais notre romancier à nous n'est point un Breton, il est Français jusque dans la moelle. Il recueille, quand il les trouve plaisants et riches, des récits et il les mêle à ses propres inventions. Cependant il ne faudrait pas croire que, Champenois, il soit incapable de comprendre un certain mysticisme et de donner à ses fictions une valeur symbolique. On l'a trop dit, il n'est pas avisé de le répéter. La Fontaine, qui n'est point mystique, est Champenois, mais Paul Claudel l'est aussi. Au reste nous ne sommes plus au même temps de la vie de Chrétien, il est plus âgé, il descend cette pente qui glisse vers la tombe et au bout de laquelle il y a la chute dans l'abîme ou l'ascension vers le

(1) Cf. Faral, *La Légende arthurienne*, t. II, p. 425.
(2) Cf. Miss. L.-A. Fisher. *The Mystic Vision in the Grail Legend and in the divine Comedy* (Columbia Studies in English and Comparative Literature, New-York, 1917).

salut. Homme de son siècle, s'approchant d'une époque, la fin
du xiie siècle, où la poussée des nefs se fait plus haute (Chartres
est rebâti en 1195) et où la pensée des mystiques, peut-être sous
l'influence cistercienne, s'arrache à la terre pour se perdre en Dieu,
transporté sans doute en ce milieu flamand où devait naître
Ruysbroeck l'admirable et où la foi est chaude et passionnée,
Chrétien de Troyes a certainement mêlé plus de religion qu'il n'a
fait jusqu'alors à cette œuvre dont il sentait sans doute confu-
sément que ce serait la dernière et qui devait seule faire pencher
le plateau de la balance divine du côté de ses mérites.

Bien qu'il faille se garder d'écouter le premier *conte del graal*
avec des oreilles bruissantes de célestes harmonies wagnériennes
ou de le lire avec des yeux trop éblouis par les visions séraphiques
de la *Queste del saint Graal* et d'assimiler Perceval à Galaad,
on ne peut échapper à une certaine atmosphère religieuse qui
enveloppe le roman, en hausse le ton, qui est souvent celui
d'une homélie.

On ne peut pas à cet égard invoquer le début puisque la citation de saint Paul sur la charité n'a pour but que d'exalter les
vertus du comte Philippe d'Alsace, mais on peut faire état
des avertissements de la mère à son fils de fréquenter églises
et moutiers, messes et matines (vv. 547-574), quoiqu'on puisse
trouver que cet enseignement est un peu tardif ou du *chasloiemenl* de Gornemant, qui répète le même avis (vv. 1642-1650),
et surtout du véritable cours de catéchisme des pèlerins du
Vendredi saint à Perceval, qui, cinq ans, a négligé ses devoirs
religieux (vv. 6216-6276).

Mais, avant tout, il faut penser à la confession de Perceval
et aux révélations que lui fait l'ermite du caractère sacré du
graal. Il convient donc de grouper ici tout ce que l'importante
partie conservée du roman de Chrétien de Troyes nous apprend
sur cet objet et les personnages qui en ont la garde.

Perceval, que nous ne connaissons pas encore sous ce nom
et qui ne nous est encore apparu que comme le *simple fol*,
le sauvageon un peu *nice*, cependant dégrossi par les *chas-
loiements* de Gornemant qui vient de l'armer chevalier, rencontre une nef portant deux hommes, dont l'un rame, l'autre
pêche ; celui-ci, lui ayant offert l'hospitalité, nous pouvons soupçonner dès à présent, mais seules les révélations ultérieures de
l'ermite nous permettront de déduire, que le pêcheur et le riche
prod'homme, son hôte, ne font qu'un, sous le nom de *riche roi*

Pêcheur. Il est paralysé, *mehaignez*, chenu, vêtu d'une robe
de pourpre (couleur de sainteté et de vie éternelles), coiffé d'un
bonnet de fourrures et couché sur un lit appuyé sur le coude,
devant un grand feu, brûlant entre quatre colonnes qui rappellent le *ciborium* dominant l'autel. Il remet à son hôte une épée
unique, envoyée par sa nièce et qui fut forgée de si bon acier
qu'elle ne se peut briser que dans un cas que connaît le seul
forgeron. C'est *l'espée aux estranges renges*, au merveilleux baudrier, qui jouera un si grand rôle chez les continuateurs de
Chrétien, où il n'appartiendra qu'à l'Élu pur de tout péché
d'en ressouder les tronçons brisés.

Ce n'est qu'après ce don que se déroule, dans l'ordre que nous
avons vu, le cortège du *graal*, venant d'une chambre pour
disparaître dans une autre après avoir passé, à chaque service,
devant le roi blessé et devant le feu : un jeune homme tenant
une lance blanche dont le fer saigne goutte à goutte du sang
vermeil, deux autres jeunes gens portant chacun un chandelier à *dix* cierges, puis une demoiselle tenant entre ses mains un
graal ou vase d'or fin, serti de pierres précieuses, lequel répand
une vive clarté, et enfin une autre demoiselle portant un *tailleor*
ou plat d'argent (1). Observant trop à la lettre les conseils de
Gornemant de ne pas trop parler, le chevalier aux armes vermeilles (on remarquera l'identité de sa couleur avec celle de la
robe du roi et du sang qui dégoutte de la lance) ne pose pas les
questions qu'il faut (ceci est proprement un thème de conte de
fée), renonçant par là à rompre l'enchantement auquel il assiste.
Il en est puni d'abord, au réveil, en ne trouvant plus personne
et en se voyant fermer le château, quand il l'a quitté, mais il ne
comprend le péché dont il est entaché et qui lui a clos les lèvres,
qu'en retrouvant une sienne cousine, pleurant un ami mort
et qui s'étonne d'abord de le voir si reposé dans une forêt où il
n'y a pas d'habitation à vingt-cinq lieues à la ronde (2) :

« Ha, sire, geüstes vos donques   « Ah ! seigneur, vous couchâtes donc
Chies le riche roi Pescheor ? »   chez le riche roi Pêcheur ? »

Elle lui apprend qu'il fut en une bataille *navré et mehaigné*,
les deux hanches traversées d'un javelot.

Il n'y a pas de *mehaigné* dans le *Joseph d'Arimalhie* de Robert
de Boron, mais l'identité entre notre blessé et Bron, autre riche

(1) Cf. ici plus haut, p. 408.
(2) *Perceval*, vv. 3456-3457.

roi pêcheur, n'en est pas moins évidente. Après s'être fait raconter le cortège, elle reproche cet obstiné silence à celui qui se nomme à elle Perceval le Gallois, et qui devine ainsi son propre nom qu'il ignorait. Pourtant la question de celui-ci eût guéri le roi, et si le malheureux ne l'a pas posée, c'est parce qu'il porte la peine de la mort de sa mère. Elle le met en garde contre l'épée qu'il a reçue, qui le trahira dans la bataille en se brisant et que seul pourra réparer *le fevre* Trébuchet qui la forgea.

Nous nous sommes déjà demandé s'il y avait quelque relation entre le cortège du *graal* et la belle scène de Perceval appuyé sur sa lance et perdu dans la contemplation des trois gouttes de sang que l'oie sauvage, happée par l'épervier, a laissées tomber sur la neige blanche. On nous dit bien que ce rouge sur ce blanc le font songer aux fraîches couleurs de son amie, mais il y a si longtemps qu'il ne pense plus à Blanchefleur, et, d'autre part, comment ne pas se souvenir de la valeur symbolique que le moyen âge attache au chiffre de trois qui est celui de la Trinité et au pélican dont la poitrine trouée offrant son cœur à ses enfants est, pour lui, le symbole du sacrifice de Jésus-Christ.

Après les révélations de sa cousine, les déclarations de la demoiselle à la mule fauve, survenant à la cour d'Arthur, achèvent de montrer à Perceval l'importance du *graal*, et la gravité de son silence. Il fallait demander pourquoi saignait la lance, et au sujet du *graal* « quel riche homme l'on en servait » (v. 6039, éd. Potvin, v. 4623, éd. Baist). S'il l'avait fait, le riche roi, qui est donc différent de celui qui parle à Perceval, eût été guéri, mais puisqu'il ne l'a pas fait, mille malheurs en résulteront et mille aventures redoutables, où périront maints chevaliers. Peut-être a rapport au Graal aussi celle qu'elle annonce comme se rapportant au Montesclere, où, sur un siège, une pucelle est enchaînée, parce que le brave qui la délivrera pourra ceindre l'épée à l'étrange baudrier, double de l'épée fragile, et qui comme celle-ci est destinée dans les versions ultérieures au conquérant du *graal* (vv. 6084-6092, éd. Potvin, vv. 4669-4676 de Baist).

La rencontre de Perceval avec l'ermite, après cinq ans d'errance, où il n'a cessé de penser au *graal*, au point d'en oublier ses devoirs religieux, nous apporte quelques précisions encore, qui seront les dernières que nous donnera Chrétien, mais non les suprêmes que sa conclusion nous eût livrées sans doute, les romanciers aimant à tenir leurs lecteurs en haleine, et à ne compléter leur tableau que par touches successives.

Le fait que ces révélations, importantes cependant, sont mises dans la bouche d'un saint ermite, donne déjà au cortège du *graal* une signification religieuse. Comment d'ailleurs le public d'alors eût-il pu entendre parler de la lance qui saigne sans songer à celle dont le sang sacré *enlumina* l'aveugle Longin ? Malgré une certaine obscurité dans le texte, il semble bien que l'ermite soit le frère de *la veuve dame*, mère de Perceval et le frère aussi du riche roi pêcheur, fils de cet autre riche homme (1) à qui, dans la chambre qu'il n'a point quittée, l'on sert le *graal* et qui depuis quinze ans se nourrit (2)

D'une sole oiste, ce savons,	d'une seule hostie, nous le savons,
Que l'an an ce *graal* aporte.	qu'on lui apporte en ce *graal*.

Pour la première fois nous apparaît ici, bien que le nom de Jésus-Christ ne soit pas prononcé, l'auguste signification sacrée du *graal*, contenant le pain de vie et le corps de Dieu (3) :

Tant sainte chose est *li graaus*	Si sainte chose est le *graal*
Et tant par est esperitaus	et si surnaturelle
Que sa vie plus ne sostient	que seule entretient sa vie
Que l'oiste qui el *graal* vient.	l'hostie qui dans le *graal* vient.

Comme souvent dans le roman d'aventure de la seconde moitié du XIIe et plus encore dans celui du XIIIe, il y a eu dédoublement de personnages (parfois ils nous apparaîtront même en triple et quadruple exemplaire), ainsi qu'il y a aussi souvent dédoublement d'épisodes, le vieux roi, père du Riche roi Pêcheur (qui est le Mehaigné, le blessé) répond à Bron, tandis que son fils répond à Alain, et Perceval son petit-fils au fils d'Alain dont Pierre attend la venue ; ainsi se précise le caractère prédestiné de Perceval. Comment un siècle aussi profondément chrétien que celui des croisades et des cathédrales ne se sentirait-il pas digne d'avoir lui aussi son Messie, de connaître lui aussi une réincarnation et une apparition d'un héros divin sur la terre et comment ne le verrait-il pas, dans son idéal chevaleresque, coiffé du heaume et du haubert, mais de couleur rouge, qui est celle du sang, de la santé, du sacrifice et de la vie (4) :

(1) V. 4623.
(2) Vv. 6384-6385.
(3) Vv. 6387-6390. Le père de Perceval a été blessé aux jambes. Cf. E. Bruggier, *Bliocadran the Father of Perceval* dans *Medieval Studies Loomis*, 1927, p. 147.
(4) Cf. mon *Histoire de la Mise en scène dans le Théâtre religieux français du moyen âge*, 2e éd., Paris, Champion, 1926, un vol. in-8o pl., p. 223.

Qui est celuy dont la vesture
Est tainte de rouge taînture,

chantera-t-on dans les Mystères.

Ce caractère de sainteté ne résulte pas seulement des origines de Perceval, mais aussi d'une sorte d'initiation qui fait un peu penser aux rites des constructeurs de cathédrales, il n'est peut-être pas fortuit que Perceval soit le fils de la Veuve (1), ou à l'ordre des Templiers, car l'ermite, il y faut insister, lui enseigne à l'oreille des noms du Seigneur (2)

Tuit li meillor e li greignor	les meilleurs et les plus puissants
Que nomer ost ja boche d'ome	que bouche d'homme ose nommer,
Se por peor de mort nes nome.	si ce n'est par peur de la mort,
Quant l'orison li ot aprise	Quand il lui eût appris cette oraison
Desfandi li qu'an nule guise	il lui défendit qu'à nul prix
Ne la deïst sanz grant peril.	il ne la dît, sinon en grand péril.

Voilà ce qui peut légitimement faire penser à des rites de Mystères et encore la relation établie par la demoiselle à la mule entre la maladie et la paralysie du roi et la dévastation du pays (3). En vertu du procédé de dédoublement des types et des thèmes, que nous venons de signaler, c'est pourquoi aussi sans doute la blessure du père de Perceval a fait de la terre de la *veve dame*, une *gaste forest* (4) et que, symboliquement, la lance qui saigne détruira le Royaume de Logres (5). Enfin le Pêcheur rappelle le poisson sacré, *totem* syrien, interprété par les chrétiens pythagoriciens d'Alexandrie, comme symbole de Jésus-Christ (*ichtus*, anagramme de Iésous, Christos, théou uios, sôter) (6).

Ressortit par ailleurs à la magie, le rire (7) de la Pucelle qui depuis six ans n'a ri, au moment où elle lui prédit (8) :

Qu'an trestot le monde n'avra	qu'au monde entier il n'y aura,
Ne n'iert n'an ne l'i savra	ne sera et l'on ne saura
Nul meillor chevalier de toi.	nul meilleur chevalier que toi.

Dans le cas de Perceval, la prédestination est à la fois d'origine folklorique et de nature divine. Mme Borodine a pu avec

---

(1) On sait que les compagnons du Tour de France trouvent toujours, aujourd'hui encore, refuge chez « la Veuve ».

(2) Vv. 6448-6453. On songe aussi au nom de Jéhovah interdit aux Juifs.

(3) V. 4641.

(4) Vv. 427-431.

(5) Vv. 6131-6133.

(6) Cf. S. Reinach, *Orpheus*, Paris, Alcide Picard, 1909, in-12, p. 29 et n. 1.

(7) S. Reinach, *Mythes, Cultes et Religions*, t. IV, p. 10 et Genèse, XVII, 17; XVIII, 10.

(8) Vv. 1019-1021.

raison rattacher son cas à celui d'Yvan le simple des contes russes, où un personnage, précisément parce qu'il est simple ou *nice*, comme dit le vieux français, réussit à triompher d'épreuves où les plus braves ont échoué. Il y a là une superstition populaire qui attache certaines vertus particulières à l'inconscience du niais ou du fou qui, n'étant pas maître de lui-même, paraît souvent possédé des dieux. Heureux les simples d'esprit car le royaume des cieux leur appartient ! Cette phrase de l'Évangile n'a peut-être pas le même sens, mais elle s'applique bien cependant à Perceval, dont la prédestination religieuse n'est pas moins évidente.

Quoi qu'il en soit, sortie des contes populaires ou de légendes hagiographiques, la figure de Perceval n'en est pas moins une des créations les plus réussies et les plus séduisantes de Chrétien de Troyes qui, cette fois, a su nuancer avec bonheur le type du parfait chevalier, de telle sorte que, dans sa complexité, il nous apparaît extrêmement différent du vigoureux Érec, de l'élégant Cligès, du passionné Lancelot et du fidèle Yvain. Il a de commun avec tous naturellement la bravoure, il a de commun avec ce dernier une propension à l'égarement, mais il a, de par sa naïveté même, un charme de fraîcheur première, le charme de deux grands yeux clairs de jeune homme ouverts aux expériences de la vie, et pour qui, élevé loin d'elle, elle a réservé tous ses étonnements. « Clairs et riants étaient ses yeux (1). »

Parce que sa mère, veuve d'un chevalier tué, et ayant perdu deux fils encore dans les combats, l'a *nourri* loin du monde réel, dans l'éloignement et la sauvagerie de la *gaste forest*, elle a espéré qu'il ignorerait jusqu'à l'existence de cette terrible chevalerie qui ravit les enfants à leurs mères, les hommes à leurs femmes, les amants à leurs maîtresses, pour la recherche de l'exploit et la quête de l'aventure. Elle lui a caché jusqu'à son nom, qui pourrait un jour le faire reconnaître comme fils de chevalier, mais une lueur singulière le lui fait deviner et il le dit comme en ayant reçu révélation par la voix d'en haut à sa cousine la pucelle *desconseillée* : Perceval le Gallois (2). Du Gallois de la Forêt du Morois, il a l'habileté à lancer le javelot comme Tristan le *berseor*.

L'intérêt de ce personnage tient encore à ce que nous assis-

(1) V. 952.
(2) V. 3537.

tons à l'évolution de son caractère, au développement de sa conscience, d'abord rudimentaire, puis préparée peu à peu, par le déroulement des événements et des expériences, aux plus sublimes révélations, aux plus rares initiations. Je ne connais pas dans la littérature médiévale de plus frais tableau que celui du début du *Conte del Graal*, lorsque, dans la forêt verdissante, printanière et bruissante, se lève, au chant des oiseaux, le fils de la *veuve dame*.

Comme cette forêt où il a passé son enfance, il est sauvage (v. 953), comme le printemps qui s'éveille il est frais et *nice* (1) :

Et li vaslez qui nices fu   Et le jeune homme qui était naïf.

Cela se marque à propos des chevaliers rencontrés dans la clairière qu'il prend d'abord pour des diables, ensuite pour des anges et dans le délicieux dialogue qu'il engage avec l'un d'entre eux qu'il interroge sur toutes les pièces de son armure, et à qui il demande (2) :

...Fustes vos ensi nez ?   Êtes-vous né comme cela ?

Arrivé chez Arthur il est encore aussi niais et le roi aura raison de dire (3) :

Se li vaslez est fos et nice.   Si le garçon est sot et simple.

Ce n'est que peu à peu, se souvenant des enseignements de sa mère, quoiqu'il se rende ridicule en répétant sans cesse : « ainsi me l'a appris ma mère » et surtout de ceux de Gornemant, son parrain dans l'ordre de chevalerie, qu'il parvient à plus de conscience. Encore a-t-il le tort d'appliquer sans discernement et à la lettre un enseignement trop rapide et mal assimilé. Ce demi inconscient (4)

ne set ne mal ne bien   ne sait ni mal ni bien.

C'est pourquoi on ne saurait trop lui en vouloir de son insensibilité à l'égard de sa mère qu'il a vue en se retournant pâmée à la tête du pont et que cependant il abandonne à son sort

(1) V. 661.
(2) V. 280.
(3) V. 990.
(4) V. 1267.

(vv. 600-607). Il y a là une transcription en action par le romancier de la dureté de ceux que le destin entraîne et qui, à son appel, rompent avec brutalité tous les liens de la tendresse. Cela ne l'empêche pas plus tard de se souvenir de celle qu'il a abandonnée et même de quitter brusquement pour la retrouver les caresses de Blanchefleur ou l'utile école de Gornemant (vv. 1556-1566).

On attendrait donc l'expression d'une plus vive douleur quand il apprend de sa cousine la mort de celle qu'il veut rejoindre. Mais à une époque où, si facilement, on tombe pâmé de tristesse, il se borne à dire (1) :

« Or ait Deus de s'ame merci »	« Dieu ait donc de son âme merci »,
Fet Percevaus, « par sa bonté !	fait Perceval, « par sa bonté !
Felon conte m'avez conté	Cruel conte m'avez conté,
Et puis que ele est mise an terre	mais puisqu'elle est mise en terre
Que iroie je avant querre ? »	qu'irais-je chercher plus avant ? »

Dans la scène de la pénitence, lorsqu'il apprend de son oncle l'ermite que son silence obstiné devant le roi Pêcheur est le châtiment divin qui le frappe pour avoir, par son départ, tué sa mère, il se repent moins de ce crime que de la faute d'avoir, pendant cinq ans, négligé ses devoirs religieux.

C'est que, avant tout, Perceval est le prédestiné, pour qui toutes les contingences humaines sont, en somme, secondaires. Arthur se reproche, après que Gauvain le lui a ramené à sa cour, de ne l'avoir pas discerné à la première apparition (2) :

« Molt ait eü de vos grant duel	« J'ai eu cruel regret à votre endroit
Des que vos vi premieremant	de n'avoir, dès que je vous vis d'abord,
Quand ge ne soi l'amandement	reconnu toute la gloire
Que Deus vos avoit destiné ;	que Dieu vous avait destinée,
Si fu il molt bien deviné,	mais cela fut bien deviné,
Si que tote la corz le sot	au vu et au su de la Cour,
Par la pucele et par le sot. »	par la pucelle et par le fou. »

Aussi est-ce à lui que revient l'épée unique et mystérieuse que forgea le *fevre* Trebuchet, envoyée au Roi Pêcheur par sa nièce, la blonde pucelle (3).

---

(1) Vv. 3580-3584. Cf. aussi le v. 3592 :

Les morz as morz, les vis aus vis.   Les morts aux morts, les vivants aux vivants.

(2) Vv. 4528-4534.
(3) Vv. 3092-3141.

Qu'il ne s'agisse pas uniquement d'une prédestination à être, comme l'annonce par son rire la pucelle de la cour d'Arthur, le meilleur chevalier (1), mais à être l'initié des souverains mystères, l'agent et le porteur des suprêmes grâces, qui sont les grâces divines, c'est ce qu'atteste déjà, en vertu de la symbolique des couleurs familières au moyen âge, les armes vermeilles qu'il revêt (2) :

« Ne serai chevalier des mois
Se chevaliers vermauz ne sui. »

« Jamais chevalier ne serai
Si chevalier vermeil ne suis. »

Cependant, et ceci est encore une idée profondément chrétienne, ce fol ou ce *nice*, prédestiné à jouer le plus haut rôle, à qui est réservé sans doute le salut éternel pour lui et pour ceux qu'il y conduira, est très loin de la perfection. Il porte le poids de la mort de sa mère, dont il est tenu pour responsable, mais qui là-haut intercède pour lui. Jésus-Christ même ne montre-t-il pas, à l'égard de la sienne, la même cruauté, sourd à ses prières et allant à sa mort, sans s'émouvoir des larmes maternelles ? Il va à son dessein. Les hautes actions des hommes piétinent les cœurs des mères et des épouses.

Il manifeste la même dureté à l'égard de Blanchefleur qu'il a conquise et qui s'est donnée à lui corps et âme.

Et ici il faut poser nettement la question de la chasteté de Perceval, en tâchant d'oublier les résistances de Parsifal à la séduction des Filles-fleurs. On ne peut pas dire que dans le *Conte del Graal* Perceval soit un chaste ; s'il l'est, c'est moins par fidélité à un devoir ou à une mission que par excessive naïveté.

Sans doute il y a, dans le *chasloiement* de sa mère avant le départ, une invitation à respecter l'honneur des femmes qu'il faut servir, mais elle l'incite aussi à leur demander un baiser et à obtenir d'elle l'anneau, gage peut-être ou promesse d'une union légitime ou non (3) :

« S'ele le baisier vos consant
Le soreplus vos en desfant. »

« Si elle vous consent un baiser,
le surplus je vous le défends. »

Ce sage avis n'empêche pas le sauvageon de ravir à la demoi-

---

(1) Vv. 1018-1021 (cf. aussi 1039-1040).
(2) Vv. 974-975.
(3) *Perceval*, v. 527-528 dans l'éd. Baist. La version de Potvin, 1741, est bien différente et plus audacieuse.

selle à la tente un baiser qu'elle ne consent point et de lui dérober son anneau qu'elle ne veut pas donner.

A l'égard de Blanchefleur, qui, celle-là, est à tout consentante, l'ignorance seule le préserve, et c'est ce que veulent dire, semble-t-il, les vers (1) :

Trestote l'aise et le delit
Qu'an seüst deviser an lit
Ot li chevaliers cele nuit,
Fors que solemant le deduit
De pucele, se lui pleüst,
Ou de dame se li leüst,
Mes il ne savoit nule rien
D'amor ne de nul autre bien (2).

Toute l'aise et tout le plaisir
qu'on peut supposer en un lit,
le chevalier l'eut cette nuit,
si ce n'est seulement le déduit
de pucele, s'il lui avait plu,
ou de dame, s'il avait pu,
mais il n'avait point idée
de l'amour ni d'aucun autre bien.

C'est à cause de cette phrase, que j'interprète, dans le sens de la chasteté de Daphnis et de Chloé avant la leçon de Lycénion, la scène nocturne qui suit, où les deux amants gisent « bouche à bouche, bras à bras » (3), mais non pas comme il est dit d'Érec et Énide, de Lancelot et Guenièvre, de Cligès et Fénice, « nu à nu ».

Mais j'avoue douter de ma propre interprétation et peut-être qu'il faut entendre tout autrement la suite, lorsque Blancheflor l'a rejoint dans sa chambre et qu'il l'invite à se coucher près de lui (4) :

— Lez moi vos traiez an cest lit
Qu'il est asez lez a oes nos,
Huimès ne me lesserez vos. —
Et cele dist : « Se vos pleisoit
Si feroie », et cil la beisoit
Qui an ses braz la tenoit prise,
Si l'a soz le covertor mise
Tot soavet et tot aeise
E cele suefre qu'il la beise
Ne ne cuit pas qu'il li enuit.
Ensi jurent tote la nuit
Li uns lez l'autre boche a boche
Jusqu'au main que li jorz aproche.
Tant li fist la nuit de solaz
Que boche a boche, braz a braz,
Dormirent tant qu'il ajorna.

— Près de moi, entrez en ce lit,
car il est assez large pour notre usage.
D'aujourd'hui vous ne me quitterez. —
Et elle dit : « S'il vous plaisait
je le ferais », et lui l'embrassait,
qui en ses bras la tenait prise.
Il l'a sous la couverture mise,
tout doucement et sans obstacle,
et elle consent qu'il l'embrasse
et je ne crois pas qu'il lui déplaise...
Ainsi gisent toute la nuit
l'un contre l'autre, bouche à bouche,
jusqu'au matin où le jour approche.
Il lui fit la nuit tant de caresses
que bouche à bouche, embrassés,
ils dormirent jusqu'au matin.

(1) Vv. 1911-1918
(2) Version de Mons. Le Manuscrit de Paris porte, vv. 1917-1918 :

Mes il n'an savoit nule rien
Et por ce vos di je molt bien.

(3) V. 2044.
(4) Vv. 2030-2045.

Quoi qu'il en soit, Perceval, ici, ne saurait passer pour un chaste; son abstention, si abstention il y a, ne saurait être qu'ignorance. Il se laisse entièrement conduire et dominer par la sensualité. La scène, il est vrai, précède celle du Graal, mais ni la cousine devineresse, ni plus tard l'ermite ne lui imputeront à péché ses amours avec Blanchefleur au castel de Beaurepaire. Est-il maintenant vraiment amoureux d'elle ? Il semblerait, surtout après qu'il l'a quittée, quand les trois gouttes de sang de l'oie blanche répandues sur la neige le font penser aux joues vermeilles et à la peau blanche de sa bien-aimée. Même s'il faut accepter l'interprétation symbolique que j'ai proposée, c'est là celle qu'il donne lui-même à Gauvain (1) :

« Que devant moi, an ice leu,	« car devant moi, en ce lieu,
Avoit trois gotes de fres sanc,	il y avait trois gouttes de sang frais
Qui anluminoient le blanc ;	qui enluminaient la blancheur.
An l'esgarder m'estoit avis	A les regarder me semblait
Que la fresche color del vis	que la fraîche couleur du visage
M'amie la bele i veïsse	de ma belle amie je voyais
Ja mes ialz partir n'an queïsse. »	et n'en pouvais ôter les yeux. »

Gauvain observe que c'est là un *penser courtois*. Cette distraction profonde n'est-elle pas d'un chevalier amoureux et ne fait-elle pas songer à Lancelot abîmé dans la contemplation des cheveux dorés de la reine Guenièvre? Au reste il n'est pas moins vrai qu'en récompense de la lutte qu'il va entreprendre contre Anguingeron il sollicite la *druerie* ou l'amour de Blanchefleur (2) :

« Vostre druerie requier	« votre amour je demande
En guerredon qu'ele soit moie »,	en récompense qu'il soit à moi »,

et, quand elle le détourne de recommencer la lutte, cette fois contre Clamadeu, Chrétien, reprenant le langage précieux de ses débuts, dit (3) :

Car a chascun mot le beisoit	Car à chaque mot le baisait
Si dolcemant et si soef	si doucement, si suavement
Que ele li metoit la clef	qu'elle lui mettait la clef
D'amor an la serre del cuer (4).	d'amour en la serrure du cœur (4).

(1) Vv. 4412-4418.
(2) Vv. 2080-2081.
(3) Vv. 2596-2599.
(4) On sait que nous possédons un traité intitulé *La Clef d'Amors* qu'a publié jadis A. Doutrepont dans la Bibliotheca Normannica, Halle, Nie-

La conception du chaste fol est donc postérieure. La chasteté n'est pas primitivement un postulat essentiel de la conquête du Graal (Bron, premier Roi Pécheur, n'a-t-il pas épousé Egyneus, dont il eut 12 enfants ?). Ce n'est que plus tard, sous l'influence monastique, en particulier cistercienne, que cette condition fut imposée au conquérant des *repostailles* ou secrets du *Graal*, assimilé de plus en plus à l'eucharistie et au saint sacrifice de la Messe (1). C'est pourquoi, en cette qualité, à Perceval, trop entaché du péché de luxure, à Lancelot, adultère amant de la reine Guenièvre, fut substituée, par l'auteur inconnu de la *Queste del Saint-Graal*, la sublime figure du saint chevalier, qui échappe même à la tentation et devant la blancheur duquel le mal même s'évanouit : Galaad.

Mais il sera permis de trouver que ce personnage hiératique, qui semble descendre d'un vitrail de Chartres ou de Reims, n'a pas la saveur d'humanité du sauvageon de la *gaste forest*, du jeune *nice* aux yeux clairs, de l'amant de Blanchefleur, au castel de Beaurepaire, du chevalier aux armes vermeilles, de l'hôte trop discret du Roi Pêcheur au château du Saint-Graal, du héros pensif appuyé sur sa lance et contemplant sur la neige blanche les trois gouttes de sang, le fils de la *veuve dame*, le naïf et charmant Perceval le Gallois.

J'ai déjà dit que nos conteurs du moyen âge se plaisaient à dédoubler les héros et les aventures, voire quelquefois à les tirer à trois ou à quatre exemplaires, mais Gauvain, émule de Perceval, n'en est pas du tout ce double monotone. Si Perceval est le meilleur chevalier futur, il est encore en voie de formation et a, au début, bien des choses et des usages à apprendre pour s'adapter à ses hauts destins. Gauvain, au contraire, est le parfait chevalier à l'état d'achèvement, modèle de toute bravoure et de toute courtoisie, que Chrétien avait nommé souvent, comme tel, mais n'avait qu'incomplètement présenté. Cependant, bien que ses

meyer, 1890, in-8°, et que, dans le *Roman de la Rose*, Amour ferme avec une clé d'or, tirée de son aumônière, le cœur de l'amant devenu tout à lui. L'imitation d'après Chrétien est ici probable. Même image dans *Yvain*, 4632-4633.

(1) Cf. A. C. L. Brown, *Did Chrétien identify the Grail with the Mass* ? dans *Modern Language Notes*, t. 41 (1926), p. 226. Je saisis cette occasion de signaler l'appendice bibliographique que A. Hilka a placé à la suite de la 2ᵉ éd. de *The Evolution of Arthurian Romance* de Bruce, Göttingen, 1928, et de rappeler que l'édition de *Perceval* et de ses continuations qu'il prépare va bientôt paraître.

aventures soient, suivant un procédé assez fastidieux, conduites parallèlement à celles de Perceval à partir du v. 4709, donc à partir de la moitié du roman conservé, elles n'ont pas l'importance de ces dernières dans la donnée générale du *Conte del Graal.*

Il est cependant associé à la *queste*, mais non pas par un mouvement de son cœur ou par une inspiration du ciel, auxquels il s'engagerait par serment à obéir. Même après les révélations de la demoiselle à la mule, c'est au Chastel Orguelleus, et non à Montesclere, ou au château du Graal, qu'il aspire. Il ne cherchera (encore ne trouvera-t-il que dans une partie que Chrétien n'a pas lui-même exécutée) que parce que son hôte et son ennemi lui a imposé comme rançon de lui rapporter la lance qui saigne éternellement (vv. 6074-6078). Cependant il est religieux, entend la messe et prie longuement (v. 5444-9). A entendre la vieille reine aux blanches tresses, il est destiné au salut (1) :

« Sire, par Deu qui me fist nestre »,	« Seigneur, par Dieu qui me fit naître » ,
Fet la reïne as blanches treces,	fait la reine aux blanches tresses,
« Ancor dobleront voz leeces	« encore doubleront vos plaisirs
Et crestra vostre joie adès	et s'accroîtra même votre joie
Et si ne vos faudra jamès. »	pour ne plus vous manquer jamais. »

Ce qui précise surtout le caractère surhumain de Gauvain, c'est qu'il pénètre dans le palais de marbre où séjournent, avec cinq cents pucelles, la veuve d'Uterpendragon (2), mère d'Arthur, et sa propre mère, femme du roi Lot, mortes toutes deux il y a beau temps. Il entre donc au royaume des Morts, ce qui est donné à tout le monde, mais il en sort, après en avoir suspendu et détruit les enchantements, ce qui n'est donné qu'à Orphée, à Hercule, au Pythagore de la légende (3) ou à Jésus. Sans doute a-t-il ce caractère en commun avec Lancelot, libérateur de Guenièvre, au royaume de Gorre et avec Yvain, libérateur des jeunes filles du Château des Pucelles. Le comble de l'exploit pour ces chevaliers sera toujours de vaincre la Mort, qui les a provoqués, sans trembler devant ses menaces, de lui arracher ses proies par leur hardiesse, de s'offrir à ses coups sans y succomber.

---

(1) Vv. 8170-8174.
(2) Sur ce personnage, cf. Edm. Faral, *La Légende arthurienne*, Paris, Champion, 1929, t. II, p. 245 et 248.
(3) Cf. Is. Lévy, *La Légende de Pythagore*, Thèse de Paris, 1927, in-8°.

Cette part faite à ce trait légendaire, Gauvain n'en est pas moins avant tout le type du héros séculier et courtois, qui représentera mieux l'esprit de la seconde Renaissance française que Perceval, appartenant déjà presque à certains égards à la mystique de l'âge suivant. Un appétit de gloire mondaine l'attire surtout. Il suffit qu'il ait entendu dire que tel exploit, fût-ce le plus inutile, le passage du gué périlleux par exemple, lui attirera *tot le pris del monde*, la plus grande gloire du monde (8470-8474), pour qu'il s'y élance sans songer au danger.

A-t-il peur cependant quand il est surpris sans armes, en compagnie de la sœur de son pire ennemi, qu'il n'en laisse rien transparaître (1) :

Qui ne mue color ne tramble
Por nule paor que il ait,

Il ne change de couleur ni ne tremble
pour nulle peur qu'il puisse avoir,

car, avant tout, le préoccupe l'opinion qu'on peut avoir de lui, sa réputation, qu'au xviie on appellera la gloire.

Quand on l'invite à retourner pour ne pas rencontrer le plus terrible des adversaires, il répond (2) :

« Cist retorners seroit vilains,
Ge ne ving pas por sejorner,
L'an le me devroit atorner
A trop leide recreantise,
Des que ge ai la voie anprise,
Se ge de ci m'an retornoie. »

« Reculer serait vilain...
Je ne vins pas pour m'arrêter,
sans quoi l'on me devrait accuser
de trop laide lâcheté,
une fois que j'ai pris le chemin,
si d'ici je m'en retournais. »

et au chevalier qui l'invite à ne pas emmener le palefroi à la *male* pucelle (3) :

« Ge seroie honiz an terre
Come recreanz et failliz. »

« Je serais honni sur la terre
comme lâche et comme couard. »

Plutôt mourir que reculer, nous connaissons cette formule, qui parfois nous coûta cher.

Aussi comment s'étonner s'il préfère la mort à la honte, non pas seulement de reculer, mais simplement de se parjurer (4) :

---

(1) Vv. 6096-6097. *Tramble* est la leçon de Mons, ap. Potvin, I, v. 7512. *Manbre* chez Baist n'est pas défendable.
(2) Vv. 6580-6585.
(3) Vv. 6764-6765.
(4) Vv. 6141-6144.

« N'ai pas de mort tele peor
Que ge mialz ne voelle a enor
La mort sofrir et andurer
Que vivre a honte et parjurer. »

« Je n'ai pas de la mort telle peur
que je ne préfère avec honneur
la mort souffrir et endurer
que vivre en honte et me parjurer. »

D'une loyauté parfaite, il bondit sous l'accusation de trahison de Guingambresil, lancée devant toute la cour d'Arthur, lequel l' « *appelle de félonie* » pour avoir tué son père sans lui avoir lancé un défi. Gauvain, si on lui prouve sa faute, est prêt à s'en excuser et à donner satisfaction ; sinon à attester son innocence, à la face du ciel, selon la barbare façon d'alors par le duel, à jour pris. Sous peine de « jeter la honte sur tout son lignage » il y sera.

Ce brave est aussi plein de bonté et d'humanité et il est touchant de le voir accueillir la requête de la petite pucelle aux manches courtes, dont il se fera le champion, contre les brutalités de sa sœur. On se rappelle la scène qui est vraiment charmante.

Il s'irrite de la méchanceté de la *male pucele*, supporte avec une patience de saint ses railleries et la reprend doucement de sa médisance qu'il finit par lui pardonner (1).

« Beles », fet il, « a moi que monte
Que ge de vos justise face ? »

« Belle », fait-il, « à quoi m'avancerait
de prendre justice de vous ? »

Ainsi agit-il à l'égard de Ké, qui l'accuse de chercher la louange d'une facile victoire sur le chevalier distrait épuisé par de précédents combats.

Cette réputation de loyauté le servira auprès des femmes, car, non moins que fameux guerrier, il est amoureux modèle. Facilement inflammable, il offre ses services à la sœur de son ennemi pour l'avoir vue quelques instants *avenante et belle* et lui avoir parlé d'amour (2) :

Messire Gauvains la requiert
D'amors et prie et dit qu'il iert
Ses chevaliers tote sa vie
Et ele nel refuse mie ,
Einz l'otroie molt volentiers.

Messire Gauvain la requiert
d'amour, la prie dit qu'il sera
son chevalier toute sa vie
et elle ne le refuse point,
mais l'accorde bien volontiers.

Cela ne l'empêche pas de vouloir enlever la *male pucele*, parce qu'elle est jolie et que sa gorge est plus blanche que neige, de la suivre partout, malgré sa méchanceté, sans se souvenir de la

(1) Vv. 8928-8929.
(2) Vv. 5789-5793.

foi qu'il a engagée, car sa loyauté s'applique aux hommes et non aux femmes.

C'est par son langage que surtout il séduit. Tandis que Perceval est tout en action et brusque en paroles, lui sait l'art de parler aux dames, gracieusement en toute courtoisie. Ké, parmi ses médisances, le lui dit (1) :

« Bien savez paroles antandre	« Vous avez l'art des paroles
Qui sont et beles et polies, »	qui sont belles et polies, »

et l'auteur le montre par les discours qu'il lui fait adresser « comme le plus courtois du monde » (7934) à la messagère de la vieille reine ou à celle-ci même.

Tout ce qu'on nous dit de Gauvain justifie l'épithète de (2) :

Cil qui de totes les bontez	celui qui de toutes les vertus
Ot los et pris...	avait la palme...

et celle du « meilleur des chevaliers » (v. 7899).

Il en est un autre qui pourrait peut-être lui disputer ce titre s'il n'avait une figure si falote, c'est le roi Arthur (3), autour duquel se groupent les chevaliers du guet, ceux que chante encore notre ronde enfantine (4) :

De ces de la Table reonde	ceux de la Table Ronde
Des meillors chevaliers del monde.	des meilleurs chevaliers du monde.

Il est celui auxquels rêvent les jeunes gens qui veulent se faire *adouber*, comme si la seule circonstance qu'il leur ait chaussé l'éperon droit et donné la *colée* les destinait aux plus sublimes exploits. Aussi le sauvageon Perceval, en ayant rencontré un, ne songe-t-il qu'à aller (5)

Au roi qui fet les chevaliers.	Au roi qui fait les chevaliers.

C'est à lui et non pas encore à la dame que le vainqueur envoie son prisonnier. Clamadeu, battu par Perceval, et qui s'est rendu,

---

(1) Vv. 4346-4347.
(2) Vv. 4381-4382.
(3) Sur l'historicité du roi Arthur, voir les travaux cités par A. Hilka, dans son appendice à la 2e éd. de Bruce, *Arthurian Romance*, 1928, p. 447-449 et surtout E.-K. Chambers, *Arthur of Britain*, Londres, 1927, in-12 et Edm. Faral, *La Légende Arthurienne*, Paris, Champion, 1929, 3 vol. in-8°
(4) Vv. 8089-8090. Cf. Wace, *Brut*, édit. Leroux de Lincy, t. II, p. 74-75,
(5) V. 474.

arrive fidèle à ses ordres et à la parole donnée à la cour
d'Arthur et le salue en ces termes (1) :

« Deus saut et beneïe	« Dieu sauve et bénisse
Le meillor roi qui soit an vie,	le meilleur roi qui soit en vie,
Le plus franc et le plus gentil,	le plus haut et le plus noble.
Si le tesmoignent trestuit cil	Ainsi en témoignent tous ceux
Devant cui ont esté retraites	devant qui ont été contées
Les granz proesces qu'il a faites. »	les grandes prouesses qu'il a faites. »

De ces prouesses on ne nous dit rien ; il est vrai qu'il n'en a
plus l'âge, ayant passé cent ans, ce qui ne l'empêche pas de
paraître robuste et d'être considérée par sa mère dans son
royaume d'au delà comme un enfant encore (la remarque est
assez piquante) (2) :

« Biaus sire », fet ele, « li rois	« Cher sire », fait-elle, « le roi Arthur
Artus comant se contient ore ? »	comment va-t-il à présent ? »
— Mialz qu'il ne fist onques ancore,	— Mieux qu'il ne fit jamais encore,
Plus sains, plus haitiez et plus forz. —	plus sain, plus gai et plus fort. —
« Par foi », fet-ele, « ce n'est pas torz,	« Ma foi », fait-elle, « c'est bien juste.
Il est anfes, li roi Artus,	Il est jeune, le roi Arthur.
S'il a cent anz, il n'a pas plus	S'il a cent ans, il n'a pas plus,
Ne plus ne puet il pas avoir. »	et ne peut pas avoir plus. »

Cependant il donne des signes de sénilité : et d'abord
sa passivité. Quand un insolent s'est, à sa barbe, emparé de la
précieuse coupe d'or à laquelle il tient tant, lui contestant en
même temps son royaume, il n'a pas un geste de protestation, il
reste pensif et muet (vv. 886, 889), ce qui est aussi son attitude quand, à la fin, il n'aperçoit pas dans l'assemblée de ses
barons son neveu Gauvain (3) :

Si chiet pasmez par grant destrece,	et il tombe pâmé de grande détresse,

car il aime ses vaillants serviteurs. Ce qui le rend soucieux
encore au début, c'est d'en avoir perdu tant dans la bataille
qu'ils ont livrée à Ryon, le Roi des Iles.

Il a même de l'affection pour Ké, son sénéchal, qui pourtant en
est bien indigne, car autant Arthur est bon, autant celui-ci est
haineux et médisant. Lui plaît-il parce qu'il n'y a pas plus beau

(1) Vv. 2793-2798.
(2) Vv. 8128-8135.
(3) V. 9187.

chevalier au monde (v. 2760), qu'il est blond et richement vêtu, mais tous redoutent (1)

Ses felons gas, sa langue male,   ses cruelles farces, sa mauvaise langue,

si bien qu'ils évitent de lui parler ? Aussi voyez comme il bafoue le nouveau venu, auquel il donne les armes du chevalier vermeil à charge de les aller prendre, ce qu'Arthur lui reproche avec vivacité (2) :

« Keus », fet li rois, ...   « Ké », fait le roi, ...
« Trop dites volantiers enui,   « vous dites volontiers le mal
Si ne vos chaut onques a cui.   et peu vous importe à qui.
A prodome est ce molt lez vices. »   Pour gentilhomme, c'est bien laid vice. »

Il en sera durement châtié par Perceval, avec qui il se mesure, car il n'est point lâche, mais cette leçon ne le guérit point et c'est sur Gauvain qu'il fait retomber ses brocards, que le héros supporte avec une méprisante indulgence (3) :

« Ha, Messire Gauvain,   « Ah ! Messire Gauvain,
Vos l'amanroiz ja par la main   Vous l'amènerez par la main,
Le chevalier, mes bien li poist.   le chevalier, mais il ne veut pas ;
Bien le feroiz se il vos loist   Vous le ferez, si cela vous est permis
Et la baillie vos remaint.   et si la maîtrise vous reste.
Einsi en avez vos pris maint,   Ainsi en avez-vous pris plusieurs,
Quant li chevalier sont lassez   quand les chevaliers sont lassés
Et il ont fet d'armes assez... »   et qu'ils se sont longtemps battus... »

Aussi se justifie-t-elle la phrase de Chrétien à son propos (4) :

Et Keus qui envieus estoit   Et Ké qui était envieux
Et est ancor et toz jorz iert   et l'est encore et toujours sera
Ne ja nul bien dire ne quiert...   ni nul bien ne cherche à dire...

A Ké le médisant s'apparente la médisante pucelle, la demoiselle félonesse qui pourtant a plus d'excuse, s'étant vu ravir son ami, ayant été l'objet des entreprises du vainqueur et en ayant conçu la haine de tout ce qui porte le nom de chevalier. Depuis, avoue-t-elle dans sa curieuse confession (8896-8924) (5) :

(1) V. 2772.
(2) Vv. 986-989. Beaucoup transcrivent, Keu.
(3) Vv. 4333-4340.
(4) Vv. 4076-4078.
(5) Vv. 8911-8922.

« ... de mon premerain ami	« ... de mon premier ami
Quant morz de lui me departi	quand la mort me sépara de lui,
Ai esté si longuemant fole	j'ai été si longuement folle
Et si estoute de parole	et si outrecuidante en parole
Et si vilainne et si musarde	et si vilaine et si sotte
C'onques ne me prenoie garde	que je ne prenais pas garde
Cui j'alasse contraliant,	qui j'allais maltraitant,
Einz le fesoie a esciant,	mais je le faisais à dessein,
Por ce que trover an volsisse	parce que j'en voulais trouver
Un si ireus que gel feïsse	un si furieux que je le fisse
A moi irestre et correcier	contre moi s'irriter et courroucer
Por moi trestote depecier. »	au point de me massacrer. »

Elle sent si bien l'étendue de sa faute et la laideur de son vice qu'elle demande à Gauvain de lui infliger un supplice (1)

« Tel que jamès nule pucele	« tel que jamais nulle pucelle,
Qui de moi oïe la novele	qui de moi entende parler,
Ne die a nul chevalier honte. »	ne fasse insulte à nul chevalier. »

En fait de femmes, la *male pucele* est, avec Blanchefleur, la plus individualisée. Celle-ci est un mélange curieux de réserve et de hardiesse, tel qu'il se peut concevoir chez une jeune princesse qui a la charge et la responsabilité du pouvoir, sans la force qui lui permettrait de l'exercer et qu'elle est obligée de solliciter d'un autre. Ainsi s'explique, et non par l'impudeur, son insolite démarche auprès de Perceval qu'elle va trouver la nuit dans sa chambre, n'ayant passé sur sa chemise qu'un court manteau de soie (2) :

Si s'est en avanture mise,	et s'est à l'aventure confiée,
Come hardie et corageuse.	en femme hardie et courageuse.

Elle eût pu sans doute se vêtir davantage et c'est pure coquetterie que de montrer les charmes pour avoir les armes. Aussi, la croyons-nous difficilement, quand elle supplie le jeune Perceval (3)

Que vos ne m'an aiez plus vil	de ne pas me tenir plus vile
De ce que je sui ci venue,	parce que je suis ici venue,
Por ce que je sui presque nue...	quoique je sois presque nue...

Pourtant elle cède un peu trop facilement à l'invitation de

(1) Vv. 8925-8927.
(2) Vv. 1930-1931.
(3) Vv. 1960-1962.

s'étendre auprès de lui, sans se refuser à ses baisers et le laissant aller jusqu'où il lui plaît.

Pure hypocrisie encore, lorsque au réveil, tout en lui disant que c'est pauvre chose que l'amour qu'il sollicite elle ne le lui accorde que pour ne pas sembler orgueilleuse. Elle feint de le détourner de risquer pour elle sa vie ; Chrétien, peintre de la femme (1), a vite fait de démasquer ses ruses (2).

Plus vague est la pucelle à la tente et à l'anneau, qui ne nous intéresse que lorsqu'elle réapparaît misérable, en haillons, après avoir été traînée à l'aventure par l'Orgueilleux de la Lande et vague aussi la pucelle prophétesse, qui depuis six ans n'a ri.

Mais plus précise est la veuve dame, mère de Perceval, dont toute l'existence solitaire s'est passée à écarter de son fils l'image séduisante et dangereuse de la chevalerie au service de laquelle le père et les frères ont péri et dont on comprend le désespoir en le voyant pris à son tour par cette insatiable et dangereuse amante (3) :

Que les mescheances avienent	car les malheurs arrivent
As prodomes que se maintienent	aux gentilshommes qui passent leur vie
A grant enor et an proesce.	en grand honneur et en prouesse.

Ce qui ne l'empêche (ainsi sont les mères), une fois forcée de céder à l'irrésistible poussée d'une vocation, de combler le fils ingrat de conseils et de gâteries et de confectionner pour lui des vêtements grossiers qui lui tiendront chaud, même s'ils doivent le rendre un peu ridicule.

Si vif est son amour que, quand il s'éloigne, le cher *nice* qu'elle a cru épargner, elle tombe morte à la tête du pont où elle lui a dit le dernier adieu, où elle lui a donné en pleurant le dernier baiser (4) :

« Biaus fils », fet ele, « Deus vos doint	« Cher fils », fait-elle, « Dieu vous donne
Joie plus qu'il ne me remoint	de joie plus qu'il ne m'en reste,
An quelque leu que vos ailliez. »	en quelque lieu que vous alliez ! »
Quant li vaslez fu esloigniez	Quand le jeune homme fut éloigné
Le giet d'une pierre menue	du jet d'une pierre menue,
Si regarda et vit cheüe	il regarda et vit chue
Sa mere au chief del pont ariere	sa mère, à la tête du pont, en arrière,
Et jut pasmee an tel meniere	gisant pâmée en telle manière
Con s'ele fust cheüe morte...	que si elle fût tombée morte...

(1) Cf. Ch. Grimm, *Chrestien de Troyes attitude towards woman*, dans *Romanic Review*, t. XVI (1925), p. 236.
(2) Vv. 2104-2110.
(3) Vv. 409-411.
(4) Vv. 597-605.

Touchante aussi et respectable la figure de la vieille reine aux tresses blanches, femme d'Uterpendragon et mère d'Arthur, car elle a gardé pour les vivants une partie de la tendresse qu'elle a pour sa compagne la femme du roi Lot, mère de ce Gauvain qu'elle ne reconnaît point, d'Agravain, Kaeriez et Gaerèt, et de leur sœur, la douce et belle Clarissant, attachée comme elles au palais enchanté.

Pour la première fois donc, dans ses portraits de femme, Chrétien plus âgé, devenu peut-être un peu moins sensible à l'insolent éclat de la jeunesse et un peu plus à la majesté délicieuse de la vieillesse, a fait place à la mère et à l'aïeule, et c'est une figure inoubliable que celle de la femme d'Uterpendragon, dont on ne sait pas tout de suite que c'est une ombre d'outre-tombe (1) :

il vit les treces blanches	... il vit les tresses blanches
Qui li pandoient sor les hanches	qui lui pendaient sur les hanches
E fu d'un diapre vestue	et elle était vêtue d'une soie brochée
Blanc a fil d'or, d'uevre menue.	blanche à fil d'or, de travail serré.

Ainsi que les chevaliers ont leur roi, qui leur sert de modèle, les femmes et pucelles ont leur reine, soleil de toutes les vertus. Au palais enchanté, c'est celle que nous venons de rencontrer; dans un monde un peu plus réel, c'est Guenièvre, femme d'Arthur, dont Gauvain lui fait ce magnifique éloge (2) :

« Certes, dame, tant est cortoise	« Certes, ma dame, elle est si courtoise
Et tant est bele et tant est sage	et tant est belle et tant est sage,
Que Deus ne fist loi ne lengage	que Dieu ne fit bible ni livre
Ou l'an trovast si sage dame ;...	où l'on trouvât si sage dame...
Que de li toz li biens descent	car d'elle tout bien descend,
Car de li vient et de li muet. »	d'elle vient et d'elle dérive. »

Et ses amours de jadis, que Chrétien lui-même a contées, avec Lancelot le parfait chevalier ? Elles sont oubliées, comme le fidèle amant qui en était le héros et qui n'est même pas nommé parmi les chevaliers de la Table ronde. Vieillesse est respectabilité ; et les cheveux blancs chasteté. Mais les tendresses qu'elle eut jadis, elle les départit ici à tout le monde. Nul malheureux qu'elle ne conseille, nul homme à qui elle n'enseigne le chemin de l'honneur et du bien.

(1) Vv. 8071-8074.
(2) Vv. 8140-8153.

Si intéressants que soient ces caractères de femme, la médisante, la séduisante, la souveraine, ils augmentent de peu notre
connaissance de sa psychologie. On peut cependant glaner çà
et là quelques observations encore à cet égard et elles sont d'un
caractère assez antiféministe. Elles sont d'ailleurs placées dans
la bouche de l'orgueilleux de la Lande soupçonnant la pucelle
de la tente son amie de s'être abandonnée à Perceval (1) :

« Fame qui sa boche abandone
Le soreplus de legier done... »

« Femme qui sa bouche abandonne
le surplus facilement donne... »

et même si elle se défend, c'est pour bientôt s'avouer vaincue.

Ailleurs Chrétien attribue à celui qui surprend ensemble
Gauvain et la sœur de son ennemi ce réquisitoire (2)

« Mes de ce n'a an fame rien
Qu'el het le mal et le bien ainme...
Quant fame peut avoir ses eises
Del soreplus petit li chaut. »

« Il n'y a rien chez la femme
qui lui fasse haïr le mal, aimer le bien...
Quand femme peut avoir son plaisir
du surplus bien peu lui chaut. »

D'une façon générale, à part le combat de Gauvain pour la
pucelle aux manches petites, ou ceux qu'il livre sur le défi de la
male pucelle, ou ceux que Perceval entreprend pour la délivrance
du château de Beaurepaire, il semble que la source de l'exploit
doive se chercher moins dans l'amour que dans la gloire et dans
l'appel de l'inspiration divine.

C'est tout un tableau de la chevalerie, de ses usages, de sa
doctrine, de ses sources d'inspiration que nous donne le *Conte del
Graal* et nul ne saurait la bien connaître sans l'y avoir étudiée.
Tableau qui est un peu différent de celui que nous ont donné les
précédents romans. Là, elle apparaissait dominée uniquement
par le goût de l'aventure, par l'exaltation de l'individu, et par
l'amour, générateur de prouesse. Ici, à ces données s'ajoutent
deux éléments que nous avions à peine entrevus dans *Lancelot*
et dans *Yvain*, où ils sont encore accessoires et peu évidents :
la charité et la foi, deux vertus qui semblent l'une et l'autre
d'origine cléricale et attester l'emprise de l'Église régulière et
monastique, qui, à ce moment, forme ces ordres à la fois
militaires et religieux : Templiers, Calatrava, Alcantara, Saint-
Jacques-de-l'Épée, sous l'influence des bénédictins de Cîteaux.

(1) Vv. 3825-3826.
(2) Vv. 5818-5819, 5826-5827.

Il y a donc lieu d'examiner successivement tous ces éléments en commençant par ceux qui nous sont déjà familiers et que nous retrouverons ici.

A part le cas de Blanchefleur, dont l'abandon paraît un peu intéressé, puisqu'elle se donne à celui en qui elle espère justement trouver un défenseur de sa terre et de ses biens, l'amour d'une femme est en général la récompense du plus brave et le couronnement de l'exploit. Cela est fortement exprimé par la fille de Tiebaut qui ne s'accordera à Méliant du Lis que comme prix du tournoi où il doit sous ses yeux triompher des meilleurs (1) :

Et ele dit que a nul jor	Et elle dit que jamais
S'amor ne li otroieroit,	elle ne lui octroierait son amour
Tant que il chevaliers seroit.	jusqu'à ce qu'il fût chevalier.
Cil qui molt voloit esploitier	Celui-ci qui désirait ardemment y par-
Se fist lors fere chevalier,	se fit armer aussitôt chevalier, [venir,
Après revint a sa proiere :	puis revint à sa prière :
« Ne puet estre an nule maniere »,	« Ce ne peut être en nulle manière »,
Dist la pucele, « par ma foi,	dit la jeune fille, « par ma foi,
Jusque vos avroiz devant moi	jusqu'à ce que vous ayez devant moi
Tant d'armes fet et tant josté	fait tant de prouesses et tant jouté
Que m'amor vos avra costé ;	que mon amour vous ait coûté ;
Que les choses qu'an a an bades	car les choses qu'on a pour rien
Ne sont si dolces ne si sades	ne sont aussi douces et agréables
Come celes que l'an conpere.	que celle que l'on paie cher.
Prenez un tornoi a mon pere,	Demandez un tournoi à mon père,
Se vos volez m'amor avoir	si vous voulez avoir mon amour,
Que je vuel sanz dote savoir,	car je veux savoir assurément
Se m'amors seroit bien asise	que mon amour serait bien placé
Se je l'avoie or an vos mise. »	si je l'avais mis en vous. »

Mais plus que de l'amour, la prouesse tire son origine de la volonté des jeunes hommes d'éprouver, comme il est dit déjà dans *Yvain* leur courage et leur *hardement* (2), de mesurer la résistance de leur corps et de leur âme au danger (3) :

Et Percevaus la matinee	Et Perceval le matin
Fu levez, si com il soloit,	se lève comme d'habitude,
Qui querre et ancontrer voloit	qui voulait chercher et trouver
Avanture et chevalerie.	aventure et prouesse.

Pendant les cinq ans qu'il a passés, dans l'oubli de Dieu, à rêver au *graal* (4) :

(1) Vv. 4812-4830.
(2) *Yvain*, vv. 362-363.
(3) *Perceval*, vv. 4126-4129.
(4) Vv. 6187-6192.

Et por ce ne laissa il mie
A requerre chevalerie ;
Et les estranges avantures
Les felenesses e les dures
Ala querant si les trova
Tant que molt bien s'i esprova.

Pour cela ne laissa-t-il
de faire acte de chevalerie
et les étranges aventures
les cruelles et les dures
alla quérant et les trouva
tant que fort bien s'y éprouva.

Le meilleur souhait que l'on puisse faire à l'un de ces preux est de lui souhaiter : « bonne aventure » (v. 3954), ce qui ne doit point s'entendre de quelque heureuse fortune, mais d'un danger où l'on puisse s'essayer et duquel on triomphe par son courage. Voyez quelle émulation s'empare d'eux, lorsque la Demoiselle à la mule pénétrant à la Cour d'Arthur leur en propose, à la volée, *des felenesses et des dures* et comme à l'envi ils se jettent sur celles-ci, appât lancé à leur faim de bravoure, et comme ils font serment de ne pas connaître le repos avant d'en avoir eu raison (1) :

Ensinques bien jusqu'a cinquante
An sont levé et si creante
Li uns a l'autre et dit et jure
Que bataille ne avanture
Ne savront que ils n'aillent querre
Tant soit an felenesse terre.

Ainsi bien jusqu'à cinquante
se sont levés et se promettent
l'un à l'autre et disent et jurent
que bataille et aventure
ne sauront qu'ils n'aillent chercher,
tant soit en redoutable terre.

Une fois que le chevalier s'est ainsi engagé envers lui-même, envers ses compagnons, devant le roi Arthur, qui est le modèle de la fidélité envers soi (la plus belle des fidélités) (2) :

Lues que li Rois ot ce juré,
Si furent tuit asseüré
Que il n'i ot que de l'aler.

Aussitôt que le roi eut juré cela,
ils furent tous assurés
qu'il n'y avait plus qu'à y aller.

Quelle audacieuse morale de l'héroïsme, pratiquée jusqu'à notre temps et dont tel ordre célèbre, dans la bataille qui devait décider de la vie de la nation, porte l'inconsciente trace, que celle qui interdit de reculer. Averti du danger qu'il va rencontrer, Gauvain dit ce simple mot, qui vaut bien des sentences de Corneille (3) :

« Cist retorners seroit vilains. »

« Ce recul serait vilain. »

(1) Vv. 4703-4708.
(2) Vv. 4103-4105.
(3) V. 6580.

Dans le palais des merveilles qui est celui de la mère d'Arthur (1),

« Que chevaliers n'i puet ester...	« Chevalier n'y peut entrer
qui de coardie soit plains	s'il est plein de couardise
Ne qui ait an lui nul mal vice	ou qu'il ait en lui nul vice
De losange ne d'avarice ;	de médisance ou d'avarice ;
Coarz ne traïtes n'i dure... »	couard ni traître n'y dure. »

Cette loyauté, le chevalier la pratique à l'égard de son pire ennemi même, comme dans le cas de Gauvain enfermé dans le château du roi d'Escavalon. Guingambresil dit à son maître (2) :

« J'avoie Gauvain apelé	« J'avais accusé Gauvain
De traïson, bien le savez,	de trahison, vous le savez,
Et ce est il que vos avez	et c'est lui-même que vous avez
Fet herbergier an voz meisons,	fait héberger dans votre maison.
Si seroit bien droiz et reisons	Or il serait droit et raison,
Quant vos vostre oste en avez fet	puisque vous en avez fait votre hôte,
Que ja n'i ait honte ne let. »	que mal ni honte lui soient causés. »

Les rapports des chevaliers entre eux sont fondés sur la seule parole donnée, la parole d'honneur, sans qu'il soit besoin d'autre garantie. Ainsi Perceval envoie à Arthur les prisonniers qu'il fait et qui se rendent spontanément à la Cour, et Gauvain sera libéré, sur sa promesse de revenir chez ce roi avant un an. A un inconnu qui lui réclame le cheval qu'il a conquis, il le refuse, mais le lui donne à garder sur sa simple promesse (3) :

« Je le vos creant et plevis »	« Je vous l'assure et promets. »
— Et je, — fet il, — te recroi	— Et moi — fait-il, — de mon côté, je me
Sor ta fiance et sor ta foi. —	à ta promesse et à ta foi. — [fie

A Ké à qui Arthur fait la leçon, il dit (4) :

« Vilenie est d'autrui gaber	« C'est vilenie de moquer autrui
Et de prometre sanz doner	et de promettre sans donner.
Prodom ne se doit antremetre	Un gentilhomme ne se doit risquer
De nule rien autrui promettre	à promettre nulle chose à autrui
Que doner ne lui puisse et vuelle...	qu'il ne lui puisse et veuille donner...

(1) Vv. 7518-7523.
(2) Vv. 6026-6032.
(3) Vv. 7390-7392.
(4) Vv. 995-1010.

Et qui le voir dire an voroit,
Lui meïsmes gabe et deçoit
Qui fet promesse et ne la solt,
Car le cuer son ami se tolt. »

et à dire le vrai,
il se joue et se déçoit lui-même
celui qui fait promesse et ne la tient,
car il s'enlève le cœur de son ami. »

L'élément moral de la chevalerie qu'implique cette loyauté apparaît dans ce roman, nous y avons insisté, singulièrement accru. Sans doute il n'y a pas oubli des injures et c'est l'antithèse de la doctrine chrétienne que cette proposition (1) :

Que mult est malvès qui oblie
S'an li fet honte ne leidure,
Dolors trespasse et honte dure
An home viguereus et roide
Et el malvès muert et refroide.

car est bien méchant qui oublie
qu'on lui fit honte et vilenie.
La douleur passe, la honte dure
chez l'homme vigoureux et fort,
mais chez le lâche, meurt et refroidit.

Mais ce qui frappe, par contraste, avec les autres romans, c'est, comme nous le disions, le rôle moral assigné à la chevalerie. Pour la première fois chez Chrétien est formulée, bien que l'action du roman n'en présente guère que deux exemples, tous deux (la chose est digne de remarque) attribués à Perceval, comme un devoir essentiel du chevalier, le secours à la femme en détresse. La mère de celui-ci lui dit (2) :

« Se vos trovez ne pres ne loing,
Dame qui d'aïe ait besoing,
Ne pucele desconselliee
La vostre aïe aparelliee
Lor soit, s'ele vos an requièrent,
Que totes honors i afierent. »

« Si vous trouvez, près ou loin,
dame qui d'aide ait besoin
ou pucelle dans le malheur,
que votre aide prête
leur soit, si elles vous la requièrent,
car tout honneur leur est dû. »

C'est une gloire de la France d'avoir proclamé « honneur aux dames » et il faut inscrire dans nos annales morales à la date où ils furent écrits, les deux beaux vers frappés en sentence, qui sont la conclusion des précédents (3) :

« Qui as dames enor ne porte
Le soe enors doit estre morte. »

« qui aux Dames honneur ne porte,
son propre honneur il voit périr. »

Gornemant lui répétera en termes moins bien venus cet avis de conseiller la pucelle *desconseillée*, c'est-à-dire malheureuse, et y ajoutera celui, plein de générosité, d'épargner l'ennemi

(1) Vv 2864-2868.
(2) Vv. 513-518.
(3) Vv. 519-520.

vaincu, qui demande grâce (vv. 1622-1623). On comprend
qu'avec une telle doctrine dans le royaume d'Arthur, royaume
idéal, assez différent malheureusement de la brutale réalité (1) :

Sont puceles asseüreees,	sont les pucelles assurées,
Li rois lor a trives doneees,	le roi leur a sûretés données,

et c'est au nom de cette loi bienfaisante que Gauvain a durement
châtié Greorreas, qui a abusé d'une demoiselle qu'il a prise de
force. Nous avons vu quelque chose d'analogue dans *Lancelot*.

L'ermite, après avoir reçu la confession de Perceval, reproduit
une troisième fois (je ne crois pas que ce nombre soit fortuit) le
même conseil qui vise à la protection de la femme (2) :

« Se pucele aïe te quiert	« Si une pucelle t'appelle à l'aide,
Aïe li, que mielz t'an iert,	secours-la ; car mieux t'en adviendra,
Ou veve dame ou orfenine ;	qu'elle soit veuve, dame ou orpheline ;
Icele aumosne iert anterine. »	cette aumône est la plus parfaite. »

Voilà formulé le secours à la veuve ou à l'orpheline que doit
tout bon chevalier.

Mais il y a bien autre chose encore dans le triple enseignement
cyclique et chevaleresque de la mère, du parrain Gornemant
et de l'oncle ermite de Perceval, il y a un enseignement religieux sur lequel on n'avait point mis encore l'accent. Le roman
d'aventure, qui nous était apparu essentiellement laïc et profane, bien que cependant les héros accomplissent assez régulièrement, mais un peu mécaniquement, leurs devoirs religieux,
prend ici un caractère particulier. On dirait presque qu'il devient
bien d'Église. Cela est vrai surtout pour la chevalerie qu'il célèbre.

La *veuve dame*, qui aurait pu commencer un peu plus tôt son
catéchisme, montre, en une véritable homélie, à son fils le chemin
du *moutier* (3) :

« Une meison bele et saintisme,	« une maison belle et très sacrée
U il a cors sainz et tresors,	où l'on trouve reliques et trésors,
S'i sacrefie l'an le cors	et où l'on sacrifie le corps
Jesu Crist la prophete sainte. »	de Jésus-Christ le saint prophète. »

(1) Vv. 7087-7088.
(2) Vv. 6427-6430. M. Baist, soupçonnant une interpolation postérieure à
Chrétien, insère ces vers entre crochets.
(3) Vv. 558-561.

Gornemant, qui reprend, point par point, ce *chasloiemenl*, après avoir *adoubé* le *nice*, lui répète (1) :

« Volantiers alez au mostier
Proier celui qui tot a fait
Que de vostre ame merci ait
Et qu'an cest siegle terrien
Vos gart come son crestien. »

« Volontiers allez au moutier
prier Celui qui tout a fait
qu'il ait de votre âme merci
et qu'en ce monde terrestre
il vous garde comme son chrétien. »

Avec plus d'autorité et d'élévation l'ermite, après la confession, continuera cet endoctrinement et dira à son pénitent, qu'il sent marqué pour les plus hautes destinées terrestres et célestes (2) :

« Deu croi, Deu aime, Deu aore, » « Crois en Dieu, aime Dieu, adore Dieu, »

et, ce qui est plus grave, il lui marque son devoir de soumission envers l'Église ; par un geste, souvent répété, qui est un geste d'hommage (3),

« Contre le provoire te lieve,
C'est uns servises qui po grieve
Et Deus l'aime, par verité
Por ce qu'il vient d'umilité. »

« Devant le prêtre lève-toi.
C'est un service qui coûte peu
et Dieu l'aime en vérité,
parce qu'il vient d'humilité. »

Sans doute, il pèse peu, mais il dit beaucoup : c'est un geste de Canossa. Où la laïcité prend par contre peut-être un peu sa revanche, c'est précisément par l'invasion qu'elle fait dans l'élément religieux, dont sa piété fervente tente de s'emparer. A certains égards l'initiation aux mystères du Graal est plus ou moins une tentative de participation à une communion plus complète que celle qui est réservée d'ordinaire aux fidèles. Dans une large mesure, l'initié et l'inspiré se substitueront au prêtre et peut-être obtiendront mieux que lui la vision en Dieu, la fusion avec Dieu. Il y a là une des manifestations de cette mystique que l'Église provoque et qu'ensuite elle endigue, parce qu'elle dépasse ses desseins et que, omettant son intermédiaire, elle va directement à Dieu en la contemplation duquel on s'abîme.

J'ai déjà montré cet élément d'initiation manifesté par les noms secrets de Dieu qu'enseigne l'ermite à Perceval, mais je voudrais encore insister sur ce fait que ce dernier reçoit une

(1) Vv. 1642-1646.
(2) V. 6421.
(3) Vv. 6423-6426.

triple initiation, la première de sa mère, la seconde de Gornemant qui l'arme chevalier, la troisième de l'ermite. Mais peut-être ai-je tort de considérer l'enseignement de *la veuve dame* comme une initiation et peut-être dans l'esprit de l'auteur les trois degrés correspondant sans doute, comme chez les constructeurs de cathédrales, aux trois grades d'apprenti, compagnon et maître, étaient-ils réservés à Gornemant, qui le fait chevalier, à l'ermite qui le fait compagnon du *graal*, au Roi Pêcheur qui le fera Maître et peut-être Grand-Maître, s'il doit lui succéder comme il est probable, mais cette dernière partie Chrétien ne l'a pas écrite.

Quoi qu'il en soit, la chevalerie a pris dans ce dernier roman l'aspect d'un véritable ordre, ayant ses règles et ses lois fixes (1) :

Et li prodon l'espee a prise	Et le sage homme a pris l'épée,
Si li ceint et si le baisa,	il la lui ceint et le baisa
Et dit que donee li a	et dit qu'il lui a donné
La plus haute ordre avoec l'espée	avec l'épée le plus haut ordre
Que Deus a fete et comandée	que Dieu a fait et commandé
C'est l'ordre de chevalerie	*c'est l'ordre de Chevalerie*
Qui doit estre sanz vilenie.	*qui doit être sans vilenie.*

Nous avons parlé jusqu'à présent du contenu du dernier roman de Chrétien de Troyes et non de ses procédés littéraires.

Il est assez difficile et forcément un peu injuste de critiquer la composition d'une œuvre inachevée. Certains épisodes adventices, voire la série complète des aventures de Gauvain nous sembleraient même hors-d'œuvre, si la promesse du héros de conquérir la lance qui saigne ne les rattachait à la *Quesle* du *Graal*, centre et pivot du récit. Il n'en demeure pas moins que, alors que la trame est si fermement tissée jusqu'au retour de Perceval à la cour d'Arthur, elle devient, après l'apparition de la demoiselle à la Mule bien lâche par l'entrecroisement des aventures de Gauvain et de Perceval, l'auteur passant des unes aux autres par une maladroite formule du genre de celle-ci (2) :

De Perceval plus longuemant	De Perceval plus longuement
Ne parole li contes ci.	ne parle le roman ici.

Ses successeurs hériteront, pour notre malheur, dans les romans en prose en particulier, du procédé et de la formule.

(1) Vv. 1608-1614.
(2) Vv. 6476-6477.

Ce défaut, qui s'applique à la seconde partie seulement, à partir du vers 4709 environ de l'éd. Baist, ne doit pas nous empêcher de reconnaître la valeur de la première partie et les réelles beautés qui ne manquent pas non plus à la seconde.

Sans doute une grande méfiance s'impose au critique d'aujourd'hui en abordant le *Conte del Graal*, puisqu'il doit échapper à ce que j'ai appelé l'enchantement du Vendredi saint. Quand on y a réussi, on est forcé d'avouer que la première apparition de la lance qui saigne, des chandeliers, du vase d'or (j'écarte à dessein le mot alors banal qui le désigne) porté par une jeune fille, et du plat d'argent, qui va d'une chambre à l'autre, et passe devant le roi Pêcheur, ne serait pas plus impressionnante que n'importe quel enchantement, tel le lit merveilleux du château des Pucelles, si on ne lui confère immédiatement une signification religieuse. Le lecteur moderne, instruit par Wagner, n'y manquera point, mais je crois que le lecteur d'alors, même peu averti, au seul aspect de la lance dont la pointe laisse échapper une goutte de sang, doit penser à celle qui perça le flanc de Jésus et, frappé de l'éblouissante lumière que dégage le *Graal*, ne manquera pas de songer à l'ostensoir et se laissera envahir par une émotion divine.

Toute la scène est empreinte d'une réelle majesté et a une grande puissance d'évocation. Il est devant nos yeux, le roi *mehaigné*, au manteau de pourpre, faiblement dressé sur son coude, étendu dans son lit, sous un dais, entre quatre colonnes, la tête enveloppée d'un bonnet fourré de zibeline, entouré de ses chevaliers qui se chauffent à un grand feu.

Singulièrement dramatique aussi est, surtout si on lui attache, comme nous l'avons fait, une signification symbolique et religieuse, la scène du chevalier aux armes vermeilles appuyé sur sa lance et contemplant, sur la neige blanche, les trois gouttes de sang de l'oiseau blessé.

Dramatique encore la scène où Gauvain, après s'être entendu maudire et menacé par son ennemi Grinomalant, se nomme à lui (1) :

« Sire, se Damedeus m'aïst,
Onques mes nons ne fu celez,
Ge sui cil que vos tant haez,
Ge sui Gauvains ! »

« Sire, que le seigneur Dieu m'aide,
mon nom ne vous fut jamais caché,
je suis celui que tant haïssez,
je suis Gauvain ! »

(1) Vv. 8794-879 7.

31

Si donc les scènes émouvantes ne manquent point, car il y en aurait d'autres à citer, telle celle de la pucelle en haillons, il en est beaucoup par contre où l'intention comique est non moins évidente. Ce n'est pas la première fois que nous en trouvons chez notre écrivain, par exemple dans la description de ses vilains hideux, tel le bouvier qui enseigne à Yvain le chemin de la fontaine, mais il ne s'agit là que de détails. Ici c'est toute l'histoire du jeune *nice* qui est pleine de traits charmants, d'un comique atténué, champenois, sans doute assez accentué pour nous faire sourire, pas assez poussé pour le rendre grotesque. On se rappelle le délicieux épisode du début : sa rencontre avec ces êtres, dont l'espèce et la nature lui sont inconnues, qu'il prend successivement pour des diables, des anges et des dieux, qu'il interroge sur chacune de leurs armes et à qui il demande, considérant de près l'armure de celui qui l'interroge : « Êtes-vous ainsi né ? » (v. 280).

On ne trouvera plus dans les versions ultérieures, continuations ou refaçons en prose, de scènes aussi gracieuses et traitées avec autant de délicatesse.

C'est encore un trait du meilleur comique que cette répétition du *nice*, qui, chaque fois qu'il aborde quelqu'un et le salue, ajoute (1) :

« Sire, ce m'anseigna ma mere. »   « Ainsi me l'a appris ma mère. »

L'épisode de la pucelle sous la tente est traité dans le même ton et celui des pâtés préparés pour l'amant et dévorés de bon appétit par le naïf larron de son honneur ne laissent pas non plus d'être plaisant à la façon d'un fabliau.

Comique aussi l'intrusion du candidat à la chevalerie, dépourvu de toutes manières, chez le roi Arthur, astre de courtoisie, qu'il tire des pensées où il est absorbé en lui faisant tomber le bonnet avec le museau de son cheval.

Comique encore l'attifement grossier du valet gallois, son entêtement à garder les chemises de bure que lui a faites sa maman, sa maladresse à dépouiller de ses armes le chevalier « aux armes vermeilles » qu'il a tué et sa gaucherie à les revêtir (1117-1120, 1138-1141).

Dans la seconde partie, où interviennent cette fois les aventures de Gauvain, c'est encore une scène des mieux venues et des

_____

(1) V. 1339.

plus plaisantes que la querelle des deux sœurs assistant au tournois et se disputant sur la valeur du meilleur chevalier au point que l'aînée se laisse aller à souffleter la cadette (5015 et s.), la pucelle aux manches petites, dont le type est d'ailleurs charmant.

Et c'est une bonne scène aussi, plus comique que dramatique, que le soulèvement de la commune montant à l'assaut du château pour y surprendre Gauvain et la châtelaine et s'armant d'objets les plus hétéroclites, haches, portes, pics, vans, fourches, fléaux et massues, tandis qu'elle leur lance les dures pièces du jeu d'échec et que lui se contente comme écu de l'échiquier.

J'ai déjà évoqué à propos de cet incident héroï-comique le nom de Rabelais. Ce n'est pas un mince éloge et il se justifie encore par ce mélange étonnant de fiction et de réalité que nous retrouvons ici comme dans les œuvres précédentes de Chrétien de Troyes. Il n'est rien de plus invraisemblable, de plus éloigné de la réalité que ces châteaux enchantés, comme celui du *Graal*, qui apparaissent en une contrée déserte, et disparaissent ensuite, ou que ce lit merveilleux et tout le palais des Pucelles habité par des morts, mais rien n'est plus conforme à la réalité que l'accueil que, dans le premier, reçoit Perceval et, dans le second, Gauvain qui y adoube ensuite cinq cents chevaliers.

Si Chrétien semble un peu las de décrire des combats singuliers (1) :

La bataille fu forz e dure	la bataille fut forte et dure,
De plus deviser n'ai je cure	je n'ai pas envie d'en parler davantage
Que poinne gastee me sanble,	car cela me semble peine perdue,

il nous dépeint avec une rare précision l'assaut manqué du château de Beaurepaire (vv. 2380-2435), la tentative qui est faite par l'ennemi pour le réduire par la famine, le ravitaillement inespéré par l'apparition d'un navire marchand dans le port (vv. 2486-2535).

Je note encore la description de ce château de la misère, ruiné par les malheurs de la guerre ; les murs crevés et fendus, les tours sans toit, maisons ouvertes.

Nous ne connaissons que trop ces spectacles de désolation, mais Chrétien s'est plu aussi à décrire une ville opulente dont le modèle a pu lui être fourni par Bruges, par Dam ou par Gand (2) :

(1) Dans Baist seulement, vv. 3889-3891.
(2) Vv. 5721-5744.

Pueplee de molt bele gent,	peuplée de très beau monde,
Et les changes, d'or et d'argent	et les tables des changeurs, d'or et d'ar-
Qui tuit sont covert de monoies.	toutes couvertes et de monnaies. [gent
Et vit les places et les voies	Il vit les places et les rues
Qui totes sont plainnes d'ovriers	toutes pleines de bons ouvriers
Qui feisoient divers mestiers...	qui pratiquaient divers métiers...
Et cil lor espees forbissent	ceux-ci fourbissent les épées, [tissent,
Cil folent dras et cil les tissent.	les uns foulent les draps, d'autres les
Cil les paignent et cil les tondent,	ceux-ci les peignent, ceux-là les tondent,
Et li autre or et argent fondent,	les autres fondent or et argent,
Cil font oevres bones et beles,	faisant œuvres bonnes et belles,
Cil font henas, cil escueles	faisant hanaps ou écuelles,
Et joiaus ovrez a esmaus,	et joyaux émaillés,
Eniaus, ceintures et fermaus.	anneaux, ceintures, fermaux ;
Bien poïst an et dire et croire	on eût pu et dire et croire
Qu'an la vile etist toz jors foire,	qu'en la ville ce fût toujours foire,
Que de tant d'avoir estoit plaine,	tant de richesse elle était pleine,
De cire, de poivre et de graine,	de cire, de poivre, d'écarlate,
Et de panes veires et grises	de fourrures de petit gris
Et de totes marcheandises.	et de toutes marchandises.

C'est en Flandre aussi qu'il aura pris le modèle de la Commune qui n'obéit qu'à son Maire et à ses échevins, facile à ameuter sous le plus futile des prétextes, et qui ne rentre dans l'ordre qu'au commandement du chef qu'elle s'est choisi (1) :

Tuit s'an vont que nus n'i remaint,	Tous s'en vont, nul n'y reste
Des ice que au major plot.	sitôt qu'a commandé le maire.

Il devait plaire aux lecteurs de Chrétien, en particulier à Philippe d'Alsace, qu'il eût ridiculisé un soulèvement de la Commune, mais surtout il s'est appliqué à rendre devant nous l'existence aristocratique des châteaux. Nul ne saurait la concevoir, s'il ne s'est laissé entraîner, à la suite du romancier, en ses manoirs, ou bien solitaires dans la campagne lointaine, ou bien dominant une ville, et dans lesquels s'épanouit la vie courtoise, première ébauche d'une société polie. Les plus fantastiques, comme le Palais de marbre de la vieille reine, veuve d'Uterpendragon, nous en donnent le tableau, aussi bien que le castel plus réel de Beaurepaire, où gouverne la gracieuse Blanchefleur, ou encore le château de Tiébaut, sous les murailles duquel combat Gauvain pour la pucelle aux manches petites. Voyez comme ses compagnes accueillent leur *damelle* (2) :

(1) Vv. 6048-6049.
(2) Vv. 5210-5216.

Et quant ce virent les puceles
Que lor petite dame vient,
Joie feire lor an covient
Et si font eles sanz faintise.
Chascune par la main l'a prise,
Si l'an mainent joie feisant,
Les ialz et la boche beisant.

et quand les pucelles voient
que leur petite dame vient,
il leur faut lui montrer leur joie
et elles le font sans s'épargner.
Chacune l'a prise par la main
et elles l'emmènent se réjouissant,
les yeux et la bouche baisant.

Voici les dames au tournois, babillant, discutant des mérites des combattants, raillant celui qui n'entre point en lice et qui leur paraît un marchand déguisé (vv. 4960-5052). Toujours ces propos de la foule que Chrétien excelle à noter. Écoutez-la aussi prier le chevalier qui l'abandonne (2903 s.). Ainsi parlait le peuple et parfois peut-être le clergé, voyant partir son seigneur et protecteur pour la croisade.

Voyez encore le départ de la cour d'Arthur, dont il aura pris le modèle sur tel départ observé à Troyes ou à Gand, les seigneurs aimant à se montrer dans leurs diverses possessions et consommant volontiers sur place le produit de leurs terres (1) :

Qui lors veïst dras anmaler,
E covertors et orelliers,
Cofres anplir, trosser somiers,
Et chargier charrettes et chars,
Dont il n'i ot pas a eschars,
Tantes et pavellons et trez,
Uns clers sages et bien letrez
Ne poïst escrire an un jor
Tot le hernois et tot l'ator
Qui fu aparelliez tantost...

Qui aurait vu emballer les draps,
les couvertures, les oreillers,
coffres emplir, trousser sommiers,
charger charrettes et chars,
qui n'étaient pas en petit nombre,
tentes, pavillons et toiles,
fût-il sage clerc et très savant,
il ne pourrait en un jour décrire
tout le harnais et les atours
qui furent prêts en un instant...

Même à propos du fantastique Roi Pêcheur, personnage symbolique, être de rêve s'il en fut, c'est une scène vue encore que celle de la pêche à laquelle, au début, on le voit occupé, ayant jeté l'ancre au milieu de la rivière et appâtant (2)

Son ameçon d'un poissonnet
Petit graignor d'un veironet.

Son hameçon d'un poissonnet
guère plus grand qu'un vaironet.

Quoi de plus réaliste encore que le tableau du misérable vêtement de la pucelle à la tente après les longues épreuves que lui a imposées l'Orgueilleux de la Lande (3) :

(1) Vv. 4106-4415.
(2) Vv. 2971-2972.
(3) Vv. 3682-3687.

Qu'an la robe que ele vestoit
N'avoit plainne paume de sain,
Einz li sailloient hors del sain
Les memeles par les rotures (1) ;
A neuz et a grosses costures
De leus an leu ert atachiee.

Dans la robe qu'elle avait revêtue
n'y avait pleine paume d'intact,
mais lui sortaient de la poitrine
les seins par les déchirures ;
par des nœuds et à grosses coutures
de place en place elle était attachée.

Et quelle jolie observation aussi que celle-ci, lorsque la pauvrette aperçoit Perceval (2) :

E ele estraint sa vesteüre
Entor li por le mialz covrir ;
Lors comancent pertuis ovrir
Que, quant que ele mialz se cuevre,
Un pertuis clost et cent en oevre.

Elle ramène son vêtement
autour d'elle pour se mieux couvrir,
mais d'autres trous s'ouvrent alors
car, lorsque mieux elle se couvre,
un trou elle clôt et cent en ouvre.

Son palefroi n'est pas moins maigre qu'elle et sa misère n'est pas moins bien évoquée (3) :

Del palefroi li estoit vis,
Tant estoit megres et cheitis,
Qu'an males mains estoit cheüz.
Bien travelliez et mal peüz,
Sanble que il eüst esté
Ausi come cheval presté
Qui le jor est bien travelliez
Et la nuit mal aparelliez.

Du palefroi il lui semblait,
tant il était maigre et chétif,
qu'en mauvaises mains fût tombé.
Fort malmené et mal nourri
il paraissait avoir été,
tout ainsi qu'un cheval prêté,
qui le jour est très harassé
et la nuit fort mal soigné.

Mais le triomphe du peintre animalier est dans la description de la rosse efflanquée arrachée au ridicule écuyer et dont la ruse de Greorras oblige Gauvain à se contenter pour un temps (4) :

El roncin ot molt leide beste,
Gresle ot le col, grosse la teste,
Larges oroilles et pandanz,
Et de vellesce ot teus les danz
Que l'une levre de la boche
De deus doie a l'autre ne toche...
Les ialz ot trobles et oscurs,
Les pies crapeus, les costez durs,
Toz depeciez a esperons ;
Li roncins fu gresles et lons.

Ce roncin était bien laide bête,
le cou grêle, grosse la tête,
longues oreilles et pendantes ;
la vieillesse découvrait ses dents,
car une lèvre de la bouche
de deux doigts à l'autre ne touche...
Ses yeux étaient troubles et obscurs,
les pieds aggravés, les flancs durs,
tout lacérés par les éperons...
Le roncin était grêle et long.

(1) *Rotures* vient de Mons ; ap. Potvin, I, 4897. *Costures* du ms. de Paris me semble une dittographie.

(2) Vv. 3704-3708.

(3) Vv. 3657-3664. Les mauvais soins donnés au cheval prêté étaient légendaires ; on en trouve un exemple dans une des comédies latines du xiie siècle que je ferai paraître prochainement dans la nouvelle collection de l'Association Guillaume Budé, *Pamphilus, Gliscerium et Birria.*

(4) Vv. 7125-7134.

Peu de portraits par contre de personnages. La figure de Perceval reste pour nous assez vague, nous savons seulement que ce jeune homme a les yeux clairs et les cheveux longs. Nous voyons mieux le grotesque accoutrement à lui préparé par sa mère (584 et s.). Le visage le mieux tracé est encore celui de Ké le médisant, mais, étant d'un comparse, il nous intéresse moins.

Chrétien de Troyes se repent d'avoir peint dans toutes ses œuvres des héroïnes, belles comme le jour, et d'avoir tiré à de multiples exemplaires un modèle, que chaque fois il déclare unique. Il s'accuse d'avoir à cet égard souvent menti, mais cette fois, pour Blanchefleur, il promet qu'il dira la vérité (1) :

E se je onques fis devise	Et si jamais je fis portrait
An biauté que Deus eüst mise	de la beauté que Dieu avait mise
An cors de fame ne an face	dans corps ou visage de femme,
Or me plest que une an reface	il me plaît d'en faire maintenant un
Ou ge ne mantirai de mot.	où je ne mentirai d'un mot.

Cependant il n'en varie guère les touches : les cheveux sont brillants et blonds comme s'ils étaient d'or fin (2) :

Le front ot blanc et haut et plain	Elle avait le front blanc, haut et lisse,
Com se il fust ovrez de main,....	comme s'il avait été sculpté à la main,
De pierre, ou d'ivoire ou de fust,	dans la pierre, l'ivoire ou le bois.
Sorcius brunez et large antruel.	Sous bruns sourcils à large intervalle
An la teste furent li oel	dans la tête étaient plantés les yeux,
Riant et veir, cler et fandu ;	changeants, riants, clairs, bien fendus.
Le nes ot droit et estandu ;	Elle avait le nez droit et mince.
Et mialz li avenoit el vis	Mieux lui seyait en son visage
Li vermauz sor le blanc asis,	le vermeil sur le blanc tranchant
Que li sinoples sor l'argent.	que le sinople sur l'argent.
Por anbler san et cuer de gent	Pour ravir l'esprit et le cœur de tous
Fist Deu de li passe mervoille.	Dieu fit d'elle la passe-merveille.

La sœur de Gauvain enfermée au palais des merveilles n'a pas moins d'ailleurs de charmes et d'attrait (3) :

Une pucele antre ceanz	Une pucelle entre ici
Qui molt ert bele et avenanz,	qui était belle et plaisante.
Sor son chief un cercelet d'or	Sur son chef avait un cercle d'or
Don li chevol estoient sor,	et ses cheveux étaient blonds

(1) Vv. 1781-1785.
(2) Vv. 1791-1803.
(3) Vv. 7863-7870.

Autant come li ors ou plus.	ainsi que l'or ou même plus.
La face ot blanche et par desus	La face était blanche, mais par-dessus
L'ot anluminee Nature	l'avait enluminée Nature
D'une color vermoille e pure.	d'une couleur vermeille et pure.

La Nature, ici personnifiée, est souvent représentée dans ses œuvres animées ou inanimées. C'est un tableau exquis de fraîcheur, comme les fonds des primitifs flamands, que celui qui figure au début du *Conte del Graal* ; il est du reste de style dans la poésie lyrique d'alors (1) :

Ce fu au tans qu'arbre florissent,	Au temps où les arbres fleurissent,
Fuelles, boschaige, pré verdissent	feuilles, bocages, prés verdissent ;
Et cil oisel an lor latin	où les oiseaux en leur ramage
Dolcement chantent au matin	doucement chantent au matin ;
Et tote riens de joie anflame.	où tout être de joie s'enflamme...

C'est un paysage bien évocateur aussi que celui que contemplent Gauvain et son guide, le nautonier du palais des Pucelles (2) :

Et furent apoié andui	ils étaient appuyés tous deux
As fenestres d'une tornele.	aux fenêtres d'une tourelle.
La contree qui molt fu bele	La contrée qui était très belle
Esgarda mes sire Gauvains	Messire Gauvain la regarda,
Vit les forez et les plains	vit les forêts et les plaines
Et le chastel sor la faloise	et le château sur la falaise.

C'est là en effet qu'il a placé presque tous ses châteaux enveloppés de mystère, réceptacles d'enchantements : le château du Graal, le Palais des Pucelles, et même le castel de Gornemant et celui de Beaurepaire. Tous dominent des rochers escarpés que lèche et ronge une rivière, ou plutôt un bras de mer (3) :

Et la mers au pié li batoit.	Et la mer battait ses pieds.

On dirait là aussi d'un paysage vu par l'auteur, soit dans notre Bretagne, soit mieux encore aux bords du canal de Bristol ou de la Severn dans ce pays de Galles embrumé de légendes qu'évoquent aussi tous les noms en Car (le *Ker* des Bretons continentaux) des villes et châteaux d'Arthur, Cardigan, Carduel, Carlion ou le Saint-Davi du v. 4096. Carlion, ville des Légions.

(1) Vv. 69-73.
(2) Vv. 7464-7469
(3) V. 1310.

Ce voisinage de la mer n'est pas imposé par la tradition, mais par le souvenir et surtout par la nécessité poétique. Les brumes qui s'élèvent de la mer, l'étendue infinie qu'elle donne à l'horizon, la mobilité de ses flots sur lesquels les châteaux qu'elle borde semblent bercés, contribue à leur donner ces allures de rêve nécessaires pour les reculer en immatérialité, malgré la lourdeur grise de leurs pierres, qui se confondent avec le rocher, et malgré la massiveté de leurs tours.

En lisant le *Conte del Graal*, plus qu'un motif de Wagner, on entend chanter en soi ce vers d'Edgar Poë si simple, si prenant et si mélancolique :

In a kingdom by the sea   Dans un royaume près de la mer.

Par une rencontre singulière pour répondre aux mêmes besoins intérieurs, plus près de nous, Maurice Maeterlinck a situé aussi, dans des châteaux près de la mer, ses sombres actions et ses personnages fantastiques. Mais français, Chrétien de Troyes met dans les siens plus de lumière (1) :

Li chastiaus sist sor la faloise.   Le château est assis sur la falaise
Et fu fermez par tel richesce   et fortifié avec telle richesse
C'onques si riche forteresce   que jamais si riche forteresse
Ne virent oel d'ome qui vive ;   ne virent yeux d'homme qui vive,
Que sor une roche naïve   car sur une roche naturelle
Sont les tors del chastel assis (2),   étaient plantées les tours du château,
Qui totes sont de marbre bis.   qui toutes sont de marbre gris.
El palès fenestres overtes   Dans le palais étaient ouvertes
Ot bien cinq cenz totes covertes   bien cinq cents fenêtres garnies
De dames e de damoiseles,   de dames et de demoiselles,
Qui esgardoient devant eles   qui regardaient devant elles
Les prez et les vergiers floriz.   es prés et les vergers fleuris.

La sombre vision bretonne ou galloise a fait place un instant à une riante vision champenoise.

Malgré les très beaux passages qu'il nous a été facile de glaner et qui sont, dirai-je en calquant l'expression anglaise, pleins d'efficacité, et de force d'évocation, on ne peut pas dire que, du point de vue de la perfection du style, le *Conte del Graal* soit à la hauteur des précédents romans de Chrétien et en particulier d'*Yvain*.

(1) *Perceval*, éd. Potvin, t. I, p. 287-288, vv. 8596-8607 ; p. 82, vv. 7200-7211 de l'éd. Baist.
(2) Pour ce vers et les suivants, version de Mons.

Cela doit tenir en particulier, soit à une mauvaise transmission, non surveillée par l'auteur, soit plus probablement à cette circonstance que la mort l'a empêché de se relire aussi souvent qu'il l'aurait voulu et de déployer tous les ornements et toutes les ressources de son talent. Nombreuses sont les gaucheries d'expression, les répétitions de mots ou de phrases presque toujours premier jet avant l'émondage. Voici un seul exemple de ces tournures embarrassées fréquentes dans le *Conte del Graal* (1) :

Par tans se porra aloser	Plus tard se pourra vanter
Li chevaliers, se fere l'ose,	le chevalier, s'il l'ose faire
C'onques cele por autre chose	que jamais elle pour autre chose
Ne vint plorer desor sa face,...	ne vint pleurer sur son visage...
Fors por ce qu'ele li meïst	si ce n'est pour mettre en lui
An talant que il anpreïst	le désir d'entreprendre
La bataille, s'il l'ose anprendre,	la bataille, s'il l'ose entreprendre,
Por sa terre et por li desfandre.	afin de défendre sa terre et elle-même.

Tout cela est bien gauche et bien lourd. Ce n'est pas là le beau français que, suivant un contemporain, Chrétien jetait à pleines mains. Ici un exemple de répétition maladroite qu'une relecture aurait éliminée (2) :

A force le doi li estant,	De force il lui délie le doigt
Si a l'anel an son doi pris	et lui a pris l'anneau de son doigt
Et el suen doi meïsmes mis.	et l'a mis à son propre doigt.

Il arrive que le même mot figure à la rime (3), avec un sens, c'est vrai, un peu différent, mais ce sont là négligences qu'un écrivain aussi sûr de son métier n'eût pas manqué d'élaguer.

Nous avons déjà signalé le défaut de la cheville-synonyme, entraîné par l'emploi uniforme de l'octosyllabe narratif, mais il semble ici un peu plus criant qu'ailleurs, comme dans le chapelet que voici, cueilli entre cent (4) :

Je pans et croi an mon coraige...	Je pense et crois en mon cœur
Qu'an trestot le monde n'avra	qu'au monde entier il n'y aura
N'il n'i ert n'an ne l'i savra	il ne sera, l'on ne saura
Nul meillor chevalier de toi,	nul meilleur chevalier que toi,
Ensi le pans et cuit et croi.	ainsi je le pense, estime et crois.

(1) Vv. 2014-2022.
(2) Vv. 700-703. Encore le même mot figure-t-il aussi dans les deux vers qui précèdent.
(3) *Costures*, dans l'éd. Baist, vv. 3685-3686, où il est peut-être dittographié.
(4) Vv. 1018-1022.

Si j'ai à noter plus de défauts, j'ai aussi à constater une moins ample moisson de comparaisons et d'images. Il semble donc que l'écrivain ait eu coutume (et si j'ai raison, nous surprendrions ici un de ses secrets d'atelier ou d'établi) d'introduire après coup ces comparaisons et images, ce qu'il n'aurait pas eu le temps de faire ici. Celle du palefroi de la pucelle malheureuse avec un cheval prêté qu'on fait beaucoup travailler et qu'on soigne mal (3661-3664) est plaisante, sans plus, et quant à cette métaphore, empruntée d'ailleurs à *Yvain*, elle est un peu trop précieuse (1) :

Que ele li metoit la clef	qu'elle lui mettait la clef
D'amor an la serre del cuer.	d'amour en la serrure du cœur.

Ceci montre qu'il n'a pas renié le procédé de l'image comme on pourrait encore le supposer.

Que ces critiques ne donnent pas le change. Si le style a perdu en grâce et en éclat, il a parfois gagné en concision lapidaire et je me plais à noter certaines formules heureuses, ramassées en huit syllabes et qui ont la rigueur d'une inscription de médaille ou le raccourci d'un proverbe populaire. D'un pont-levis il est dit quelque part (2) :

Le jor ert ponz et la nuit porte.	Le jour était pont, la nuit, porte.

D'une ville assiégée et réduite par la famine (3) :

Molins n'i mialt ne n'i cuist forz.	Moulin n'y moud et four n'y cuit.

J'ai noté moins d'effets d'harmonie imitative, surtout à propos des combats, mais on trouve cependant au début celui-ci qui ne laisse pas d'être heureux (4) :

Car sovant hurtoient as armes	car souvent heurtaient à leurs armes
Li rain des chasnes et des charmes	les branches des chênes et charmes
Et tuit li hauberc fremissoient,	et tous les hauberts frémissaient.
Les lances as escuz hurtoient,	Les lances aux écus se heurtaient,
Sonoit li fuz, sonoit li fers	sonnait le bois, sonnait le fer
Et des escuz et des haubers.	et des écus et des hauberts.

Ici le rythme de la phrase est, comme il convient, un peu

---

(1) Vv. 2598-2599.
(2) V. 1326.
(3) V. 1742.
(4 Vv. 105-110.

heurté, ailleurs, au contraire, celle-ci se développe sans s'arrêter au couple de rimes plates, avec une rare et aisée continuité (1) :

Chies le roi pescheor alas	Chez le Roi Pêcheur tu entras
Si veïs la lance qui sainne,	et vis la lance qui saigne,
Et si te fu lors si grant painne	et ce te fut lors si grand peine
D'ovrir ta boche et de parler	d'ouvrir la bouche et de parler
Que tu ne poïs demander	que tu ne pus lui demander
Por coi cele gote de sanc	pourquoi cette goutte de sang
Saut par la pointe del fer blanc ;	sort de la pointe du fer brillant ;
Et le *graal* que tu veïs	et du Graal que tu vis,
Ne demandas ne anqueīs	tu ne demandas ni t'enquis
Quel riche home l'an an servoit.	quel Riche Homme l'on en servait.

Voici une phrase encore qui se prolonge sur dix vers pour décrire les enchantements du lit merveilleux (2) :

Et les cordes gietent un bret	et les cordes jettent un cri
Et totes les quanpanes sonent,	et toutes les clochettes sonnent
Si que tot le palès estonent	au point d'ébranler le palais,
Et totes les fenestres oevrent	et toutes les fenêtres s'ouvrent
Et les mervoilles se descoevrent	et les merveilles se découvrent
Et li anchantemant aperent,	et les enchantements paraissent,
Que par les fenestres volerent	car par les fenêtres volèrent
Quarriaus et saietes leanz	carreaux et fléchettes dedans
Si an ferirent ne sai quanz	et en frappèrent ne sais combien
Mon seignor Gauvain an l'escu.	Monseigneur Gauvain en l'écu.

Il n'y a pas dans tout le *Conte del Graal* d'aussi fin dialogue et d'aussi gracieusement coupé que celui de Laudine et Lunete dans *Yvain*, mais pourtant nous avons dit le charme de celui de Perceval et du chevalier au début du roman, auquel se reconnaît le cachet du maître (3) :

« Or me dites », fet il, « biaus sire,	« Or dites moi », fait-il, « cher sire,
Qu'est ce que vos avez vestu ? »	qu'est-ce que vous avez revêtu ? »
— Vaslez, — fet il, — don nel sez tu ? —	— Garçon, — fait-il, — ne le vois-tu ? —
« Je, non. » — Vaslez c'est mes haubers,	« Moi, non. » — Garçon, c'est mon haubert
S'est aussi pesanz come fers. —	qui est aussi pesant que fer. —
« De fer est-il ? » « Ce voiz tu bien. »	« Est-il de fer ? » « Tu le vois bien. »

Dans le genre molonogue que Chrétien ne pratique pas moins, l'on peut signaler celui de la pucelle misérable (vv. 3714-3739),

(1) Vv. 4614-4623.
(2) Vv. 7786-7795.
(3) Vv. 258-263.

et le tableau que Blanchefleur trace des souffrances de la ville assiégée (1989-2010), et où elle menace de mettre fin à ses jours. Éloquente aussi l'admonestation du vavasseur à sa châtelaine se prostituant à l'ennemi (vv. 5811-5827), que nous avons citée, ainsi que le discours de Gornemant au nouveau chevalier.

Voilà donc les défauts et les qualités du *Conte del Graal* et il faut convenir qu'à tout prendre celles-ci l'emportent sur ceux-là. Encore se sent-on persuadé que beaucoup de taches eussent été effacées et des bavures grattées par le bon peintre qui ailleurs eût renforcé des tons un peu fades. Peut-être même ne faut-il pas trop regretter l'exercice manqué de ce patient travail, qui quelquefois ne laisse plus paraître dans toute leur vivacité les premières et vives couleurs transposées directement de la palette sur la toile. L'œuvre inachevée par Chrétien garde ainsi toute sa fraîcheur d'esquisse, son transparent de primitif flamand, et peut-être cette spontanéité des pages non relues aide-t-elle à leur conserver cette limpidité d'eau de source qui rappelle les yeux clairs du jeune *nice*, cette ingénuité qui est celle de l'âme diaphane aussi du simple élu de Dieu, et encore cette brumeuse atmosphère de rêve qui convient aux châteaux enchantés de Galles près de la mer, où les morts gardent leur vigueur et où les vivants que le Destin désigne et qui savent poser les questions de l'initié, trouvent, dans le *graal*, le pain de la vie éternelle.

CHAPITRE X

CONCLUSION

Ignorer Chrétien au xiie siècle,
c'est ignorer Balzac au xixe.

Nous voici arrivés au terme de notre long voyage à travers l'œuvre de Chrétien et si la mort ne l'avait pas empêché de l'achever, il n'est presque pas douteux qu'il nous eût conduit, tel un Dante, au seuil du Paradis des jouissances spirituelles et des extases mystiques, que départit le *graal*, réceptacle inépuisable et symbolique du divin. Or ceci est déjà le signe de tout ce qu'il a su et voulu mettre dans le roman.

Parti, au milieu du xiie siècle, de l'imitation souvent un peu sèche d'Ovide, qu'il a aimé, dans l'ivresse de la seconde Renaissance classique, il est arrivé, en fin de carrière, à l'expression, imparfaite encore, de cette mystique dont, vers l'issue du même siècle, s'inspirent, sous l'impérieuse influence cistercienne, les constructeurs de cathédrales, les constructeurs de romans et les constructeurs des systèmes philosophiques. Comme les plus grands auteurs, il déroule donc en lui-même l'évolution des quelque cinquante années qu'il a vécues ou plutôt il est ce demi-siècle même, dont il peint presque tous les aspects sociaux, moraux, idéologiques. Je ne vois guère, dans tout notre moyen âge français, d'œuvre plus complète que la sienne et à propos de laquelle il serait possible d'écrire un livre comme celui-ci, de tracer une courbe d'évolution, de montrer un écrivain posant une thèse, puis la corrigeant, la rectifiant, la reprenant sous une autre forme, dans un autre roman. Jamais le rôle d'une puissante personnalité ne s'est mieux affirmé dans notre littérature.

Profitant de la leçon de la triade classique, *Thèbes-Eneas-Troie*, il s'est d'abord adressé à la matière antique, où lui donnait par ailleurs accès une véritable éducation d'humaniste, telle qu'on la pouvait acquérir dans les cloîtres qui vivent dans l'ombre de Notre-Dame de Chartres ou de Notre-Dame de Paris. Il adapte des *Métamorphoses* d'Ovide, en particulier *del Rossignol la muance*, c'est-à-dire l'histoire de *Philomena*, qui, probablement, nous a été conservée. On n'y voit que trop qu'il s'agit d'une œuvre de jeunesse, où pourtant quelques dialogues portent la marque de l'influence du spirituel auteur de l'*Eneas*.

Guillaume d'Angleterre correspond à une autre source d'inspiration, les histoires de saints où, dans un souci d'édification sans doute, mais aussi pour répondre à la poussée de l'imagination littéraire (1), de pieux auteurs ont conté la vie de leur héros, où la volonté capricieuse de Dieu varie les rencontres du hasard, sème les tentations, multiplie les périls, pour aboutir toujours à la punition des méchants et au triomphe des bons, cher au candide lecteur. Il y a dans cette œuvre déjà toute la force d'imagination, l'entraînement du récit, la vivacité du dialogue, la puissance descriptive, la richesse de style qui distingueront les œuvres ultérieures.

Quand et comment rencontra-t-il le couple ardent et passionné, dans lequel la France incarna la fatalité de l'amour absolu : *Tristan et Iseut* ? A quel obscur récit celtique, à quel *lai* français d'origine bretonne, importé par des bardes errants du pays *gallo* ou du pays gallois, les emprunta-t-il pour les faire vivre désormais d'une vie française et éternelle dans la conscience des hommes et des femmes du XIIe siècle et, grâce au grand musicien Richard Wagner et au grand rhapsode Bédier (2), dans celle des hommes et des femmes de la fin du XIXe siècle et du début du XXe ? Nous ne le savons pas.

Est-ce le sien ce *Ur-Tristan*, ce *Tristan* primitif, que notre philologie reconstruit par la juxtaposition des traits, éléments et épisodes communs à toutes les versions conservées, de Béroul, Tristan, Gottfried, Eilhart, nous serions tentés avec M. Zingarelli (3) de le croire, mais nous ne pouvons pas l'affirmer, et pas davantage que son *Del roi Marc et d'Iseut la blonde* ne soit

---

(1) Voir l'ingénieuse étude de M. Wilmotte, *De l'origine du roman en France. La tradition antique et les éléments chrétiens du roman*, Paris, Champion, 1924, in-8°.

(2) Celui-ci vient de porter son beau Tristan à la scène du théâtre Sarah-Bernhardt (18 mars 1929) en collaboration avec Louis Artus. Cf. mon article des *Nouvelles Littéraires* du 16 mars 1929.

(3) Dans son article *Tristano e Isotta*, paru dans le fasc. I du t. I de la nouvelle série (1928) des *Studi medievali*, voir notamment p. 55-58. Je remercie mon collègue G. Charlier d'avoir appelé mon attention sur cette étude.

qu'un court *lai* pareil au *Lai du Chevrefoil* de la poétesse, sa contemporaine, Marie de France.

Mais ce que nous pouvons certifier c'est que, écrivant son *Cligès* en tête duquel il l'énumère parmi ses œuvres précédentes, il est encore tout pénétré de la belle légende à laquelle il fait d'incessantes allusions, et que, plus nettement que dans *Guillaume d'Angleterre*, où le paysage seul est breton, on y rencontre des personnages, Tristan, Mark, Iseut, dont le premier est Picte, le second Gallois et le troisième Anglo-Saxon. Les a-t-il situés dans le royaume gallois d'Arthur et celui-ci, garant du droit, présidait-il à l'ordalie où Iseut se parjure avec l'aide de Dieu, protecteur des amants ? Nous ne savons.

Provisoirement il faut donc dater d'*Érec et Énide*, premier roman arthurien, c'est-à-dire d'à peu près 1164, l'entrée de la matière celtique dans le roman. Sans doute, il n'en faut pas exagérer l'importance. Si nous avons parlé si sommairement du problème des origines celtiques, qui, ailleurs, occupent des volumes et sont mises généralement au premier plan des études sur Chrétien et ses œuvres, c'est que nous estimons cet élément à la valeur de l'élément oriental dans les romans du XVIIIe siècle, c'est-à-dire à la valeur d'un décor, plus ou moins bien imité et où sont campés des personnages français, en costumes français, à mœurs, idées et sentiments purement français, français courtois de la seconde moitié du XIIe siècle. Foerster l'a dit à l'occasion (1), mais sans résister à la tentation de discuter sans cesse des problèmes celtiques à propos d'œuvres champenoises. Posons définitivement cette formule que les romans de Chrétien sont bretons dans la mesure où les *Lettres* de Montesquieu sont *persanes*.

Cela dit, il ne faut pas cependant non plus réduire à l'excès le rôle de ce décor dans la tragédie, puisqu'il la projette dans l'irréel, la maintient en immatérialité, en justifie les invraisemblances, en agrandit et en anoblit les héros, tandis que l'éclairage invisible de la rampe les enveloppe d'une clarté de rêve. Ainsi des ponts périlleux qui chez Chrétien mènent à des châteaux merveilleux où des princesses, plus belles que le jour, attendent l'invincible héros qui les délivrera. Il est difficile d'échapper à la séduction que ce décor celtique du royaume d'Arthur exerce sur notre imagination, non plus qu'au charme à

(1) « Rien de plus français », a-t-il écrit quelque part, « que la légende de *Tristan et Iseut* ».

32

la fois attirant et inquiétant que ces royaumes d'au-delà, ces
Champs-Élysées, dont les visions emplissent d'inconnu les
regards des Celtes aux yeux gris, mettent dans les romans de
Chrétien : Joie de la Cort dans *Érec*, Pays de Gorre dans
Lancelot, Château des Pucelles dans *Yvain*, Palais des Reines
dans le *Conte del Graal*, tous lieux dont on ne revient plus,
quand on n'a pas le talisman tout-puissant du héros triompha-
teur de la mort (1).

Mais l'essentiel reste que, dans ce décor choisi à plaisir, à la
fois pour obéir à une mode, ou pour complaire à la dynastie des
Plantagenet et pour échapper à la contrainte et à la platitude de
la réalité quotidienne, Chrétien a situé des personnages, héros
et héroïnes incarnant les plus hautes aspirations sociales, morales et sentimentales de son siècle et les a éprouvés et mesurés
au contact de l'aventure.

Ah ! le beau mot et la belle notion, si bien concrétisée dans
cet aveu d'Yvain au vilain bouvier (2) :

Avanture pour esprover	Aventure pour éprouver
Ma proesce et mon hardement.	ma prouesse et ma hardiesse.

L'aventure, n'est-ce pas le symbole de toute notre vie, la circonstance difficile qui se présente à l'individu, le piège périlleux
que lui tend le destin et auquel il tâchera d'échapper et dont il
triomphera par son endurance ou son courage, en mesurant la
force consciente de son moi à la force inconsciente du destin ?

La différence est qu'elle nous trouve, tandis que le héros
de roman la cherche avec un résultat toujours favorable.

Les modalités de l'aventure sont bien diverses : ce peut être
simplement, mais c'est rarement, la puissance déchaînée des éléments, tempête dans *Guillaume d'Angleterre*, orage dans *Yvain*.
Il n'est pas étonnant aujourd'hui, il est plus étonnant alors,
chez des superstitieux, que le héros les accueille avec calme
et attende que cela passe. Ce peut être, mais c'est rarement
aussi, la séduction de la chair, l'enchantement des sirènes, re-
tenant l'homme et l'endormant sur le chemin de la dangereuse
Queste qu'il poursuit. Il ne faut pas penser ici à l'ensevelissement
d'*Érec* dans les délices de l'amour conjugal partagé, qui est le
thème essentiel du roman, et non l'aventure qui est toujours

---

(1) Une fois de plus je renvoie au livre du regretté poète et érudit
Anatole Le Braz, *La Légende de la Mort chez les Bretons Armoricains*, dont
une nouvelle édition a paru chez Champion en 1928, in-8º.
(2) *Yvain*, vv. 362-363.

circonstance accessoire ; il ne faut pas penser non plus, pour la
même raison, à la résistance de Fénice, dans *Cligès*, mais à la
tentative de séduction dont, par deux fois, Énide est l'objet
et dont triomphe sa fidélité ou encore à celle de la femme
de Guillaume d'Angleterre qui, bien que bigame, ne s'est pas
donnée à son nouvel époux. On peut songer encore à l'abstention de Lancelot à l'endroit de la pseudo-pucelle qui pense le
séduire, mais non à celle de Perceval à l'égard de la jeune
femme à la Tente ou de Blanchefleur en Beaurepaire, parce
qu'elle dérive soit de sa niaiserie, soit d'une mission dont il n'a
point conscience.

Mais le plus souvent l'aventure se présente, soit sous la forme
d'un obstacle matériel, si dangereux à franchir qu'il semble nécessairement devoir entraîner la mort de celui qui le tente :
pont de l'épée, pont dessous-eau dans *Lancelot*, gué périlleux
dans le *Conte del Graal*, soit sous la forme assez rare d'un
combat contre un géant, comme dans *Yvain*, ou contre des adversaires supérieurs en force et en nombre, comme dans *Érec* ou
dans le *Conte del Graal*.

Généralement, c'est d'un château qu'ils sortent et, très souvent,
nous l'avons vu, ce château a le caractère d'un lieu d'où nul ne
revient, il est le séjour des morts. Le héros le sait et, tel Lancelot, admis à voir à l'avance son tombeau, ou Érec et Yvain les
crânes empalés, averti par des signes non équivoques, ou
par les prédictions de ses hôtes et de la foule, du sort qui
l'attend, il ne recule point (1) :

Cist retorners seroit vilains.   Ce recul serait vilain.

Magnifique et folle leçon donnée à notre brave jeunesse et qu'à
travers dix siècles, elle n'a point oubliée. Il y a danger, donc
on avance. Mieux vaut mourir que reculer. Déjà la Chanson
de Geste le lui avait appris par l'exemple de Roland ou de Vivien
qui a juré de ne jamais rompre de la longueur d'une lance
devant l'ennemi (2), mais il s'agit du Sarrasin, contre lequel
l'aide de Dieu est assurée. Ici il s'agit d'un adversaire quelconque,
un méchant qui combat pour le plaisir, rarement un démon
comme dans *Yvain*, mais qui doit succomber parce qu'il s'op-

(1) *Perceval*, v. 6580 de l'éd. Baist.
(2) Cf. *La Chançun de Willame*, éd. Tyler, 1919, p. 27, v. 589, et Bédier,
Légendes épiques, Paris, Champion, 1908, t. I, p. 77.

pose à une volonté. Sauf dans le *Conte del Graal*, l'aventure a été, en général, conformément à l'esprit de la seconde Renaissance, laïcisée, et elle aboutit, conformément à la même tendance, à une splendide et presque insolente exaltation de l'individu et de la volonté, chez l'homme surtout naturellement.

Ce n'est pas ainsi que l'on se figure ordinairement le moyen âge, que l'on considère toujours engoncé et assoupi dans sa foi collective, mais c'est pourtant bien là la tendance fondamentale à laquelle devait aboutir la féodalité, puisqu'elle est la substitution dans l'ordre politique de l'hommage personnel enchaînant l'individu à l'individu, au service civique, assujétissant le citoyen à l'État. La recherche de l'aventure paraît avoir surtout pour but l'exaltation de l'individu et manifester cette confiance un peu naïve que possède l'insouciante jeunesse dans sa vigueur et dans la vie. A vrai dire si elle affronte si gaîment la mort, c'est qu'elle ne croit pas en elle et que, secrètement, elle pense que sa vive force en triomphera.

Le second but de l'aventure, et ceci est une innovation courtoise, à l'égard des Chansons de geste, est la conquête d'une femme ou la conservation de cette conquête par la dédicace d'une prouesse et l'assurance d'une protection. Ce n'est pas pour la première fois, dans la littérature ni dans la réalité, que se conclut ce pacte entre la bravoure et l'amour. La femme primitive appartient à celui qui l'a conquise par les armes, elle se donne volontiers au vainqueur ; c'est dans tous les sens du mot qu'elle est alors ravie. Tel est le cas d'Énide, et plus encore de Laudine, épousant, dans *Yvain*, le meurtrier de son mari, ou de Fénice qui destine son cœur, sinon son corps, à celui qui vainc pour elle au tournois et dans le combat.

Pour garder l'amour de la femme, il faut se maintenir en prouesse et en bravoure, telle est la leçon d'*Érec et d'Énide*, de *Lancelot*.

Ainsi l'amour, appât ou récompense, devient principe d'honneur, puisque, pour le mériter, le héros doit aux yeux de la dame rester le champion de toute prouesse et le parangon de toute bravoure.

Par contre, il peut être aussi principe d'avilissement et d'affaiblissement de la personnalité, soit que, comme dans le cas d'*Érec*, il le fasse *récréant* d'armes et de chevalerie, oublieux de la prouesse pour les délices du lit nuptial, soit que, comme dans *Lancelot*, il lui fasse dédaigner les principes de la dignité chevaleresque pour le faire monter, afin de rejoindre plus vite son amante, dans la charrette patibulaire. Encore Lancelot sera-t-il repoussé par Guenièvre pour avoir hésité un instant à s'avilir pour elle.

Le problème des rapports de la prouesse ou de l'aventure (ce qui ici est tout un), de l'amour et du mariage, est celui qui, dans sa carrière de romancier, a le plus préoccupé Chrétien. Il y est revenu deux fois, dans *Érec* et dans *Yvain*.

Dans *Érec*, l'épouse est entraînée par l'époux à qui elle a reproché sa *récréance*, sa lâcheté, son abandon, dans une série d'aventures, plus redoutables les unes que les autres, surmontées toujours avec une égale audace et qui ne lui montrent que trop l'injustice de la calomnie. Aussi, après leur réconciliation et malgré sa tristesse, Énide n'osera-t-elle plus s'opposer à ce qu'il affronte même la terrible épreuve de la Joie de la Cour. Laudine dans *Yvain* est plus prudente : quinze jours après ses noces, elle laisse partir son mari, entraîné par Gauvain qui lui a fait honte en disant (1) :

« Comant ? seroiz vos or de çaus   « Comment ? seriez-vous donc de ceux
Qui por leur fames valent mains ? »   qui par leurs femmes valent moins ? »

Mais il ne s'agit que d'un congé bénévole, limité à un an, qui, ce terme dépassé par l'oublieux, aboutira à une inexorable disgrâce. En traitant ce problème de l'aventure, de l'amour et du mariage, Chrétien a incontestablement abordé une des questions les plus importantes qui se soient posées dans notre littérature et dans la vie et qui ont pris, de notre temps même, dans la plus grande crise que nous ayons traversée, une acuité souvent tragique. Le tournoi était chose dangereuse, la femme devait-elle s'opposer à ce que son mari ou son amant y participât ? La croisade l'était davantage, étant plus longue et plus lointaine, la voix de Dieu et de l'aventure (car l'aventure a part aussi en la croisade) devait-elle être plus forte que la séduction de la femme ? En celle-ci même, il y a conflit aussi. Doit-elle diminuer, par son refus, la valeur morale du bien qu'elle possède, de cette âme qui lui fut donnée ? L'aimera-t-elle méprisable ? N'y a-t-il point incompatibilité entre la lâcheté et l'amour ? Et c'est toute la question de l'amour-dignité qui se pose, ni plus ni moins que dans la tragédie cornélienne ou dans

(1) *Yvain*, vv. 2483 et 2485.

le *Traité des Passions*, la question de la dignité de l'amour chez les plus grandes âmes.

Or conformément à la tendance française la plus profonde, qu'il sent et dont il est à la fois précurseur et créateur, Chrétien élève l'amour au-dessus de la possession, le transpose dans les sphères d'une moralité supérieure. L'exemple d'*Érec*, la leçon d'*Yvain*, celle de *Lancelot*, que ne contredit point celle de *Cligès*, est qu'une part reste à l'exploit, à l'*aventure*, à la prouesse, qui d'abord servit à conquérir l'amour, qui ensuite servira à le maintenir, et tout un enseignement de vie supérieure nous est ici donné. Qui n'a senti, en des circonstances tragiques, au moment même de torturer l'amour, pour obéir au devoir et affronter les mortels combats, que, ne le faisant point, il ne serait plus digne ni d'aimer ni d'être aimé ? Que celui qui n'a point senti cela, n'essaie point de comprendre ; que celui qui l'a senti, retrouve en Chrétien un interprète de sa propre pensée et un justificateur de sa propre conduite !

Mais ceci ne doit pas s'entendre uniquement du combat, où le corps affronte le corps avec des armes qui donnent la mort, mais de toute lutte, de toute entreprise, dangereuse et lointaine, de toute mission qui éloigne momentanément du foyer. L'homme a sa destinée, il y doit obéir. *Sa destinée, c'est l'aventure.* Malheur à celle qui, conquise par le premier exploit, a espéré et voulu que ce soit le dernier ! Femmes, n'enchaînez pas la force de l'homme, car c'est celle de la vie !

Après avoir posé, dans deux de ces romans, *Érec* et *Yvain*, le problème de l'aventure et du mariage, qui est celui de la mission de l'homme et avoir tenté, dans ce dernier, une solution transactionnelle, il a abordé dans les autres le problème de l'amour et du mariage. La poésie lyrique courtoise, celle du midi surtout, l'avait résolu en excluant l'un de l'autre et en proclamant que l'hommage de l'amant, généralement platonique, devait aller à une dame de condition supérieure à la sienne et mariée. Le *Tristan* avait résolu la question de la même façon en faisant éclater la passion, par une fatalité invincible entre le héros et l'épouse.

Bien que nous n'ayons pas conservé la version que Chrétien a conçue de la belle légende, nous pouvons être assuré qu'il n'en a pas altéré la donnée essentielle, puisqu'il parle du roi Marc et d'Iseut la blonde et qu'il a, lui aussi, comme les trouvères Thomas et Béroul, incarné dans le couple immortel de *Tristan et Iseut* la fatalité de l'amour qui se moque des lois divines et humaines et viole, même avec remords, la sainteté du mariage.

Mais ailleurs, dans les œuvres de sa maturité, il se détache le plus souvent à la fois de la doctrine provençale de l'amour courtois et de l'amour selon le *Tristan*.

Ce n'est pas que la fatalité en soit absente ; l'amour entre dans le cœur d'Érec et Énide, d'Alexandre et Soredamor, de Cligès et Fénice, d'Yvain et bientôt Laudine, avec un caractère de soudaineté, qu'il expliquera dans *Érec* par les flèches du petit dieu antique, ensuite par une fatalité purement humaine, l'affinité élective et l'attraction de la beauté, supposée égale et parfaite en son genre chez l'homme et chez la femme.

Au philtre, que nous sommes tentés d'interpréter symboliquement, mais que les lecteurs d'alors entendaient selon la magie, Chrétien substitue un élément purement psychologique et physiologique où l'attraction est d'ordre esthétique et où les qualités morales, ainsi que le confirme la réalité, n'entrent d'abord pour rien.

Il a aimé peindre, dans *Cligès* surtout, et avec une grâce exquise, les hésitations, les retenues, les pudeurs, les ardeurs des premières passions entre deux jeunes êtres également purs, également fiers, également beaux : Alexandre et Soredamor, Cligès et Fénice et, différent de son temps et s'écartant de la tendance à la mode (ne répétons pas à tout coup que la poésie courtoise du Nord est l'imitation servile ou la transposition de celle du Midi), il n'a pas empêché ces jeunes ardeurs de trouver leur pleine satisfaction dans le mariage. Ainsi d'Érec et Énide, d'Yvain et Laudine et, après de multiples épreuves, de Cligès et Fénice. Chez ce réaliste du Nord les sens ont leurs droits qui seront proclamés plus tard, avec énergie et verdeur, par Jean de Meun et Ronsard et Molière. Cependant il ne pouvait échapper à cet observateur que l'amour invincible et absolu n'éclatait pas toujours entre des êtres libres de s'unir l'un à l'autre et qui n'avaient qu'à obéir à l'impulsion de leurs cœurs et de leurs corps. Il a posé aussi le problème de l'adultère dans *Cligès* et il en a fait un autre *Tristan* en l'orchestrant sur ce thème (1) :

Qui a le cuer si eit le cors	Qui a le cœur, ait le corps !

se dressant ainsi contre la loi de partage. Mais, ce faisant, il

(1) *Cligès*, v. 3163.

emprunte à *Tristan et Iseut* l'hypocrisie de sa morale, donnant Fénice à Cligès, un peu avant le dénouement, grâce à la feinte d'une fausse mort. Le décès de l'époux légitime et illusoire permet peu après leur union.

C'est encore un adultère que présente *Lancelot*, mais légitime, consacré par l'habitude, et dont on ne peut pas tirer grande conclusion pour la doctrine profonde de Chrétien parce que le thème lui fut imposé par la fille d'Éléonore, Marie de Champagne, une jeune princesse tout imbue de la théorie provençale qui proclamait la royauté absolue de la femme.

Nous avons vu comment la reine Guenièvre, épouse d'Arthur, fait de son amant son jouet, le manœuvrant comme un pantin, lui tenant rigueur de la minute d'hésitation qu'il a eue à monter dans la charrette patibulaire, et dans un tournois solennel, lui imposant de faire successivement et par son ordre, le lâche, puis le brave, d'agir *au noauz* puis *al mielz*, au pis et au mieux, pour le simple plaisir d'essayer sur lui son pouvoir capricieux et souverain.

Cependant là aussi Chrétien a apporté un correctif important et réaliste à la doctrine provençale. La fidélité de l'amant est récompensée par le don du corps entier, sans restriction et sans réserve. Une fois de plus le réalisme du Nord triomphe ici de la théorie quintessenciée du Midi. Ce n'est pas au pays de fabliau que celle-ci eût pu naître. Il n'est pas dans les idées de Chrétien, qui exalte au contraire la puissance de l'homme, de le livrer esclave et jouet au caprice de la femme dont il est amoureux.

La disgrâce qu'il encourt pour avoir oublié son serment envers elle, entraîne pourtant chez Yvain un désespoir qui va jusqu'à la folie, mais secouru par l'assistance de Lunete, il obtient cependant son pardon et le roman semble représenter la solution selon le cœur du romancier du difficile équilibre qu'il a cherché toute sa vie entre la mission de l'homme et le pouvoir de la femme, dans le cadre du mariage.

L'importance humaine des problèmes ainsi posés dit assez la valeur du romancier et montre en lui l'ancêtre authentique et vénérable de nos romanciers psychologiques du XIXe, qui peuvent se reconnaître en lui, car il ne lui suffit pas de conter et d'enchaîner l'attention du lecteur par l'artifice de sa riche imagination, il entend poser des cas psychologiques et sociaux et les résoudre. Il est, dans l'histoire, non pas seulement de notre littérature, mais de toutes les littératures, *le premier romancier à thèse* et par là son génie dépasse celui de son temps et anticipe sur le nôtre.

Créateur de cas, il est aussi créateur de types. Sans doute peut-on l'accuser de ne les avoir pas assez différenciés et de n'avoir pas toujours assez incarné le cas psychologique dans un personnage réel. Érec, Alexandre, Cligès, Yvain, Lancelot, Gauvain sont un peu trop des répliques du même mannequin de quintaine, revêtu des perfections chevaleresques, également beaux, également braves, également loyaux, également amoureux, dans l'audace charmante de leur jeunesse, dans l'ardeur juvénile de leur cœur. Ils sont *le chevalier*, plus qu'ils ne sont eux-mêmes, ils apparaissent comme l'idéal un peu abstrait proposé par le romancier aux adolescents de son temps. On les voudrait parfois un peu moins parfaits, un peu moins braves, un peu moins triomphants, avec la petite verrue qui donne au visage chez les Primitifs flamands l'aspect de la réalité et surtout on les voudrait plus différents les uns des autres, plus diversifiés. Un seul a une individualité plus accusée, Perceval le *nice*, Perceval le naïf, charmant de candeur et de grâce primesautière, plus jeune que le jeune printemps dans l'éclat duquel il paraît.

Pourtant ils restent devant nos yeux, coiffés de leurs heaumes pointus, la ventaille relevée ou abaissée sur leur visage, laissant passer leurs regards de hardiesse étincelante, couverts de leurs hauberts de maille et de leurs chausses de mailles aussi, dressés sur leurs destriers, lance sur feutre, à gonfanon. Ils sont toute la jeunesse de la France, son allant, sa gaîté, sa bonne foi, sa générosité, sa confiance en la vertu de l'existence.

Paladins de l'honneur, ils sont toujours fidèles à la parole donnée ; épris de justice, ils ne marchent pas seulement à la conquête de l'objet de leur amour, ils s'arrachent à lui pour voler à la délivrance des captives, à la libération des opprimées. Ce qui dans les légendes et récits oraux antérieurs à Chrétien est encore descente mystique aux Enfers est devenu, chez l'auteur du XIIe, œuvre sainte de défense des faibles et de réparation de l'injustice. Ce n'est pas là simple imagination ; nous avions tant de captifs, au temps des Croisades, en pays barbaresque.

Ainsi Yvain délivre les pucelles, et secourt la sœur dépossédée, ainsi Lancelot, tout en délivrant Guenièvre, libère aussi les prisonniers gallois du pays de Gorre, ainsi encore Gauvain affrontera les épreuves du Palais des Reines. C'est d'ailleurs dans le *Conte del Graal* que semble le mieux installée cette conception humanitaire, d'origine sans doute cléricale, de l'Ordre de Chevalerie, laquelle a arraché au poète ces vers fameux des *Chevaliers Errants* (1) :

> De l'équité suprême ils tentaient l'aventure,
> Prêts à toute besogne, à toute heure, en tout lieu,
> Farouches, ils étaient les chevaliers de Dieu.

Les caractères de femme sont plus nuancés et peut-être cela tient-il à la nature même du sujet. Sans doute les héroïnes principales ont aussi ce défaut d'être trop uniformément belles et d'être chacune le chef-d'œuvre inégalé et inégalable de Dieu qui les a faites et qui, désespérant d'atteindre à nouveau une telle perfection, renonce à les recommencer, en quoi le romancier aurait peut-être raison de l'imiter. Elles le doivent toutes à la blondeur éclatante de leurs cheveux, auprès desquels pâlissent les blés, à l'éclat de leurs regards, soleils à côté des étoiles, aux roses de leurs joues sur la blancheur de leurs teints, à leur taille faite au tour et à d'autres perfections que, selon son humeur, l'auteur nous cache ou nous révèle.

Cependant rien qu'à se rappeler les analyses qu'on vient de lire on distingue parfaitement la fidèle Énide, Grisélidis avant la lettre, la gracieuse Soredamor, hésitante devant l'amour, mais incapable cependant de s'opposer au conquérant Alexandre, la rusée Fénice, petite fille très avertie qui a des principes sur l'amour et proclame qu'il ne supporte point le partage, l'altière Guenièvre, plus orgueilleuse encore qu'amoureuse et préférant l'exercice de son autorité à la satisfaction de ses désirs, la mobile et sensuelle Laudine, qui, après l'explosion d'une douleur sans mesure, se laisse si facilement convaincre d'épouser Yvain, meurtrier de son mari, et qui, elle aussi, entend faire régner sur lui son pouvoir despotique, l'habile et audacieuse Blanchefleur enfin, qui se donne à Perceval un peu par politique, pour s'assurer un protecteur, et beaucoup par passion.

A côté de certaines de ces protagonistes, il faudrait placer leurs conseillères, bien qu'elles soient un peu l'imitation des nourrices de la tragédie et de la comédie antique, la Thessala du *Cligès*, qui, par sa pratique des philtres, rappelle à la fois la Médée du *Roman de Troie* et la Brangaine du *Tristan*, la

(1) V. Hugo, *La Légende des siècles*, t. I, p. 148, dans l'édition Hetzel de 1860, in-12.

Lunete d'*Yvain*, si habile aussi à consoler sa maîtresse, à la tirer d'une situation difficile, et, entremetteuse désintéressée et tendre, à la pousser dans les bras auxquels elle aspire.

Comme dans les religions manichéennes, il y a, chez Chrétien de Troyes, les bons et les mauvais, non pas dans le sens hagiographique de la *Queste du Graal*, mais pour que ces derniers contrecarrent les entreprises des premiers, tentent de leur arracher la pucelle qu'ils accompagnent, ou les retardent dans leur marche vers l'amante qu'ils se proposent de reconquérir. Types de traîtres de mélodrames, qui pourraient être intéressants et dont Chrétien n'a poussé à fond la peinture que pour Méléagant, ravisseur de Guenièvre, d'autant plus noir qu'il est placé à côté de son père, le loyal Bademagu. On peut citer encore un excellent type de violent, le Comte de Limour, cherchant à enlever Énide à son mari.

Quelques monstres féminins aussi s'opposent aux perfections que notre conteur s'est plu à décrire : la sœur spoliatrice dans *Yvain*, la Demoiselle à la mule dans *Perceval*, la *male pucele* calomniatrice, dont les malheurs justifient partiellement la méchanceté.

Chrétien ne s'entend pas seulement à tracer des portraits individuels. Il n'excelle pas moins, et c'est assurément une de ses plus rares qualités, à peindre des foules sur lesquelles les héros se détachent et qui, les entourant de leurs propos et de leurs murmures, jouent envers eux le rôle de chœur dans la tragédie grecque. Aussi toutes les rues et ruelles du château-fort, où les boutiques des artisans ainsi que les maisons des *vavasseurs* sont tapies dans les remparts, comme il se voit encore aux Baux en Provence, sont-elles bourdonnantes du bruit des métiers, armuriers, chaudronniers, cordonniers, des danses, *caroles* et chants des jeunes filles et des bavardages des vieux sur les bancs de pierre des portes.

De telle sorte que ce roman d'allure fantastique, où l'irréel et le plus invraisemblable sont la trame quotidienne de l'existence, présente le tableau le plus complet de la société de la seconde moitié du XIIe siècle. Il y a là un retour si constant de l'idéalité à la réalité, de l'imaginaire au vrai, de ce qui est hors du temps et de l'espace, à ce qui est l'expérience de tous les jours et de tous les lieux d'Occident, que l'on ne distingue plus bien parfois dans cette brume du passé, ce qui ne fut que postulé de ce qui ne fut qu'imité.

C'est une Commune véritable, que celle qui, obéissant à l'appel de son maire et de ses échevins élus par elle, s'élance dans le *Conte del Graal* à l'assaut du château où Gauvain fait sa cour à la Châtelaine, souvenir d'une révolte vue, et sans doute vue par Chrétien en Flandre, et où les bourgeois et ouvriers se sont armés, qui d'un pic, qui d'une pioche, qui d'une hache, auxquels le chevalier juge suffisant d'opposer le bouclier d'un échiquier.

Raillerie inclairvoyante d'un *domestique* de l'aristocratie, qui lui doit la flatterie en échange du pain, mais qui, un jour, s'est muée en pitié, quand dans le Château des Pucelles d'*Yvain*, Chrétien s'est plu à évoquer un de ces enfers ouvriers, un de ces ateliers de tapisserie de haute lice d'Arras ou de Champagne, où les travailleuses peinent et souffrent pour un maître impitoyable qui ne sait même pas payer leur sueur et leur souffrance d'assez de pain et d'assez de vêtement. C'est un des rares passages vraiment émus que l'on trouve chez notre écrivain.

Car s'il est doué d'une prodigieuse imagination, qui n'est jamais à court d'invention et qui, avec une adresse merveilleuse et toujours renouvelée, sait conduire l'action, la suspendre pour tenir l'attention en haleine et la reprendre pour mener sûrement le lecteur vers le dénouement, s'il a, à un très haut degré, l'art de la continuité dans le récit qui ne nous permet pas de nous en déprendre, et s'il excelle à évoquer à son gré hommes et foules, décors et paysages, il n'a point celui de nous arracher des larmes et de provoquer le rire. Tout au plus nous fera-t-il sourire en nous peignant l'avarice des marchands, dans *Guillaume d'Angleterre*, la laideur du vilain dans *Yvain*, celle de la demoiselle à la Mule dans *Lancelot* et dans le *Conte del Graal*, ou mieux encore l'ingénuité de Perceval.

C'est qu'ils sont rares les écrivains qui, venant à nous avec du noir sur du blanc, tels les graveurs, savent, dans le fauteuil silencieux et solitaire où nous les lisons, nous arracher à leur gré des larmes ; c'est qu'ils sont rares aussi, ceux qui avec les mêmes armes nous forcent, de par leur *vis comica*, à éclater de rire et plus rares encore ceux qui, à leur gré, peuvent successivement l'un et l'autre.

Chrétien il faut l'avouer n'en est point, mais il a, à un degré suprême, le don de créer, le don d'intéresser, le don d'entraîner, et surtout le don de conter, avec une puissance d'évocation et une variété extraordinaires.

Se servant d'un instrument infiniment difficile à manier, le vers narratif, l'octosyllabe à rime plate, source de chevilles désespérantes et qui, par la chasse à la rime, entraîne les plus écœurantes platitudes et l'abondance stérile des moralistes religieux du xive ou des fatistes de mystères au xve, il a su, en grand artiste qu'il est, lui donner une souplesse, une ductilité incomparable et sans éviter absolument (nous en avons fourni assez d'exemples) les défauts que nous venons de signaler, il lui a prêté toute l'aisance et la fluidité de la prose, sans presque jamais arrêter sa phrase au couple de rimes, comme l'avaient fait la plupart de ses prédécesseurs (1). Il excelle à enjamber la rime et à donner à un vers qui n'a que huit syllabes les coupes les plus variées, et le plus souvent la rime, aussi riche que facile, loin d'être une entrave est la source, par association de sons, d'association d'idées qui engendrent de jolies images ou d'ingénieuses comparaisons.

Des unes et des autres nous avons cité d'innombrables exemples à propos de chacun des romans où il nous était facile de les puiser, car, comme dit l'un de ses contemporains Huon de Méri dans son *Tournoiement Antechrist* (2), Chrétien versait

Le bel françois trestot a plain	le beau français à pleines mains.

Qu'il me suffise de rappeler ici la description de la tempête dans *Guillaume d'Angleterre* où, après que les quatre vents se sont renvoyés le navire en détresse en jouant avec lui comme à la pelote, il ne reste plus sur place qu'un ventelet pour balayer les nuages, ou bien encore dans *Érec* les quatre sabots en feu du cheval au galop qui s'allument (3) :

Et s'an voloient de toz sanz	Et en tous sens s'envolaient
Estanceles cleres ardanz,	les étincelles claires, ardentes,
Que des quatre piez iert avis	si bien que des quatre pieds on eût dit
Que tuit fussent de feu espris.	qu'ils étaient tous de feu flambant.

Ou cette belle métaphore que nous avons rencontrée dans le tableau d'un combat (4) :

As espees notent un lai	Des épées martèlent un lai
Sor les hiaumes qui retantissent.	sur les heaumes qui retentissent.

(1) Cf. P. Meyer, *Le Couplet de deux vers*, dans *Romania*, t. XXIII, 1894, p. 1-35, et G. Melchior, *Der achtsilber in der altfr. Dichtung*, Diss. Leipzig. 1909.
(2) Ed. Tarbé dans les *Poètes de Champagne*, p. 77.
(3) *Érec*, vv. 3711-3714, précédés d'une autre comparaison ingénieuse des cailloux broyés sous ses sabots par le cheval, comme le froment sous la meule.
(4) *Cligès*, v. 4070-4071.

De tels bonheurs d'expression suffisent à caractériser un grand écrivain, maître de sa langue, qui n'a pas eu sans doute comme Dante à la créer presque de toutes pièces, mais qui l'a portée à un tel degré de clarté, de perfection et d'efficacité qu'on peut dire, sans craindre de se tromper, que, sans lui, elle ne serait pas ce qu'elle est.

Car, s'il a l'abondance, il a aussi la concision. Nous avons mis en évidence d'heureuses formules qui, en un seul vers, concrétisent la thèse de tout un roman (1) :

> Qui a le cuer si eit le cors   Qui a le cœur ait le corps

que notre syntaxe plus analytique rend presque intraduisible, ou qui expriment la grande misère du bourg (2) :

> Molins n'i mialt ne n'i cuist forz   Moulin n'y moud, et four n'y cuit.

Nous avons noté aussi au passage des harmonies imitatives, qui témoignent, chez cet artiste du xiie siècle, de rares presciences de ce que vaudra l'instrument entre les mains de musiciens du vers comme Ronsard, Racine, Lamartine ou Hugo (3) :

> Sonent flaütes et freteles,   sonnent flûtes et chalumeaux
> Timbre, tabletes et tabor.   cymbales, tambourins et tambours.

C'est par la variété que Chrétien nous charme le plus. Avec un vrai bonheur il excelle, suivant les nécessités du récit, à passer du mode narratif au monologue traduisant les incertitudes intérieures de son héros, ou au dialogue entre l'héroïne et sa confidente, Laudine avec Lunete, Fénice avec Thessala (le héros sûr de lui-même et décidé n'ayant pas besoin de confident). Le plus achevé et le plus célèbre est le premier des deux, dont la coupe vive a toute la saveur des meilleurs dialogues de comédie. Il n'y a même pas de comédie du moyen âge qui ait autant de grâce et de vivacité. On peut citer encore les propos des prisonniers de Gorre se disputant pour entraîner Lancelot à accepter leur hospitalité ou les gracieux dialogues courtois de Fénice et de Cligès, de Guenièvre et de Lancelot. C'est chez ce petit bourgeois de Chrétien, vilain anobli par son talent, que les galants du temps et leurs *drues* pouvaient

(1) *Cligès*, v. 3163.
(2) *Perceval*, v. 1742.
(3) *Yvain*, vv. 2352-2353.

apprendre, avec les modes les plus récentes, les belles manières de langage, les mots dorés et les formules qui sont les Sésame ouvre-toi des cœurs et des corps.

Mais surtout les apprenaient chez lui ses émules, ses continuateurs, ses imitateurs, ceux à qui il eût pu crier, lui aussi, qui avait comme Ronsard une conscience « *renaissante* » de sa valeur et de son éternité (1) :

Vous êtes tous issus de la grandeur de moi.

En matière de sujet, de sentiments, de psychologie, d'idées et de style, il apparaît dans la seconde moitié du xiie siècle comme le grand inventeur. Avoir écrit peut-être le premier *Tristan*, le premier *Lancelot*, le premier *Graal* sans parler même de l'*Érec,* du *Cligès* et de l'*Yvain*, qui, pour beaucoup, est son chef-d'œuvre, lui doit être éternelle gloire. Chrétien a été le Balzac du xiie siècle, il en a décrit la société et les mœurs, il en a exalté, en des créatures d'imagination qui semblent de chair, l'idéal esthétique, sentimental et social. Son œuvre est l'épopée courtoise du moyen âge, la première grande Charte de l'esprit de sociabilité, qui proclame les droits de la femme à être aimée pour elle-même et non pour le plaisir de l'homme, sa liberté de ne pas céder à la force, la toute-puissance que lui confèrent sa grâce, sa faiblesse et sa beauté.

Or, comme toujours, quand il s'agit d'idées françaises, qui sont à retentissement et à expansion, la France, une fois de plus, en son Chrétien, ne créa pas pour elle-même et pour elle seule. Elle créa pour le monde civilisé, pour le monde occidental tout entier. Comme elle avait proclamé et propagé en Orient la foi catholique, elle proclama et propagea en Occident la foi courtoise, le code de l'amour courtois.

Il y aurait un autre livre à écrire, non pas seulement sur les continuations et imitations de notre Champenois en France, mais sur les traductions dont son œuvre fut l'objet en Allemagne où Hartmann von Aue traduit *Érec*, Wolfram von Eschenbach *Perceval*, peut-être Godefroy de Strasbourg *Tristan* ; en Suède où la *Erex Saga* (2), en terre celtique où *Geraint*, *Owen* et *Peredur* ne sont que des adaptations d'*Érec*, *Yvain* et *Perceval* (3).

(1) Cf. mon *Ronsard, sa vie et son œuvre*, Paris, Boivin, 1924, in-12, p. 287,
(2) Édité par G. Cederskjöld, 1880.
(3) Cf., dans Kristian von Troyes, *Wörterbuch zu seinen sämtlichen Werken*, Halle, Niemeyer, 1914, in-12, l'Introduction de Foerster aux p. 139*-144*.

L'œuvre de Chrétien refleurissait dans la terre des ajoncs à laquelle il en avait dérobé la graine. Or l'on peut croire que, lisant avidement, dans sa langue, les créations de Chrétien, ce public chevaleresque nouveau et plus étendu prenait des leçons de modes et de mœurs françaises. Le chevalier apprenait que, selon la loi d'Arthur, qui est celle non de Bretagne mais de France, l'honneur d'une femme est un trésor sacré confié à son bras et à sa force, qu'il ne pouvait l'obtenir que du plein gré de celle-ci et après une lente et longue conquête pour beaucoup de mérite et par la dignité. Elle, de son côté, apprenait le pouvoir de sa faiblesse et de sa beauté ; qu'il ne fallait point qu'elle marchât à la conquête de l'homme avec hardiesse et sans pudeur, en s'offrant pour qu'il prenne, parce que *Trop i a bel homme*, comme dit Belyssant ; mais que, lentement, patiemment, orgueilleusement, elle devait se laisser conquérir, imposer des temps d'arrêt, d'initiation et d'épreuves, conférant ainsi au don d'elle-même la saveur de la difficulté vaincue.

Les uns et les autres apprenaient encore le prix de la parole donnée, la valeur de l'honneur, la bonne foi collant au corps comme une armure, la douceur de la générosité.

S'il est beau de se sacrifier pour le suzerain roi ou le suzerain Dieu, comme l'avait enseigné la Chanson de geste, il ne l'est pas moins d'offrir sa vie, sans cesse, pour le salut du prochain, la veuve et l'orpheline, la pucelle *desconseillée* (1) :

Qui as dames honor ne porte...	Qui aux dames honneur ne porte
La soe honor doit estre morte,	son propre honneur voit périr,

est-il dit dans *Perceval*. Dans le *Conte del Graal* l'ordre de la chevalerie avec ses rites d'initiation secrète est définitivement constitué. Il tente de concilier le culte passionné de la femme, la délivrance des opprimées et la conquête du salut éternel dont se préoccupera plus exclusivement la mystique du XIIIᵉ siècle.

Chrétien pouvait et devait finir avec cette œuvre. Peut-être est-il dans le rôle de précurseur que lui a assigné le destin de ne l'avoir pas achevée, étant mort la plume à la main, mais c'est à lui qu'il faut rendre grâce de l'enchantement du Vendredi-Saint que nous éprouvons avec le *Parsifal* de Wagner. A travers Wolfram, c'est de la pensée française qui se trouve là orchestrée par

(1) *Perceval*, v. 519-520.

la magie musicale du génie allemand. N'est-il pas juste de le reconnaître ? Ne fallait-il pas faire place dans notre sensibilité
et dans notre admiration à celui qui fut le premier initiateur?
Il charma ses contemporains, enrichit ses imitateurs français et
étrangers. C'est lui qui, par personne interposée, affole Don Quichotte, le plus délicieux témoin de notre idéalisme impénitent,
c'est lui qui séduit encore Mme de Sévigné, lectrice fervente de
nos vieux romans, c'est lui dont s'inspire le Walter Scott
d'*Ivanhoë* et le Victor Hugo de *La Légende des Siècles*, mais sans
le connaître et sans le nommer.

Réparons cette grande et cruelle injustice, reprenons à l'étranger notre bien, ne lui laissons pas le soin d'être seul à révérer et à
conserver les merveilles de notre art médiéval. Aimons et connaissons cette langue si simple, si ingénieuse, si claire déjà dans sa
naïveté, si apte à exprimer dans leurs nuances les sentiments les
plus raffinés. Aimons-la en Chrétien, qui la parla mieux que personne en cette seconde moitié du XIIe siècle, que nous avons
appelée l'âge d'or de notre littérature médiévale. Ne soyons
pas plus aveugles aux charmes de son œuvre que nous ne le
sommes depuis les romantiques, à la majesté des cathédrales, à
l'œuvre des miniaturistes, des *maîtres d'œuvres* et des *tailleurs
d'images*. Ils sont tous issus de la même race fertile en invention,
férus de métier, de travail bien fait et achevé, successivement
idéalistes et narquois, épris du rêve et le dressant très haut,
mais nullement insensibles à la vision quotidienne et à la repro-
duction de la réalité, créant pour la satisfaction de leur être et
pour l'enrichissement de leurs semblables. Trop souvent seulement
la conscience qu'ils en avaient leur a suffi et ils ont oublié, volontairement sans doute, de signer leurs pierres, leurs panneaux,
leurs sculptures. Chrétien, moins modeste, qui a déjà l'orgueil
conscient de la Renaissance, a signé ses œuvres. Profitons-en
pour honorer en lui un des plus féconds, un des plus puissants, un des meilleurs ouvriers des lettres françaises (1).

(1) Qu'il me soit permis en mettant à cette œuvre le point final de remercier deux maîtres éminents : Joseph Bédier et Alfred Jeanroy, qui m'ont
fait l'amitié de l'améliorer en en relisant les épreuves.

ERRATA

Page 121, 2e citation, l. 7 : enoere, *lisez* : enoree.
— 165, n. 3, plovie, *lisez* : plovier.
— 229, n. 3, xlvii, *lisez* : clvii.
— 288, 2e citation, dernier vers, pla és, *lisez* : placés.
— 317, 9e l. du bas, brocard, *lisez* : brocart.
— 365, 2e citation, 2e vers, oreilles, *lisez* : oroilles.
— 498, l. 17, « en elle », *corrigez* : « en celle-ci ».
— 499, l. 11 du bas : « tournois », *corrigez* : « tournoi ».

TABLE DES MATIÈRES

Poitiers (France). — Société Française d'Imprimerie. — 1931.

159

Date Due

1964